广东改革开放30年研究丛书

广东省哲学社会科学“十一五”规划2007年度规划特别委托项目

改革开放的空间响应

——广东城市发展30年

袁奇峰等　著

广东省出版集团
广东人民出版社
·广州·

图书在版编目（CIP）数据

改革开放的空间响应：广东城市发展 30 年／袁奇峰等著. —广州：广东人民出版社，2008. 11

（广东改革开放 30 年研究丛书）

ISBN 978－7－218－05994－5

Ⅰ. 改…　Ⅱ. 袁…　Ⅲ. 城市经济—经济发展—成就—广东省—1978～2008　Ⅳ. F299. 276. 5

中国版本图书馆 CIP 数据核字（2008）第 180541 号

出 版 人	金炳亮
责任编辑	林秀钰　卢雪华
装帧设计	张力平　陈小丹
责任技编	周　杰
出版发行	广东人民出版社
印　　刷	佛山市浩文彩色印刷有限公司
开　　本	787 毫米 × 960 毫米　1/16
印　　张	29. 5
插　　页	1
字　　数	425 千
版　　次	2008 年 11 月第 1 版　2008 年 11 月第 1 次印刷
书　　号	ISBN 978－7－218－05994－5
定　　价	59. 00 元

如果发现印装质量问题，影响阅读，请与出版社（020－83795749）联系调换。

【出版社网址：http://www.gdpph.com　　电子邮箱：sales@gdpph.com

图书营销中心：020－37579695　37579604】

总　序

汪　洋

中国的改革开放走过了30年的伟大历程。广东是中国改革开放的先行地区，在改革开放和现代化建设中一直走在全国前列，充分发挥了“试验田”、“窗口”和“示范区”作用。在纪念中国改革开放30周年之际，认真研究总结广东改革开放的成就和经验，有助于深化人们对改革开放重要意义的认识，对于全省人民深入贯彻落实科学发展观，继续解放思想，坚持改革开放，促进经济社会又好又快发展，夺取全面建设小康社会的新胜利，加快推进社会主义现代化，具有深远的历史意义和重大的现实意义。

第一，研究广东改革开放，要系统总结广东改革开放30年的伟大成就，进一步坚定深化改革、扩大开放的信心和决心。

30年来，广东历届省委、省政府团结带领全省人民，高举中国特色社会主义伟大旗帜，发扬敢为天下先的精神和“杀出一条血路”的勇气，解放思想，实事求是，与时俱进，开拓创新，推动经济社会发展取得了举世瞩目的巨大成就。

实现了从一个经济比较落后的农业省份向全国第一经济大省的历史性跨越。1978—2007年，全省GDP总量增长41倍，人均生产总值翻了四番，经济总量先后超过了亚洲“四小龙”中的新加坡、香港和台湾地区，已处于世界中等收入国家水平。目前，全省经济总量约占全国的1/8，源于广东的财政总收入约占全国的1/7，进出口总额占全国的近30%。

实现了从计划经济体制向社会主义市场经济体制的历史性转变。30年来，广东人民以改革创新精神推动着改革开放的伟大实践，率先创办经济特区，率先引进“三来一补”、海外的先进技术设备和管理经验及创办“三资”企业，率先进行价格改革，率先改革投资体制，率先进行金融体制改革，率先实行土地有偿转让，率先实行产权制度改革，等等，在建立和完善社会主义市场经济体制方面走在全国前列。同时，政治、文化和社会等领域的改革也取得了重大进展。

实现了从封闭半封闭向全方位开放的历史性转变。积极加强对外往来和友好合作，努力推进与港澳地区和内地省市区的区域经济合作，大力实施“走出去”战略，形成了多层次、多形式、多功能的全方位对外开放新格局。对外贸易不断扩大，1978—2007年，广东进出口总额增长近400倍，约占全国的30%；到2007年底，累计实际利用外资达到1945亿美元，约占全国的1/5；全省经核准的非金融类境外企业已超过1800家，业务遍及90多个国家和地区。

实现了从温饱向宽裕型小康迈进的历史性跨越。改革开放30年是人民群众得到最多实惠的时期。1978—2007

年，全省城镇居民人均可支配收入、农民人均纯收入分别增加了43倍和29倍，居民消费结构优化，公共服务明显增加，人民生活水平总体达到小康，珠三角地区率先达到宽裕型小康。经济快速发展提供了越来越多的就业岗位，大量的外来务工人员在广东安居乐业。社会保障体系加快向城乡居民覆盖，保障能力不断增强。教育、文化、卫生、体育等各项事业迅速发展。

30年来，广东充分利用毗邻港澳的地理优势，大力推进粤港澳合作，对香港、澳门顺利回归祖国并保持繁荣稳定发挥了重要的促进作用，为彰显“一国两制”伟大构想的成功实践作出了积极贡献。作为中国先发展起来的区域之一，广东十分注重推动国家区域发展总体战略的实施，努力帮助和带动中西部地区发展，为促进全国共同发展、共同富裕发挥了重要作用。

广东的实践雄辩地证明，改革开放符合党心民心、顺应历史潮流，方向和道路是完全正确的。只要坚定不移地推进改革开放，广东就一定能继续书写科学发展的奇迹，中国特色社会主义道路就一定会越走越宽广。

第二，研究广东改革开放，要深入概括广东改革开放30年的宝贵经验，进一步开创改革开放和社会主义现代化建设新局面。

广东作为全国改革开放的试验区，每前进一步都离不开党中央的亲切关怀和正确领导，都是坚定不移学习实践中国特色社会主义理论、坚定不移贯彻党的路线方针政策的结果。1992年春，邓小平同志视察南方发表重要谈话，要求广东“力争用二十年的时间赶上亚洲‘四小龙’”。2000年春，江泽民同志视察广东，提出了“三个代表”重要思想，要求广东“增创新优势，更上一层楼，率先基本实现社会主义现代化”。2003年春，胡锦涛总书记视察广东，提出了科学发展观的思想，要求广东抓住机遇，加快发展、率先发展、协调发展，在全面建设小康社会、加快推进社会主义现代化进程中更好地发挥排头兵作用。广东时刻牢记中央的重托，始终坚持以邓小平理论、“三个代表”重要思想为指导，深入贯彻落实科学发展观，坚定不移地用党的创新理论武装头脑、指导实践、推动工作，结合广东实际创造性地贯彻落实中央的路线、方针、政策，努力为全国的改革开放探索道路、积累经验、做出贡献。

坚持以解放思想引领改革开放，不断冲破不合时宜的观念束缚。我们深刻认识到解放思想是正确行动的先导，是扫除思想障碍、引领发展的“法宝”，是推动改革开放的强大动力。我们坚持一切从实际出发，求真务实，求新思变，积极将解放思想形成的共识，转化为政策、措施、制度和法规，把解放思想贯穿于改革开放和社会主义现代化建设的全过程。

坚持以经济建设为中心，推动经济社会又好又快发展。我们深刻认识到发展对于全面建设小康社会、加快推进社会主义现代化，具有决定性意义。我们坚持把发展作为党执政兴国的第一要务，牢牢扭住经济建设这个中心，坚持聚精会神搞建设、一心一意谋发展，不断解放和发展社会生产力。着力把握发展规律、创新发展理念、转变发展方式、破解发展难题，不断提高发展质量和效益，推动经济社会又好又快发展，为率先基本实现社会主义现代化打下坚实基础。

坚持以人为本，激发和保护人民群众的积极性和创造

性。我们深刻认识到全心全意为人民服务是党的根本宗旨，党的一切奋斗和工作都是为了造福人民。我们始终把实现好、维护好、发展好最广大人民的根本利益作为党和国家一切工作的出发点和落脚点，尊重人民主体地位，发挥人民首创精神，保障人民各项权益，走共同富裕道路，促进人的全面发展，做到发展为了人民、发展依靠人民、发展成果由人民共享。

坚持全面协调可持续发展，积极构建社会主义和谐社会。我们深刻认识到社会和谐是中国特色社会主义的本质属性，科学发展与社会和谐是内在统一的，没有科学发展就没有社会和谐，没有社会和谐也难以实现科学发展。我们按照民主法治、公平正义、诚信友爱、充满活力、安定有序、人与自然和谐相处的总要求和共同建设、共同享有的原则，着力解决人民最关心、最直接、最现实的利益问题，努力形成全体人民各尽其能、各得其所而又和谐相处的局面，为发展提供良好社会环境。

坚持统筹兼顾，以世界眼光谋划广东的发展。我们深刻认识到统筹兼顾是在新的历史条件下保证中国特色社会主义事业顺利推进的根本方法。我们统筹城乡发展、区域发展、经济社会发展、人与自然和谐发展、国内发展和对外开放，统筹个人利益和集体利益、局部利益和整体利益、当前利益和长远利益，充分调动各方面积极性。着力把握国内国际两个大局，树立世界眼光，加强战略思维，善于从国际形势发展变化中把握发展机遇、应对风险挑战，营造良好国际环境。

坚持加强和改进党的自身建设，充分发挥党的领导核心作用。我们深刻认识到做好各项工作关键在党。我们坚持党要管党、从严治党，以提高执政能力和保持先进性为重点，贯彻为民、务实、清廉的要求，抓理想塑灵魂，抓班子带队伍，抓基层打基础，抓作风反腐败，全面加强党的自身建设，充分发挥领导核心作用，不断提高各级党组织的凝聚力、创造力和战斗力，为促进改革发展稳定提供坚强政治保证。

这些经验，既是广东历届省委、省政府带领全省干部群众锐意进取、开拓创新取得的宝贵精神财富，又是广东继续开创改革开放新局面必须坚持的重要原则。

第三，研究广东改革开放，要继续解放思想、坚持改革开放，努力争当实践科学发展观的排头兵。

改革开放是广东的魂。广东靠改革开放起步，也靠改革开放起飞；广东靠改革开放赢得今天，也必须靠改革开放开创未来。经过30年的快速发展，广东已经站在新的历史起点之上，改革开放面临着新机遇、新挑战和新任务。我们要继承和发扬改革开放初期敢为人先的精神和气魄，继续解放思想，坚持改革开放，努力争当实践科学发展观的排头兵，把广东建设成为提升我国国际竞争力的主力省，探索科学发展模式的试验区，发展中国特色社会主义的先行地。

一是继续解放思想，坚定不移地走在实践科学发展的前列。解放思想永无止境。要按照科学发展观的要求，打破阻碍科学发展的思维定势，加快转变发展方式，着力提高自主创新能力，积极建设现代产业体系，切实增强可持续发展能力，使速度、结构、效益相协调，人口、资源、环境相协调，消费、投资、出口相协调，城乡、区域发展相协调，促进经济社会又好又快发展。

二是不断深化改革，坚定不移地走在构建有利于科学发展体制机制的前列。以行政管理体制改革、财政和投融资改革、要素市场体系建设等为重点，统筹经济和社会事业改革，加快建立完善的市场经济体制机制，形成市场配置资源、企业自主发展、政府科学调控的良好格局。建立健全科学发展的综合考核体制，把贯彻落实科学发展观的目标要求转化为可考核的客观指标。

三是继续扩大开放，坚定不移地走在提高区域国际竞争力的前列。要树立全局和世界眼光，抢抓经济全球化和区域经济一体化的发展新机遇，加快构建粤港澳紧密合作区，加强与美国、日本、欧盟等发达国家和地区以及与东盟等新兴经济体的合作，加快完善内外联动、互利双赢、安全高效的开放型经济体系，不断扩大开放领域，优化开放结构，提高开放水平，增创广东国际竞争新优势。

四是着力改善民生，坚定不移地走在构建社会主义和谐社会的前列。要坚持民生为重，稳步实施城乡居民收入倍增计划，加快完善覆盖城乡惠及全民的社会保障网，切实解决住房、医疗、教育和食品安全等突出民生问题，使全体人民学有所教、劳有所得、病有所医、老有所养、住有所居，努力实现好、维护好、发展好最广大人民群众的根本利益，推进和谐广东建设。

五是以改革创新精神全面推进党的建设新的伟大工程，坚定不移地走在加强和改进党的建设的前列。要把党的执政能力建设和先进性建设作为主线，坚持党要管党、从严治党，以坚定理想信念为重点加强思想建设，以造就高素质党员、干部队伍为重点加强组织建设，以保持党同人民群众的血肉联系为重点加强作风建设，以健全民主集中制

为重点加强制度建设，以完善惩治和预防腐败体系为重点加强反腐倡廉建设，使党始终成为领导改革开放和社会主义现代化建设的坚强核心。

广东有辉煌的过去、美好的现在，一定会有灿烂的未来。这次出版的《广东改革开放30年研究丛书》，对广东改革开放30年巨大成就、实践经验和未来前进方向等问题进行了系统总结和深入研究，内容涵盖经济、政治、文化、法律、城市、农村、科技、教育、社会、党建等10个方面，为全面深入研究广东改革开放做了大量有益工作，迈出了重要一步。在隆重纪念改革开放30周年之际，希望全社会高度重视广东改革开放问题的研究，希望有更多的专家学者和实际工作者积极投身到广东改革开放问题研究中去，进一步把广东改革开放的伟大意义、巨大成就、成功经验和前进方向总结好、阐述好、宣传好，为推动广东现代化建设迈上新台阶，开辟广东更加美好的未来作出更大的贡献！

（作者系中共中央政治局委员、广东省委书记）

目　　录

前　言 / 1

第一章　广东城市化 30 年 / 1
一、城市化的历史基础 / 2
二、城市化的重新启动 / 5
（一）城市型产业的拓展 / 5
（二）城市的发展 / 10
（三）城市化的进展 / 15
三、城市化的特征 / 30
（一）小城镇发展是基础 / 30
（二）外源型经济推力巨大 / 31
（三）工业化促进城市化 / 32
（四）大城市日益重要 / 33
四、城市化的挑战 / 35
（一）“0.7 城市化”之困 / 35
（二）环境压力加剧 / 38
（三）城乡差距持续扩大 / 45
（四）地区差距持续扩大 / 49

第二章　省域城市格局 / 54
一、珠江三角洲的极化 / 55
（一）区域的开发 / 55
（二）城市化水平的提升 / 58

（三）珠江三角洲的极化／60
（四）进一步发展的约束／62
二、珠江三角洲的一体化／64
（一）区域的全面竞争／65
（二）“一体化”的驱动力／69
（三）三大都市区先行／73
三、周边地区的发展／83
（一）粤东的发展／84
（二）粤西的发展／88
（三）北部山区的发展／90
四、省域空间的协调发展／93
（一）国家调控区域经济布局／94
（二）珠江三角洲产业升级和产业转移／96
（三）承接产业转移，周边得发展／97

第三章　农村地区的城市化与小城镇发展／100
一、农村产业结构的变迁／100
（一）无农不稳，一包就活／100
（二）无商不活，流通改革／103
（三）无工不富，双轮驱动／105
（四）农村社区工业化／110
二、农村地区城市化与小城镇发展／113
（一）农村地区城市化／113
（二）专业镇与产业簇群／115
（三）东莞虎门，通往繁荣之路的专业镇／118
三、农村城市化的挑战与转型／120
（一）欠发达地区／120
（二）珠江三角洲／129
四、东莞的城市化转型／132
（一）东莞的崛起／133
（二）城市化模式／138

（三）城市化转型 / 143
（四）城市发展形态 / 145
五、南海的城市化转型 / 146
（一）发展成就 / 146
（二）南海模式 / 148
（三）农村社区工业化及其利益格局 / 150
（四）难以承受的“城乡一体化” / 153
（五）园区工业化及其利益格局 / 158
（六）农村收益增长缓慢 / 159
（七）走向紧凑集约的城市化 / 161

第四章　特区城市的崛起 / 166
一、经济特区的发展 / 167
（一）国家经济特区的设立 / 167
（二）广东省的三个经济特区 / 170
（三）新时期经济特区发展要求 / 174
二、深圳经济特区的发展 / 176
（一）新兴城市，一鸣惊人 / 176
（二）超速发展，起承转合 / 183
（三）空间拓展，结构优化 / 189
三、珠海经济特区的发展 / 196
（一）追求跨越，回归平常 / 197
（二）宜居城市，经济滞后 / 209
（三）西岸中心，积极应对 / 219
四、汕头经济特区的发展 / 222
（一）粤东重镇，小型特区 / 222
（二）高调起步，坎坷发展 / 224
（三）省府扶持，区域中心 / 228

第五章　培育新的中心城市 / 231
一、培育新的“增长极” / 231

（一）新设中心城市的背景 / 231
（二）“市带县”体制 / 232
二、设立新的中心城市 / 233
（一）撤地设市（1983—1988年） / 234
（二）撤县设市（1992—1996年） / 235
三、中心城市带动区域发展 / 240
（一）经济欠发达地区——“弱县弱市” / 242
（二）经济发达地区——“强市强县” / 243
（三）中等发达地区——“强市弱县” / 244
四、山区城市河源市的发展 / 244
（一）山区城市，远离中心 / 244
（二）产业转移，经济起飞 / 246

第六章　原有中心城市的拓展 / 252
一、城市发展方针之变 / 252
（一）“小城镇，大问题” / 253
（二）大城市规模难以控制 / 254
（三）“市带县”分权带来的弊端 / 255
（四）大城市的“再中心化” / 256
（五）大中小城市协调发展 / 258
二、广州的战略拓展 / 261
（一）区划调整，重拾生机 / 261
（二）云山珠水，商贸名城 / 264
（三）山城田海，工业重镇 / 271
（四）建设新区，保护名城 / 282
三、佛山的城市整合 / 290
（一）行政区划的变化 / 290
（二）2002年行政区划调整 / 293
（三）地区分工，协同发展 / 295
（四）统一规划，统筹建设 / 296

第七章 城市社会的变迁 / 307
一、城市社会结构变迁 / 307
（一）人口增长与空间分布 / 308
（二）人口职业结构与城市社会阶层分化 / 312
（三）城市社会组织结构变迁 / 317
二、城市社会空间演变 / 326
（一）城市社会空间——从“单位”转向“社区” / 327
（二）居住空间分异 / 330
（三）典型空间：珠江三角洲高密集城中村的形成 / 338
三、城市社会发展问题 / 346
（一）城市社会的“三元化” / 346
（二）外来人口挑战公共服务供给 / 348
（三）社会管理偏向于政府主体 / 352
（四）高密集城中村治理赤字 / 354
四、小结 / 360

第八章 经济体制改革推动城市发展 / 362
一、分税制改革的影响 / 363
（一）分税制改革 / 364
（二）对广东的影响 / 366
二、土地制度的改革 / 368
（一）土地有偿使用制度的建立 / 369
（二）土地产权制度及其影响 / 371
（三）土地征用制度 / 374
（四）旧城房屋拆迁制度 / 377
（五）土地的储备与经营 / 380
三、城镇住房制度改革 / 383
（一）“综合开发，配套建设”，1980 年代 / 385
（二）住房商品化探索阶段，1990 年代 / 387

（三）住房商品化提速，2000年至今 / 389
四、城市改革获得成功 / 391
（一）分税制催生城市经营 / 391
（二）再塑地方政府行为模式 / 397
（三）土地经营推动城市拓展 / 398
五、产业结构优化推动城市发展 / 406
（一）产业结构的演进 / 406
（二）工业化推动城市空间拓展 / 409
（三）服务业推动城市空间优化 / 418
六、城市竞争力，检验改革成效 / 426
（一）广东城市竞争力的提升 / 426
（二）广东2006年城市竞争力 / 427
（三）城市成为广东经济发展主角 / 431

参考文献 / 434
一、著作 / 434
二、论文 / 436
三、其他 / 444

后　记 / 446

前　言

改革开放前夕，广东还是一个典型的农业社会，城市如同茫茫湖面上寥寥可数的几叶孤舟，发展缓慢且规模很小。即使是作为首位城市的省会，广州的城市发展也长期囿于老城区内“挖潜改造”，城市所承载的功能和辐射能力都极其有限。1978年底，广东省户籍总人口5064.15万，其中非农业人口823.23万；城市化水平为16.3%，比1949年仅提高了0.6%，比全国17.9%的城市化水平还要低1.6%，全省经济处于均衡但发展缓慢的状态。

1978年后，以香港为代表的国际市场、资本、技术的进入，“前店后厂”的发展分工将珠江三角洲塑造成为“世界工厂”。以经济特区为龙头，渐次开放的珠江三角洲地区充分利用先行开放的特殊政策，发挥临近港澳的地缘优势，通过“三来一补”等形式承接了大量港澳传统制造业的产业转移。源于港澳的资本和工业，从深圳、东莞、珠海开始，由近及远不断向珠江三角洲其他地区扩散。

在开放带来外源型经济快速发展的同时，改革也启动了内生经济的发展，珠江三角洲西岸早期以乡镇企业为主体和后来民营经济的大发展，深刻地改变了广东的经济地理格局，飞速发展的工业化直接推动了城镇的快速发展。2006年广东省常住人口达到9304万人；城市化水平为63%，已经比全国高

19.1%，广东的经济和城市发展已经“先行一步”。

30年的改革开放重启了工业化的新进程，也使广东省的经济发展转入了新的历史阶段。为了适应第二、三产业发展的需要，推进城市化、发展中心城市、打造具有较强带动能力的增长极，成为区域开发必然的路径选择。1978年以来广东城市发展一方面必须容纳快速城市化和经济高速增长背景下高度集聚的人口和产业，另一方面必须应对全球化、信息化和知识经济背景下的全球城市竞争。30年来中国城市改革的四大主旋律一直是：（1）市场化。从计划经济向市场经济的转型过程。（2）国际化。由闭关锁国到进入世界市场和国际社会、参与全球竞争的过程。（3）工业化。产业结构的升级，劳动密集型经济向资金、技术密集型经济（或轻工业向重工业）转移；产业的服务化，向服务型经济的转型过程。（4）城市化。城乡巨大差距下的城市化，现代化过程中农村人口向城市（尤其是特大城市）转移的过程。

本书第一章对广东30年城市化历程进行了初步讨论。第二章重点讨论了省域城市的空间格局：讨论了珠江三角洲的“极化”过程、“一体化”趋势，周边区域协调发展等。然后按照广东省经济社会发展和城市开发的空间历程展开了全书的论述。第三章从农村改革入手，讨论了具有广东特色的内、外源经济“双轮驱动”下的农村地区工业化及产业簇群与专业镇、区域城市化质量提升与转型发展等议题，重点介绍了东莞、南海等农村地区不同的“自下而上”城市化模式及转型。第四章从国家经济特区的设立讲起，回顾了广东省深圳、珠海、汕头等三个经济特区的发展历程，国家的特区政策客观上为广东省培养了三个中心城市。第五章介绍了1988年以后“市带县”、“撤县设市”等体制改革，广东省为拉动区域均衡发展而设立若干新的中心城市，介绍了河源市的发展案例。第

六章则从广州、佛山行政区划调整“撤（县级）市设区”切入，关注到2000年以后国家城市发展方针之变——大城市大发展，大发展也带来了“大城市区域化”和“区域一体化”带来的城市治理的大挑战！

随后，本书讨论一些带共性和系统性的城市发展问题。第七章考察了30年来广东城市社会结构、社会空间变迁，讨论了人口增长、外来人口、社会阶层、社会组织、居住空间分异、城中村治理等问题，提出了广东社会城乡、贫富、内外三种关系导致的社会结构“三元化”的问题。

第八章试图就30年改革开放推动城市发展的机制和机理进行讨论。揭示了1978年以后国家和广东省“分权以促竞争，竞争以促发展”的经济发展治理之道，和“以土地换资金，以空间换发展”的城市财政框架。指出了全球化背景下，高竞争低成本发展起来的广东产业发展对廉价劳动力和土地的路径依赖。期望据此解释广东城市经济体制改革的30年历程。

改革就是破旧制立新规，就是对旧体制的突破，所谓“不破不立”。改革开放30年的今天，我们仍然处在急剧变化的时期——转型期的特点就是旧的体制不断被突破，而新的体制尚在探索之中。

农村改革打破了“一大二公”的人民公社制度，“包产到户”激发了农民的生产积极性，推动了农业发展。乡村工业的发展突破了“农地农用”的耕地使用和保护制度，“乡镇企业”改变了乡村的产业结构。但是随着乡镇企业的普遍改制，使1998年出台的新土地法又面临着现实的“土地流转”的严重挑战。

城市改革突破了“公有制”占主体的全民所有计划经济体制约束；“分税制”激发了城市政府发展经济、增加税收的积极性，克服了来自“姓资姓社”的意识形态障碍；而“土地使

用权转让制度”则给了城市政府一个可以平衡财政、能够不断推进基础设施建设的工具。但是“小政府、大社会”、“城市公共财政”等概念的引入，挑战着城市政府现阶段积极介入和推动地方经济发展的职能。

目前国家经济体制改革已经获得决定性成功，经济增量的市场化改革已经形成了多元化的利益格局；但是由于政治体制改革滞后，在资源极其有限的情况下，社会没有办法平衡各个利益集团无限扩张的利益诉求，而司法不独立更导致社会缺乏具公信度的调停手段来协调多元利益的争端。制度缺失正在导致社会“失序”，特别是国家在特殊时期强调“稳定压倒一切”的时候，更容易出现体制性混乱，所谓老办法没有用，新办法没法用，硬办法不敢用。

广东要进一步“解放思想”，关键是要走出以往突破制度约束、分权搞活的路径依赖，在经济体制改革已经获得巨大成就的时候，应该争取在政治体制改革方面寻求突破，为国家探索适应利益多元化格局下的治理之道——其核心或许已经不在于破“旧制”，而在于如何立“新规”，国家也才有可能由此走向民主和法治的新时代。

第一章
广东城市化 30 年

自古就有城市，但是我们现在所说的城市化（Urbanization）却是工业革命以来出现的人口大规模向城市集中、农村地域不断向城市转变的现象。从 18 世纪中叶到 20 世纪初，西方主要国家已发展为“城市化”的国家，即城镇人口比重超过农村人口。“二战”以后发展中国家也相继加快了城市化的进程。2007 年城镇人口占全球人口比重第一次超过 50%，全世界已经进入“城市时代”。

1978 年改革开放后，随着经济全球化带来的工业化的成功，城市化得以迅速推进。第八届全国人民代表大会第四次会议通过的《国民经济和社会发展“九五”计划和 2010 年远景目标纲要》明确指出，要“统筹规划城乡建设，严格控制城乡建设用地，加强城乡法制化管理。形成大中小城市和城镇规模适度，布局和结构合理的城镇体系”。第九届全国人民代表大会第四次会议批准的《国民经济和社会发展第十个五年计划纲要》中明确提出要“实施城市化战略，促进城乡共同进步”，并要求“循序渐进，走符合我国国情、大中小城市和小城镇协调发展的多样化城市化道路”。中共十六大和十六届三中全会进一步指出要“树立和落实科学发展观，加快城市化进程，统筹城乡经济社会协调发展”，将城市化确定为促进城乡区域协调发展、建设全面小康社会的重要实现途径。中共中央、国务院先后出台了包括《中共中央、国务院关于促进小城

镇健康发展的若干意见》、《国务院关于加强城乡规划监督管理的通知》等一系列政策文件，为城市化的健康发展指明了方向。

2001年诺贝尔经济学奖获得者、美国经济学家斯迪格利茨（Joseph E. Stiglitz）在世界银行的一次会议上说："影响21世纪人类文明进程的两件大事：一是以美国为首的新技术革命；二是中国的城市化。""新世纪对中国的三大挑战中居首位的是城市化，中国的城市化将是区域经济增长的火车头，并产生最重要的经济利益。"①

城市是区域政治体制、社会关系、经济活动和文化观念等人类活动在空间的投影。作为改革开放"先行一步"的广东，经历了工业化推动的高速经济发展，30年来城市化水平显著提升，成为中国工业化和城市化的先锋，其间的经验与教训值得总结。

一、城市化的历史基础

广东地处岭南，有着江河汇聚、山海相连的地理格局，自古就是对外通商的口岸，孕育了海洋文明、商品农业，有着久远的商品经济发展历史。海陆兼备的地理优势，广州早在明代就与澳门共同组成了一个沟通内陆外洋的货物集散、交易的平台，带动了四乡工商业城镇大量出现。"生产力和生产关系的发展为城市化创造了条件，特别是大量真金白银通过外贸的渠道流入广东，对商品生产和流通起了巨大的催化作用，改变了地区的经济结构，推动了城市化的发展。据统计，明初年间（1403—1424年），珠江三角洲圩市仅仅33个，嘉靖年间（1522—1566年）全省各州府圩市共439个，广州府为136个，占31%。"②

鸦片战争是我国沦为半封建半殖民地社会的历史转折点，作为这场战争首发地，广东的社会经济发生了深刻的变化，对珠江三角

① 仇保兴：《中国城市化进程中的城市规划变革》，同济大学出版社2005年版，第3页。

② 许学强、刘琦、曾祥章等：《珠江三角洲的发展与城市》，中山大学出版社1988年版。

洲等地区的城市化格局产生了深远的影响。“鸦片战争后，新崛起的香港完全取代了澳门，成为了一个‘万商云集’的自由港，乃至东亚商业贸易中心与东亚近代工业中心。”“1937年全面抗日战争前夕，香港人口已达100万。此时，广州在原有商品经济的基础上，承接香港的辐射，逐渐向现代工商业、贸易和交通中心的方向迈进，演变为综合性的多功能的经济中心，这在客观上加速了广州经济中心的现代化进程，加强了它的经济实力和向外辐射的能力。与此同时，珠江三角洲圩市城镇数量也有较大增加，如南海、新会、增城、香山、三水、鹤山、宝安等。”① 整个广东形成了汕头—惠州—九龙—广州—三水—江门—湛江—海口—北海对外贸易港口城镇带。广州、惠州、汕头、潮州、潮阳、揭阳、佛山、石岐（中山）、江门、高要及山区的梅县、韶关等为这一时期广东的主要城市。

1949年以后，广东由于是军事上的“前线”，因此在经济上就成为了“边疆”。历史上形成的相互依存、相得益彰的“粤港澳”城市体系瓦解，广东的城市体系重新回到了闭关自守的封闭状态。

建国初期，广东的城市化水平尚在全国平均水平之上，1949年非农业人口比重为15.7%，1952年上升为17.6%，领先于全国平均水平5个百分点。但是，由于广东地处前线，重点建设项目大多不能安排。“一五”期间，全国的156个重点建设项目，只有茂名石化一个项目落户广东，在新中国第一轮国家主导的工业化中广东被边缘化，全省经济发展和城市化的速率开始落后于全国的平均水平。

1958年的“大跃进”更进一步迟滞了广东的发展。“大量农村劳动力被组织进城，全国城市化水平由1958年的18.1%增加到22%。但是，这种经济发展不符合客观自然规律，导致国民经济严重失调；加之随后的三年自然灾害，停建项目，‘精简’职工回

---

① 许学强、刘琦、曾祥章等：《珠江三角洲的发展与城市》，中山大学出版社1988年版。

乡。此一阶段，广东城市化进一步下降，1965年仅为17.6%，倒退到了三年国民经济恢复期（1952年）的水平。”①

1960年，“三线建设”中广东省大部分地区被划为“前线”。结合备战的需要，广州、汕头等城市的一批骨干企业还被迁往内地，这进一步削弱和抑制了工业建设和经济的发展，使得广东沿海大部分城镇经济萎缩。相反北部山区如韶关等城镇作为重工业基地建设，城镇发展表现出良好的势头。随后的“文化大革命”再次对广东城市化造成严重打击，在所谓“割资本主义的尾巴”的政策下，广东的城市化发展更进一步受到了抑制。

连续的政治运动严重破坏了广东社会经济的发展和城市建设。“从土改、镇反、三反五反、知识分子改造、合作化、大跃进、大鸣大放、反右、人民公社、四清，直到‘文化大革命’爆发……广东在1950年10月至1951年8月的镇反（镇压反革命）运动中，据《南方日报》的统计，有28332人被处决。这个数字其实是有遗漏的，因为在农村地区，‘镇反’时普遍滥杀，很多‘恶霸’、‘地主’未经审判就即刻枪毙。除了上述属于全国性的政治运动，还有两件大事具有‘广东特色’：一是‘反地方主义’，从广东省、广州市的主要领导到地区领导，一大批本地干部受到严厉的打击；一是发生在六十年代初饥荒时期的偷渡潮，数以十万计的广东居民逃亡到香港（按：此后又有更大规模的偷渡潮发生在20世纪70年代至80年代初，连续超过十年，以青年为主。很多人在偷渡途中毙命、淹死或被枪杀，而被抓回的偷渡者都被送至‘收容所’，当时广州及其周边的东莞樟木头、增城派潭等地区有专门的收容所关押被抓回来的偷渡者，长年人满为患。已无法统计七八十年代之间‘逃港’的准确人数，但无论被抓回的抑或成功的，都肯定大大超过六十年代的偷渡人数）。”②

---

① 傅晨：《广东城市化发展战略》，广东人民出版社2006年版，第129页。

② 沈展云：《风雨苍黄：一个省会的政治运动史》，《南方都市报》2008年9月14日。

至1977年，全省只有广州、佛山、江门、肇庆、惠州、汕头、湛江、茂名、韶关等9个城市和120个镇。城市化水平为16.8%，低于全国平均水平。到1978年底，广东省城市化水平为16.3%，比1949年仅提高了0.6%，比全国城市化水平还低了1.6%。对比1953年和1978年万人以上的城镇数量，可以看出，25年间20万~50万人的城市增加了一个（佛山），10万~20万人的城市增加3个，5万~10万人的城市增加4个，1万~5万人的小城镇数量增加则比较明显，城镇的等级规模结构没有发生明显的改变，这就是改革开放前夕广东城市化发展的历史基础。

表1-1 广东省1953年和1978年万人以上的城镇数量（个）

规模（万人）	>100	50~100	20~50	10~20	5~10	1~5
1953年	1	0	1	2	5	44
1978年	1	0	2	5	9	74

数据来源：《广东统计年鉴》（1979）；广东省行政区划网。

二、城市化的重新启动

（一）城市型产业的拓展①

改革开放后，广东城市化成就的直接表现之一是城市经济的持续壮大，即第二、三产业对经济增长的贡献持续扩大；现代服务业在经济中的比重不断上升；房地产业在经济中的地位持续增强；高新技术产业对经济增长的贡献不断上升；重化工业在经济中的比重持续增长。

1. 第二、三产业贡献增大。

① 本节图表统计数据源于广东省及相关地市各年份的统计年鉴。

城市经济的发展在本质上就是第二和第三产业的发展，广东城市化的过程也直接表现为第二和第三产业对经济增长的贡献持续扩大。1978年以来，第二产业其中特别是工业和第三产业对广东经济增长的贡献逐步扩大：1987年之前第二和第三产业交替主导广东经济的增长（1979年和1982年除外），其中单个产业对经济增长的贡献率很少超过50%；1987年之后第二产业开始主导广东的经济增长，多数年份的贡献率均在50%以上，不少年份还超过了60%。大体上在1991年之前，第二、第三产业对经济增长的贡献率合计小于90%，之后维持在90%以上，到2006年时，已经达到了98.2%。在第二、三产业成为拉动广东经济增长的两架重要"马车"的同时，广东的第一产业对经济增长的贡献率变得越来越小，到2006年时剩下不到2%。（图1－1）

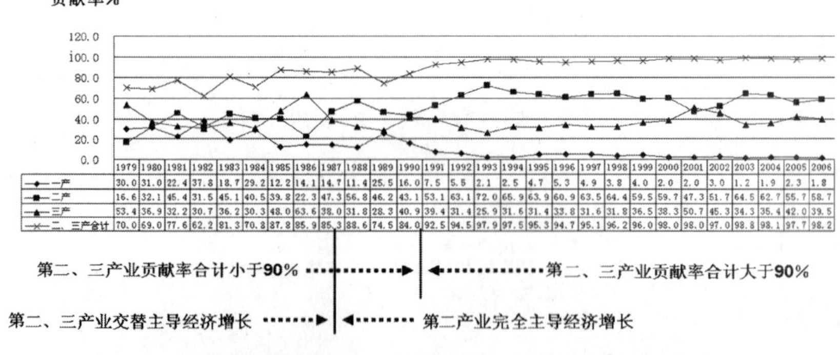

	1979	1980	1981	1982	1983	1984	1985	1986	1987	1988	1989	1990	1991	1992
一产	30.0	31.0	22.4	37.8	18.7	29.2	12.2	14.1	14.7	11.4	25.5	16.0	7.5	5.5
二产	16.6	32.1	45.4	31.5	45.1	40.5	39.8	22.3	47.3	56.8	46.2	43.1	53.1	63.1
三产	53.4	36.9	32.2	30.7	36.2	30.3	48.0	63.6	38.0	31.8	28.3	40.9	39.4	31.4
二、三产合计	70.0	69.0	77.6	62.2	81.3	70.8	87.8	85.9	85.3	88.6	74.5	84.0	92.5	94.5

	1993	1994	1995	1996	1997	1998	1999	2000	2001	2002	2003	2004	2005	2006
一产	2.1	2.5	4.7	5.3	4.9	3.8	4.0	2.0	2.0	3.0	1.2	1.9	2.3	1.8
二产	72.0	65.9	63.9	60.9	63.5	64.4	59.5	59.7	47.3	51.7	64.5	62.7	55.7	58.7
三产	25.9	31.6	31.4	33.8	31.6	31.8	36.5	38.3	50.7	45.3	34.3	35.4	42.0	39.5
二、三产合计	97.9	97.5	95.3	94.7	95.1	96.2	96.0	98.0	98.0	97.0	98.8	98.1	97.7	98.2

图1－1　改革开放以来第二、三产业对经济增长的贡献率演变

随着以第二、第三产业为中心的城市型经济的发展，广东的三次产业结构也发生了巨大变化：从1978年到1985年，第二、三产业在经济中的比重合计在60%到70%之间；1986年到1992年，第二、三产业比重合计在70%到80%之间；1993年到2000年，第二、三产业比重合计在80%到90%之间；从2001年开始，第二、三产业比重合计一直保持在90%以上。在第二产业和第三产业比重持续上升的过程中，第一产业比重持续下降，到2006年时，第一产业在广东经济中的比重已经仅剩下6%。

2. 现代服务业比重提高。

改革开放以来，广东省现代服务业得到长足的发展。现代服务业包括金融保险业、信息服务业、信息传输与软件开发业、现代物流业、租赁与商务服务业、会计法律等咨询服务业，是依托现代制造业基础而发展起来的，是城市经济的重要组成部分。以金融业为例，2006年与1978年相比，增加值增长了33倍，高于传统服务业“批发和零售业”的29倍。广东现代服务业发展的两个最主要城市是广州和深圳。

广州2006年的第三产业增加值的构成中：现代服务业的“信息传输、计算机服务和软件业”占7.55 %，“金融业”占6.72 %，“租赁和商务服务业”占10.66 %，三者合计占到了第三产业增加值的25%，即1/4。(图1－2)

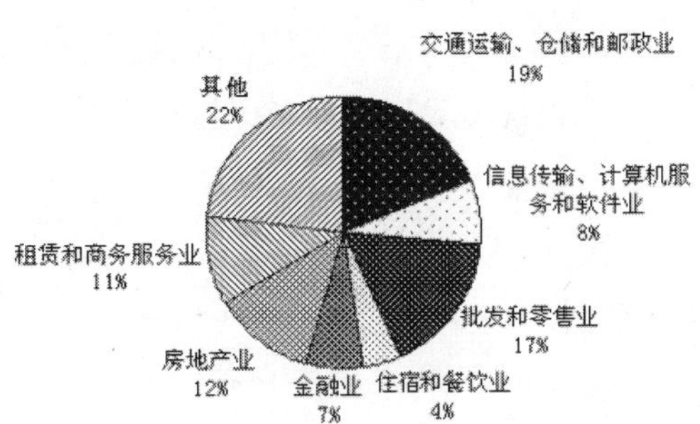

图1－2　2006年广州第三产业构成

深圳2006年的第三产业增加值的构成中：现代服务业“信息传输、计算机服务和软件业”占6.28 %，“金融业”占17.06 %，“租赁和商务服务业”占5.96 %，三者合计占到了29.3%，比重高于广州。特别是金融业，已经成为深圳现代服务业的支柱产业，是地位仅次于批发零售业的服务业——深圳确实成为了华南地区最重要的区域性金融中心。(图1－3)

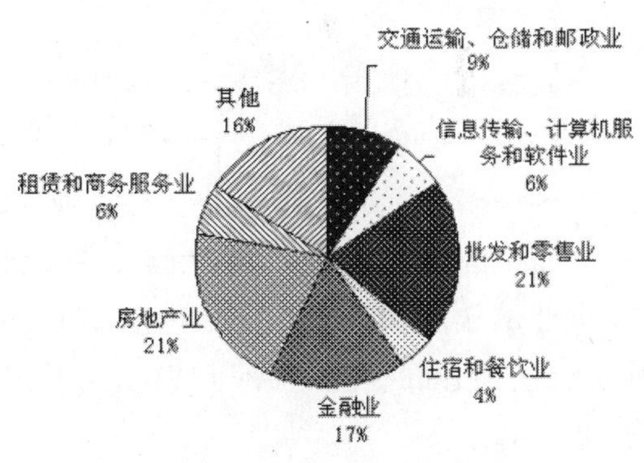

图1－3　2006年深圳第三产业构成

3. 房地产业地位上升。

改革开放30年来，随着广东居民收入水平的提高和财富的积累，人们对住房的需求越来越大，要求也越来越高，这直接刺激了房地产业的发展。特别是城市人口的增加和收入水平的提高是房地产业最直接的两个促进力量。

从1978年到2006年，广东省在GDP增长36.02倍的背景下，房地产业增加值却增长了约248.7倍，远远高于工业的85.7倍，交通运输、仓储和邮政业的45.6倍，批发零售业的28.8倍和金融业的32.8倍。在第三产业的构成中房地产业的比重提升非常快。1978年只有3.23%；1990年就上升到7.67%，2000年又上升到13.17%；2006年进一步提高到了15.94%，房地产业成为了广东第三产业中比重仅次于批发零售业的支柱行业。(图1-4)

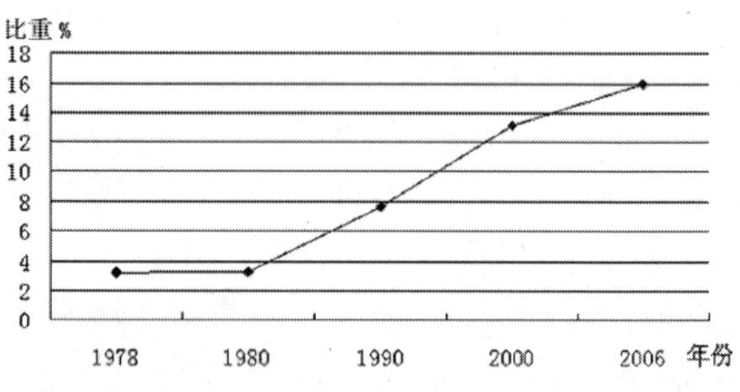

图1-4 改革开放以来广东主要年份房产业在第三产业的比重

从城市的视角看，房地产业也已经成为许多城市第三产业的支柱行业。2006年房地产业在广州第三产业中的比重达到了11.79%，成为仅次于交通运输业、批发零售业的第三重要的服务行业。2006年，房地产业在深圳第三产业中的比重更是达到了20.54%，几乎成为最重要的服务行业。

4. 高新技术产业比重提升。

高新技术产业是指向城市的，是典型的依赖城市发展的产业，它的产生和发展需要城市提供教育科研机构、专业科技人才和创新氛围。在广东30年的高速工业化过程中，高新技术产业在经济中的比重不断提高。从全省的视角看，在2006年广东省规模以上制造业企业实现的增加值中，高技术制造业所占比重超过了28%，

比 2000 年提高了 4 个百分点。高新技术产业是完全依托城市发展的。

从城市的视角看，高新技术制造业在一些重要城市的经济中地位也越来越高。以广州为例，2006 年实现工业高新技术产品产值 2187.57 亿元，增长 20.9%，占工业总产值的比重达 27.0%。在出口总额中，高新技术产品的比重接近 20%。2006 年，深圳高新技术产品产值达到 6306.38 亿元，按现行价格计算比上年增长 29.1%，其中具有自主知识产权的高新技术产品产值 3653.28 亿元，增长 29.4%，占全部高新技术产品产值比重 57.9%。在出口总额中，高新技术产品出口 613.50 亿美元，比上年增长 30.3%，占 45.1%。

5．重化工业比重不断提高。

重化工业的发展与当地港口、铁路、高速公路等硬件设施的完善与否密切相关，也与当地专业人才的数量和质量等软条件密切相关，另外还与当地的市场容量有很大关系。所以，重化工业也是与城市密切相关的，属于城市型产业。像广州的汽车制造业、钢铁业、造船业、石化工业，惠州的石化工业均布局在距离城市市区不远，但基础设施良好的地区。

在改革开放初期，广东省以轻工业为主导，1978 年，广东规模以上工业总产值为 180.73 亿元，其中轻工业占 56.6%。从 20 世纪 80 年代中期开始启动的、以乡镇企业和外资企业为主导力量的工业化更是以轻工业作为主导产业而发展的，所以在 2002 年之前的规模以上工业企业总产值中，轻工业的比重均大于重工业。从轻重工业的占比情况看，1990 年是一个分水岭，之前，轻工业比重持续上升，之后重工业逐渐代替轻工业开始抬头向上，终于在 2002 年迎来了转折，从该年开始重工业比重超过轻工业。（图 1－5）

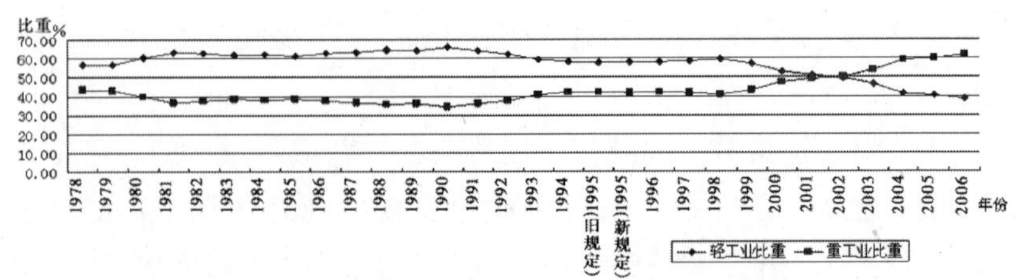

图1-5　改革开放以来广东轻重工业比重变化

从重化工业发展的动力来看，正是20世纪90年代中后期我国开始实施的以启动内需为目标的积极财政政策，以及改革开放以来民间财富积累导致的消费结构升级，特别是汽车和房屋消费总量的扩大，促进了广东汽车、石化、钢铁、机械装备、水泥等重化工业的发展。

（二）城市的发展[①]

1. 城市数量增长。

改革开放以来，伴随着全省经济的高速发展，广东城镇实体不断衍生，而一系列的行政区划调整则直接导致了城市数量变化。30年来，在国家宏观政策的引导下，广东城市数量有较大的变化。

1979年，国家在广东设置了深圳、珠海、汕头三个经济特区，开启了国家层面进行中心城市培育的试点。1984年11月22日，国务院批转民政部《关于调整建镇标准的报告》[②] 的通知后，仅半年的时间全国就新建了2000多个镇。

作为改革开放前沿的广东，城镇发展也在加快，镇的数量由

---

① 本节城市数量、规模与城市化水平的数据源于《中国城市统计年鉴》（1984—2005）。

② 一、凡县级地方国家机关所在地，均应设置镇的建制。

二、总人口在2万以下的乡，乡政府驻地非农业人口超过2000的，可以建镇；总人口在2万以上的乡，乡政府驻地非农业人口占全乡人口10%以上的，也可以建镇。

三、少数民族地区、人口稀少的边远地区、山区和小型工矿区、小港口、风景旅游、边境口岸等地，非农业人口虽不足2000，如确有必要，也可设置镇的建制。

四、凡具备建镇条件的乡，撤乡建镇后，实行镇管村的体制；暂时不具备设镇条件的集镇，应在乡人民政府中配备专人加以管理。

1978 年的 121 个大幅度增加到 1985 的 421 个。1983 年之后市辖区有较大幅度增加，而县城镇则大幅减少。

1988 年，海南省从广东独立出去，全省所辖县、市、区的数量明显减少。行政区划“地改市”和“市带县”体制的实施，改变了原先通过“地区”管理县和县级市的格局。1987—1988 年还出现了“县级市转为地级市”，使“地级市”大量增加，而“撤县设区”使中心城市规模大幅扩大。

1991—1994 年“撤县设市”，最终带来了中小城市（地级市、县级市）的大幅度增加，县城镇的大量减少，建制镇的增加。

2001 年后，广东一方面开始实施“中心镇”战略，许多一般建制镇被合并成中心镇，建制镇由 2000 年的 1529 个减少到 2006 年的 1137 个；另一方面是大城市开始扩展，“撤市设区”使县级市持续减少。如 2000 年广州的行政区划调整，2003 年的佛山行政区划调整等等。（图 1－6、图 1－7、图 1－8）

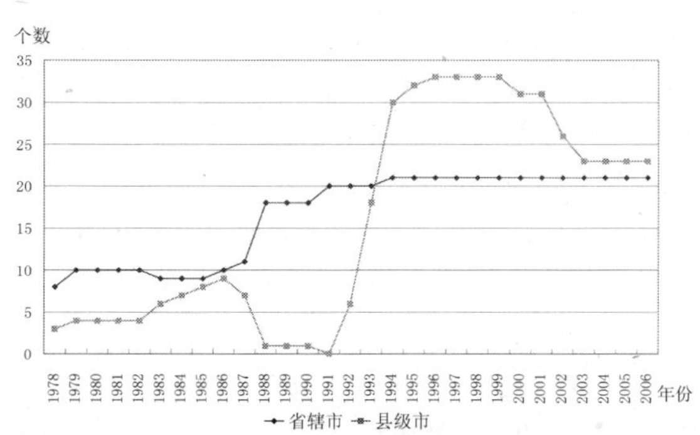

图 1－6　改革开放以来广东设市城市数量变化图

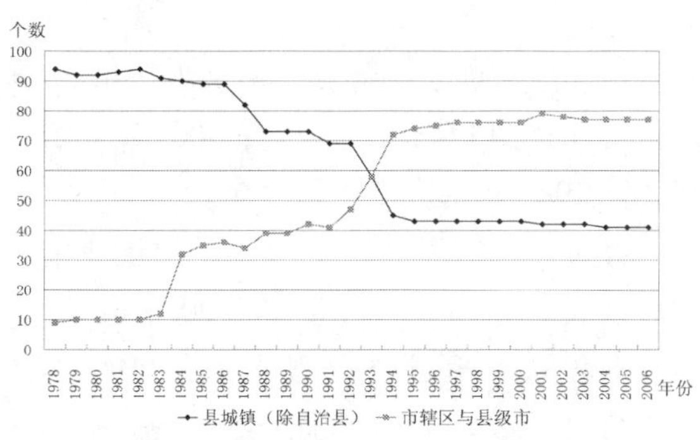

图 1－7　改革开放以来广东县城镇数量变化图

2．城市建成区规模扩展。

改革开放初期，广东的城市面积很

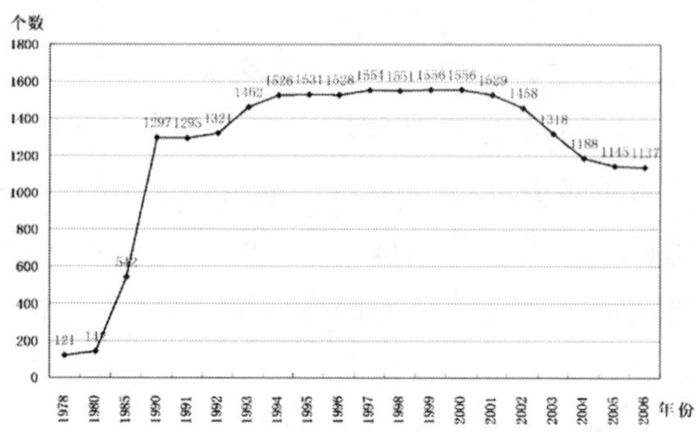

图1－8　改革开放以来广东镇数量变化图

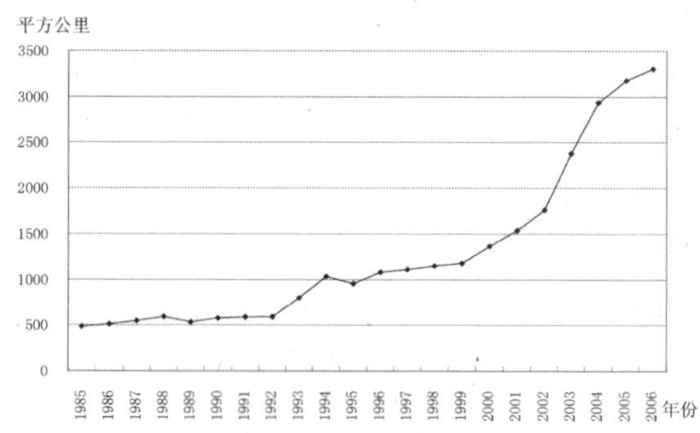

图1－9　广东城市建成区面积变化（1985—2006年）

小。随着经济的发展，城市化步伐的加快，城市建成区面积不断扩大。从广东城市建成区面积的变化过程来看，大致可以将其划分为三个阶段：1978—1992年为缓慢增长阶段；1993—2002年为加速增长阶段；2003—2007年为稳定增长阶段。（图1－9）

1985年，广东省17个城市（9个地级市，8个县级市）辖区面积16424平方公里，建成区土地面积483平方公里。1990年19个地级市，建成区面积扩大到577平方公里。2000年21个地级市，建成区面积达到1443平方公里；2005年建成区面积达到2521平方公里，比1985年提高了4倍之多。

经过“撤市设区”和近年来的快速拓展，2006年五个大城市建成区面积分别为：广州779.90平方公里、深圳719.90平方公里、东莞139.00平方公里、佛山119.00平方公里、中山108.60平方公里。其中佛山因为行政区划调整，市区面积扩大了近50倍，建成区面积也扩大了近3倍之多。

3．城市化政策。

2000年5月，中共广东省委、省政府召开了主题为“加快城

乡建设，推进城市化进程”的全省城乡建设工作会议，同年7月出台了《中共广东省委、广东省人民政府关于加快城乡建设，推进城市化进程的若干意见》，提出要“充分发挥城市的辐射带动作用，促进城乡现代化建设”，对推进城市化的指导思想、发展目标和保障策略提出了一系列重要的意见。2003年12月，省委九届二次全会提出，要以城市化为龙头和载体，统筹城乡经济社会发展。2004年1月，省委、省政府召开的全省城市化工作会议提出，坚持和落实全面、协调、可持续的科学发展观，从广东发展的全局和战略高度出发，明确今后全省城市化发展的目标任务和工作重点，研究制定全省城市化发展纲要和推进城市化的政策措施，走具有广东特色的城市化发展道路，加快推进全面建设小康社会、率先基本实现社会主义现代化的步伐。同年3月，省委、省政府印发了《广东省城市化发展纲要》（以下简称《纲要》）和《关于推进城市化的若干政策意见》（以下简称《意见》）两个重要文件。其中《纲要》从规划广东未来10年城市化发展的蓝图和统筹经济社会发展的战略高度出发，提出了全省城市化发展的目标、方向、任务和保障措施，是指导广东省城市化工作的基本纲领；《意见》则从城市规划编制、产业结构调整、体制创新等方面提出了一系列具有创新性和操作性的政策措施。

广东省还出台了《关于我省进一步改革户籍管理制度的通知》、《关于调整我省乡镇行政区划的通知》、《关于加快山区发展的决定》、《广东省土地使用权市场交易规定》、《关于我省山区及东西两翼与珠江三角洲联手推进产业转移的意见》、《关于加快中心镇发展的意见》、《关于统筹城乡发展，加快农村“三化”的决定》、《广东省集体建设用地使用权流转管理办法》等多部涉及城市化的政策文件，优化了城镇发展的软环境。此外，省建设厅会同有关部门制定并实施了《关于印发中心镇确定标准及办法的通知》、《中心镇规划补助资金管理办法》、《广东省中心镇建设用地规模核定的工作意见》等多项推动中心镇发展的配套政策。这些政策文件对引导全省中心镇加快发展、促进城市化过程中的城乡协调发展起到了积极作用。

广东省先后组织编制了《广东省城镇体系规划》、《珠江三角洲城镇群协调发展规划》等区域规划，强化了省级政府部门对城市化发展的宏观调控与指导，对推动城市化健康发展起到了重要作用。2006年广东省制定并实施了《珠江三角洲城镇群协调发展规划实施条例》，成为我国第一部关于区域城镇体系规划实施的地方性法规。这些条例的实施，对维护城市规划的严肃性和权威性，明确区域规划实施机制和保障手段，发挥了重要作用。

4. 城市化水平的提升。

1978年底，广东省户籍总人口5064.15万，其中非农业人口823.23万，城市化水平为16.3%，比1949年仅提高了0.6%，比全国17.9%的城市化水平低1.6%。

城市化水平表征一个区域社会经济发展的程度。纵观广东城市化水平（非农比）的变化规律，大致将其划分为五个特征阶段：①1983年以前，城市化水平相对稳定；②1983—1991城市化快速增长；③1991—1994年，城市化快速增长阶段；④1995—2001年，城市化基本保持稳定，没有变化；⑤2001—2003年，城市化水平急剧增长（2003年以后稳定增长）。

2000年"五普"以前多以城市非农人口占户籍人口的比重来表示。"由于在改革开放时期依靠便宜的劳动力、土地价格以及与国际资金技术相结合，珠江三角洲经济得以迅速发展，吸引了众多的外来人口，在一些城市外来人口远远超过当地的户籍人口。如果在珠江三角洲地区作城市规模分析时仅仅采用市区非农人口，则不能合理地反映该地区的实际情况。"① 如果以城镇人口（包括居住在城镇的非农业人口）占总人口比重的方法来衡量城市化水平，那么用两种指标统计的城市化水平差距很大：1985相差8.82个百分点；1995年相差9.32个百分点；2000年则相差23.82个百分

① 潘裕娟、陈忠暖：《珠江三角洲城镇体系规模等级变动研究》，《云南地理环境研究》2005年第17卷第2期。

点，以非农人口计算的城市化水平明显偏小。

2000年“五普”人口统计开始采用“常住人口”（即在城镇居住半年以上人口）口径，广东省城市常住人口达到4752.56万，城市化水平为55%，比1978年提高了38.7%，比全国城市化水平36%高出19%。

2006年广东省常住人口为9304万人，城市化水平达到63%，比全国高19.1%；比1978年提高了46.7%。（图1-10）

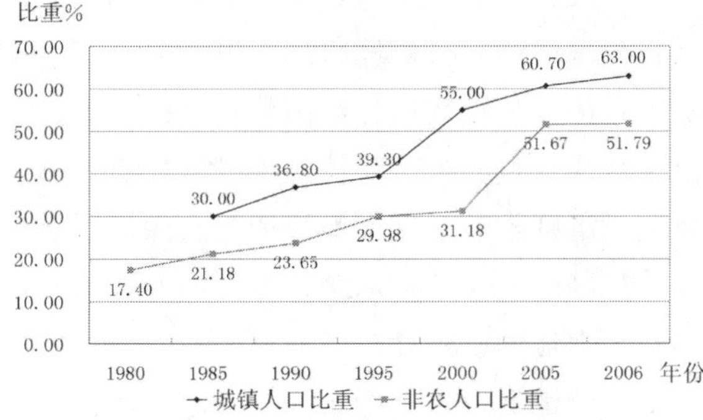

图1-10　不同口径下的城市化水平比较

（三）城市化的进展

1. 新一轮城市化启动（1978—1988年）。

1978年12月，中共十一届三中全会作出改革开放的决策，广东的政治、经济、社会等方面发展开始发生历史性转变，新一轮城市化启动。

（1）农村体制改革推动乡镇企业和小城镇的发展。

1982年的家庭联产承包责任制确立为标志的农村体制改革中，土地使用权的明晰化让农民将生产结果与自己收益结合起来，使农村焕发巨大的活力，农产品供应迅速走出匮乏的阴影，同时，随着劳动生产率的提高，大量的富余劳动力得以释放，为广东工业的进一步发展提供了强大的廉价劳动力供给。

农产品流通市场化，满足了各级市镇对生活资料和工业原料的需要，为农村城市化提供了物质基础。此外，农业的发展也增加了农民的收入，提高购买力，促进各级市镇生产和服务业的发展，佛山、中山6县市农村农户人均收入由1978年的158元，提高到

1986年的1016元，提高了5.4倍，城乡居民储蓄年末余额增加了17倍，其中67%属于农村居民，高额储蓄支持了国家建设和城乡发展。①

在农村体制改革取得明显成效的基础上，城市改革也被提上议事日程。1984年10月20日《中共中央关于经济体制改革的决定》提出：进一步贯彻执行对内搞活经济、对外实行开放的方针，加快以城市为重点的整个经济体制改革。而1986年启动的全民所有制企业改革则推动了城市经济体制的深化改革，开始改变计划经济体制，从制度上保证了承接外源型产业转移的合法化，增强了地方各类发展力量的积极性。

行政区划调整与国家放宽对集镇户口迁移的限制则是这个时期城市经济体制改革的“催化剂”。1984年《关于调整建镇标准的报告》就明确指出：“随着农村商品经济和乡镇工业的蓬勃发展，小城镇的作用日益显示出来。加速小城镇建设，充分发挥其联结城乡的桥梁和纽带作用，促进城乡经济的交流和发展，已成为当前基层政权建设上的一项重要任务。”同年10月，国务院《关于农民进入集镇落户问题的通知》明确规定，准许自筹资金、自理口粮、在集镇有固定住所、有经营能力，或在乡镇企事业单位长期务工的农民及其家属进入城镇务工经商，对这些人公安部门应准予落户常住户口，发给自理口粮户口簿，统计为非农业人口，粮食部门对其提供议价粮油供应，地方政府为他们建房、买房、租房提供方便。

经济体制改革、建镇标准、放宽对集镇户口迁移的限制以及加速发展小城镇的战略思想，为广东城市化发展带来了巨大的动力。

小城镇由1978年的121个迅速增加到1988年的过千个。乡镇企业以小城镇为据点，异军突起，遍地开花。全省乡镇企业由1980年的9.73万个增加到1985年的68.66万个，企业总产值也由1980年的43.24亿元增加到192.26亿元，就业人数由1980年的

---

① 许学强、刘琦、曾祥章等：《珠江三角洲的发展与城市》，中山大学出版社1988年版。

204.98万增加到1985年的401.95万。乡镇企业在城镇聚集带来了大量农村人口转为城镇人口，扩大了城镇规模，积累了城镇建设的资金，为促进农村城市化提供了有力的条件。乡镇非农人口比重由1980年的4.57%提高到8.53%，提高了近1倍。中山、东莞、顺德、南海等县（县级市）经济普遍快速增长，成为了广东的“四小虎”。

表1-2　　广东乡镇企业发展相关指标

指标＼年份	1980	1985	1990	1995	2000	2005	2006
乡镇企业个数(万个)	9.73	68.66	119.65	76.66	76.66	121.29	121.59
乡镇企业人数(万人)	204.89	401.95	658.33	928.28	928.28	1207.09	1289.7
乡镇企业总收入(亿)	43.24	192.26	785.39	4622.4	8555.76	13993.09	16504.7
乡镇人口(万)	4419.8	4778.3	5241.9	5622.3	6046.62	6451.55	
乡镇非农人口比重	4.60	8.50	10.30	17.50	15.50		
农业总产值(亿)	缺	245.20	600.70	1445.5	1701.18	2447.57	2678.26
农业增加值(亿)	缺	171.90	384.60	868.99	1000.06	1442.80	1577.12

注：来源于《广东统计年鉴》(2007)。产值为当年价格，1995年后为新规，1998年后乡镇企业为新统计口径。

（2）设立经济特区，港台产业转移助推城镇发展。

1979年7月，深圳、珠海、汕头和厦门试办特区，作为国内进一步改革和开放、扩大对外经济交流的试点区，在享受国家优惠政策的基础上，扩大地方和企业的外贸权限，鼓励增加出口。国家设立特区，为珠江三角洲、广东乃至全国开了四扇窗，为以港澳为跳板的外资进入中国提供了政策示范作用。

以香港为代表的国际市场、资本、技术的进入促成了“前店后厂”的发展分工，珠江三角洲成为“世界工厂”。以特区为龙头的珠江三角洲地区充分利用先行开放的特殊政策，发挥临近港澳的地缘优势，通过“三来一补”形式承接了大量港澳传统制造业的

产业转移。源于港澳的资本和工业，从深圳、东莞、珠海开始，由近及远不断向珠江三角洲其他地区扩散。在开放带来外源型经济快速发展的同时，改革也启动了内生经济的发展，珠江三角洲西岸早期以乡镇企业为主体和后来民营经济的大发展，深刻地改变了广东的经济发展格局。

飞速发展的工业化直接推动了城镇的快速发展，1985年广东城市化水平达到30%，高于全国23.71%的平均水平，广东的城市发展已经先行一步。1993年以后，中国台湾以及东南亚和日本的企业也开始进驻广东，形成了许多加工区和轻型工业的集群区，促进了区域的工业蓬勃发展。经济的快速发展重塑了区域发展格局。深圳和珠海经济特区凭借优越的区位条件和特殊的政策优势，城市发展一日千里，逐渐构建起自身在区域的中心城市地位。

特区城市和小城市的崛起，一改开放前，沿海经济萎缩，广州独大，发展集中于北部山区的局面，区域发展格局趋于均衡化。形成对比的是，广州由于距离港澳相对较远，而且地价、工资等相对较高，其发展活力明显逊色于珠江三角洲的“小兄弟”，城市地位有所下降。

2. 培育新的中心城市（1988—1994年）。

经过了10年蓄势待发以后，城市化发展进一步发力，进程明显加快。顺应发展的需要，政府通过行政区划调整，大幅增加了广东城市的数量。同时，城市改革开始提上日程，适当的“放权搞活”，各城市自主发展的积极性和创造性被调动起来，加快了城市发展的步伐，城市内部开始呈现外资、民间资金和政府投资拉动多重推动的格局，城市经济开始逐渐走上历史舞台。

（1）调整行政区划，培育中心城市。

行政意义上城市的产生是行政区划的结果。在对内搞活、对外开放背景下，通过行政区划手段培育中心城市，实行市管县、镇管村的体制，旨在增加行政主体的权限，发挥城市的作用，统筹规划，协调城乡工农业发展。这一阶段是广东改革开放以来行政区划变动最大的一个时期，分别于1988年、1991年、1993年和1994

年在不同政策背景与驱动下进行了比较频繁的区划调整。

为了适应城乡经济发展的需要，1986年国家民政部《关于调整设市标准和市领导县条件的报告》在贯彻“控制大城市规模，合理发展中等城市，积极发展小城市”方针的前提下，调整了设市标准并建立“市管县”体制。1988年海南设省建制后，广东省改变了以前地区、省辖市、行政区、自治州、县级市和县、镇的行政建制结构，取消地区①，代之以县级市升为省辖市，“撤县设市”、“撤县改区”。地级市由1978年的9个增加到了1988年的18个，即在原先广州、深圳、珠海、韶关、汕头、湛江、佛山、江门、茂名的基础上增加了河源、梅州、惠州、汕尾、东莞、中山、阳江、肇庆、清远等地级市。1991年进而增加了潮州与揭阳。县级市大幅减少，由1987年的7个减少为1个，县城镇由1987年的82个减少为73个，而市辖区则由27个增加到38个。在此基础上，1992年顺德、南海、新会、番禺等工业强县“撤县设市”，新设立了云浮、台山市。

1993年民政部又一次出台了《关于调整设市标准的报告》。报告指出，为了适应经济、社会发展和改革开放的新形势，适当调整设市标准，以合理发展中等城市和小城市，推进我国城市化进程。受该项设市标准的影响，广东省开始了新一轮的“撤县设市”。首先是1993年设立了开平、三水、花都、高要、四会、增城、廉江、高州、普宁、罗定以及潮阳等县级市，使得县级市数量上升至18个。1994年云浮市提升为地级市，并新增加了12个县级市。县城镇减少为45个，但是建制镇却由1992年的1321个增加到1994年的1526个。

由以上行政区划调整可以看出，1992年、1993年以及1994年“撤县设市”中，前两次主要集中在珠江三角洲，1994年则主要为

① 1983年以前，广东省分为七大区：汕头地区、佛山地区、韶关地区、肇庆地区、湛江地区、惠阳地区、梅县地区。1983年撤销部分地区，剩下肇庆地区、惠阳地区和梅县地区。到1988年，取消全部地区。

粤东、粤西和北部山区。至此，珠江三角洲地区设市城市数量由改革开放之初的以广州为中心的广州、佛山、江门和深圳、珠海特区5个城市增加到了1994年的24个，粤东增加至10个，粤西为7个，北部山区增加为10个。城市密度则分别为5.75、6.37、2.20、0.87个/万平方公里，粤东地区和珠江三角洲城市密度最大。中心城市的大发展，带来了多元主体竞相发展的格局，也进一步推动了城市经济的发展。

（2）工业突飞猛进，城市化提速。

进入1990年代，国内进一步扩大对外开放。广东充分发挥毗邻港澳、华侨众多的地缘、人缘优势，积极吸引利用外资，引进先进技术和设备，大胆借鉴发达国家和地区的管理经验，以乡镇企业为主力军，1994年全省工业产值达到7273.95亿元，居全国各省区之首，工业化的快速发展助推了城市化。

1990年全省乡镇企业总收入785.39亿元，比1985年192.36亿元增加了3倍。1990年到1994年之间，乡镇企业总产值年均增长45.89%，1994年乡镇企业总收入达3558.33亿元。1985年乡镇企业产值在全省工业总产值中仅占35.96%，到1990年乡镇企业总收入已经超过国有工业，在工业总产值中占的比重也增加到41.29%，1994年更达到48.91%，乡镇工业是这个时段工业发展的主力。乡镇企业的发展推动建制镇的数量持续增加。

伴随着工业的大发展和工业化进程的加快，社会经济活动越来越向城市集中，大量农村人口向城市移居，带来了城市化水平的较大提升。1993年全省城镇非农业人口1789.5万人，占全省总人口的27.19%，比1988年提高了4.94个百分点，年均提高0.98个百分点。而1994年全省城镇非农业人口1955.4万人，占全省总人口29.36%，高于全国28.51%的城市化水平（以城镇人口比重计算）。

（3）城市经济开始占据主导地位。

1992年，全省20个地级市市辖区面积总和虽然仅占全省土地面积10.7%，但其社会总产值、国民收入、国内生产总值、工业

总产值和财政收入分别占全省的55.2%、54.2%、55.8%、60.4%、63.9%。1994年全省21个地级市市辖区以占全省23.55%城市户籍人口，实现了全省53.11%的国内生产总值。城市经济呈现外资、民间资金和政府投资拉动多重因素推动的格局。

城镇建设模式逐步由计划经济时期的政府单一投资主体转变为多元投资主体并存的局面，城市化模式也由计划经济体制下单一的"自上而下"转变为"自上而下"与"自下而上"共同发展的格局。各市利用市场化化改革的机会改善投融资体制，大规模加大城市基础设施建设投入，使设施水平上了新的台阶，城市规模迅速扩大，可持续发展能力增强。

原有城镇人口规模迅速扩大，中等城市数量迅速增加。随着工业化的推进，兴办各种类型的开发区推动城镇不断向农村地域扩展。除广州这个大城市外，1978年广东省的中等城市只有佛山和汕头两市。1986年汕头达到大城市规模，湛江、韶关、深圳开始达到中等城市规模。1991年中等城市系列中又增加了江门、中山、东莞、肇庆、潮州等新设地级市。

城市化形成了多种发展模式。包括"以下（乡镇以下的各类企业）促上（市级企业），遍地开花"的东莞模式，"中间（乡镇企业）突破，带动两头（市属、村办企业）"的顺德模式，"以上（市属企业）带下（乡镇以下企业）、一镇一品"的中山模式，"六轮（市、镇、村、经济社、联合体、民营经济）齐转，各显神通"的南海模式等。

但是土地资源的消耗也是惊人的，1987年广东城市建成区规模547平方公里，1992年为591平方公里，1994年猛然增加到1037平方公里。1992年邓小平南方视察讲话后，仅仅两年时间就增加了446平方公里。

3. 在"调整整顿"中发展（1995—1999年）。

"1997年的亚洲金融危机改变了我国经济发展的节拍，我国劳动力密集型产品的出口受到严重打击，加上乡镇企业产权不清晰导致企业家道德危机，许多乡镇企业纷纷倒闭，随着大规模的"企业改制”，“乡镇集体企业基本退出市场”（袁奇峰等，2007）。中国经济在政府宏观调控之下实现了软着陆，广东的经济增长与城市化发展出现了新的特点。经济增长速度放缓，面对国内外，区域之间的竞争，产业调整的步伐开始被提上日程。伴随着工业发展放缓，城市化的步伐明显减速。

（1）经济增长放缓，开始产业转型。

国内外、区域之间竞争压力增强，增长速度明显放缓。1995年广东国内生产总值5933.05亿元，增长速度约为15%；2000年，生产总值达到10593.44亿元，年均增长速度仅为10.7%。

珠江三角洲的城市在经历了粗放型的增长后，已暴露出较多问题：环境污染，土地价格上升，劳动力工资上涨；同时在国家经济开放中心转移，区域优惠政策趋同的背景下，国内外资金投入我国大陆的地域空间呈现出分散化的趋势，珠江三角洲结构调整的内、外压力日益增加，区域内城镇之间的产业结构及职能分工待进一步分化与调整。1997、1999年香港、澳门分别回归祖国后，广东开始关注产业结构调整和大珠江三角洲产业的协调。

1998年5月，广东省召开第八次党代会，从制度层面强调了产业调整的迫切性，指出实施经济体制和经济增长方式两个根本转变，抓好“外向带动”、“科教兴粤”和“可持续发展”三大战略，增创体制、产业、开放和科技四个方面的优势，以实现广东跨世纪的目标。

1997年7月中共十五大提出：“非公有制经济是我国社会主义市场经济的重要组成部分。对个体、私营等非公有制经济要继续鼓励、引导，使之健康发展。”这是继1982年将非公有制经济作为社会主义公有制经济指导思想之后，在一系列强化非公有制经济地位政策背景下，对非公有制经济在国民经济中的地位给予前所未有的重视和肯定。

（2）外来人口剧增，人口向城市集聚。

1995—1999年，广东省有地级市21个，设市城市54个，建制镇1510个。21个地级市建成区面积年均增长5.35%，到1999年

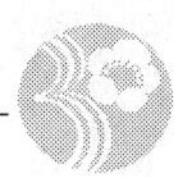

为1179.5平方公里。1995年广东省非农业人口2035.37万人，占总人口的比重29.77%；2000年增至2338.42万人，占总人口的比重提高至31.18%。

但是按“五普”资料统计，2000年底，深圳常住人口达701.24万人、广州达994.80万人、东莞644.84万人、佛山534.05万人、惠州321.80万人。珠江三角洲地区流动人口达2152万人，占全省流动人口的82%。流动人口数量居前3位的分别为深圳市（606万人）、东莞市（500万人）、广州（427万人），这3个市的流动人口占全省的58%。

大量外来人口迁移到珠江三角洲中非公有制经济相对发达的广州、深圳、东莞、惠州等地，直接推动了广东城镇人口的增加。广东总人口达到8650.03万人（其中含居住半年以上的流动人口3104万人），城镇常住人口占总人口的比重由1995年的39.5%增加到2000年的55%，也就是说按常住人口计算的城市化水平与按非农人口来计算的31.18%相差24个百分点。

“1996—1999年广东省外迁入人口分别为113.47万人、130.94万人、117.93万人和107.68万人。省外净迁入人口占全省年净增户籍人口的22.8%、27.4%、25.7%和10.1%。未经正式户籍迁移的劳动力数量更为巨大，据第五次人口普查资料，外省入粤定居半年以上流动人口在1169万人以上，占流动人口的44.5%。农村劳动力向城镇集聚，1996—2000年五年间，广东当年转向城镇的劳动力占96%、71.4%、62.2%、60.3%、69%。”①

城市在全省经济总量中所占份额进一步加大。2000年广东地级市辖区土地面积仅占全省的10.1%，人口仅占全省的40%。但完成国内生产总值占全省的60.1%，规模以上工业总产值占全省的71.1%，地方财政预算内收入占全省的81.1%。其中广州、深圳二市的市辖区，土地面积仅占全省的3.2%，人口仅占全省的18%，

---

① 《劳动力集聚与广东城市化道路的抉择》，http：//www.gdstats.gov.cn/tjfx/t20040406_10099.htm。

但完成国内生产总值占全省的36.2%，规模以上工业总产值占全省的38.5%，对全省社会经济发展、产业结构调整、城镇体系的形成与发展、地域空间的优化组合等都具有举足轻重的作用。

4. 大城市大发展（2000年至今）。

（1）经济协调快速发展。

广东2001年国内生产总值达到11807.81亿元；随后稳步上升到2006年的25968亿元；年均增速达到13%，高于同期全国约10%的增长速度。广东三次产业比重从2001年的11.24∶46.63∶42.13转变到2006年的6.1∶51.7∶42.2，第一产业比重持续下降；第二产业比重不断上升。

工业发展适度重型化，广州的南沙、惠州的大亚湾、茂名以及阳江的重化工业基地建设和以珠江三角洲为核心的高新技术产业的发展，成为推动城市化发展的主要动力。2005年广东高新技术产业增加值占全省生产总值9.3%，轻重工业增加值比例为44∶56。珠江三角洲则普遍加大了产业结构调整的力度，高新技术产业、重化工业、产业集群成为工业化发展的新方向，其产业结构也由2001年的5.32∶49.49∶45.19转变为2006年的2.4∶51.68∶45.92（见表1－3）。粤西、粤北承接珠江三角洲产业转移的态势良好，工业化速度加快，不少市的工业总产值增幅超过了全省平均水平，如清远、肇庆、河源、云浮等市，有力地推动了城市化的进一步发展。

表1－3　分区域产业结构

年份	珠江三角洲	粤东	粤西	北部山区
2001	5.3∶49.5∶45.2	17.3∶45.6∶37.1	28.7∶36.8∶34.5	31.0∶36.9∶32.1
2006	2.4∶51.7∶45.9	11.4∶51.5∶37.1	23.0∶41.8∶35.2	24.6∶40.6∶34.8

数据来源：根据《广东统计年鉴》整理。

"全省各地普遍采用建设工业园（区）的方式集约发展工业，工业用地增长主要产生于工业园（区）内部，不仅提高了地均产出，而且有效地促进了城镇土地的集约利用，优化了城镇用地空间结构，提高了城市化发展的绩效。同时，各地政府也普遍关注城市化的发展质量，有意识地推进城镇发展由外延粗放型向内涵集约型转变，增强了城市化对工业化的反推作用。一方面，各地政府继续采用'五通一平'、'七通一平'的手段，加快工业园（区）建设，推动了工业化的发展；另一方面，不少地方政府，尤其是珠江三角洲等发达地区的地方政府，越来越重视城镇环境景观、形象品位、文化精神的塑造和生产性服务业的培育，为高附加值、高技术含量工业企业和产业集群的发展创造了良好的外部环境，有力地促进了工业产业结构的升级优化。"①

此外，政府实行积极的财政政策，政府投资的重点投入到城市基础设施建设，有力地推动了城市基础设施供给能力的提高，推动了城市的扩张。2000 年来，广东全社会固定资产投资中基本建设投资由 1163.3 亿元增加到 2006 年的 4045.97 亿元，年均增长 23.1%。而基本建设投资占全社会固定资产投资的比重也由 2000 年的 35.97% 增加到 2005 年的 51.10%。这些基础设施涉及水、陆、空等多个方面，如广州新白云国际机场、广州南沙港、广州新火车客运站、深圳火车站、深圳蛇口港、珠海高栏港等大型枢纽设施，以及广深、广珠快速轨道交通，珠江三角洲高速路网，广州、深圳地铁设施等设施，而珠江三角洲公路密度更是全国第一，同时通信网络的建设也是全国最快的。此外，各地区结合产业升级，纷纷建立高校园区，吸引人才。如广州的大学城，深圳的大学园区，珠海的各大学校区，东莞、佛山的大学园。

经济的高速发展，加速了城市化的步伐。2006 年以非农人口占总人口的比计达到 51.79%，比 2001 年的 31.61%，提高了

① 广东省城乡规划设计研究院：《广东省城镇体系规划（2007—2020）》，2007 年。

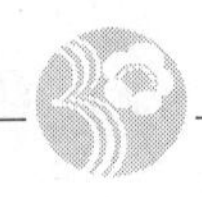

20.18个百分点，年均提高4.3个百分点；若按“五普”口径，2006年城镇人口占常住人口的比例达到63%，比2000年的55%提高了8个百分点，年均提高约1.6个百分点。因此无论是非农业人口还是城镇人口，广东已进入城市化较高水平阶段。

（2）行政区划调整，大城市扩展。

新世纪，广东省几次行政区划的调整体现了减少管理层次，发展大城市，以便集中权力，更大范围进行调控、促进发展的意图。如果以前降低建镇、设市标准是为了增加行政主体，通过推动竞争促进经济发展，那么2000年后的行政区划调整，则是为了发挥大城市组织和优化资源配置能力，通过减少行政主体推进行政区域内的产业分工，优化生产力布局，启动集约型、内涵式的经济发展。

2000年广州撤销番禺市和花都市开始了广东省新一轮的“撤市设区、县改区”的行政区划调整，城市行政范围变大，城市规模扩大，进而带来了其他如经济、总量人口、建成区面积等统计指标的大幅度增加，带来了城市化水平的急剧提升。

2001年茂名设立茂港区，珠海撤销斗门县设立斗门区和金湾区。2002年撤销新会市，设立江门市新会区；而佛山则将南海、顺德、三水和高明四个县级市撤销设区，另外新成立禅城区。2003年汕头则撤销了原升平区、金园区，设立了金平区；撤销了河浦区、达濠区，设立了濠江区；撤销了潮阳市，分别设立了潮阳区和潮南区；撤销了澄海市设立澄海区。而2003年惠州则撤销了惠阳市，设立惠阳区；2004年

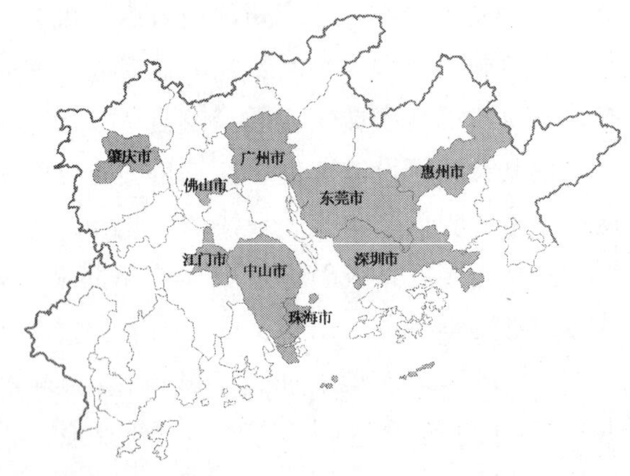

图1－11　珠三角的地级市辖区（2000年）

韶关撤销北江区、曲江县，设立曲江区。

行政区划的调整直接带来了城市辖区规模的扩大。（图1－11、图1－12）

（3）珠江三角洲都市连绵区初现。

按照都市区[①]和都市连绵区[②]的界定，珠江三角洲三大都市区和都市连绵区已初具雏形，基本形成广佛、深港、珠澳三大都市区和以三个都市区为核心的都市连绵区。

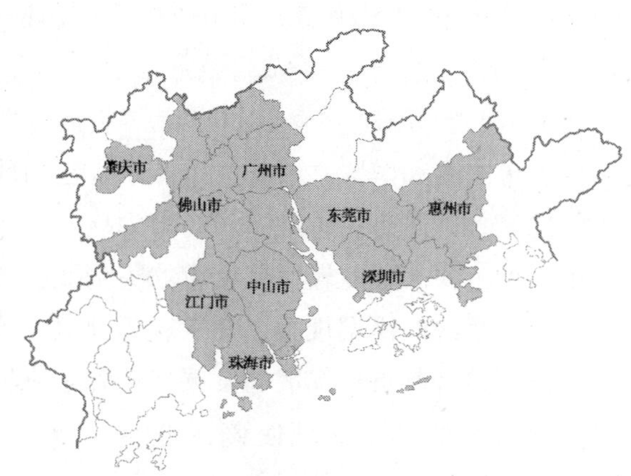

图1－12　珠三角的地级市辖区（2007年）

资料来源：罗震东：《中国都市区发展》，中国建筑工业出版社2006年版。

广佛都市区以2000年与2002年的广州、佛山行政区划调整为契机，在积极构建广佛地铁、广州新客站、珠二环等设施的基础上被逐渐提上议事日程。港深都市区则源于深圳特区的设立，以邻近香港的优势最快、最直接地承接香港的辐射，随着香港的回归，深港联系通道以及通关壁垒的降低，深港已然成为不可分割的一体。相比广佛、港深大都市区，珠澳都市区则发展相对较弱，澳门产业结构的特殊性以及珠海城市发展定位摇摆是其主要原因，港珠澳大桥的建设将进一步推动珠澳都市区的形成。

广深（广深高速公路和广深铁路）、广珠交通走廊（京珠高速

① 都市区（metropolitan area）：国外最常用的城市功能地域概念，它是一个大的人口核心以及与这个核心具有高度的社会经济一体化倾向的邻接社区的组合，一般以县为单位。

② 都市连绵区：在特定区域背景下发育起来的由众多都市区连绵而成城市密集地带，相似于戈特曼（J. Gottman）提出的“大都市带”概念，指由多核心的都市区紧密组成的高度城市化与城乡一体化的地带。

公路广珠段和105国道）和虎门大桥（连接江门、中山、南沙、虎门、东莞、惠州），形成珠江三角洲“A”字形城镇发展区，都市连绵区开始形成。“珠江口东岸：包括深圳、东莞、惠州以及惠阳市、惠东县和博罗县。珠江口西岸，包括珠江口以西、银州湖以东的地区，以珠海、中山、江门市为核心。与东岸相比，西岸地区的中心城市集聚程度较低，相应的集聚效应与中心性较弱，各城市发展缺乏系统的协调规划，开发过于分散，各市之间的网络连接相对薄弱。该区都市连绵区的发展仅仅处于雏形阶段，但良好的自然条件和较大的经济腹地使该区域蓄积着巨大的发展潜力和发展空间。”①

在珠江三角洲都市区、都市连绵区逐渐形成的同时，粤东、粤西城镇密集区也开始形成，其中粤东地区以汕头为核心，潮州、揭阳与汕尾为次中心的团状城市集中区；粤西地区以湛江、茂名、阳江为核心形成沿海带状城市群。粤北山区占据广东大面积的土地，城镇分布相对分散，城市之间的联系较弱，空间形态上依然处于独立发展的状态。

而随着珠江三角洲城市经济的快速发展、产业升级调整，许多企业向粤东、粤西、北部山区转移，在上述城镇地域空间形态的基础上，广东省城市空间也逐渐由各区域城镇集聚区独立发展，以珠江三角洲为核心的圈层扩张的格局逐渐转向沿着重要交通干线带状纵向延伸，初步形成了以珠江三角洲“A”字形的城市连绵区为核心，依托铁路和主干公路形成以广佛、港深、珠澳为中心向东西两翼的粤东、粤西沿海地区和粤北山区辐射的圈层式放射状格局。

珠江三角洲依托主干公路、铁路向东西两翼和粤北山区辐射的城镇发展轴为：① 珠江三角洲通往粤东的依托324国道、深汕高速公路，沿线主要城市有惠州、汕尾、揭阳、汕头、潮州等；依托广梅汕铁路延伸，贯穿广州、东莞、惠州、河源、梅州、汕头。

① 广东省城乡规划设计研究院：《广东省城镇体系规划（2007—2020）》，2007年。

②珠江三角洲通往粤西的依托广佛湛高速公路，贯穿广州、佛山、珠海到阳江、茂名、湛江；广三湛、粤赣铁路延伸，贯穿广州、佛山、肇庆到茂名、湛江。③珠江三角洲通往广大北部山区的广肇高速公路和广三铁路沿线的广州、肇庆到云浮；京广铁路、京广高速沿线的广州到清远、韶关；广花清高速公路沿线的由广州直达清远最北部。

（4）统筹城乡发展，中心镇凸显。

为促进和提升农村地区社会经济发展和城市化，广东省开始实施"中心镇"战略。中心镇作为链接城市与农村的节点，对于促进城乡协调、融通具有重大的战略意义。通过将部分建制镇合并为中心镇，广东的建制镇由2000年的1556个减少为2006年的1137个，一般建制镇的合并，强化了镇的集聚力量，进而成为统筹和带动周边发展的增长极。2000年7、8月，省委、省政府连续颁发了《关于加快城乡建设，推进城市化进程的若干意见》和《关于推进小城镇健康发展的意见》两个重要文件，明确提出到2010年全省城市化水平达50%以上，其中经济特区和珠江三角洲达70%以上；全省重点建设300个左右中心镇，以此带动农村经济社会的全面发展。

2003年7月又颁发了《关于加快中心镇发展的意见》，《意见》要求以县城和中心镇为重点，发展县域经济，推进农村工业化、城市化和农业产业化。2003年以来，县域经济发展加快，中心镇对农村的辐射带动能力逐渐提高。2005年，全省67个县（市）共实现生产总值4027.4亿元，与2000年相比增长13.4%；截至2005年10月，全省共撤并414个乡镇，撤并比例达26%。通过撤并乡镇，拓展了中心镇的发展空间，全省271个中心镇中有119个被列入全国重点镇。2005年全省中心镇的GDP合计达3000多亿元，约占67个县（市）生产总值的七成。全省中心镇的数量占不到全部建制镇数量的20%，但城镇总人口、财政收入分别占全省建制镇的40%和50%左右。中心镇的地位和作用日益凸显，已经成为城市化发展的主要载体之一。

三、城市化的特征

（一）小城镇发展是基础

“改革开放以来，广东省城乡建设取得了巨大的成绩，城市化水平和城镇整体发展质量不断提高，小城镇功不可没。珠江三角洲东岸地区大量‘三来一补’的制造业企业基本都分布在小城镇，而内生型的西岸地区也依托小城镇发展多种经济成分和大型乡镇企业。省内原有大、中城市数量本来就不多，城市规模扩张又长期受国家土地供应控制，而且创业和就业成本较高。作为人口输入地，内地大量‘离土离乡’的劳动力入粤并没有全部涌入原有的少数大中城市，而是随着生产力布局自然流向广大小城镇。小城镇是广东经济建设的主战场之一，已经成为全省经济现代化和农村城市化的重要据点。”①

1978年到2000年，广东的小城镇则从120个猛增到1556个，其后各地政府又纷纷在中心镇战略下推进了强强合并，2006年归并为1137个。改革开放以来，小城镇、小城市的发展对广东省的城市化发展具有基础性的意义。

外资大量进入，客观上激活了广东人的经商潜能，使之较快地脱离计划经济思想的约束，积极创办各种类型企业，许多村镇出现了大量同质和异质的企业集聚。资金、技术、人力、资源等生产要素在空间上高度集中，形成以市场为基础的自组织系统，有力支持了城镇的形成和壮大。1990年后，广东许多乡镇经济往专业镇方向发展，形成高度的专业化分工与合作，生产效率高，具有强大市场竞争力。

广东专业镇初步形成了IT、家电、灯具、家具、服装和食品

---

① 袁奇峰、方正兴、黄莉、熊青：《中心镇规划：从村镇到城市的路径设计——〈广东省中心镇规划指引〉编制的背景与创新》，《城市规划》2006年第7期。

等的企业群，培育了一群大型主导企业，同时也集聚着成千上万家的各种中小型企业，形成了较好的上、中、下游产业配套链，以及日趋成熟的产供销网络。大批生机蓬勃的镇域“簇群经济”，有力地推动了县镇经济的快速发展，不但吸收了当地农村剩余劳动力，而且为大量来自区外、省外的人口创造了就业机会，对加快广东省城市化进程发挥越来越重要的作用，成为促进城市化的重要推力。

（二）外源型经济推力巨大

学界往往将我国城市化发展模式分为“自上而下”和“自下而上”两种途径，事实上广东的城市化还存在第三种途径——“外资推动”。广东的城市化，从经济特区的成立和发展，到大中城市的拓展和优化，再到小城镇的纷纷崛起和壮大，都离不开全球化背景下国家对外开放的经济政策和强烈的外向型经济的推动作用。

从20世纪50年代设立“广交会”以来，广东一直是我国的外经贸大省。2005年广东省进出口总额4279.8亿美元，位居全国第一位；占我国外贸进出口总额的35.6%；约相当于上海、江苏、浙江和福建4个沿海省市的总和。

改革开放后，广东凭借政策和区位优势先行一步，外资对各地工业化进程和经济结构转变起了举足轻重的作用。20世纪90年代后期，大型的跨国公司开始抢滩广东的主要城市。近年世界500强的企业中，已有300多家全球性的跨国公司在广东安家落户，投资项目超过400个，累计实际投入资金数百亿美元，分布上尤以广州、深圳、佛山、东莞等最为集中，广州、深圳已成为一些跨国企业的地区总部驻地，东莞市、佛山等也以加工贸易为切入点参与国际分工。外资推动在广东城市化的起步、发展的过程中是一个不可忽视的重要因素。

2005年外贸依存度达到152.6%，处于全国第二位（上海最高，为166.7%）；实际利用外资123.64亿美元，占全国实际利用外资的19.38%。

（三）工业化促进城市化①

广东的城市化水平在相当长一段时间落后于工业化水平，是因为2000年以前国家长期坚持“严格控制大城市规模，合理发展中小城市”的城市发展方针，限制了大城市发展和人口向城市的转移。另外，户籍制度阻碍了农村人口向城市人口的转换，因此这是一种“制度性阻碍”下的落后。

2000年以后，广东的城市化水平开始高过工业化率，原因是第五次人口普查将城市人口的统计口径从“户籍城市非农人口”改为“在城市居住半年以上的常住人口”，而广东经济发展的关键要素就是为来自全国的广大“农民工”提供了大量就业机会。

改革开放初期，广东的工业化主要靠乡镇企业推动，走的是农村工业化，劳动力就地安置，“离土不离乡，进厂不进城”的道路。1986年广东工业化率下降至31.23%的最低点，而城市化水平则缓慢增加，农村城市化滞后于工业化进程。（图1－13、图1－14）

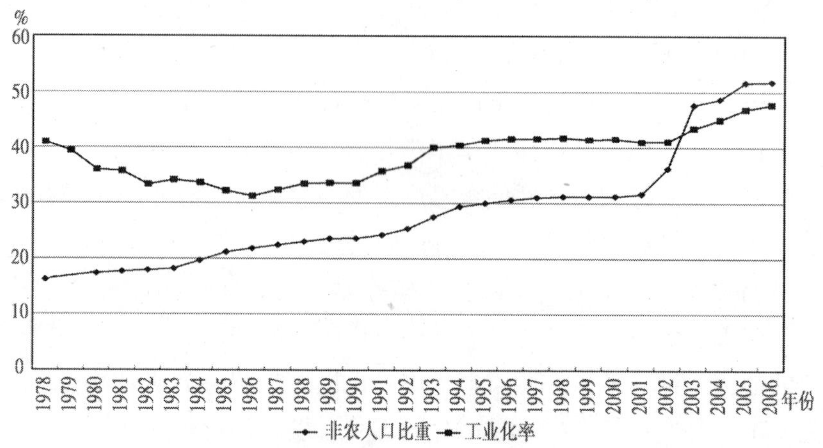

图1－13　广东城市化与工业化水平比较（1978—2006年）

① 该小节图表的工业化水平和城市化水平指标源于《中国城市统计年鉴》和《广东统计年鉴》。

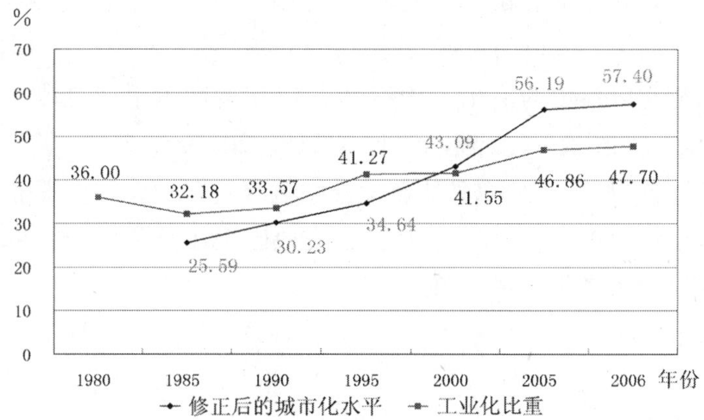

图 1－14　修正后的城市化水平与工业化水平比较

1986—2000 年，工业化与城市化水平保持着相对应的发展，相关性很高。2000 年后以城镇常住人口占总人口比重计算，将居住半年以上外来打工的广大“农民工”和流动人口计入城市化人口，城市化水平达到 55%，已经高于 41.55% 的工业化水平。2006 年城市化水平达到 51.79%，高于 47.7% 的工业化水平。按平均值算，2000 年以后的城市化和工业化水平与钱纳里的“多国模型”呈现出相似之处，城市化与工业化的关系逐趋合理。（图 1－15）

（四）大城市日益重要

小城镇的迅猛发展奠定了广东城市化的基础，但是随着城市化朝着高级化的方向发展，2000 年以后大城市接过小城镇的“接力棒”，再次成为引领广东城市化发展的重要力量。目前广州、深圳两个特大城市就吸纳了全省 39.3% 的流动人口，且处于广东省产业结构体系中的高端和优势地位，在金融、物流、信息、商贸等领域对整个广东的产业发展具有控制性的影响，在国内外的产业竞争中，也发挥着主导作用。

经济要素资源向中心城市集聚的特征更加明显。以广州、深圳为代表的中心城市，城镇人口比重、人均生产总值和非农建设用地产出率远远高于全省和全国平均水平，以汕头、韶关为代表的粤东和粤北区域中心城市的集聚效应也有一定程度提高，区域的辐射带动作用相对以前更为突出。1990 年，广东大城市生产总值（城市辖区的生产总值）在全省的比重只有 20.5%，2006 年上升到 61.79%。1990 年，广东省所有城市辖区（有设区的市就是指市辖区，未设区的市就是指城市中心区）地区生产总值占全省的比重只有 47.9%，2006 年上升到 85.7%。

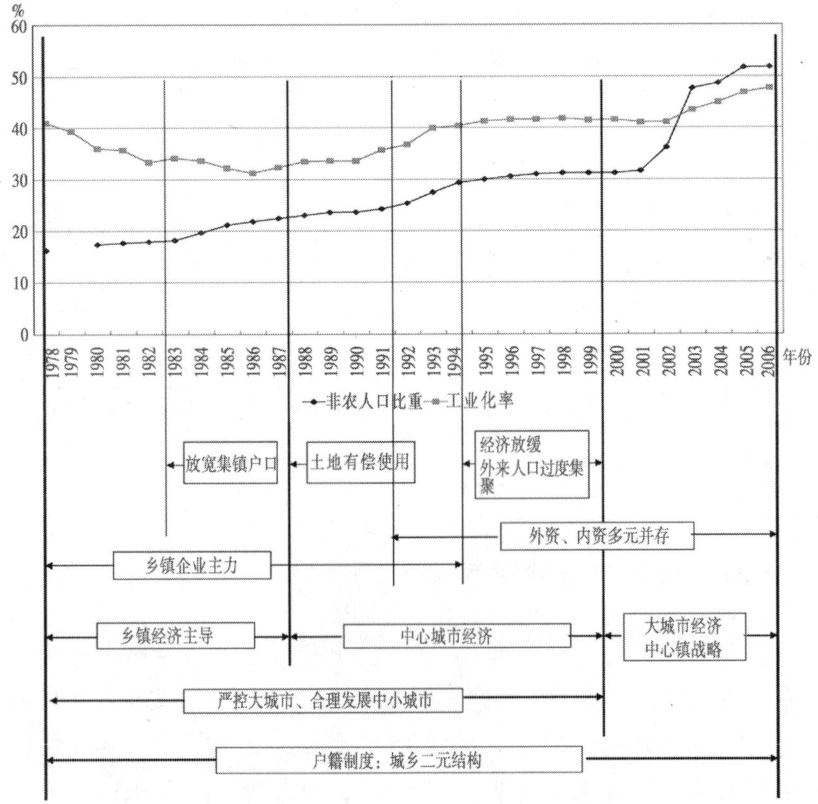

图 1 – 15　广东工业化与城市化进程中的主要影响因素

大城市与小城镇相比，具备完善的产业关联、较好的基础设施、较强的集聚和辐射能力、良好的生活条件和收入水平，能够吸引更多的高端产业的发展和大量的高素质人力资源。随着第三产业

在城市经济发展中的地位越来越高，广东许多城市都进入了新一轮的建设中心城市的发展阶段。

四、城市化的挑战

（一）“0.7城市化”之困

2008年春节前，一场罕见的雨雪冰冻灾害突如其来，席卷了我国南方大部分省份，阻滞了人们回家之路。广东虽然没有直接遭受严重的雨雪冰冻，但是每天却有数以十万计的农民工涌入和滞留在广州火车站，火车站广场人满为患、屡屡告急。广东省政府号召大家把广东当作家，请大家留下来过节，但是收效甚微。在中国改革开放30年的历史节点上，2008年的春运事件特别具有符号性的意义。

问题是，大量农民工真能把广东当作“家”吗？

过去20年，绝大多数的农民工无法在城市安居下来，还必须依托原在家乡的农村完成劳动力的再生产，这种情况将来也很难有大的改善。因为广东的产业结构是在全球化背景下形成的，高竞争低利润的低端产业结构决定了广东的产业无法为农民工提供足够的收入让他们有能力在城市中安居。近年来各地政府都在积极探讨改善“农民工”待遇的问题，但是受制于现阶段城市财力的有限性，和广东“农民工”队伍2000万~2500万人（全国近1.2亿人）的庞大规模，难以取得太大的实质性进展。

2000年，广东省流动人口规模达到2530.4万，占全省普查总人口的29.3%，其中省外流入广东的流动人口约占全国省际流动人口的1/3。珠江三角洲地区的广州、深圳、珠海、佛山、江门、惠州、东莞、中山等8市的流动人口为1929.3万，占全省流动人口比重高达91.6%。

2005年1%人口抽样调查显示珠江三角洲外来人口约有2000万。居住一年以上暂住人口总数达1149万，占全国暂住人口的

13.24%，足见广东省在吸纳外来劳动力、缓解就业压力、带动内陆经济发展所做出的贡献。

2006年，深圳户籍非农人口仅仅196.83万，但是常住人口则达到846.43万。东莞户籍人口168.31万，常住人口674.88万。广州户籍人口760万，常住人口975.46万。

外来劳动力对广东尤其是珠江三角洲“三来一补”[①] 工业的发展贡献巨大。但是这些外来务工人员在我国城乡“二元”体制下，却呈现出“候鸟型”的特征，即工作在广东，而家庭仍然在故乡。“2003年对广州、东莞、深圳和珠海4个城市的外来人口展开调查，结果显示大部分的受访者均将其收入的35%～45%返回家庭所在地区（移出地区）。因此，外来人口对城市规模的影响不能等同于相等数量的当地居民。”[②]

事实上外来人口对城市规模的影响也不能等同于相等数量的当地居民，长期以来广东省在城市规划计算外来人口对城市基础设施建设、公共服务设施的需求时，考虑到其结构和消费特点，多是按照当地居民的70%的比例进行配置。因此可以说广东，尤其是珠江三角洲以外来务工人员为主要人口增量的城市化只能是“0.7城市化”。

与人口“外源性”相似，珠江三角洲的企业也多以“成本追逐型”的“根植性”较差的劳动密集为主的企业。CCTV2《新闻30分》2008年2月18日报道：“劳动保障部组织部，开展了企业春季用工调查，显示在珠江三角洲地区用工需求增幅较大的前5个

---

① 三来一补：是指来料加工、来样加工、来件装配和补偿贸易。加工贸易：一方提供原料、辅助材料、元器件和部件，另一方按其提供的规格、质量、技术标准加工成成品交给对方，并收取加工费。来料加工：外商提供原材料、辅助材料与包装物料等，并提出成品的质量、规格、式样等要求，由国内企业按要求生产，成品交给对方，收取加工费。来样加工：由外商提供样品款式和规格等要求，国内企业按要求生产，成品交给对方，收取原材料费及加工费。来件装配：由外商提供装配所需零部件、元器件，必要时提供技术或设备，国内企业按要求进行装配，成品交给对方，收取加工费。补偿贸易：进口商在信贷基础上，向出口商购买机器、设备、技术物质或劳务，约定在规定期限内，一次或分期用商品或劳务偿还的贸易方式。

② 潘裕娟、陈忠暖：《珠江三角洲城镇体系规模等级变动研究》，《云南地理环境研究》2005年第17卷第2期。

行业是：1. 玩具制造业，2. 纺织业，3. 塑料制品业，4. 家具制造及木制品业，5. 电子电器业。”①

一方面，随着近年来国家“城市反哺农村”政策的推行，基于机会成本的考量，“候鸟型”的农民工对工资水平有了较高的要求；另一方面，在国际劳工组织的干预下，各进口国采购商纷纷要求中国企业在签订供货协议时，增加“企业社会责任协议（CSR）”，要求中国企业严格执行中国的劳动法，限制随意加班的“血汗工厂”。国家因此采取积极的产业结构调整行动，于2008年1月1日实施了新的《劳动合同法》，结果在农民工数量总体未减少的情况下，在工资成本上升的同时出现了严重的“劳工荒”（普遍劳动力缺乏）现象。

由于原材料涨价，电力紧缺，人民币不断升值，出口贸易受抑，企业生存开始面临着严峻的挑战。国务院2007年的“7.23”公告②，银行保证金台账实转，严重压缩了加工贸易行业的生存空间，而2008年1月1号实施的《劳动合同法》、“两税合一”③ 的新规定则直接迫使许多企业纷纷外迁，甚至面临倒闭。《南方都市报》近年多次刊登“珠江三角洲产业大转移”的调查、评论“三来一补到了转型的关头，贸易限制不断升级、政策转向不再扶持，

① 新闻频道，http://news.cctv.com/program/C20692/20080218.shtml。

② 经国务院批准，7月23日，商务部、海关总署联合发布2007年第44号公告，公布新一批加工贸易限制类目录，主要涉及塑料原料及制品、纺织纱线、布匹、家具等劳动密集型产业，共计1853个十位商品税号，占全部海关商品编码的15%。对列入限制类的商品将实行银行保证金台账实转管理，这将加剧企业现金周转难度。

③ 两税合一：指的是中华人民共和国企业所得税条例与中华人民共和国外商投资企业和外国企业所得税法合并。财政部税政司有关负责人表示，企业所得税的改革主要包括以下内容：第一，实行法人所得税。1994年税制改革，尤其内资企业所得税是按照独立核算企业界定纳税人，新的所得税将来要走向法人所得税。第二，确立国民企业和非国民企业概念。主要针对没有在中国注册的外国企业，界定其在中国的纳税义务。第三，实行统一的企业所得税税率，不管税率水平选择有多高，内资企业、外资企业、不同所有制企业都实行同一个税率。第四，进一步调整税收优惠。今后税收优惠要更多地由直接优惠转向间接优惠，由过去的区域优惠为主转为产业优惠为主，使税收政策更加体现产业政策要求。

在夹缝中生存的‘广东制造’面临痛苦抉择”。[①]“《劳动合同法》实施触发多米诺效应，‘世界工厂’面临转移之痛，珠江三角洲工厂大撤离，上千家鞋厂倒闭，万余港企面临关闭潮，更多数量庞大的中小企业计划迁离或难以为继”[②]。

世界性的市场，国际的技术，外来的投资，外来的劳动力的结合导致了广东工业化的特殊性。在国际经济环境变化，国家产业政策调整的背景下，广东这种依靠大量外来“农民工”的“0.7 城市化”模式在急剧变化的环境中显然面临日益不确定的前景。

（二）环境压力加剧

30 年来，广东省的经济增长模式较为粗放，对资源和生态环境造成了极大的破坏。根据广东省环境质量公报，广东省万元 GDP 产值耗煤是世界平均水平的 119 倍，万元 GDP 用水量为世界平均水平的 213 倍，单位 GDP 的二氧化硫排放强度是 OECD（经济合作与发展组织）国家的 3312 倍，单位工业增加值固体废弃物产生量比发达国家高出 10 倍。随着经济高速发展，广东所付出的环境损失代价也十分惊人：2001 年全省环境损失为 795 亿元；2003 年为 1673 亿元；2005 年高达 2066 亿元。这些环境损失的 95% 以上集中在珠江三角洲地区。

1. 水环境污染。

广东省废水排放总量从 1980 年的 17.89 亿吨增加到 2006 年的 65.5 亿吨，其中城镇生活污水的排放量从 1980 年 2.95 亿吨增加到 2006 年 42 亿吨，27 年间增长了 14 倍，在 1993 年生活污水排放量超过工业废水排放量后增长速度一直保持在较高水平，近两年有所减缓。工业废水排放量的变化呈现震荡的趋势，增幅不大，从 1980 年 14.94 亿吨增加到 2006 年 23.5 亿吨。对于废水排放总量的贡献率，城镇生活污水排放量明显地高于工业废水排放量。（图 1－16）

---

① 《“三来一补”到了转型的关头》，《南方都市报》2007 年 8 月 29 日。

② 《珠三角工厂大撤离》，《南方都市报》2008 年 1 月 22 日。

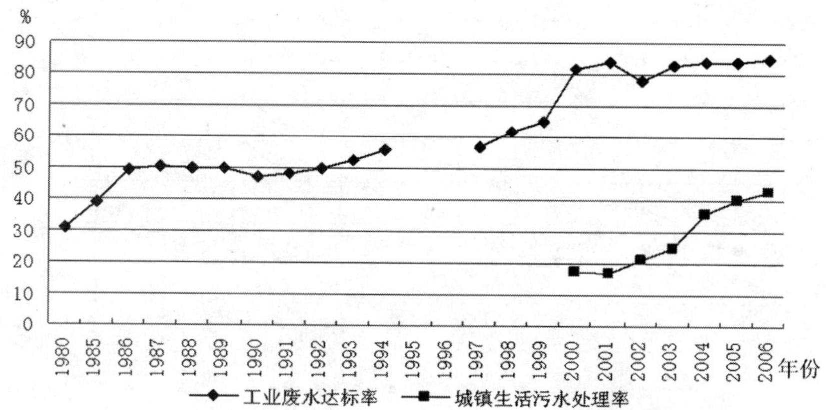

图 1－16　1980—2006 年广东省废水排放量变化

数据来源：《广东省环境质量公报》（1980—2006）。

分析这种变化趋势，我们不难发现：一方面由于政府对于高耗水工业的取缔和限制以及实施工业废水的达标排放等措施，达标排放率从 1980 年 30.8% 上升到 2006 年 84.9%，维持在较高的水平，工业废水排放的增加幅度不大。2003 年以后，由于广东省工业结构出现转型，实施重化工业战略，工业废水排放量有所增加。另一方面由于城市化进程的不断加快，城市人口的迅速增加，从 1985 年 1309.93 万（包括海南）上升到 2006 年 4145.36 万。虽然城镇生活污水处理率从 2000 年 17.23% 上升到 2006 年 42.7%，但仍处于较低水平。（图 1－17）提高城市生活污水处理率已经称为解决水环境污染问题的重中之重。

珠江在 20 世纪 50、60 年代污染很少，而到了 20 世纪 70、80 年代，由于广州市内的工业废水和生活污水未经任何处理就直接排放到珠江，江水的颜色逐渐变深，气味也变得难闻，岸边的垃圾成堆。珠江已不再是人们以前所向往和熟悉的母亲河，而是让人望而却步的黑水河。

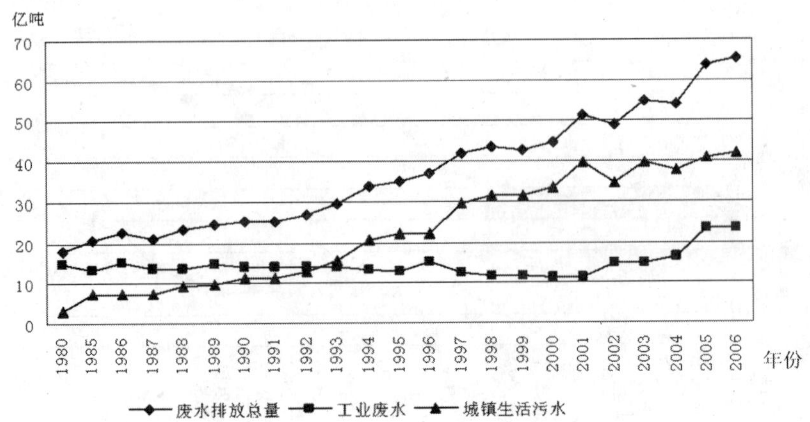

图1－17　1980—2006年广东省废水处理率变化趋势

数据来源：《广东省环境质量公报》(1980—2006)。

90年代后期广州提出要“一年一小变，三年一中变，2010年一大变”，开始了有史以来最大规模的城市改造和城市建设。整治珠江投资数十亿元，其中11亿多元治理市内河涌，搞截污工程，建污水处理厂。仅2002年污水治理投入资金就达到18.5亿元。“时任广州市长林树森说：‘生活污水处理在广州老城区已经全面铺开了，市政府下决心高标准解决这个问题，用两年时间把流进珠江的污水处理掉。’2006年在社会各界的热切期盼下，广州市政府组织市民进行‘横渡珠江’活动，珠江的整治已取得了良好的效果，但是要使珠江不仅水变清，还要达到生态恢复的目标，还需我们更加地努力。”①

2. 大气环境污染。

“50岁以上的广州人肺都是黑色的！2008年6月中国工程院院士钟南山在珠江三角洲大气污染防治高峰论坛上指出，根据临床和手术统计数据显示，因吸入污染物过多，广州人一旦超过50岁，肺部就变成了黑色。大气污染致肺癌成常见病——‘珠江三角洲

① 《八年励精图治　还百姓清澈珠江》，《新快报》2006年3月9日。

正面临着复合型大气污染的威胁！’钟南山说，复合型污染的直接后果，就是导致光化学污染和灰霾天增多，并对人体造成巨大的危害。”① 大气污染已经成为影响人们生活环境质量最为重要的因素之一。

据广东省气象台监测数据显示：20 世纪 70 年代的 10 年里，深圳市总共只有 8 天出现阴霾天气；而 20 世纪 90 年代，阴霾天气急剧增多，已高达 773 天。而 2003 年出现阴霾的天数为 131 天，为 50 年来最多的一年。2004 年阴霾天数达到了 177 天，相当于全年中每隔一天就有一个阴霾天。（图 1－18、图 1－19）广州市 2001 年阴霾天数为 56 天，2004 年也飙升到 142 天。

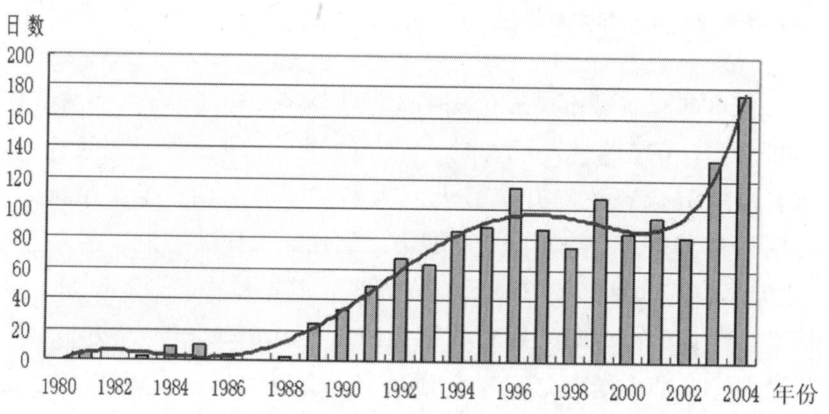

图 1－18 深圳市 1980—2004 年阴霾天数示意图

数据来源：深圳气象局。

广东省工业废气排放总量从 1985 年 1863.6 亿立方米增加到 2006 年的 13584 亿立方米，20 年间增长了 7.3 倍。二氧化硫的排放总量从 1995 年的 55.9 万吨增加到 2006 年的 126.7 万吨，10 年间增长了 2.3 倍。

① 《数据显示 50 岁以上广州人肺脏呈黑色》，《新快报》2008 年 6 月 13 日。

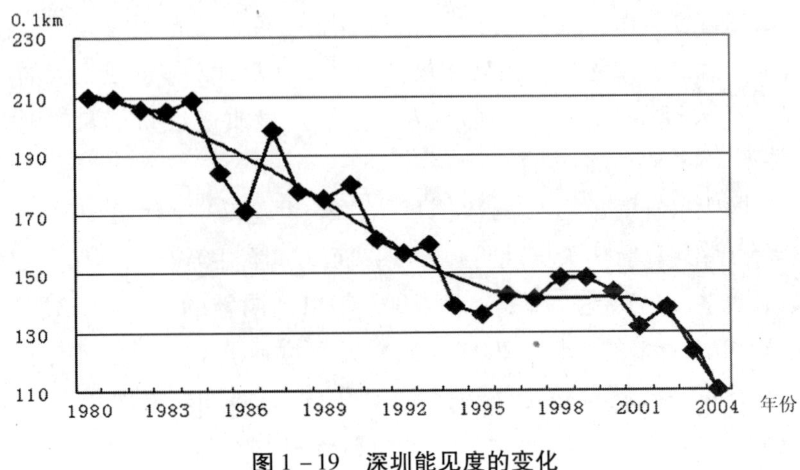

图1－19　深圳能见度的变化

数据来源：深圳气象局。

2006年全省城市二氧化硫平均浓度为0.030毫克/立方米，比2005年（0.027毫克/立方米）上升11.1%，达到国家二级标准。茂名市二氧化硫浓度升幅最大，达47.2%，深圳、肇庆市次之，分别为42.9%、31.4%。全省城市二氧化氮平均浓度为0.029毫克/立方米，与上年（0.028毫克/立方米）基本持平，达到国家一级标准。全省城市可吸入颗粒物平均浓度为0.062毫克/立方米，与2005年（0.061毫克/立方米）基本持平，达到国家二级标准①。

2006年全省城市降水酸度较强，pH均值为4.80，酸雨频率为52.7%，酸雨污染依然严重。全省城市降水pH均值范围在4.41（广州）~7.01（潮州）之间，61.9%的城市（13个）受酸雨污染（pH<5.6），酸雨污染区域的面积和人口分别占全省的72.5%和72.0%。广州、韶关、深圳、珠海、佛山、茂名、肇庆、梅州、清远和东莞等10个城市属于重酸雨区（pH<4.5；4.5≤pH<5.0且酸雨频率>50%），占47.6%。与上年相比，降水pH全省均值上升了0.12个pH单位，酸雨频率下降了2.3个百分点，酸雨污染

① 数据来源：《广东省环境状况公报》（2006）。

程度略有减轻[①]。(图1－20)

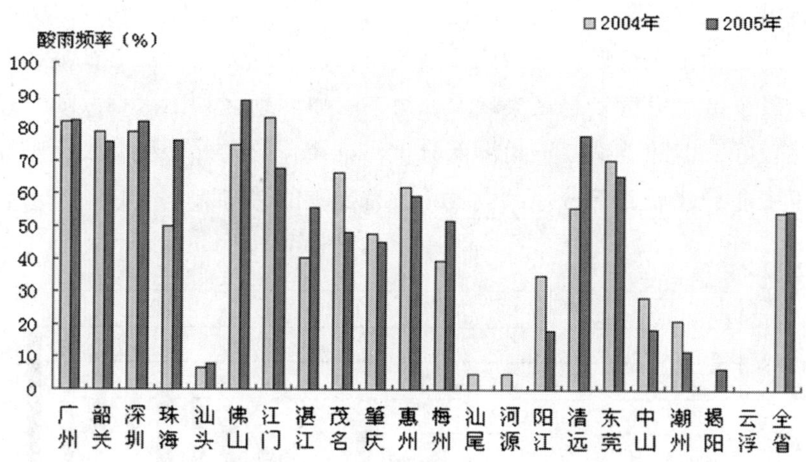

图1－20　广东省城市降水酸雨频率年度变化

数据来源：《广东省环境质量公报》(2006)。

在过去的五年中，珠江三角洲煤烟型空气污染比重的趋势已基本得到控制，但珠江三角洲空气污染依然严重，由单纯的煤烟型污染发展到以生产性污染与消费性污染为主的复合型污染，并且以氮氧化物浓度超标为特征的机动车尾气型空气污染日益突现。根据2000年城市空气综合污染指数的统计及评价，机动车辆的尾气排放已经成为珠江三角洲首要的大气污染源。2000年广东省21个地级以上城市空气质量综合污染指数从大到小排序的前10个城市中有7个位于珠江三角洲，可见珠江三角洲的大气污染已非常严重，各个城市应该联手整体控制和预防。(图1－21)

近几年广东省已对大气污染进行了大量整治工作，一些专项的法规也相继出台，取得了一些成效。但由于大气污染的治理需要各地区和各部门联合监控和控制，所以目前的大气质量状况还不能达到老百姓的满意。特别是在珠江三角洲地区空气污染最为严重，随

① 数据来源：《广东省环境状况公报》(2006)。

着城市化进程不断加快和机动车保有量的持续增加，珠江三角洲各城市氮氧化物和二氧化硫的比值呈增长趋势，以氮氧化物污染为特征的机动车尾气型空气污染日渐突出，已出现光化学污染征兆，并形成了区域大气复合污染现象。粤东、粤西地区和山区空气质量相对较好，但随着珠江三角洲部分重污染企业的向外转移以及大型化工工业的建设，部分地区大气污染有加重的趋势。

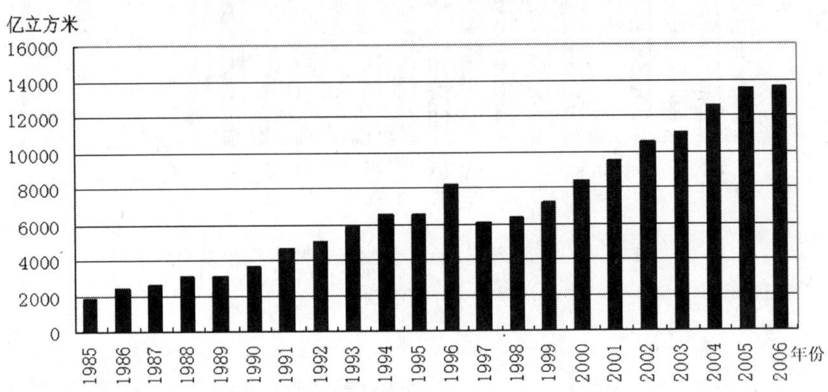

图1－21　1985—2006年广东省工业废气排放量变化趋势

数据来源：《广东省环境质量公报》（1985—2006）。

3．固废环境污染。

广东省工业废弃物产生量从1980年的1902万吨，增加到2006年的3057万吨，其中危险废物产生量129.6万吨；工业固体废弃物综合利用率从1985年的15.9%，上升到2006年的84.3%。[①] 虽然工业固体废弃物综合利用率增长幅度很大，但是相比较每年3000万吨的产生量，每年还是有近600万吨的工业固体废弃物没有经过任何处理就排放。（图1－22、图1－23）

当前，广东省尚未建立完善的废旧电子电器回收系统，一些拆解企业无序发展，产业化水平、处理技术水平和管理水平较低，严重污染环境。

① 数据来源：《广东省环境状况公报》（2006）。

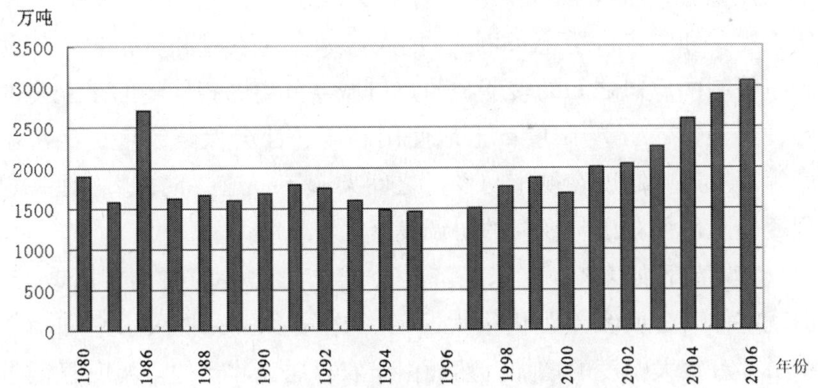

图 1 - 22　1980—2006 年广东省工业固体废弃物产生量

数据来源：《广东省环境质量公报》（1980—2006）。

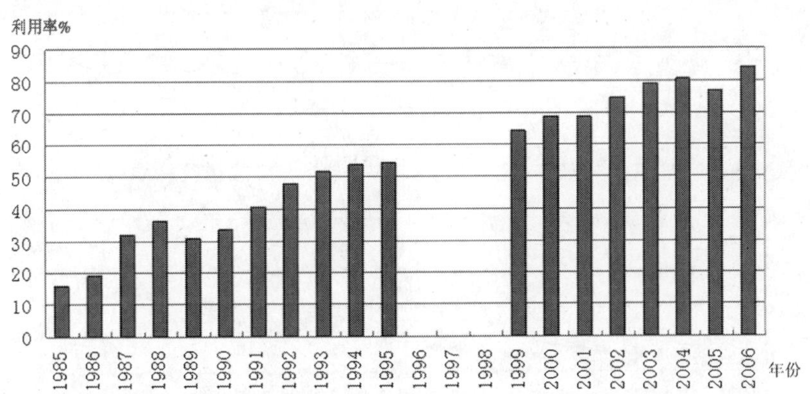

图 1 - 23　1985—2006 年广东省工业固体废弃物综合利用率

数据来源：《广东省环境质量公报》（1980—2006）。

（三）城乡差距持续扩大

1. 城乡差距扩大[①]。

1958 年 1 月，国家颁布了旨于限制农村人口向城市转移，丰

① 该小节城乡居民收入与消费差别数据源于历年《广东统计年鉴》。

富农业生产，减低城市供应压力，以确保工业化战略实施的《中华人民共和国户口登记条例》，把人口划分为农村和城市户口，并严格限制两户口之间的转变。与户口城乡分离的相伴随的是众多的各种其他“二元”制度：土地使用制度、社会保障制度、经济制度等等。这些制度在城市与乡村之间架起了一道“防线”，在一定程度上阻碍了城市与乡村的协调发展。

“改革开放以来，广东经济社会‘二元化’的格局有所改善，但就整体而言城乡差距仍很大，”① 广东城乡居民收入水平和消费水平都有较大幅度的增加，然而由于农村居民收入的增幅明显低于城镇居民，城乡收入差距逐年扩大，同时收入决定支出，因此城乡之间消费水平差距也呈现出逐年扩大的趋势。（图 1－24）

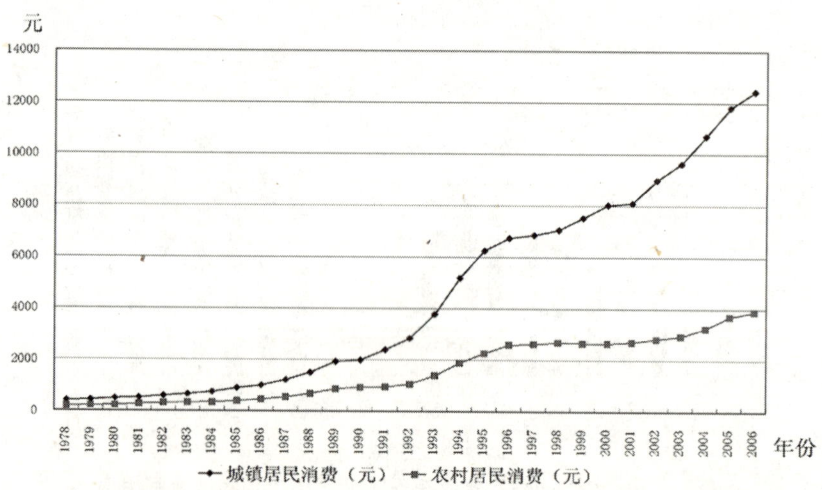

图 1－24　广东改革开放以来城乡居民消费差别

1978 年广东城乡人均可支配收入之比为 2. 13 : 1，城镇人均可支配收入为 412. 13 元/人年，农村居民人均纯收入则为 193. 25 元/人年，城乡人均消费支出比重为 2. 16 : 1。2006 年城乡人均可支配

① 《劳动力集聚与广东城市化道路的抉择》，http: //www. gdstats. gov. cn/tjfx/t20040406_ 10099. htm。

收入之比为3.15：1，分别为16015.58元/人年和5079.78元/人年。城乡人均消费支出之比扩大到3.2：1，分别为12432.22元/人年和3885.97元/人年。

2. 农村城市化成本增加。

在城市化快速推进地区，按照农村与城市的空间关系，可以将农村分为三种类型："城中村"、"城边村"、"自然村"。不同类型则存在着不同的主要问题。

（1）城中村——代价高昂，改造迟滞。

在珠江三角洲高速工业化和城市化过程中，由于对原农村居民点的开发和改造涉及巨额的资金成本和大量的社会矛盾的解决，急于扩展的城市开发首先倾向于开发成本较低的农地，结果使农民被抛在这一过程之外，原农村居民点也逐渐成为都市海洋中的"孤岛"。农民只是通过提供土地、通过被征用土地的补偿费用所积累的厂房和物业这一生产资料加入这一过程，而没有从职业上、生活上融入这一过程，因而他们的经济社会组织方式、生活方式、思想观念都没有被工业化及其带来的城市化所现代化，仍然保留了大量过去传统农村的成分。广州市的市区面积在改革开放初期只有78平方公里，经过20多年的发展，现在已经超过了400多平方公里，市区面积扩大了5倍多，300多个村也成为城中村。

城中村虽然在城市中，但依然保持着农村的社会结构、经济组织，也由于其身在城市中，在利益驱动之下，建房不按标准，能有多密建多密，占用了道路、绿化、公共设施用地，普遍存在消防隐患。同时，"城中村"主要以租赁经济为主，由于租房低廉，在城市政府缺乏对大量外来劳动力进行合理安置的情况下，成为了外来人口的集中地，人口相对素质低，人口密度高，犯罪、打架斗殴事故频发，成为"地下"经济活动集聚的地方，带来了极大的社会与治安问题。此外，"城中村"处于城市中占据了良好的区位，为城市功能的配备和形象改造带来了极大的障碍。"深圳为解决一个渔农新村的'城中村'问题，就要花费一个多亿买了农民旧楼房来炸掉，如果广州市的300多个城中村要是推倒重来，将代价巨大。”①

（2）城边村——半城半乡，城乡“博弈”。

在城乡分割“二元”体制改革滞后的背景下，在集体土地上开展的“离土不离乡，进厂不进城”发展模式只能算是一种“非农化”，从生活方式、居住形态、社会结构都依然呈现出“半城半乡”的特色。

而随着城市的扩张，城边村理所当然成为城乡矛盾最集中的地方，而最为直接的表现则在城乡土地制度差别带来的种种利益冲突，城乡之间展开了以土地为核心的“博弈”。

在农村土地资源富余、农地产出不高的情况下，原有大中城市扩展还比较容易。1990年代后期以来随着广东发达地区可开发土地的日趋缩减，土地的流动性越来越强，土地的资本属性日益显现，尤其是1998年修订的《土地管理法》给农村集体土地的“非农化使用”提供了法律依据，也使农村集体土地的市场价值显现出来，农民对土地价值的预期越来越高。政府主导的园区工业化与集体经济组织主导的乡村“租地”工业化在土地利用方面开始“短兵相接”，城市扩展、新区开发等城市政府征地导致的冲突与矛盾频发，发达地区“统筹城乡发展”的焦点日益集中在土地政策上。政府与农村集体经济组织之间在征地问题上的谈判成本和支付成本也越来越大。（袁奇峰等，2007）

（3）自然村——新农村建设，缺乏动力。

2005年10月，党的十六届五中全会明确提出建设社会主义新农村的重大历史任务，明确了建设社会主义新农村的目标和要求就是“生产发展、生活宽裕、乡风文明、村容整洁、管理明主”。广东省在此之下也提出了《中共广东省委人民政府关于加快建设社会主义新农村建设的决定》和《关于村庄政治工作的直导意见》，并提出了分阶段目标：2006年为启动阶段，2007年到2010年为攻坚阶段。目前广东省新农村建设依然处于试点阶段。

① 黎旭东、郭小东、曾志文：《以城市化战略保障广东领先发展地位》，《决策与信息》2005年第12期。

（四）地区差距持续扩大

在广东省各区域中，珠江三角洲地区凭借其优越的地理区位、政策优势以及毗邻港澳的优良条件，经过改革开放30年的发展，其经济、社会发展都达到了较高水平，增长速度也较快。相反，粤东、粤西以及广大北部山区发展相对落后，经济发展水平相当。珠江三角洲与其他地区巨大的差距使得广东省的协调发展迫在眉睫。

从城市化的发展过程和状态来看，广东省各地区之间也呈现了显著的差异，主要表现在以下几个方面：

1. 城市化水平的区域差距。

改革开放以来，珠江三角洲凭借其良好的区位和政策条件，一路领先于其他区域。从1985年到2006年，我们可以看到珠江三角洲的城市化水平与全省的平均水平之间的差距逐渐拉大。1985年，珠江三角洲城市化水平为25.10%，高出全省平均水平3.82个百分点。而到了2006年则高出了18.3个百分点。2000年以后，广东珠江三角洲以外的区域开始有所提高，其中粤东提高最快，2005年城市化水平达55.88%，高于全省平均城市化水平。同时粤西也一改2000年前的落后局面，大大领先于北部山区。区域差距开始出现梯度化的趋势。（图1－25、图1－26）

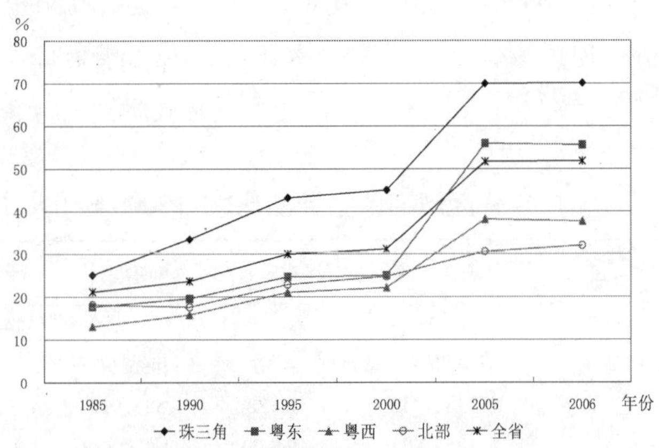

图1－25　广东四区域城市化水平变化（1985—2006年）

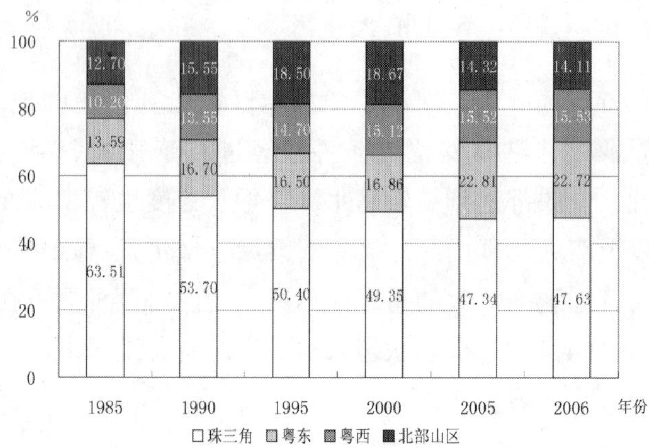

图 1－26　广东城市人口的区域分布（1985—2006 年）

2．珠江三角洲城市化水平较高。

在分区域城市化水平之间的差距有所改善的基础上，对 21 个地级市 2006 年的城市化水平进行了排序，可以看出高于平均水平 51.79% 的有 8 个城市，除了汕头，7 个都在珠江三角洲。其中珠海、佛山、深圳分别于 2003 年、2004 年、2005 年实现了全市户籍人口的非农化。

北部山区城市城市化水平较低，河源的城市化水平才 25.08%。东莞 2006 年常住人口 674.88 万人，远远高于户籍人口 168.31 万人。但由于外来人口未计入在内，因此其非农化水平相对较低。（图 1－27）

表 1－4　　广东分区域相关指标的比较（2006 年）

地区 要素	珠江三角洲	粤东地区	粤西地区	粤北地区
土地面积(平方公里)	41698.00	15676.00	31742.00	114414.00
年末常住人口(万人)	4446.94	1594.72	1495.90	—
城镇人口(万人)	3652.15	908.38	585.91	—
户籍总人口(万人)	2551.11	1694.24	1705.84	3208.46
常用耕地(万公顷)	542114.00	232773.00	634060.00	1243644.00

续表

要素 \ 地区		珠江三角洲	粤东地区	粤西地区	粤北地区
国内生产总值(亿元)		21424.28	1801.07	2032.63	2808.15
其中	第一产业	513.99	205.81	466.81	690.69
	第二产业	11072.87	927.79	851.01	1141.14
	第三产业	9837.42	667.47	714.81	976.32
人均国内生产总值(元)		49153.00	11325.00	13637.00	10189.00

注：来源于《广东统计年鉴》(2007) 常用耕地面积为 2005 年数据，粤北相关数据缺乏；本表珠江三角洲的数据是珠江三角洲经济区的，包括 14 个市、县：广州、深圳、珠海、佛山、中山、东莞、江门、惠州市区、惠阳县、惠东县、博罗县、肇庆市区、高要、四会。

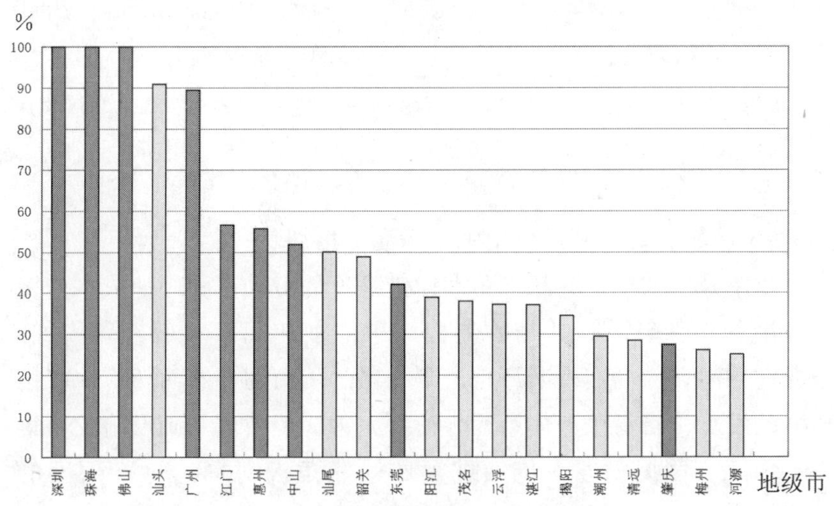

图 1－27　2006 年广东 21 个地级市城市化水平排序

3. 珠江三角洲大城市、特大城市集中。

1985 年以来，珠江三角洲城市人口比重逐年下降，有 1985 年的 63.6% 下降到 2006 年的 47.63%。但相比其他地区，城市人口依然高度集中。而以市辖区非农人口，县级市域非农人口计算，6

个特大城市中，3个在珠江三角洲，9个大城市中，珠江三角洲占了5个。

表1－5　　广东四区域城市规模等级分布

规模/分区	特大（>100）	大（50～100）	中（20～50）	小（10～20）
珠江三角洲	广州、深圳、佛山	珠海、东莞、江门、惠州、中山	肇庆、从化、增城、台山、开平	鹤山、恩平、四会、高要
粤西	茂名、湛江	阳江	吴川、雷州、廉江、信宜、化州、阳春	高州
粤东	汕头	揭阳	潮州、汕尾、陆丰、普宁	
北部山区		韶关、清远	河源、云浮、乐昌、梅州、英德、罗定	南雄、兴宁、连州

注：来源于《中国城市统计年鉴》、《广东统计年鉴》（2007），根据各城市户籍非农人口计算。

4. 区域基础设施过分集中于珠江三角洲。

改革开放初期，珠江三角洲凭借廉价的劳动力和用地成本，接受香港的产业转移，并与香港构成了“前店后厂”的经营模式，服务在香港、市场在香港，生产则在珠江三角洲。然而随着珠江三角洲的发展，自身服务体系逐步得到完善，但大量基础设施主要集中于珠江三角洲，进一步加重了珠江三角洲对周边生产要素的集聚。

大型的港口（条件所限）、机场、铁路站场以及金融、市场信息和物流等服务设施也主要集中于珠江三角洲。2006年，珠江三角洲全社会固定资产投资3072.88亿元，而粤东、粤西以及北部山区分别仅为256.63、183.60、416.38亿元，三个区域总投资之和还不到珠江三角洲的1/3。同时，由于经济要素主体有运输成本指向性，遵循马太效应，也容易形成路径依赖，因此在珠江三角洲产

业向东西两翼以及北部山区转移的过程中，基础设施和服务体系的超前建设是非常重要的，是加快和推动区域协调发展的关键。

广东人口分布与城市化（非农化）、城市规模程度在地域上存在巨大差异，人口与城市化过分集中于珠江三角洲，导致了土地资源的严重紧缺和城镇人口过度密集，外来人口比重较大，给社会经济的管理带来很多挑战。这种差距近一步构成了吸引其他地区人口向珠江三角洲转移的动力，对其他地区的经济、社会发展形成抑制作用。“北部山区由于山区长期以传统农业和小规模工业为主导，经济效益较低，造成山区建设资金缺口较大，经济水平落后”①，进而城市化水平较低，城市基础设施建设相对较为落后，没有为承接珠江三角洲的产业转移做好城市化的准备，“使得珠江三角洲没有腹地，成为一个经济‘孤岛’，不能形成层层递延的产业梯级分布，因此珠江三角洲的劳动密集型产业不能转移到周边地区，腾不出空间来使自身产业升级”。②

① 胡彩屏：《广东山区城市化与产业选择》，《南方经济》1997年第4期。

② 黎旭东、郭小东、曾志文：《以城市化战略保障广东领先发展地位》，《决策与信息》2005年第12期。

第二章
省域城市格局

根据自然地理条件与文化的差异，以及经过多年发展形成的明显的围绕香港和珠江三角洲的“核心—边缘”格局，一般将广东省划分为四大区域。（图2－1）

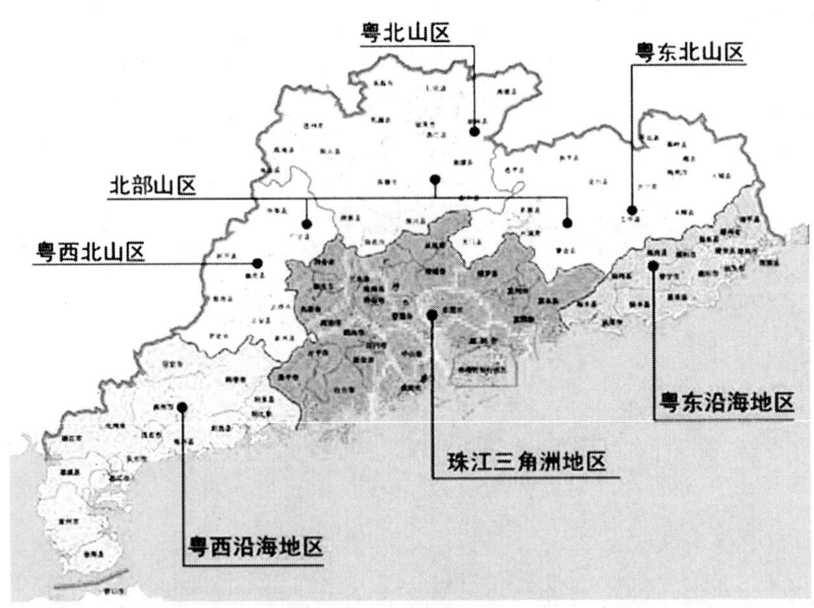

图2－1　广东区域空间划分

资料来源：《广东省城镇体系规划》（2007）。

“一是珠江三角洲地区，根据1994年广东省政府确定的珠江三角洲经济区范围，包括广州市、深圳市、珠海市、佛山市、江门市、中山市、东莞市、惠州市（龙门县除外）及肇庆市区和高要、四会两个县级市，陆地面积416.9万ha，2005年常住人口4314.84万人。

二是粤东沿海地区，包括汕头、潮州、揭阳、汕尾四市的辖区范围，陆地面积155.18万ha，2005年常住人口1586.03万人。

三是粤西沿海地区：包括湛江、茂名、阳江三市的辖区范围，陆地面积326.15万ha，2005年常住人口1485.14万人。

四是北部山区：包括韶关市、清远市、梅州市、河源市、云浮市及肇庆市的怀集、广宁、封开、德庆四县和惠州龙门县，面积898.21万ha，2005年常住人口1808万人。由于北部山区涵盖的地域范围很大，横跨全省东部和西部，且文化差异较大，故可再分为三个亚区：①粤北山区。包括韶关、清远两市，面积375.38万ha，2005年常住人口651.63万人。②粤东北山区。包括梅州、河源两市及惠州市龙门县，面积338.13万ha，2005年常住人口720.08万人。③粤西北山区。包括云浮市及肇庆市的怀集、广宁、封开、德庆四县，面积184.70万ha，2005年常住人口436.29万人。”①

一、珠江三角洲的极化

1978年珠江三角洲地区生产总值占全省的37.86%，2006年上升到81.76%，上升了116%，产业和人口的不断集聚和极化，使之成为全省经济快速发展与城市化的“排头兵”。，

（一）区域的开发

1978年，珠江三角洲地区的地级市（地区）有广州、佛山、江门、惠阳（地区）和肇庆（地区），经济规模较大的是广州、佛

① 广东省城乡规划设计研究院：《广东省城镇体系规划（2007—2020）》，2007年。

山和江门市。1979年3月，撤销宝安县，改为深圳市（地级）；撤销珠海县改为珠海市（地级）。1980年经国务院批准，在珠江三角洲地区设立了深圳经济特区和珠海经济特区作为对外开放的窗口。

至20世纪80年代中期，珠江三角洲累计实际利用外资13.6亿美元，占同期全省的74%，其中深圳实际利用外资达5.4亿美元，占整个珠江三角洲的40%，这一时期珠江三角洲的经济资源首先在特区集中，改革开放仍然处于试点探索阶段。据第三次人口普查统计，1982年全国的城市化水平是20.55%①，而广东省只有18.69%，珠江三角洲为22.7%。

1984年12月26日，广东省委、省政府向中央报送《关于珠江三角洲经济开发区的初步意见》，表明全省的改革开放已经开始由窗口试点、门户对接向区域全面开放转化。1985年1月，广东省长梁灵光向国务院汇报提出了珠江三角洲开放区的设想意见：除广州、深圳、珠海三市已为开放区外，建议先从“小三角”（再加上佛山、江门等10多个县市）搞起，取得经验，再逐步扩大。

1987年11月1日，国务院决定广东省为综合改革试验区，要求商品经济改革进入更深层次，扩大市场调节作用。28日，国务院批准广东省珠江三角洲经济开放区范围由原来的17个县市扩大为28个县市，划定广州、深圳、珠海、东莞、中山、佛山、江门，以及惠州除龙门县外的部分，肇庆的市区、高要市和四会市作为“珠江三角洲经济区”的范围。此举为广泛吸引外资、合理调控资金、协调空间经济集聚提供了适宜的空间环境。1988年1月，中山、东莞升格为地级市。

① 资料来源：《中国人口统计年鉴》（2001）。华东师范大学人口研究所博士生白冰冰：《中国城镇人口统计数据整合研究》。全国历次人口普查由于统计口径不一，五次普查五个标准，致使数据在市镇之间、省区之间不具有可比性，如1982年“三普”城镇人口包括设有建制的市和镇的总人口，采用了国家1955年颁布的城乡划分标准，包括市辖区内的农业人口；1990年“四普”市人口指设区的市的总人口和不设区的市的街道人口，镇人口指不设区的市所辖镇的居委会人口和县辖镇人口；2000年“五普”将居住六个月以上的流动人口计入城镇人口的统计范围。如要准确进行比较，数据之间需要换算。

改革开放初期，珠江三角洲仅有广州一个特大城市，城市接收农村人口转移的能力相对有限，而另一方面，农村经济改革、乡镇企业发展迅速，使星星点点的小城镇成为了城市化的主要模式，“离土不离乡，进厂不进城”式的乡村城市化成为城市化的主要形式。以“三来一补”为主要形式的外源型工业的迅速扩展，极大地促进了珠江三角洲的城市化进程。大量外省劳工拥入，城镇人口迅速增加，城镇结构和布局发生了根本变化。1993 年，按当时的统计口径珠江三角洲城市化水平已经为 38. 3%，比全省及全国平均水平高出近 10. 7 个百分点，仅次于辽中南、京津唐城市群，排在第三位，高于长江三角洲。

随着乡镇企业“村村点火”式空间分布模式的形成与进一步拓展，许多城市、小城镇和村庄连接在一起。在珠江三角洲内的一些地区，特别是广州—深圳、广州—珠海等主要的交通走廊地带，传统的城市与乡村界限变得模糊，代之以一种城市和乡村景观相融合，农业与非农业景观相混杂的城乡一体化地带。自 80 年代后期以来，城乡一体化的发展继乡村城市化成为珠江三角洲区域城市化的主流。①

1993 年，广州、深圳地区生产总值分别超 100 亿元，进入全国 16 强，珠海、佛山、深圳、惠州、江门人均地区生产总值超万元。整个珠江三角洲财政收入超千万元的镇有 136 个，其中 25 个超过 5000 万元，并出现了具有专门化职能的新兴工业化城镇——如“服装城”（虎门）、“冰箱城”（容奇）、“家具城”（乐从）、“陶瓷城”（南庄）等。城镇经济实力显著增强。

1994 年，广东省政府进一步明确了建设珠江三角洲经济区的构想，并成立了珠江三角洲规划协调领导小组，编制了相应的规划。

1993—2002 年，外源性经济继续发展，引资范围、规模和外商投资领域不断扩大，经济快速增长吸引了越来越多的外来人口。据统计，1993 年珠江三角洲外来人口达到 600 万 ~ 700 万人，2000

① 分区域推进广东城市化研究课题组：《珠江三角洲城市化研究》。

年“五普”时增加到2000万人。大量外来人口的进入是珠江三角洲城市化的特点。按“五普”统计资料，计入居住半年以上常住人口，2000年珠江三角洲城市化水平已达72.7%。

随着经济体制改革继续深化，内源型经济也亮点频出，高新技术、第三产业长足进步，城市综合功能得到加强，广州、深圳等中心城市的带动作用开始突显。由于人口的大量增长，城市化水平迅速提高。顺德、南海、台山、番禺等相继“撤县设市”，城市个数从5个增加到25个（包括县级市），建制镇从32个增加到420个。城镇密度高达100个/万平方公里，城镇间平均距离不到10公里，许多城镇的建成区几乎连成一片，初步形成了大都市连绵带的雏形。此时，珠江三角洲开始作为一个完整的经济区被受到重视。

2003年至今，在我国消费结构升级的市场引导作用下，在土地成本上升、劳动力成本上升、环保压力加大以及国家和地方政策的双重作用下，从2003年开始，珠江三角洲地区的产业结构升级速度加快，主要表现为重化工业、高新技术产业和服务业的发展速度比以前更快了。而大量的劳动密集型产业制造业正在向区外转移，特别是向珠江三角洲的外围如河源、清远、惠州市区以外的地区、肇庆、阳江等地转移。与此同时，珠江三角洲地区的城市化水平和质量都有所提高。

2005年，珠江三角洲城镇人口比重为77.32%，达到世界中等发达国家水平，分别比全省和全国平均水平高16.64和34.33个百分点。珠江三角洲人均生产总值和非农建设用地产出率较高，人均生产总值达到40123元，分别比全省和全国平均水平高出15136元和26179元；非农建设用地产出率达到21953万元/平方公里，分别是全省和全国平均水平的1.72和4.38倍。

（二）城市化水平的提升

经历了数次的区划调整，目前，珠江三角洲包含了广州、深圳、珠海、佛山、江门、东莞、中山、惠州、肇庆等9个地级市及其所辖的20个（县级）市和县，土地面积共5.47万平方公里，占

广东全省的30%。

经济的快速发展，直接推动了城市化水平的提高。目前，珠江三角洲常住人口已大大超过户籍人口，成为广东全省，乃至全国最大的人口流入区，成为外来人口实现异地城市化的重要承载区域，是全省城市人口规模最大、城市化水平最高的区域

按2000年第五次全国人口普查统计，珠江三角洲城市化水平为72.7%，已经接近世界上中等收入国家地区的平均水平，与世界发达国家如美国（76.1%）、日本（78.1%）相比差距已经不大。

2006年末，珠江三角洲地区的常住人口为4446.94万人，其中城镇人口为3652.15万人，城市化水平达到了82.13%，提高城市化质量成为区域未来的主要问题。

表2－1 改革开放以来，广东主要城市人口规模变化（万人）

1984年(市区非农人口)		1990年(市中心城区)		2000年(市区人口)		2005年(中心城区人口)	
广州	248.00	广州	394	广州	698	深圳	655
汕头	47.66	深圳	88	深圳	557	广州	600
湛江	31.22	汕头	88	汕头	185	佛山	375
韶关	28.60	湛江	74	东莞	86	惠州	138
潮州	25.74	佛山	43	珠海	83	汕头	136
佛山	22.97	肇庆	35	佛山	77	江门	130
中山	20.89	汕尾	34	湛江	75	湛江	90
江门	15.97	珠海	33	茂名	64	珠海	90
梅州	15.46	东莞	33	揭阳	74	东莞	87.5
深圳	15.26	韶关	32	惠州	55	茂名	80
肇庆	13.70	江门	28	江门	54	韶关	75

注：1984年海南海口市非农人口19.88万人，但为便于比较，表内数据不包括海口市。

数据来源：《广东统计年鉴》（1984），1990、2000年“第四、五次人口普查数据”，2005年“1%抽样数据”。

（三）珠江三角洲的极化

“省域城镇发展格局与经济格局相同呈现出明确的‘核心—边缘’非均衡的空间分布格局。珠江三角洲地区最为发达，城镇规模大、城镇密集，城市化水平最高，已形成城市群地域形态。珠江三角洲面积仅占全省的23.5%，城镇密度达102.6个/万平方公里，远高于全省平均水平（89.5个/万平方公里）。其中，特大城市2个、大城市7个，中等城市5个，小城市9个，建制镇405个。而欠发达地区中除东部沿海地区的平均城镇密度较高外，其他地区仅约为80个/万平方公里。这些地区在经济发展、城镇规模、城市化水平以及城市建设等方面与珠江三角洲地区还有一定的差距。”①

目前，珠江三角洲地区毫无疑问已经成为引领广东整体发展的先锋地域。全省经济的发展的空间格局呈现清晰的“香港—珠江三角洲—外围地区”三级格局基本形成。根据2000年第五次全国人口普查统计，区域总人口3950万人，占广东全省的45.7%；人口密度1074人/平方公里，约为全省平均人口密度的2.2倍。进入21世纪以来，核心与边缘地区的差距进一步加剧。城市型产业即工业和服务业向珠江三角洲城镇群集中的趋势十分明显。

2000年以后，广东省区域差距进一步加剧。珠江三角洲占全省GDP的比重由2000年的75.2%扩大到2006年的近80%；人均GDP为47094元，是周边地区的4倍。（图2-2）第二产业增加值占全省82.44%；工业增加值占全省83.38%。第三产业增加值占全省87.87%；消费品零售总额占全省的73.28%。珠江三角洲已经成为广东省人口密度、经济密度最高的区域。

2006年珠江三角洲规模以上工业增加值占全省的86.5%，比2000年增加了6.5个百分点；地方财政一般预算收入占全省的67%；全社会固定资产投资总额占全省的73.3%；外贸出口总额

① 广东省城乡规划设计研究院：《广东省城镇体系规划（2007—2020）》，2007年。

占到全省的95.6%，是其他地区的约22倍。

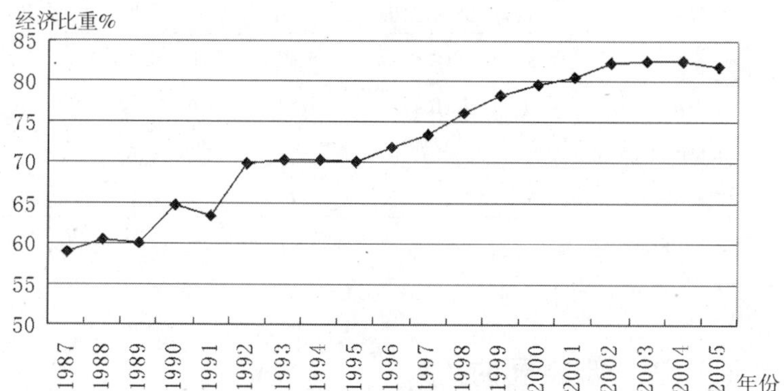

图2-2　珠三角经济区在全省的经济比重变化（1987—2005年）

表2-2　　珠江三角洲与省内其他地区相关指标的比较

	2000年		2006年	
	珠江三角洲	其他地区	珠江三角洲	其他地区
规模以上工业增加值	80	20	86.5	13.5
地方财政一般预算收入	65.8	34.2	67	33
全社会固定资产投资总额	73.1	26.9	73.3	26.7
外贸出口总额	92.2	7.8	95.6	4.4

数据来源：《广东统计年鉴》（2001、2007）。

根据工业化发展阶段的判别标准进行综合判断，广东目前处于工业化中期阶段。其中，山区大致处于工业化初期，两翼处于工业化初期到中期之间，珠江三角洲则已进入工业化后期阶段。工业发展水平和阶段的差异是广东区域经济差距存在和扩大的关键。

表2-3　　广东以及分区域工业化发展阶段判断

指标		工业化前期	工业化初期	工业化中期	工业化后期	后工业化时期
判别标准	人均GDP(元)	260～728	728～1456	1456～5460	5460～13104	13104以上
	非农产业比重(%)	50以下	50～70	70～87	87～98	

续表

	指标	工业化前期	工业化初期	工业化中期	工业化后期	后工业化时期
	地区	山区	东西两翼	全省	珠江三角洲	
样本数据	人均 GDP(元)	1420	1648	3752	6540	
	非农产业比重(%)	79.7	82.5	94	97.3	

数据来源:《广东统计年鉴》(2007)。

(四)进一步发展的约束

1. 区域土地资源日益紧缺。

珠江三角洲不仅承担了本区域内部农村人口的城市化,而且吸引了来自全省乃至全国其他地区大量的外来人口,成为了一个具有高度压力的城市化的空间载体。第五次人口普查资料显示,珠江三角洲外来人口相当于本地户籍人口的81%,这些外来人口绝大部分集中在各级城市和小城镇。因此,珠江三角洲城市和城镇实际上是为相当于本地户籍人口1.8倍的人口提供土地、设施和服务。同时为数量庞大的本地和外来人口提供城市设施,使得城市用地迅速扩展,占用农业用地的规模日益扩大,生态环境面临较大的压力。

2000年,珠江三角洲市县的城镇建成区总面积达1442平方公里。1980年至2000年,深圳建成区面积扩大了62.3倍、中山扩大了7.1倍、广州扩大了3.7倍、惠州扩大了2.9倍。同期珠江三角洲耕地面积从1980年的104.5万公顷减少到2000年的63.1万公顷,减幅占全省同期耕地面积减少量的60%。珠江三角洲人均耕地面积则由1980年的0.06公顷/人减少到2000年的0.028公顷/人。深圳特区的郊区在1980—2000年间耕地年递减率高达10.2%。东莞、中山的耕地年递减率也在3.5%以上。排除其中部分不合理用地、闲置土地和浪费用地外,城市发展对土地的客观需求仍然非常巨大。

另一方面,2003年以来国家出台一系列"紧缩性"的土地政

策，旨在从总量上控制土地开发的过速增长，低价征收农地再粗放利用的土地开发模式难以为继，亟待转型。《国务院关于深化改革严格土地管理的决定》严格依照法定权限审批土地，严格执行占用耕地补偿制度，禁止非法压低地价招商；从严从紧控制农用地转为建设用地的总量和速度；完善征地补偿程序，妥善安置被征地农民；实行强化节约和集约用地政策，推进土地资源的市场化配置，建立耕地保护责任的考核体系，严格土地管理责任追究制等等。《国务院办公厅关于暂停审批各类开发区的紧急通知》，《国务院办公厅关于清理整顿各类开发区，加强建设用地管理的通知》，《国务院关于加大工作力度进一步治理整顿土地市场秩序的紧急通知》，《关于清理整顿现有各类开发区的具体标准和政策界限》等一系列政策，主要是控制工业园区、开发区的过度泛滥，占用耕地、农地非农化的速度过快，且在此过程中农民利益未得到合理的保障，因违法圈地而造成的农民上访事件剧增，社会矛盾尖锐。

2. 户籍人口制度引致“半城市化”。

现阶段，关于户籍人口的制度和政策与城市化进程不相适应是普遍存在的问题，但在珠江三角洲表现得最为突出。当前，农村的土地政策、集体分红制度等使农村具备了比城市更高的吸引力，导致农村城市化丧失了动力。

实行家庭联产承包责任制以来，农村用于生产的土地分散到以家庭为基本单位。农民以土地入股集体经济，并获得分红，土地成为了农民经济收入的重要来源。同时，农村每户家庭可以很低的价格获得“宅基地”，用于农村居民家庭的住宅建设，比城市居民解决居住问题所花费的投入要低许多。因此，尽管相当数量的农村居民已在城镇从事非农工作，但为了享有农村生产和住宅建设用地的优惠和保障，而宁愿保留其农村户口并居住在农村。

珠江三角洲本地农村户籍人口制度已经成为城市化的障碍，这种制度只能推动产业结构的非农化，但不会伴随出现城市化的相应发展，直接导致了“无城市化的工业化”和“非城市化的非农化”的“半城市化”现象。

3．行政区分割制约了城市的实体发展。

随着城市之间交流日益密切，区域不仅在经济领域的联系越来越密切，在生态环境、交通设施等方面的合作的需要也越来越迫切。但是，珠江三角洲内行政单位和等级较多，城市发展、规划和建设一直以各地级市，甚至县或县级市分别开展，缺乏协调。1995年，珠江三角洲各城市间曾经建立了珠江三角洲经济区规划办公室，对区域内部分基础设施的建设起到了一定的协调作用，但真正作为一个全区域发展协调机构的功能尚远未能发挥出来。

行政区分割给城市和城市化发展带来了一系列的问题：

产业结构的区域化与专业化是相辅相成的，现阶段珠江三角洲各城市间在产业分布的领域和层次都缺乏有效的匹配和整合，各地的产业选择具有一定的随意性和盲目性，产业结构的同构性较高。

城市规划与建设以单个城镇为主体开展，“就城镇论城镇”，未能从整个区域城市发展和城市化进程高度上统筹布局、安排与协调，许多城镇在区域城镇系统中的地位和功能不明确，城镇规模盲目“求大”，基础设施建设盲目“求全”。

基础设施建设重复建设，造成浪费。目前珠江三角洲道路建设的协调较好，但在港口、城市公共实施和市政设施的建设方面协调较少。特别是在县级市和镇一级基层层次上的协调更显不足。各个城市间的规划与建设缺乏协调。

部分城市在空间上被外市包围的城区往往缺乏继续扩展的空间，佛山和江门两市即为这一问题的典型例证。近来对佛山和江门两市着手进行行政区划的调整，是解决这一问题良好的开端。

二、珠江三角洲的一体化

珠江三角洲一体化的目标是要在区域内建立统一、开放和有效的市场体系，消除区域内阻碍产品和生产要素自由流动的各种体制障碍，充分发挥市场机制在区域资源配置中的作用，促进区域内经济分工，最终实现共同的发展和“普遍的富裕”。

（一）区域的全面竞争

1．普遍繁荣。

在改革开放以前的计划经济时期，广州一枝独秀，其周边地区似乎是另一个发展体系，形成城—乡、工—农的二元体系，中心—边缘结构特征明显。1980 年广州对珠江三角洲 GDP 的贡献份额接近 50%。而仅仅 20 多年，这一格局就发生了翻天覆地的变化。

珠江东岸的深圳从边陲小镇（县）一跃变成新兴现代化城市，凭其金融业和高新技术产业在全国的地位迅速提升，成为中国最发达的现代化国际性城市之一。东莞 80 年代主动承接香港的产业转移大力发展“三来一补”企业，90 年代后又成为台商 IT 产业转移之地，发展成为了一个国际性加工制造业基地；惠州也承接了香港劳动密集型产业的转移，发展了电子产业，同时也经受了房地产和熊猫汽车城项目泡沫经济的重大挫折。

珠江西岸的珠海是经济特区；佛山依托专业镇，培育出了一批国内外知名的区域品牌，形成了南海纺织、有色金属、禅城陶瓷、顺德家电等各具特色的产业集群；中山一方面主动接受香港产业转移，另一方面充分利用原有较好的国有工业基础务实发展国有和乡镇、个体经济，并谋求发展高新技术产业；江门经济发展速度和水平相对较低，但在家电、化工、纺织等方面也有了相当规模。

珠江三角洲的区域格局经历了三个阶段的发展：1978 年之前，是广州单中心的一元化阶段；1978—1990 年中期，是以港澳为中心的离心化阶段；1990 年代中期至今，从各城市的经济总量来看，一种明显的多极化的“拼图式”经济发展格局已经形成。另外，各城市的发展各有特色，显示珠江三角洲已经进入了普遍繁荣的发展阶段。（图 2－3）

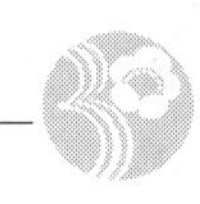

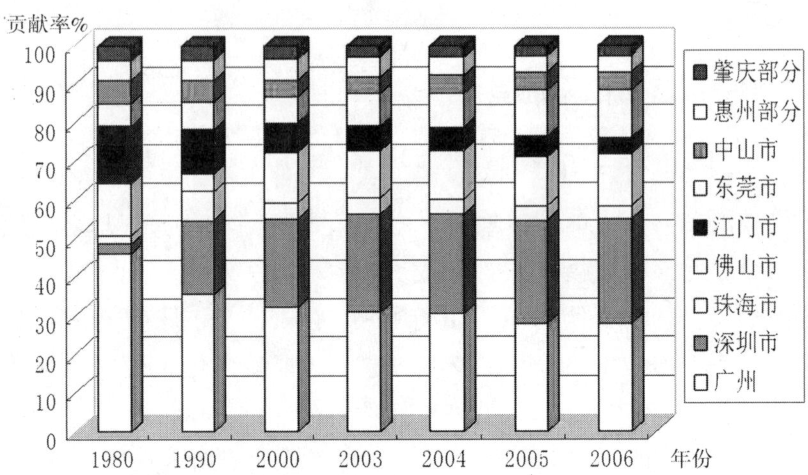

图2－3 1980—2006年各城市对珠三角GDP的贡献率变化

2．分散决策。

传统的区域中心城市广州由于历史原因，经济凝聚力和辐射力弱，对珠江三角洲各城市发展的影响能力低，在产业上珠江三角洲其他城市都基本以香港为核心，而广州则自成体系；在空间上，各城市均根据自身需要向沿海拓展，“开港出海”，广州也变成其中一员。在基础设施的建设上，相互之间的衔接程度也很低。

珠江三角洲经济发展最初以港资为龙头，在与香港企业的合作过程中“干中学”，利用港资的技术、管理、营销、信息等条件“借船出海”，发展外向型经济。在这一过程中，“三来一补”等加工业得到大量发展，形成了“前店后厂”的经济模式。各城市吸引港资凭借的是各城市自身的亲缘、血缘或地缘联系，因此珠江三角洲各城市之间的联系并不紧密，相互之间在发展上也缺乏协调。

各城市经济呈现高度的外向性特征，从珠江三角洲各市的对外贸易依存度可以看出，已经形成了各市直接指向香港或者是以香港为代表的国际市场的区域经济格局。其中，受香港影响最深的是深圳和东莞。我们注意到，广州在工业化战略后成功实现产业转型，消费对象开始转向国内市场。

表 2 - 4　　2006 年珠江三角洲各市对外贸易、GDP、外贸依存度等指标

地区	对外贸易额(亿美元)	GDP(亿元)	外贸依存度(%)
广州	477.88	4115.8	96.10
深圳	1472.83	3422.8	357.11
珠海	218.13	546.3	331.37
佛山	216.87	1656.3	108.66
江门	78.4	834.6	77.96
东莞	645.18	1155.3	463.46
中山	156.21	610.1	212.49
惠州	165.66	667.1	206.09
肇庆	16.61	385.6	35.75

注：惠州和肇庆两市为市域数据，数据来源于《广东统计年鉴》(2006)。

目前，珠江三角洲已经通过香港与世界市场建立了紧密的业务联系。但是珠江三角洲各城市之间的横向联系却比较松散，由于缺乏明确的职能分工，城市之间并没有建立稳定的服务联系，相互之间的经济联系方向也并不明显。如果将港澳纳入，由经济关联度计算出来的大珠江三角洲各城市之间的联系明显地指向香港，而珠江三角洲内部城市群之间的经济联系指向并不十分明显，其内部正面临扁平化的格局。(图 2 - 4)

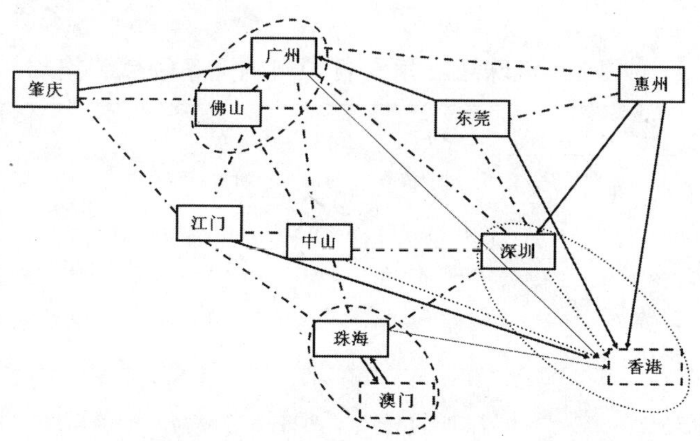

图 2 - 4　大珠三角各城市呈现出“扁平化”的趋势

3. 多点博弈。

随着珠江三角洲的群雄崛起，产业外向型、结构扁平化的珠江三角洲城市之间的竞争态势日益激烈，各城市之间展开了从基础设施到产业发展的全方位的竞争。

港口领域，目前各个城市都在投入巨资、寻求合作伙伴对其战略港口进行开发，都在积极发展集装箱业务，未来将展开五大港口（加香港港）激烈争夺腹地货源的竞争。

机场领域，伴随珠海机场与香港机场的整合、惠州民用机场的启动，珠江三角洲机场（含香港、澳门机场）将进行新一轮的洗牌，尤其是广州机场和香港机场的竞争将会进一步加剧。

在石化领域，除惠州成功引进中海“壳牌”和广州成功引进科威特炼油项目外，其他城市尚无大的起色，但都试图在该领域分得一杯羹，尤其是在土地、环境资源极受约束的深圳。

总体来看，现阶段珠江三角洲地区的集中发展，只能说形成了一个城市密集区，距离区域的一体化尚有很远的路要走。现状区域格局还处于“普遍繁荣、分散决策、多点博弈、全面竞争”的状况。在未来的发展中，城市之间如何由“竞争”走向“竞合”，由局部性的城市联盟走向大区域的一体化，既是需要探索的话题，也将必然是未来发展的必然趋势。

表2－5　2006年珠江三角洲各城市的竞争领域和格局

博弈领域	竞争城市
石化	惠州、广州、深圳（葵涌）、珠海、东莞（虎门）
金融	深圳（福田CBD）、广州（珠江新城CBD）
高新技术	东莞、深圳、广州、珠海
汽车	广州、深圳、佛山、惠州
港口	深圳盐田港、广州南沙港、珠海高栏港、东莞虎门港、惠州港
机场	广州、深圳、惠州（计划开通）、珠海、佛山（计划开通）

（二）“一体化”的驱动力

1. CEPA催生“大珠江三角洲”。

1840年以前中国只有一个国际性城市——“一口通商”的广州，其在国家战略中的功能可能超过现在的香港或上海。但是1840年后仅仅10年时间，上海外贸就超过广州成为全国第一。至1949年，香港终于有机会替代上海成为中国内地与世界交流的孔道。

1979年以后，作为中国与世界交流的窗口，中国南方的“改革开放”实验进一步推动了香港的大发展，使之成为中国经济体系中最重要的外贸中心，她也借中国巨大的市场成为国际经济体系中重要的一员。而珠江三角洲则借临近香港的地理优势承接产业转移和服务，区域经济得到极大发展，迄今为止香港仍然是珠江三角洲经济发展最重要的发动机之一。

1997年香港回归以后，其在地理上替代广州成为珠江三角洲的首位中心城市，这对其保持在全球的竞争优势，发挥其在亚太区金融、商业贸易、资讯及旅游中心的作用非常有价值。但是由于中国全境对外开放的深化，香港已经不是中国对外的唯一通道，而亚洲金融危机的打击更使香港必须主动寻求与自己直接吸引的经济区的合作，为此国家开放香港“自由行”，支持其商业和旅游业复苏，广东省更积极提出了泛珠江三角洲概念，希望能支持香港的发展。就大珠江三角洲区域而言，香港理所当然应该是最大经济体量和最具带动力的中心城市，但是由于一国两制因素，以及珠江三角洲各城市间还处在竞争的阶段，目前其组织和服务区域经济的作用远不如上海在长江三角洲的龙头地位。

2003年6月29日，《内地与香港关于建立更紧密经贸联系的安排》（CEPA）在港签署，使大珠江三角洲的一体化进程大大加快。可以预见，“大珠江三角洲”经济关系格局中的增长因素、贸易质量和结构、投资的数量和结构、产业结构和分布等都会随之变化。CEPA的实施，有利于珠港澳三地从制度上共同推进“大珠江

三角洲”区域经济一体化进程。三地通过城市群和基础设施网络的重新规划建设和区域管治水平提升，其空间结构经济合作关系将向“大珠江三角洲”城市群方向发展。这标志着内地与港澳经贸交流与合作进入了一个更高的层次和新的历史阶段，标志着“大珠江三角洲”区域经济格局进入以“竞合”为动力特征的历史新阶段。而“大珠江三角洲”又将促进“泛珠江三角洲”的发展，并通过“泛珠江三角洲9+2”协调体制进入与东盟的“10+1”经济圈。

2006年粤港两地联合启动《大珠江三角洲城镇群协调发展规划研究》将“共同制定城市与区域发展战略、协调资源开发利用、环境保护与城镇交通发展、促进区域和人居环境改善、促进区域间功能互补等，通过拓展‘泛珠江三角洲’的发展腹地，期望把‘大珠江三角洲’建设成世界最具发展活力的城镇群之一”。

2.《珠江三角洲城镇群协调发展规划》的推动。

在以长江三角洲的开放、京津塘地区的发展为代表的全国普遍繁荣的局面下，珠江三角洲地区未来的发展面临了前所未有的压力。在这个国家地位在后退，区域角色在凸显的时代，如何协调区域发展，提升区域竞争力是市未来制胜的关键。

《珠江三角洲城镇群协调发展规划》提出了珠江三角洲总的发展目标为：抓住机遇期，加快发展、率先发展、协调发展，全面提升珠江三角洲城镇群的整体竞争实力，建设成为重要的世界制造业基地和充满生机活力的世界级城镇群。

受行政区划限制，珠江三角洲城镇群协调发展规划在体系上不得不对各个行政城市进行了分级、分类布局，规划提出了两个区域主中心（广州、深圳）、一个区域副中心（珠海）的比较平衡的发展模式。但是由于各个行政城市都呈现出实体空间“广域化”和组团发展“功能化”的特点，规划又提出了一条发展主轴（广州—深圳）、一个环伶仃洋湾区城市带的非均衡式策略性发展模式。俨然已经将珠江三角洲城镇群作为一个“大珠江市”来规划。

《珠江三角洲城镇群协调发展规划》从空间、产业、基础设

施、管治、机制等多个方面详细论述指明了珠江三角洲地区的发展方向，这表明广东省政府也将更加积极推动珠江三角洲地区的协调发展。(图 2－5)

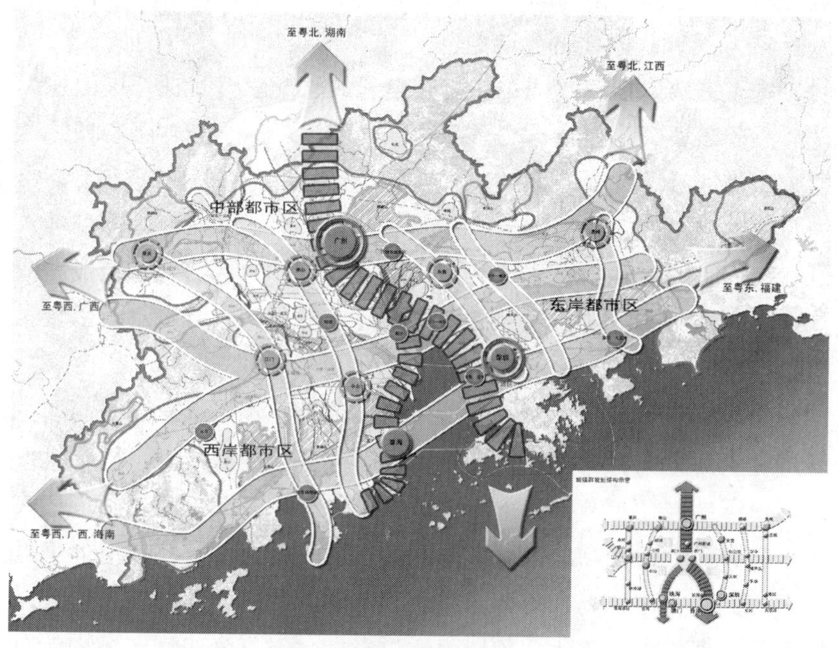

图 2－5　珠三角“一脊三带五轴”的城镇格局

资料来源：《广东省城镇群协调发展规划》(2004)。

3．区域重大基础设施的驱动。

目前一大批重大基础设施项目已经开始建设，这将极大地改变珠江三角洲的空间格局，驱使区内城市间协同态势不断增强，广佛都市区、深港同城、珠澳一体等局部区域合作模式正在加速，雏形已现。

(1) 港珠澳大桥、中深大桥。

港珠澳大桥连接两个特别行政区（香港、澳门）和两个经济特区（深圳、珠海)，横跨珠江口伶仃洋海域，连贯了珠江口西岸与香港之间的陆路缺口，全长约 35 公里，采用三线双程分隔车道，采取“三地三检”口岸模式。由香港往来澳门或珠海只需 15 分钟车程，比现时乘坐高速客轮节省时间约3/4。

中深大桥设计为铁路、公路合一，既可连通江中高速公路和深圳机荷高速公路，也可连通厦深高速铁路和广深、广珠铁路，以及最终通往南宁和越南、新加坡的泛亚铁路。

（2）城际快速轨道交通网。

广东省政府根据我国交通运输发展的长期战略目标，提出建设珠江三角洲城际快速轨道交通系统，规划以广深、广珠两条城际快速轨道交通线为主轴，最大可能地连接沿线城镇，体现广佛都市区、深港都市区、珠澳都市区三大中心和广深、广珠两条经济带的放射功能。方案规划站与站最小间距离2公里，站站停车辆最高营运速度为每小时140公里，直通车辆最高营运速度为每小时200公里，线路80%选用高架形式，达到占地最少化。

珠江三角洲城际快速轨道的建设，将进一步拉近珠江东西两岸城市之间的距离，与即将建设的港珠澳大桥、中深大桥一起构筑珠江三角洲地区“A”形快速交通结构，实现三大都市区之间1小时的互通，极大地提高地区城市间的连接度和通达度，有效地促进城市间人流、物流、资金流和信息流的互动，在区域内部进行产业结构调整，资源配置优化，各城市通过专业化发展来实现区域内的合理分工与功能互补，促进珠江三角洲大都市带的形成。（图2－6）

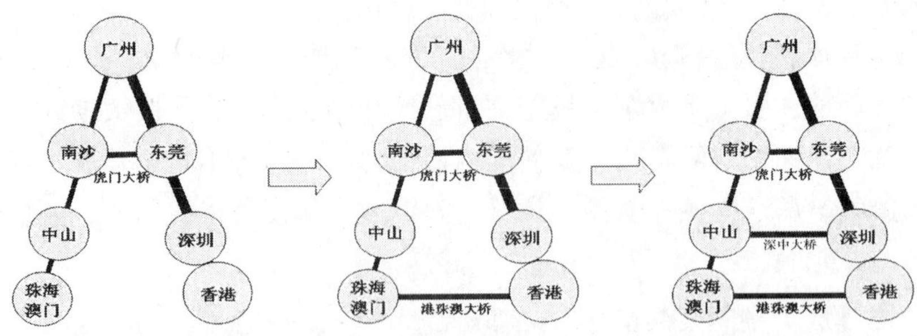

图2－6　珠三角区域交通结构的演化

（三）三大都市区先行

1．广佛大都市区。

（1）两市关系的演变。

①改革开放初期，广州、佛山两市处于独自发展的态势。广州当时的城市地区主要位于荔湾、越秀、芳村以及海珠的西北角，由于受到行政区域的限制，城市主要发展方向是向东拓展。佛山则主要在原南海佛山镇的范围内进行建设。

②1984 年，佛山行政区划调整，佛山市设立市辖区，将佛山镇及南海县的石硝、叠南、叠北三个乡划归佛山市辖，南海县政府从佛山市迁出，在市区东北部的桂城紧邻市区建设行政办公区。而广州城市仍然继续向东带状延伸，并于 1984 年底在黄埔成立经济技术开发区，1984 年制定的总体规划相应地提出东西两大组团的城市空间布局设想。1986 年第六次全国运动会在广州举行，广州在天河区建设体育中心，这一决定使广州的城市中心开始由老城向天河转移。

③进入 20 世纪 90 年代，广州开始受到城市发展用地不足的限制。1996 年的总体规划提出三大组团的设想，建议城市向北拓展，北部水源保护地面临威胁。这一时期广州的部分功能开始突破行政区划的限制向周边地区扩散。90 年代初期，洛溪新城建设启动，开始承接广州居住功能外溢；而商贸批发业也开始沿广佛公路由主城区向南海外溢。1997 年，黄岐的房地产开发启动，承担了相当一部分广州老城居住人群的外溢。这个时期广州与南海之间开始建立联系，是广佛两地的早期合作方式。

④2000 年，广州行政区划调整，城市发展门槛去除，“东进、南拓”成为空间发展的主要方向，城市格局从传统的“云山珠水”跃升为“山城田海”，城市框架拉开。城市发展的主导方向是“东进、南拓”，“西联”佛山的战略缺乏动力，此时广佛都市区的一体化“只听楼梯响，不见人下来”。

现实却是“行政有界、经济无疆”，并且在南海“东西板块”

战略的推动下，南海东部地区正积极地承接着广州功能的扩散，出现了南海大沥“广佛黄金商业走廊”、东部地区的房地产开发等良好的发展趋势，可以说目前广州与佛山的关系仍然没有突破接壤地区互动的格局，动力主要来自于广州市场主导的辐射，这意味着广佛都市区刚刚进入一体化的初级阶段。（图2－7）

（2）一体化的态势。

目前，从空间上来看，广佛两市主城区的建设用地基本已经连在一起，整个都市区大致可以划分为三大发展带，南、北是城镇发展带，中部是都会发展区。（图2－8、图2－9）

从广佛两市目前的实际情况来看，其间的关系是竞争多于合作。广州在2000年行政区划调整之后，获得了珠江三角洲其他城市无可匹敌的资源优势，近年来主要致力于基础设施的建设，拉开城市框架，推动外围新城市功能组团的建设，可以说广州正处于自我扩张阶段，暂时不需要与佛山合作；而佛山虽然也在2003年进行了行政区划调整，但是由于南海、顺德这些地区是

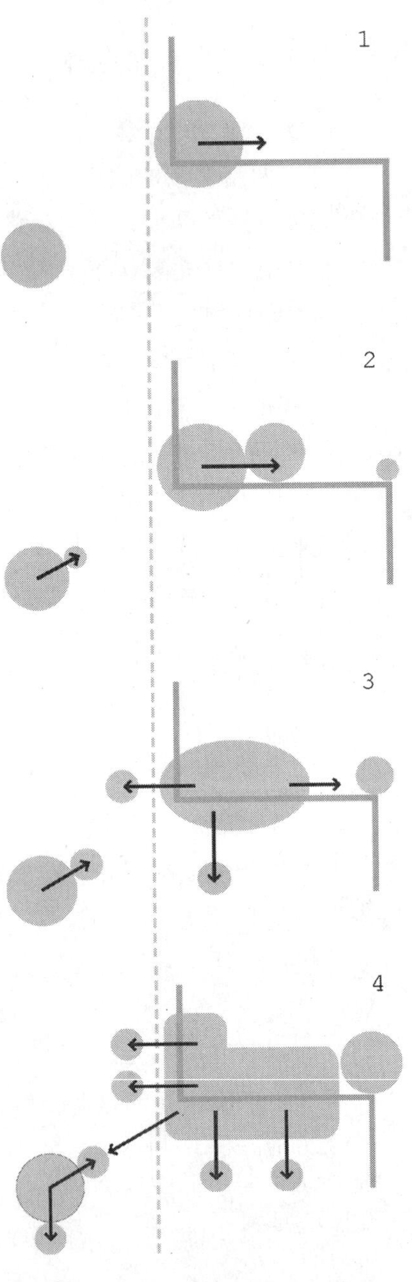

图2－7　广佛都市圈的空间演进图

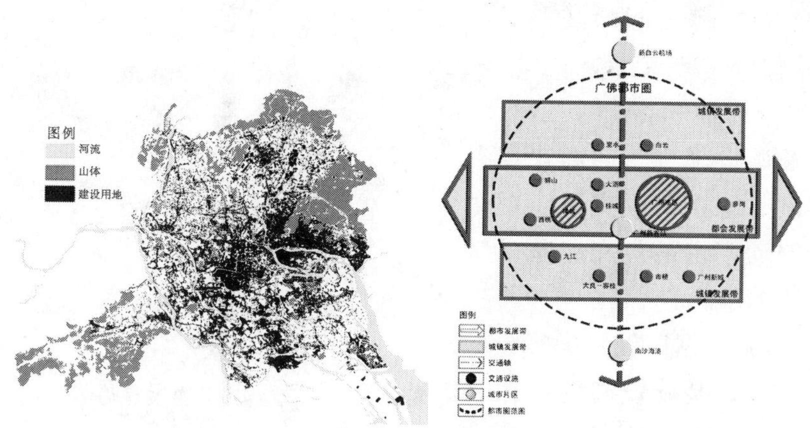

图 2－8 广佛都市区建设用地现状图　　图 2－9 广佛都市区三大发展带

以“自下而上”的农村工业化发展起来的，各个镇街发展能力很强，造成整个佛山当前处于散点独立发展的格局，虽然临近广州的各镇街都在积极地推动与广州的无缝衔接，但是作为市级层面的合作则缺乏动力。

从两市实施的城市发展空间结构中可以明显地看出：广州发展的主导方向是向东、南，而佛山采用的“2＋5 组团”则是以中心组团为核心向外辐射，重点还是向南拓展。广州的“西联”、佛山的“东承”均无实际行动推进。（图 2－10）

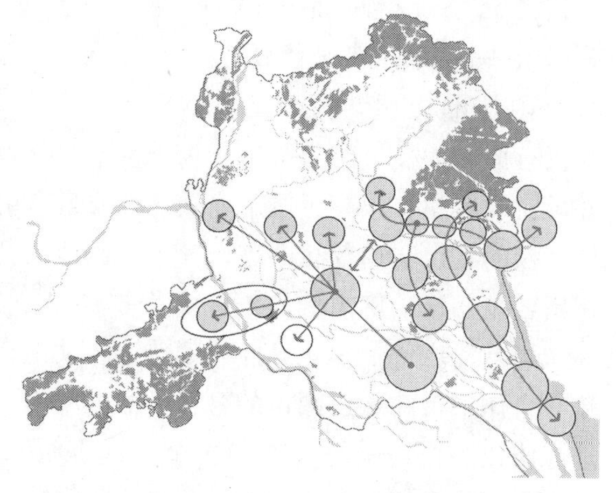

图 2－10 广佛两市规划空间结构拼合图

随着广佛之间南沙海港、广州新客站、新白云机场海陆空三大区域性基础设施的建成投入使用，设施共享将成为广佛合作的战略选择，广佛之间的联系点将增加为“三个点，一个面”，并且围绕三大基础设施构筑的高快速路网、地铁轨道交通线网将推动广佛两市交通基础设施的全面一体化。（图2－11）根据区域发展的一般规律，基础设施的一体化是区域一体化的基础，而广佛两市却各自构筑交通道路和轨道交通系统。广州以环城高速为核心，内部是网格状的城市主干道系统，外部是放射状的高快速路系统；而佛山则是以佛一环为骨架来组织城市内外部交通。两市之间仅有广和大桥、广佛公路、海八路、佛平路四条主要联系通道，并设有收费站，限制了城市之间各种要素自由、便捷地流动。而规划衔接的轨道交通仅有两条，其中广佛地铁已经开始建设，而与广州新客站相连的佛山地铁3号线尚未动工。（图2－12）

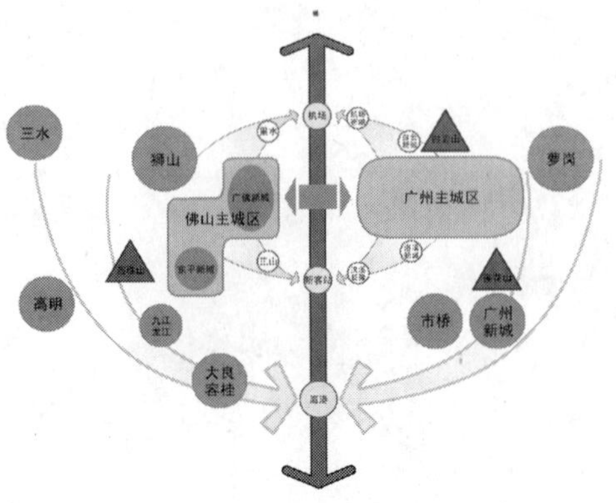

图2－11　广佛都市区发展态势图

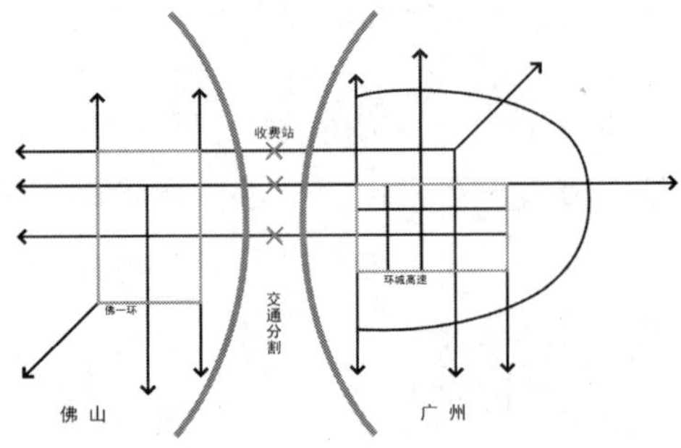

图2－12　广佛两市交通通道的分割

当前，广佛一体化已经得到普遍的共识，省政府已经开始准备建立合作平台，促进两市的融合，而两个市级政府也开始积极地推进一体化工作，围绕合作的多个方面进行数次对话。更为重要的是，市场也在积极地推动一体化进程，基础设施一体化将会进一步促进广佛两市各种资源要素的自由流动，都市区内部地区之间将会出现重新分工，走更加专业化发展的道路，进而在整个都市区内实现体系化。可以预见，日益频繁的经济合作，基础设施共享，城市服务共享，产业发展差异化，将是该地区未来发展的主

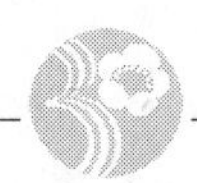

流。（图2－13）

2．深港大都市区。

（1）经济从融合到竞争。

当城市或地区之间经济发展水平相距甚远时，示范帮助与学习的“单线模式”是它们联系交流的主要方式；当经济发展水平接近时，发挥各自的比较优势以互补融合，与在同一市场的相互竞争将构造出复杂、多重的区域格局。90 年代以来，深圳香港之间经济关系根本性的变化也即体现于此。

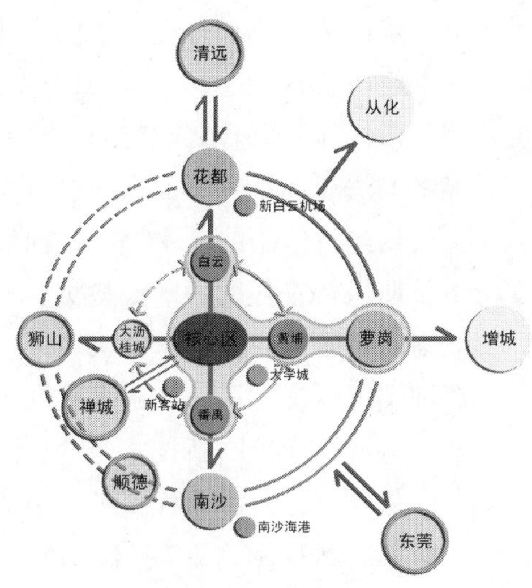

图 2－13　广佛都市圈城市空间结构

最初，香港是作为深圳经济发展的参照系出现的。20 世纪 80 年代初，香港利用中国内地的改革开放政策开始第三次经济转型，制造业大规模北移，香港逐渐由制造业主导型转向服务业主导型经济体系。在制造业北移过程中，深圳承接了香港外溢的劳动密集型产业，成为香港制造业转移的最佳承接地。但是，城市或地区的经济发展如同市场中的企业一样避免不了竞争，发展水平越接近，地理位置相距越近，经济结构越相似，它们之间的竞争也越激烈。90 年代中后期以来的深圳和香港逐渐从融合转向竞争这样一种发展态势。

①香港经济的动荡与深圳经济的活跃。

1990 年代初的香港仍延续其经济的服务化，中国内地强劲的发展态势和大量经济要素向香港的汇集提升了地产价格，一方面推动了金融业等高端服务业发展，另一方面也进一步挤出了租金支付能力较低的制造业。由于不动产的过分投资，地产业成为“空中楼阁”，使香港经济增长的负效益日益明显，1997 年席卷东南亚的

亚洲金融危机严重挫伤了香港经济。

而1992年邓小平同志南方视察讲话之后，上海等一系列重要城市进一步改革开放，香港在中国内地对外联系口岸的地位有所下降。深圳经济特区也进入了第二个发展时期，在建立现代企业制度、完善市场体系、转变政府职能、完善社会保障制度、建立适应市场经济的法规体系等方面继续进行大胆探索，从而初步形成了社会主义市场经济体制的基本框架，深圳经济在全国经济高速增长的支持下长期保持着强劲的增长势头。

②高新技术产业的竞争势头。

深圳实现经济的第二次起飞推动了产业的升级，大量劳动密集型产业进一步外迁，高新技术产业逐渐成为主导产业。十几年经济要素的极化效应，使深圳积累了相当的发展基础，加上政府的强力推动，深圳高新技术产业朝气蓬勃。1992年，深圳仅有8家高新技术企业，2003年达1439家。1991年全市高新技术产品产值仅22.9亿元，2003年达2482.79亿元。高新技术产品的出口也高速增长，1992年高新技术产品出口额仅有1.92亿美元，2003年为251.55亿美元。

香港在经历金融危机后，认识到在劳动密集型制造业北移后，必须加快高新技术产业发展，否则香港服务业也会因此而“空心化”，香港经济繁荣面临危机。于是香港掀起一股发展科技产业潮，首先是数家大财团开始纷纷向创新科技产业进军，其次是香港科学园受到国际科技工业界的重视，最后是香港的中小科技公司也如雨后春笋般地涌现出来。由此可见，深圳、香港经济发展的重点方向已经很明确，高新技术产业已经成为两地共同竞争的目标市场。

③高端服务业的深港竞合。

香港是国际金融中心，具有完备的国际金融市场体系。随着东南亚经济崛起和中国与东盟自由贸易区的组建，加上内地与香港交流的日益频繁，这些将促进香港的金融市场更加广阔和极具有增长潜力。深圳是中国两大证券交易市场之一，金融业在深圳市是一大

支柱产业，深圳一直想把它做大做强，提升其在国内资本市场中的影响力，巩固其区域金融中心的地位，但一河两岸不大可能有两个金融中心，为此，深港可能面临金融业的竞争，或者是更进一步的分工。

香港是全球购物天堂，每年有超过1500万的外来游客和商务人员在香港购物消费。近年来，深圳与香港生活消费水平越来越接近，而一般商品价格却比香港同类商品价格便宜得多，国家已经在珠江三角洲实施了“144小时免签的便利措施”，外国人经香港进入珠江三角洲十分方便，吸引不少香港本地人与旅港人员到深圳购物消费。最近几年，深圳的商贸业品质得到了提升，所以，深圳在商贸业方面也有一定的竞争优势。

（2）关系从“母子”到“双子”。

深圳虽地处珠江三角洲的一翼，从地理上讲是一个珠江三角洲城市。但是深圳城市的辉煌并非得益于珠江三角洲地区的发展，而是来自于两股巨大的动力：一是国家特殊政策的直接倾斜；二是以香港为代表的海外投资和产业的进入。

深圳的发展主要来源于香港经济转型的带动，这一点已有定论。在长期的发展中，深圳和香港已经形成了合作互补的密切关系，这种关系至今仍左右着深圳的发展格局。但是，深圳的发展速度要远高于香港，这使近年的深港关系出现变化。在一些服务行业，深圳与香港的同构化发展的倾向也日趋明显，二者由单纯的主从关系向学习—竞争的复合关系模式转变。

2007年，在深圳新一轮总规修编草案中，城市性质确定为“创新型综合经济特区，华南地区重要的中心城市，与香港共同发展的国际大都会。”这是第一次在城市性质中提出“与香港共同发展的国际大都会”，冀望搭上香港在全球城市发展序列中定位自己。同时，明确提出深港合作及双子城（Twin-city）或深港大都市建设的双边关系，推动深港关系由过去的“母子”关系向“双子”关系转变。（图2－14）

3. 珠澳大都市区。

（1）西岸的发展。

改革开放30年来，珠江三角洲东岸与中部地区的发展速度明显快于西岸，西岸已成为珠江三角洲当中发展最为滞后的一个区域。西岸地区用占珠江三角洲31%的土地，仅承载了珠江三角洲19%的人口（2000年）以及15%的经济总量（2004年），其发展水平与珠江三角洲东岸和中部地区差距较大。

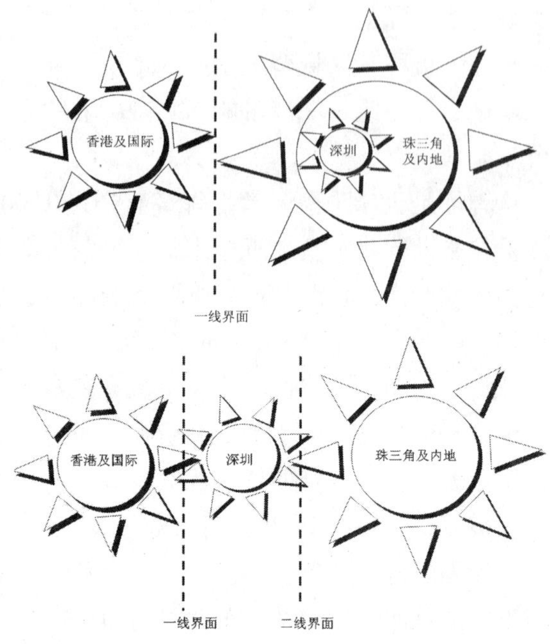

图2－14　深圳角色的转变

资料来源：中国城市规划设计研究院：《深圳市城市总体规划纲要（2007—2020）》。

在大珠江三角洲区域中，香港属于东岸都市区，澳门属于西岸都市区。从大珠江三角洲的范围来看，西岸地区的经济总量更是仅仅只占大珠江三角洲的10%。由此可见，无论是从大珠江三角洲还是珠江三角洲范围来看，西岸地区的经济实力都较弱。

珠江三角洲的发展主要依托于港澳地区的辐射，而西岸澳门的经济实力明显落后于东岸的香港，且澳门以博彩业为支柱，其经济对外的辐射力远不及以服务业为主的香港，加上西岸地区交通基础设施建设也远远落后于东岸地区，因此西岸地区的发展明显落后于东岸地区。而珠江三角洲中部地区由于有广州这个具有雄厚基础的中心城市支撑，也获得了较好的发展，因此西岸成为了珠江三角洲中发展水平最低的一个区域。

“城市空间集聚程度低、缺乏首位城市”是西岸地区空间格局

的一大特点。西岸地区的中心城市规模、等级和空间分布相对均衡，城市机能相对独立完善，与东岸和中部相比，其中心城市集聚程度低，相应地集聚效益和中心性较弱，各城市发展缺乏系统协调规划，开发分散，各市之间的联结网络相对薄弱。由于“自下而上”的乡镇工业化是该区城市化的主要动力，因此小城镇数量多，但发育质量不高。从 2005 年珠江三角洲西岸、东岸和中部各城市 GDP 所占比重看，东岸和中部地区的城市首位度较强，首位城市的经济总量都占 60% 以上，而西岸则呈现“三足鼎立”之势，缺乏带领区域发展的龙头城市，呈现“满天星斗，不见月亮”的局面。

尽管目前西岸地区的发展明显滞后于珠江三角洲其他地区，然而正是由于过去发展较慢，使得西岸目前仍存有相对丰富的土地后备资源和较为良好的自然生态环境。在珠江三角洲中部和东岸由于快速发展，土地资源大量消耗，环境迅速恶化的情况下，西岸的土地和环境成为西岸未来发展的最大优势。随着东岸和中部发展的成熟，土地资源日益紧张，制造业企业的生产成本也正日益上升，东岸和中部的制造业有外迁的趋势，而西岸有可能承接其转移出来的产业，促进西岸经济的发展。

西岸未来发展一个更加重要的利好是来自省级政府的支持，加大了对西岸地区的支持力度，以统筹和协调区域的发展。近几年来西岸的交通基础设施条件明显得到改善，特别是广珠城际轻轨在规划的珠江三角洲城际快速轨道交通网中率先动工建设，更加体现了省级政府对西岸地区的支持。在上层次的规划中，西岸的地位也得到重视，尽管目前西岸的经济和城市发展水平都不如东岸和中部，但广东省城镇体系规划和珠江三角洲城镇群协调规划都将西岸视为珠江三角洲的三大都市圈之一，并认为西岸是珠江三角洲未来最具发展潜力的地区。因此，西岸目前正面临难得的发展良机，未来西岸必将加快发展，逐步缩小与东岸和中部的差距，在珠江三角洲中扮演越来越重要的角色。

（2）珠澳一体化。

珠江三角洲西岸确实需要一个中心城市，这就是 90 年代由于

强政府透支发展而曾经陷入困境的珠海市。珠海20多年来经历了在约束中崛起，在发展中遭遇困难，在困境中又再寻求崛起的历程。珠海市由于紧邻澳门特别行政区的地缘战略区位，使其在广东省战略中成为珠江三角洲城市群西岸中心城市，冀望她能够与澳门联动形成珠澳大都市区，带动西岸的发展。广东省又提出将珠海"建成珠江三角洲现代化区域中心城市和广东省实践科学发展的先行示范市"，要求"在珠海再造一个深圳"。

2006年，珠海迎来了大的机遇。目前已经列入建设计划的珠港澳大桥、广珠铁路、广珠城际快速轨道交通，建成或即将建成的粤西沿海高速公路、江珠高速公路、太澳高速公路，以及借此发挥其应有潜力的港口和机场……导致珠海在珠江三角洲区域网络中的地位将因此发生结构性的变化，城市内部的产业、交通、空间以及与周边城市的关系都将随之发生剧烈而深刻的演变，珠海在珠江三角洲区域网络中的地位也将因此发生结构性的变化，将成为珠江三角洲西岸生产服务中心、滨海休闲商务之都。（图2－15）

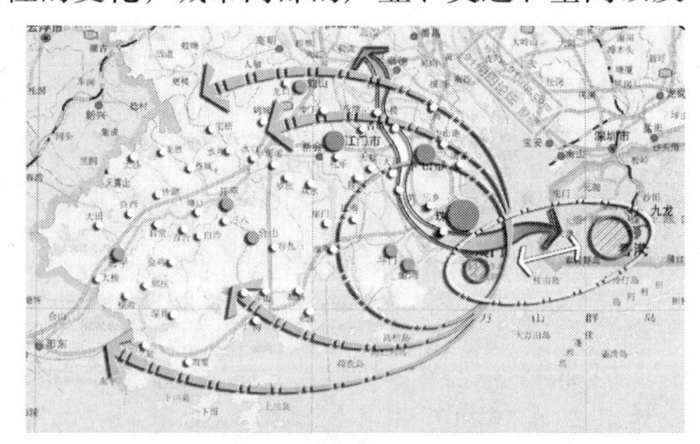

2－15　珠澳大都市区空间结构示意图

澳门由于其地域狭小，经济总量远不及香港，而且产业单一，主要是以博彩为核心的旅游和酒店业为主，因此其经济对外的辐射力不强，在西岸没有起到香港在东岸的作用。然而澳门与珠海却唇齿相依，两地中心区紧密相连，人员往来密切，珠海成为澳门对内地投资最多的城市：2005年珠海的利用外资当中，澳门的项目占了43%，超过香港；珠海的合同利用外资金额和实际利用外资金额中，澳门分别占20%和17%，仅次于香港。

同时珠海与澳门两地也有一体化发展的需求，澳门由于土地紧

缺，需要寻求向外的发展空间；而珠海经济发展较慢，但其地理位置、珠澳关系、资源环境条件使其在国家战略考量中始终处于重要地位。最近国务院对《珠海城市总体规划》的批复中强调珠海是珠江三角洲的中心城市之一，因此，珠海也希望寻求更强经济体的支持和带动。同时上层次规划将珠海定位为西岸地区的中心、珠江三角洲区域的副中心，然而珠海目前的经济实力不能支撑其定位，珠澳一体才有可能发挥西岸中心的功能，因此珠澳一体还是区域发展的要求。

目前珠海与澳门已经建立了全国首个跨境工业园区，实现了两地在制造业方面的合作；未来珠海与澳门还可以在与博彩相关的酒店业、会展业等方面展开合作。珠澳一体化发展将促使西岸形成以珠澳都市圈为核心的格局，加速形成西岸的核心。（图2－16）

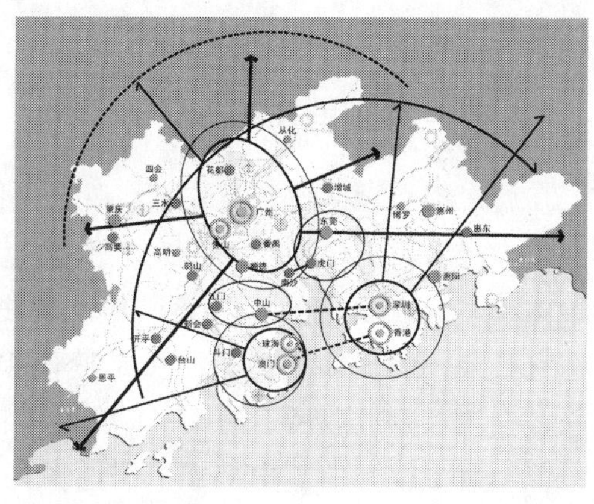

图2－16　珠三角三大都市区空间结构示意图

三、周边地区的发展

粤东、粤西、北部山区的城镇集聚发展水平相对珠江三角洲和全省平均水平差距显著。粤西、北部山区多个城市的城市化水平甚至低于全国平均水平。2000—2005年，粤东、粤西、北部山区平均每年人口城市化递增速度仅0.86、0.32和0.68个百分点，远远低于全省、全国年递增1.14和1.4个百分点的速度。粤西、北部山区的城市建设用地（城市建成区）面积占全市非农建设用地比重分别仅为4.16%和4.07%，低于全省和全国水平。

粤东、粤西和北部山区城市基础设施投入程度、市政设施供应能力、社会公共服务水平均相对落后。2005年三大区域的基础设施投资比例与珠江三角洲相比差距明显，尚不足珠江三角洲投入比重的1/5；其中三大区域的中心城市汕头6.82%、韶关5.28%、湛江仅3.12%，显著低于全省和全国的平均水平。

2005年除珠江三角洲外，三大区域城市建成区面积占全市非农建设用地比重分别有不同幅度下降。尽管全省非农建设用地产出率有所提高，达到12753万元/平方公里，是全国平均水平的2.53倍，但粤西、北部山区土地产出率明显偏低，建设用地产出率仅为全国平均水平的79.5%和59.2%。

（一）粤东的发展

粤东沿海地区位于广东省东翼，包括汕头、潮州、揭阳、汕尾四个地级市，土地面积15675.6平方公里，地域比珠江三角洲平原稍微小，仅占全省的8.73%，但从历史和各种发展条件来看，粤东有其独特的发展优势。汕头是近代中国最早对外开放的港口之一，在改革开放以后，汕头又成为最早的四个特区之一，粤东地区也曾经碰上很好的历史机遇，但遗憾的是，近30多年过去，与珠江三角洲相比，粤东却远远地落在了后边，城市化的发展水平同样大幅度落后于珠江三角洲。

2006年9月，广东省委、省政府经过三个月的调研准备，在汕头召开了促进粤东加快发展的工作会议，全面分析了粤东地区经济社会发展的状态和问题，提出了一系列战略部署，勾画了粤东发展的新蓝图。随后，广东省制定了一系列规划措施，在粤东各市布局重大基础性生产力项目，以高强度的投资构建粤东的发展支点，自上而下地推动粤东新一轮的发展。

1. 城市化现状。

粤东是全国人口最稠密的地区之一，2005年底全区总人口数达1666.36万人，占全省21.09%，人口密度远高于全省平均人口密度。区域GDP 1570.44亿元，占全省的7.3%；人均GDP 9424元，相当于全省平均水平的53.7%。由于2002年汕头行政区划调

整以后，汕头的非农业人口增加了三倍，所以，按户籍人口中非农业人口占总人口的比重计算，2005 年粤东地区城市化水平为 55.88%，比 2002 年明显提高。虽然城市化水平在统计上存在一定缺陷，但还是反映了粤东的城市化略高于全省的平均水平，在广东省内仅次于珠江三角洲的实际情况。

相较而言，粤东的城镇发展水平也优于粤西、粤北。2002 年，粤东有 204 个镇，占全省的 14%，城镇密度高于珠江三角洲，每百平方公里有 1.29 个镇。平均每个镇的户籍人口为 6.7 万人，其中非农业人口为 12497 人，非农业人口比例为 18.5%。乡镇民营经济发展活跃，成为粤东经济发展的主力军，形成了一批具有地方特色的优势产业和名牌产品，培育了一批经济实力较强的产业集群和全省 1/5 的专业镇。

2. 区域城市化发展过程。

粤东的城市化进程虽然与全省的发展态势紧密关联，但也有自身的特点和规律。改革开放以来，区域城市化开始迅速发展，其发展大致可分为两个主要阶段：

（1）城市化快速发展阶段（1978—1991 年）。

这个时期的“粤东”基本上就是“汕头地区”。一方面，改革开放使粤东经济蕴藏的活力得以迅速地释放，乡村经济普遍快速发展。另一方面，汕头特区的设立，在粤东地区产生了明显的增长极效应。在特区的带动下，汕头城市建设也快速发展，整个汕头地区的城市化水平有了显著的提高。1978 年，粤东城市化水平为 22.4%，到 1988 年提高到近 28%。虽然 10 年间，城市化水平年均提高不到一个百分点，但这样的增长率在起步阶段并不算低。这一时期工业和第三产业的发展是区域城市化发展的直接动力，特别是 80 年代粤东商业贸易的放活，吸引了大量本地农村剩余劳动力和外来劳工进入城市和小城镇。

（2）城市化加速发展阶段（1991—1998 年）。

1980 年代开始，为适应城市化发展的需要，广东省着手撤地改市，从原来的地级市中分开，增加地级市。1991 年，从汕头地

区分出潮州市 、揭阳市，这一调整改变了粤东地区的行政区划格局，也为构建区域的城市体系提供了制度上的条件。行政区划调整推动了区域多中心体系的建设，各地级市开始发展自身的城市产业、打造城区、培育城市，区域城市发展建设的活力进一步提高，推动了城市化的加速发展。

（3）城市化调整阶段（1999 年至今）。

1998 年后粤东地区经济发展速度放缓，在新世纪前几年更进入了经济调整时期。汕头受到“信用危机”的影响，经济出现滑坡，区域内的资源、机遇流失，城市化发展也相应地开始减缓，甚至出现暂时的下滑，区域城市化水平基本维持在 35% 上下。这是城市化发展跟随经济增长进入相应调整期的必然结果。近两年来，粤东经济的乡镇企业和民营经济开始恢复活力，中心城市的经济发展开始产生了向好的势头，各城市的建设步伐也逐步加快，区域的城市化有望进入一个新的发展阶段。

3. 城市化的主要问题。

（1）区域人口密度高，城市化程度低。

粤东区域面积仅占全省的 8.73%，但人口却占全省的 21.04%，人口密度约为全省平均水平的 2.4 倍。相对庞大的人口规模和狭小的地域空间给粤东的城市化发展带来了正反两方面的影响：一方面，由于农村耕地少，农业可容纳的劳动力有限，给农村人口和劳动力进入城市带来巨大的推动力。另一方面，庞大的人口非农化和城市化要求给区域城市发展带来巨大的压力，但目前本区城市的发展规模和速度尚难以为大量的农村剩余劳动力提供足够的就业机会。因此，区域人口外出务工经商较多，实现人口的异地城市化的同时，也带来了人才流失的问题。

（2）中心城市的带动效应差。

中心城市是区域城市化的龙头。在粤东的范围内，汕头市是区域内最具区位优势和发展基础的城市，但汕头的发展优势尚未能得以发挥，目前经济实力仍较弱，市区人均 GDP 不足深圳经济特区的 20%；城市缺乏强有力的支柱产业，且尚未能找到适合自身发

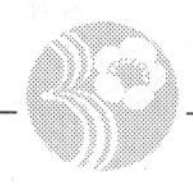

展的方向与模式。汕头市作为区域经济中心的地位不但未能有效加强，反而在一些领域丧失了原有的服务功能，直接被广州、深圳所取代，传统的港口、外贸、商业等产业发展缓慢甚至倒退。因此，汕头市一直未能真正承担引导粤东区域经济和城市化发展的龙头作用。整个粤东的区域协作水平甚至低于发展条件相当的福建省厦漳泉“金三角”。

（3）区域基础设施建设不协调。

粤东地区城镇空间分布不均衡。粤东地区绝大多数中心城镇集中分布在区域约1/4的地域内，主要位于汕头市及其周围地域，邻近汕头的澄海、潮阳、潮安3个周边市县的市区（县城）距离汕头市中心均在15公里以内；潮州、饶平、揭阳、揭东、普宁、惠来等6个市区（县城）距离汕头市中心最远也不超过50公里。近3/4土地面积的区域之中只有相对欠发达的中小城镇，而难以受到汕头市区的辐射，严重地影响了区域城市化整体水平的提高。

粤东地区各主要中心城市间距离接近，相邻各城市间用地互相穿插包围，对城市间的协调规划与发展提出了较高的客观要求。但由于行政区划的分割，各城市为了提高自身的地位和增强区域竞争力，追求基础设施和公共服务设施自成体系，不惜代价建设一些区域性的大型基础设施（如区域性大型港口及电厂），造成项目布局不合理和重复建设。既浪费投资，亦无法充分发挥这些设施的效益。城市之间缺乏协调和联系，导致城镇群的整体发展目标不明确，城镇职能雷同，分工不明确，相互竞争多于合作的不协调现象。城镇群体发展的落后阻碍了区域城市化的发展。

（4）生态环境保护的压力大。

粤东地区人多地少、城镇和村庄密集，面积相对较小的农田、山地和河湖水面是区域重要的开敞区和生态敏感区。随着城镇的扩展，开敞区与生态敏感区正被逐渐蚕食和破坏，生态环境日益脆弱。同时，生态环境污染也有加重的趋势。近年来，粤东地区的乡镇企业开始发力，但由于起步较晚，面临着更为激烈的竞争。在此背景下，生态环境往往成为可以牺牲的“成本”，从而导致工业发

展对环境破坏比珠江三角洲工业起步时的程度更大，造成更为严重的江河污染和土地资源的浪费。

（二）粤西的发展

1. 城市化概况。

粤西地区虽然只包括湛江、茂名、阳江3个地级市，但3市共辖12个市县，区域总面积共3.17万平方公里，占全省的18%。2005年底全区总人口1658.24万人，占全省的20.9%，人口密度516人/平方公里，高于全省平均人口密度，低于珠江三角洲和粤东地区。2005年全区国内生产总值1761.66亿元，占全省总额的9.2%；人均国内生产总值10623元，相当于全省平均水平的60%。采用区域非农业人口计算，2005年粤西地区城市化水平为38.2%，大幅度低于全省的平均水平。

到2000年底，粤西地区有大城市1个，中等城市2个，小城市6个，各级建制镇249个。由于本区域的城镇发育和城市型产业的发展未能承载本地农村人口实现城市化，异地城市化在粤西地区具有重要的地位。第四和第五次人口普查资料显示，粤西普查人口小于户籍人口，说明本区外流人口大于进入人口。

2. 城市化发展阶段。

从城市化的速率变化来看，改革开放以来城市化的发展过程可以划分为两个主要阶段：

（1）城市化起飞阶段（1978—1995年）。

改革开放以来，粤西地区经济增长迅速，城市化发展速度也较快。从1978年至1995年的17年间是粤西地区城市化发展比较迅速的时期，区域城市化水平提高了约15个百分点，年均提高近1个百分点。这一时期经济的迅速增长是城市化水平提高的最直接原因，特别是1990年代后国家在粤西地区大规模投资兴建石油、汽车等工业企业，大量本地农民和外来劳工因就业于这些工业企业而进入城镇，直接拉动了城市化水平的提高。

（2）城市化稳定发展阶段（1995年至今）。

1990年代中期以来，粤西地区的国内生产总值增长放缓，GDP的增长速度从1995年最高的18.95%逐步回落到1999年的9%。城市化发展速度也开始趋向缓慢，特别是从1998年开始有所下滑。至2000年底，本区域城市化水平为32.55%，与全省44.5%的平均水平存在较大距离。

3. 城市化的特点和问题。

（1）城市化水平低，发展速度慢。

造成粤西地区城市化发展缓慢和水平低的主要原因是：一是经济增长缓慢，“八五”期间粤西GDP增速为20%，“九五”、“十五”期间则下降到10%左右。2000年以后，粤西地区GDP占全省的比例下降到10%以下，人均GDP不足全省平均水平的60%。二是工业基础薄弱，工业化进程缓慢，工业发展主要由国家和省的大项目和大企业带动，中小企业发展相对比较缓慢（阳江市的情况有所不同）。这些大项目、大企业对区域城市化的影响是点状的，而不是面状的，带动的面相对不够广泛。三是城市（镇）第三产业企业效益普遍较差，难以创造足够的就业机会，制约了农村剩余劳动力向城镇的转移。

（2）城镇体系等级结构不合理。

粤西城市（镇）体系尚处于较低层次，主要存在两个方面的突出缺陷：一是首位城市规模偏小，对整个区域经济和城市化的带动作用弱；二是中小城市数量较少，粤西地区合理的城市体系中，小城镇规模小、设施差，对人口和经济的集聚力和吸引力不足。

（3）城市化模式多样，问题各异。

粤西地区城市化发展存在两种主要的模式：一是湛江和茂名以大项目、大企业、大城市为主导力量的城市化，这种“自上而下”的城市化类型突出中心城市的作用，中心城市发展相对超前，但小城市和小城镇建设落后。二是阳江以小企业、民营企业分布相对分散，中心城市在城市化发展中的作用不够突出，但城市化水平却较高。

（三）北部山区的发展

1. 山区城市化水平。

粤北山区包括韶关、河源、梅州、清远、云浮5个地级市及其所辖（或代管）的36个市县，全省16个贫困县中有11个在该区域。总面积7.7万平方公里，占全省的42.8%。2005年底全区总人口2148.05万人，占全省的28.65%，人口密度234人/平方公里，远低于全省平均人口密度。2005年全区国内生产总值1423.89亿元，占全省总额的7.51%；人均国内生产总值5478.41元，还不到全省平均水平的一半。

近年来，粤北山区五市的城市化水平有了明显的提高，按户籍人口中非农业人口比例计算，2005年，粤北山区的城市化水平为32.2%，与粤西地区的平均水平接近。与粤东、粤西一样，由于发展条件所限，当地的经济社会发展未能完全支撑本地农村人口的本地城市化，异地城市化在粤北山区占有十分重要的地位。1990年第四次人口普查资料显示，粤北普查人口小于户籍人口，普查人口与户籍人口的差值为86.22万人，而到2000年第五次人口普查时，普查人口与户籍人口的差值则大幅上升到400.62万人，约相当于区域户籍总人口的1/5。本区外出务工经商人口数量大、比例高，异地城市化是区域人口城市化中的主要方式。

2. 城市化发展历程及未来趋势。

1980年代中期以来，粤北山区城市化发展主要经历了两个阶段：

（1）城市化低速发展阶段（1978—1988年）。

广东的珠江三角洲和粤东、粤西由于具备了较好的发展基础和区位条件，改革开放政策甫一推行，各地的发展活力便得到了巨大的释放，各地都转入到一个快速发展的阶段。粤北山区在此期间虽然获得了明显的发展，但由于条件所限，经济的发展未能跟上全省的步伐。城市化的进程也落后于其他区域，进展比较缓慢，城市化水平停留在15%~17%。

（2）城市化发展启动的快速增长阶段（1989—1995年）。

从1980年代中后期开始，区域城市化水平迅速提高，城市化进入起飞阶段。1988—1995年的7年间，区域城市化水平提高了约7个百分点，平均每年提高1个百分点。区域经济增长，特别是第二、三产业的迅速发展是这一时期城市化水平提高的基础和原因。改革开放初期，粤北山区出现了大量农村剩余劳动力，由于本地区城镇发展水平低，城市第二、三产业无法吸纳大量本地农村剩余劳动力，所以大部分农村剩余劳动力向经济发达的珠江三角洲转移。从20世纪80年代中后期开始，本区城镇开始加速发展，城镇非农产业集聚也达到了一定的水平，因此虽然区域内仍保持有较大数量的外出人口，但农村剩余劳动力进入本区内城镇的态势也开始加速，引起区域城市化水平的显著提高。

（3）城市化发展相对稳定阶段（1996—2000年）。

20世纪90年代中期以后，粤北经济增长率有所下降，城市化发展也由起飞阶段初期的第一个迅速增长期进入一个相对缓慢的稳定发展阶段。从1996—1999年，全区城市化水平仅提高约1%。

（4）城市化的加速发展阶段（2001年至今）。

进入新世纪，尤其是近几年，珠江三角洲的广州、深圳、佛山开始了制造业的产业转移，清远、河源等山区城市成为珠江三角洲产业转移的承接地，经济增长呈现了前所未有的增长速度。2005年，山区五市生产总值增加到1395.92亿元，是2000年的2.05倍，年均递增15.4%，比全省GDP年均增长快2.4个百分点；地方财政一般预算收入由2000年的26.48亿元增加到2005年的66.18亿元，年均递增20.1%，占全省比重由2000年的2.9%上升到2005年的3.7%。其中，清远、河源的发展尤为突出：2005年清远经济全面提速，GDP增长23.3%，地方财政一般预算收入增长35.5%，同时人均GDP突破了1000美元大关，在全省公布的八大主要经济指标中，包括GDP在内的七个指标增长排在全省第一位；河源市2005年实现地方财政一般预算收入增长41.5%，为全省第一，GDP增长21.5%，名列全省第二。

3. 城市化发展中的主要问题。

（1）城市化速度慢，经济发展水平低。

改革开放以来，虽然粤北山区城市化发展取得了长足的进步，但一直低于全省平均水平。20世纪90年代中后期，城市化水平的提高更趋于缓慢。1999年底全区城市化水平为35.1%，比全省平均水平低近10个百分点。

造成粤北山区城市化发展缓慢的主要原因：一是经济发展水平低。2000年粤北山区GDP总量为1176.79亿元，仅占全省的12.18%；人均GDP 5478.41元，不及全省平均水平的一半。经济基础薄弱是城市化发展水平低的根本原因。二是区域产业结构不合理。2000年本地区三次产业比重为31.4：35.9：32.7。第一产业产值比重过大，接近1/3；第二产业产值所占份额尚小；第三产业的发展水平也较低。三是工业化水平低。工业增长缓慢是导致区域城市化发展速度低的最主要原因。

全区大部分市县工业基础薄弱，企业规模小，缺乏主导产业。传统工业城市（如韶关市）的传统工业处于调整时期，新的工业增长点尚未形成。以清远市为例，三次产业中，第一产业占41%，居于主导地位；第二产业占32%，低于全省18个百分点。2000年全省工业增加值对GDP增长的贡献率为64.5%，是拉动经济增长的主导力量，而清远市工业增加值对GDP增长的贡献率只有1.2%，对经济增长的促进作用明显不足。现行城乡二元的计划生育、户籍管理、用地、社会福利等政策与制度，未能有效地促进乡村人日间城镇的集中，甚至出现了“非转农”等逆城市化的现象。

（2）中心城市带动区域发展能力低。

从城市发展的角度来看，粤北山区并不是一个相互间具有紧密联系的地域单元，城镇体系基本以各个地级市为核心展开，而各个地级市之间处于相对的独立状态。各地级市域城镇体系存在一些共性问题：各市域的中心城市规模较小，难以起到带动区域城市化发展的龙头作用。全区6个地级市中，4个属于中等城市，2个还停留在小城市，这些城市人口规模小，流动人口少；经济总量小，主导企业少对周围地区的经济辐射作用弱；城市规划和建设标准仍然

比较低，城市化的吸引力不够强。

（3）城镇分工不明确，经济联系弱。

整个区域不同行政单元之间的市与市、县与县、镇与镇之间的横向经济联系不发达，缺乏必要的分工与合作。即使是在同一地级市内部，不同级别的城市（镇）之间也以行政联系为主，城镇间纵向经济联系十分薄弱；同一行政区域内的同级城镇之间，则因行政上无隶属关系，横向经济联系更不发达。城市（镇）分工与经济联系的薄弱是城市（镇）经济发展水平较低，形不成经济活动与人口空间集聚的一个重要原因。

（4）小城镇数量多，规模小。

小城镇数量多，规模小，是粤北山区城镇体系规模结构的主要特点之一。以韶关和清远两市为例，1999 年两市市区和县（市）城区规划范围外的建制镇分别有 118 个和 128 个，其中镇区人口在 2000 人以下的小城镇比例均超过了 60%；1999 年韶关市小城镇镇区平均人口规模仅 2220 人，而 1997 年全省相应的平均指标为 69%。由于规模偏小，小城镇难以发挥出经济和人口的聚集与辐射功能。

由于大部分小城镇存在乡镇企业发展慢，城镇缺乏产业的支撑；城镇规划起点低，管理差；城镇建设资金匮乏，基础设施落后；一些发展较快的小城镇建设用地紧张，但另外的大部分则用地浪费严重等诸多方面的问题，造成了一方面城镇发展形不成规模，使市政建设的投资成本相对较高，不能提供较好的投资环境和销售流通市场，影响经济的稳步持续增长。另一方面，经济发展慢又反过来影响了设施的配套建设，降低了对农村剩余劳动力的吸纳能力。

四、省域空间的协调发展

当广东省的经济发展处于较低水平时，区域经济发展中的回波效应会大于扩散效应，先发展的地区和中心城市的经济发展将会导致周边地区的衰落，区域经济不平衡就会扩大；当珠江三角洲经济发展处于较高阶段后，扩散效应就会大于回波效应，发达地区的经济发展将会带动周边地区的经济发展，区域经济不平衡就会逐渐缩小。省域空间协调发展的时代正在来临！

（一）国家调控区域经济布局

进入20世纪90年代以来，世界经济朝向全球化和区域经济一体化的方向发展，我国也积极加快了融入世界的步伐。2001年，我国加入WTO；2002年11月，“中国—东盟自由贸易区”建立；2003年6月和10月，CEPA（内地与港澳更紧密经贸安排）签订；同时，我国正与一些国家和地区就自由贸易协议进行积极磋商，以求1+1大于2的整合效应。

进入新世纪以来，中国区域经济的板块正在进行重组和整合。长江三角洲的迅速发展、环渤海湾经济区的形成、西部开发、东北老工业基地的振兴和中部崛起，这些预示着中国区域经济的实力和板块正在重新组合。以上海为龙头的长江三角洲以其广阔的经济腹地，良好的经济发展基础和较高素质的人力资本，在中国经济加入WTO后的新一轮开放中，成为外商投资的热土。

国内长三角、珠江三角洲、环渤海三大城市群“三足鼎立”格局，使珠江三角洲面临着极大的竞争压力。而在这种趋势与竞争格局之下，珠江三角洲以及广东积极寻求应对策略，构建区域联盟，扩大自己的区域腹地，“大珠江三角洲”① 与“泛珠江三角洲”② 一系列的区域概念相继提出。

2003年7月广东省率先提出了泛珠江三角洲区域合作的构想，其范围包括：福建、江西、湖南、广东、广西、海南、四川、贵州、云南九省区以及香港、澳门两个特别行政区（简称9+2）。经中央批准，2004年6月1—3日，由“9+2”政府共同举办，以

① 大珠江三角洲：在广东省“珠江三角洲经济区”的基础上，加入香港、澳门两个特别行政区，更加强调了香港、澳门与珠三角一体化的格局。

② 泛珠江三角洲：基于与珠江流域相连、与大珠江三角洲相邻、经贸关系密切等三方面因素，其包括福建、江西、湖南、广东、广西、海南、四川、贵州、云南9个省（区）以及香港、澳门两个特别行政区。

“合作发展，共创未来”为主题的首届“泛珠江三角洲区域合作与发展论坛”，在香港、澳门和广州举行。此次论坛得到了中央领导的大力支持，国家发展改革委、商务部、国务院港澳办、国务院发展研究中心担任论坛的指导单位，交通部、铁道部、国家旅游局等国家有关部门积极参与。“9+2”政府领导人共同签署了区域合作纲领性文件——《泛珠江三角洲区域合作框架协议》，制定了相关的合作制度和规则，标志着泛珠江三角洲区域合作架构和机制形成。

近来，国家一系列政策也促进了珠江三角洲加工贸易企业向中西部地区的转移。2007年以前，持续多年的经济高速增长，导致电力供应长期供不应求；劳动力短缺形势严重；人民币本币升值，为此国家开始“宏观调控”。2007年以后，陆续出台多个政策。

节能减排：我国“十一五”规划纲要提出，单位国内生产总值能耗降低20%左右、主要污染物排放总量减少10%。目的在于建设资源节约型、环境友好型社会；推进经济结构调整，转变增长方式。2006年12月中共中央经济工作会议提出了“又好又快”的经济发展方针。2007年国务院常务会议明确提出，节能减排是一项硬任务，对建立健全节能减排工作责任制提出了明确要求，规定把节能减排指标完成情况纳入作为政府领导干部综合考核评价和企业负责人业绩考核的重要内容，实行“一票否决”制。因为“节能减排”被认为是“检验着我国经济社会建设是否全面转入科学发展的轨道，检验着政府的行政能力”① 的重大政治问题。各地因此全力关闭有污染的企业，号称中国“陶瓷之都”的佛山市许多区镇的陶瓷工厂基本都被清理一空。

《中华人民共和国劳动合同法》由中华人民共和国第十届全国人民代表大会常务委员会第二十八次会议于2007年6月29日通过。自2008年1月1日起施行。为保障劳工权利，大幅增加了企业劳动力成本。

---

① 新华时评：《节能减排没有退路》，2007年4月26日，新华网，http://news.xinhuanet.com/fortune/2007-04/26/content_6032541.htm。

国家为了优化我国出口商品结构，抑制低附加值、低技术含量产品出口过快增长，减少贸易摩擦，缓解外贸顺差过大带来的突出矛盾，推进加工贸易转型升级，实现外贸增长方式的转变和社会经济的可持续发展。同时，也是为了配合国家实施区域经济协调发展战略，加快形成布局合理、区域特点明显的加工贸易发展布局。商务部和海关总署于2007年7月23日联合发布公告，调整了加工贸易限制类目录。该公告对加工贸易企业实行区域间差别政策，目的是促进加工贸易向中西部地区转移。该公告指出：海关分类为A、B类的东部地区企业，均需按应征收进口关税和进口环节增值税总额的50%缴纳台账保证金（以前为“空转”管理，笔者注）。中西部地区的A、B类企业仍实行台账保证金“空转”管理。C类企业无论是在东部地区，还是在中西部地区，仍按原规定缴纳100%的保证金。这一不同区域差别化对待加工贸易企业的政策直接推动了珠江三角洲加工贸易企业的大面积破产，部分企业不得不向周边和中西部地区的迁移。

（二）珠江三角洲产业升级和产业转移

在协调分工，合理发展的基础上，倡导区域资源、能源以及设施的共享、共建，为珠江三角洲走向世界，参与国际产业分工夯实了基础。珠江三角洲产业升级总体上出现了“三化”趋势。

1. 重型化。从上世纪末到本世纪初，珠江三角洲地区出现了工业结构的“代际锁定”现象，以中小企业和外资企业为主、以劳动密集型出口加工业为主的经济结构出现了发展速度减慢的现象。在这种特定背景下，像广州、惠州、东莞、珠海、江门等港口条件较好的城市抓住我国进入重化工业阶段的机遇，提出了产业的适度重型化战略，开始引进汽车、石化、钢铁、装备制造、造纸等重化工业。重型化战略的实施效果就是提高了重工业在经济中的比重。以广州为例，2006年重工业产值在工业总产值中占到了61.8%。

2. 高新技术化。以深圳为例，高新技术产业在工业中的比重出现了逐年提高的现象。

3. 软化。所谓产业结构的“软化”是指第三产业在经济中的比重逐步提高的过程。以广州为例，2006 年第三产业比重达到了 57.7%，对经济增长的贡献率也达到了 56.3%，大大超过了第二产业的贡献率。

在珠江三角洲产业结构开始追求“重型化、高新技术化和软化”的同时，劳动密集型和部分技术密集型的企业也开始寻求转移到低成本的地区，此外地方政府也在促进珠江三角洲产业结构调整和产业转移上予以政策导向，共同推动了珠江三角洲产业转移和自身的产业结构升级。

（三）承接产业转移，周边得发展

珠江三角洲向外转移的首先是大量的劳动密集型工业，尤其近年来转移的势头更迅猛。而从这几年的情况来看，珠江三角洲产业转移首选地是靠近珠江三角洲的北部山区，然后是东西两翼。这也是处在北部山区的河源、清远等地这几年成为广东省经济增长“明星”的主要原因。在广东省山区及东西两翼与珠江三角洲联手推进产业转移的政策作用下，这种转移速度还将进一步加快，为山区经济发展增添了巨大的动力。

这种产业转移主要凭借珠江三角洲与周边地区的“位势差”和各层面的政策导向。

1. 基于成本落差的市场拉动带来了珠江三角洲的产业外迁。

经过上世纪单一方向的珠江三角洲快速集聚，企业生产成本逐渐加大。尤其是近年在人民币升值带来的原材料上涨、国家对节能减排的高要求和强政策、国际经济环境的放缓等等因素，珠江三角洲进入了以产业转移（包括增量产业的异地投资和存量产业的异地搬迁）促进产业结构升级为主要形式的要素扩散阶段。

劳动密集型企业，基于珠江三角洲物流成本、产业配套成本的增加与土地成本、水电成本、劳动力成本减少之间的平衡成为向外迁移的“先行者”，这些转移出去的产业优先选择了处在珠江三角洲第一辐射圈的河源、清远等城市，一方面可以获取相对廉价的土地租金、劳动力成本等生产支出；另一方面，就近转移可以发挥地缘优势，较为便利地获取珠江三角洲良好的生产性服务资源。

2. 政府的积极决策起着主导作用。

继1998年9月23日发布了《关于依靠科技进步推动产业结构优化升级的决定》后，2002年5月召开的广东省第九次党代会提出了区域协调发展的战略。为了落实该战略，中共广东省委、广东省人民政府于2002年9月作出了《关于加快山区发展的决定》，鼓励珠江三角洲产业向山区及东西两翼转移，加快山区及东西两翼经济发展，促进珠江三角洲产业结构优化升级，推动广东省经济加快发展、率先发展、协调发展。2002年11月又发布了《关于支持山区建设用地的实施意见》，提出对山区建设用地实行政策倾斜，保证山区以公路、电力、水利为重点的基础设施建设及农业产业化、工业化、城市化所需要的建设用地，确保加快山区发展目标的实现。

2005年3月提出了《关于我省山区及东西两翼与珠江三角洲联手推进产业转移的意见（试行）》进一步从政策角度加强了珠江三角洲产业向北部山区转移的力度。2006年又编制了《广东省东西北振兴计划（2006—2010年）》。

如果说，在市场推动不强的早期，以上政策更多的是“试金石”，那么2008年广东省委省政府出台的《中共广东省委广东省人民政府关于推进产业转移和劳动力转移的决定》提出的“双转移”政策则预示广东省产业转移进入了实质性阶段，根据该决定的有关要求，省政府从2008年起，每年安排竞争性扶持资金15亿元。以竞争方式择优扶持欠发达地区3个省示范性产业转移工业园建设，5年共安排资金75亿元，促进欠发达地区形成新的增长极，同时要求第一批省级示范性园区评定工作于2008年7月底完成。

预计在政府和市场的联合作用下，这一扩散进程在规模和速度上都将变大和变快。作为工业化先行地区的珠江三角洲城市对区域经济的带动和辐射作用正在不断增强。

3. 周边地区政府积极把握发展机遇。

东西两翼和北部山区在珠江三角洲产业转移的大背景下，开始

了新一轮的产业集聚，经济快速发展促进了粤东、粤北、粤西地区城市化进程。

2003 年，河源成立省级高新技术开发区。其中，中山（河源）产业转移工业园于 2006 年 9 月获省政府批准。河源以中山（河源）产业转移园为平台大力承接珠江三角洲产业转移，拉动了地区经济高速发展，成为了广东省经济增长的明星（年均 20%），河源的经济开始提速，不仅每年的增长率超过全省，而且从 2005 年开始超过了珠江三角洲一些城市。比如，2005 年，河源的经济增长速度超过了东莞 2.7 个百分点，2006 年这一差距继续扩大到 8.9 个百分点。（图 2－17）

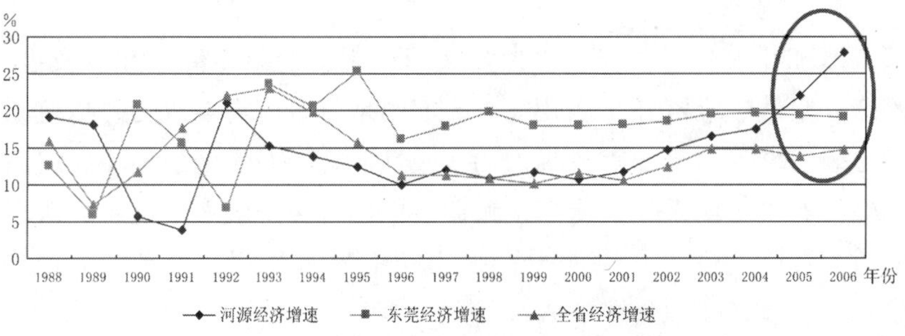

图 2－17　河源与东莞经济增速比较

资料来源：两市历年的统计年鉴。

2007 年园区年工业总产值 74.51 亿元，工业增加值 20.86 亿元，年税收总额 2.27 亿元，规模以上工业总产值占全市规模以上工业总产值比重达 15.8%，税收收入占全市工业企业税收比重 19.37%，实际利用外资总额占全市的 30%。2008 年上半年，园区规模以上工业增加值 9.04 亿元，吸纳本省劳动力 45831 万人。

截至 2008 年 7 月，高新技术开发区不仅完成了产业转移工业园 4.3 平方公里开发，还向外围扩展开发了 11 平方公里，形成了以手机等为主的信息产业、模具等设备制造为主导的产业基础。园区建成投产项目 64 个，在建项目 30 个，合同项目 103 个。

第三章
农村地区的城市化与小城镇发展

改革开放初期，广东省为突破旧体制的约束，促进经济发展，不断在财政、投资和土地政策等方面给地方政府更多权力，以刺激地方政府增加自身的财政收入的积极性。在国有经济规模小，受计划经济约束少的东莞、南海、顺德、中山等传统农业地区，出现了农村工业化促进“自下而上”城市化的发展模式，启动了各地经济发展，获得巨大经济效益。

一、农村产业结构的变迁

（一）无农不稳，一包就活

1958 年广东农村和全国一样建立了“政社合一”、“一大二公”的人民公社，结果人为的“大跃进”引致了严峻的“三年自然灾害”；1966 年开始又经历了长达十年的“文化大革命”。1978 年以前，在广东这样一个农业生产自然条件优越的南亚热带地方，在长达 20 年的时间里农业生产基本处于停滞状态，农民收入极少，生活非常困难，一些贫困地区的农民几天才能吃上一顿干饭，食不果腹，更不用说肉类。

在广东最富裕的广州，1977 年农民人均纯收入 212. 80 元，比

1954年人均纯收入147.09元，增加65.71元，平均每年仅增长1.6%；同年农民人均总支出246.79元，其中家庭经营费用支出36.82元，生活消费支出208.48元；食品支出高达134.41元，占生活消费支出比重（即恩格尔系数）的64.47%。从以上数据看出，广州市农民生活处于贫困状态。

"在粤西湛江地区有名的老灾区海康县东里公社，1978年以前，社员口粮平均每月只有10多斤，集体分配一年不超过40元，正常年景，有2万多人吃不饱饭，3000多人外出逃荒，如果遇到灾荒，窘境更甚。"① "1978年广东全省生产队人均分配才77.14元，其中人均分配50元以下的'三靠队'（即吃饭靠返销、生产靠贷款、生活靠救济），占全省生产队总数的三分之一，这些生产队十分困难，农民劳动一年仍不得温饱。"②

邓小平曾经说过："因为农村人口占我国人口的80%，农村不稳定，整个政治局势就不稳定，农民没有摆脱贫困，就是我国没有摆脱贫困。"穷则思变，如何改善人民的生活条件，已经成为维持社会安定的关键问题。

为了解决基本的生存问题，改善生活，从国家领导到生产队农民都在积极地探寻变革之路。1978年，中共十一届三中全会果断停止了"以阶级斗争为纲"，确立以经济建设为中心，做出把工作重点转移到社会主义现代化建设上来的战略决策。同时在农村改革方面提出调整农业政策，放宽对自留地、家庭副业和农贸市场的限制，特别是尊重生产队的自主权等一系列的政策，使得广大农民的生产积极性空前高涨。

实际上，在中共十一届三中全会之前，广东一些特别贫困的地方，农民急于改变贫困的生活境况，已经开始不顾政策允不允许，突破上级规定，悄悄地搞起了包产到户。

---

① 林若：《八十年代初期湛江地区的农村改革》，《广东党史》1999年第3期，第14~18页。

② 马恩成：《广东农村改革二十年》，《广东经济》1998年第2期，第5~6页。

"当时广东湛江地区海康县（今雷州市）北和公社谭葛大队的党支部书记吴堂胜，就是广东最早试行包产到户的改革者。北和公社谭葛大队是雷州半岛上一个毗邻北部湾的穷困农村，长期属于'三靠队'。大队有1700多人口，缺吃少穿，每年要吃国家几万斤返销粮。1975年至1977年间，谭葛大队有几百人外出逃荒。1977年冬种时，吴堂胜在自己所在的南村第五生产队试行联产到户，将土地按人口、劳动力划分到户，工具、耕牛等凭价给农户使用，规定谁种谁收，结果获得丰收。于是逐步在整个大队全面推行包产到户，到1979年，谭葛大队农业获得增产，粮食总量达到61万公斤，比上年增产1倍多，第一次交售余粮1万多公斤。"①

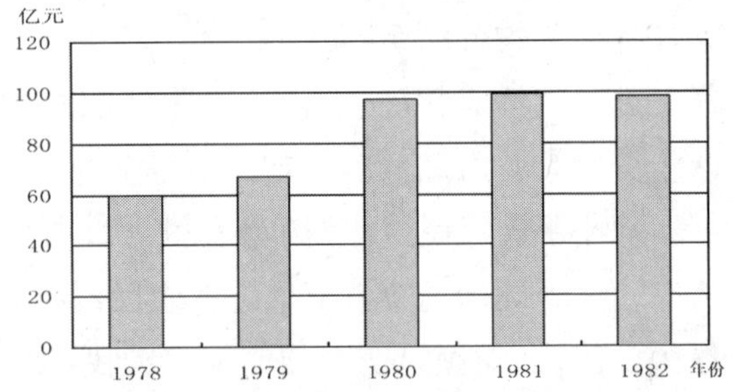

图3－1　1978—1982年广东省农业总产值

像谭葛大队这样的情况，在1970年代末的广东比比皆是，最穷的地方最先开始突破，接着是较贫困的地方，最后是比较富裕的生产队也开始包产到户。1981年广东大部分地区都搞了联产承包责任制，到了1982年，联产承包在全省范围全面实行，原来一

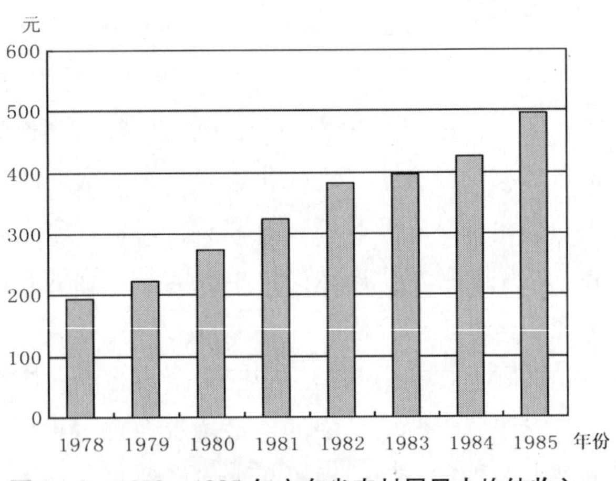

图3－2　1978—1985年广东省农村居民人均纯收入

① 王涛、李秀珍、梁向阳：《包产到户先行者吴堂胜访问记》，《广东党史》2004年第5期，第25～27页。

些认为不需要实行的富裕地区也全部进行了改革，广东省完成了农村改革决定性的一步。1978—1982 年，广东省农业产值年均增长率达到 14.66%，农民人均可支配收入年均增长率达到 11.45%。（图 3－1、图 3－2）

1980 年代初期形成的这个农村改革发展的“黄金时代”，固然有农民迫切的渴望与身体力行的决心，但更为关键的是国家农村改革政策的推动。1980 年 9 月中共中央印发《关于进一步加强和完善农业生产责任制的几个问题》的通知，肯定了包产到户的社会主义性质，允许边远山区和贫困落后地区的长期“三靠队”可以包产到户，或者包干到户，同时提出是否实行包产到户全凭自愿；而对于要求从事个体经营者，经有关部门批准，与生产队签订合同，可以持证外出劳动和经营。特别强调：开展任何一项工作，都必须照顾农民的经济利益和尊重农民的民主权利。

1982 年 1 月，中共中央又转批《全国农村工作会议纪要》，提出要对农业生产责任制进行总结、完善和稳定，坚持土地等基本生产资料公有制，积极开展多种经营和商品生产，改善农村商品流通。1983 年 1 月，第二个中央“一号文件”《当前农村经济政策的若干问题》正式颁布，进一步从理论上肯定了家庭联产承包责任制。在随后的几年里，我国基本解决了温饱问题，改革使全国人民受益。

联产承包责任制和各项农村政策的推行，打破了我国农业生产长期停滞不前的局面，使得我国农业发展进入了一个崭新的阶段。农村改革的成功进一步凝聚了人心，绝大多数国民都相信通过进一步的改革会带来生活的持续改善。

（二）无商不活，流通改革

“根据广东的实践，家庭联产承包责任制使农民取得了四个方面的自主权：（1）生产领域的自主权，农民能够因地制宜地安排生产；（2）分配领域的自主权，摆脱平均主义、吃大锅饭；（3）支配劳动力的自主权，不仅在农、林、牧、副、渔各业间，而且在第一、二、三产业间调配自己的劳动力；（4）积累家庭财产的权利。‘交够国家的、留够集体的、剩下都是自己的’，农民取得剩余产品的占有权和支配权，开始积累家庭私有财产。”①

这些自主权的获得，使农民摆脱了计划经济时代高度集中的集体经济组织，真正成为自主生产者和自主经营者，成为农业生产的主体，推动了农业从产品经济向商品经济转变。随着农业生产的迅速恢复，农产品产量迅速提高，农村经济发展面临新的问题。

一方面农产品的生产由政府部门计划安排，统一规定收购价格，使得产品的真实价值难以体现，普遍偏低价格，限制了农民的收益；另一方面由于国家只强调“以粮为纲”，忽视了其他经济作物以及农业之外的林、牧、副、渔各业的发展，导致市场供应紧张。传统封闭的农村市场已经难以适应新兴生产关系的发展，农村经济的进一步繁荣需要倚赖市场经济的激活。

从1980年开始，广东依靠中央给予的特殊政策和灵活措施，在全国范围内首先推行农产品价格和统派购体制改革，逐步将原计划经济体制下的指令性计划转变为指导性计划，通过放开收购价格和流通渠道，允许农产品直接投入市场，由市场来调节产品价格和供求关系，促进农村市场体系的建立。

“早在1980年广东省就将原来118种统派购的产品取消了92种，把禽、畜、鱼、蛋、果、菜的价格放开，由生产者根据市场需要自主生产，自由购销；1985年又取消了松香、麻类、木材等20种产品的统派购任务；到1990年，最后仅剩下粮、糖实行双轨制价格。”②

“从1980年开始，广东省对流通体系进行改革，建立国营商业、供销社、集体、个体一起上的流通渠道网络，允许农民进入流通渠道，允许农产品自由流通，允许农民长途贩运，全省有200多万个体户活跃在流通领域，覆盖起全省农产品流通网络。为了大力发展城乡贸易，各地还积极建设集市贸易，兴办专业市场、批发市场。”③

---

① 马恩成：《广东农村改革二十年》，《广东经济》1998年第2期，第5～6页。

② 黄声驰：《关于广东农村经济改革与发展问题的回顾与探讨》，《南方农村》2006年第6期，第53～56页。

③ 同上，第53～56页。

有些地区，特别是交通区位条件好的地区，经过多年的建设，市场发展已经具有相当的规模，它们正是小城镇发展的原始雏形，是广东省农村地区城市化发展的重要动力之一。商品经济的引入，使得广东省整个农村经济一下子活跃起来，带动了全省国民经济向前发展，同时也为农村产业结构的进一步转变奠定了坚实的基础。

（三）无工不富，双轮驱动

经过1980年代初期的农业飞速增长以后，伴随着商品经济的深入发展，农村产业结构开始调整，第一产业比重下降，第二产业比重出现上升。推动这一变化的原因有两个：

1. 内部驱动力。

虽然广东农村1985年农民人均纯收入比1978年增长了2.56倍，但是农民收入增长却迅速放缓。在比较利益的驱使下，大量的农村劳动力和资金的选择开始集中到能获取更多收益的第二产业中。（图3－3）

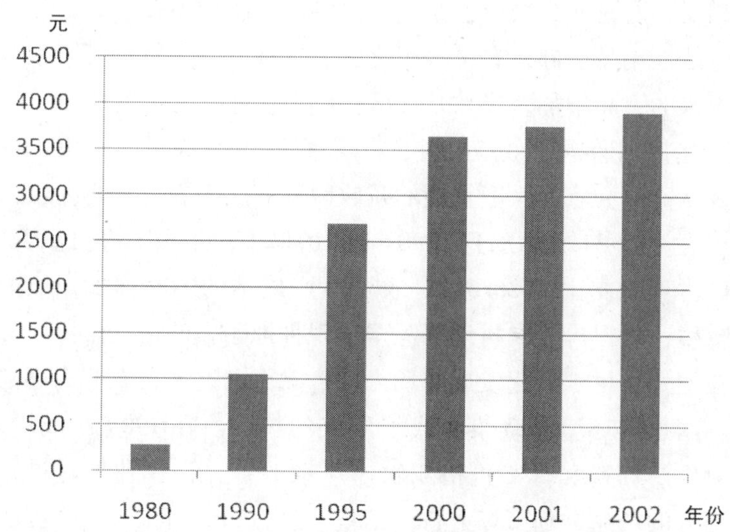

图3－3　1980—2002年，广东农村居民人均纯收入增长情况

数据来源：谭炳才、邱加盛：《聚焦三农》，南方日报出版社2004年版。

首先，地少人多是我国的基本国情，尽管农业产值飞速增长，但仍然难以掩盖大量农村剩余劳动力存在并且还在快速增长的事实。其数量之多完全超出了有限耕地的有效承载能力，直接导致了农民收入难以持续稳定增长。大量的农村剩余劳动力需要寻求从事农业劳动以外的出路。

其次，国家实行农产品“剪刀差”的政策，为城市工业发展提供原始积累，一定程度上也影响了农民的收入。尽管广东早在1980年代初期就开始推行商品价格市场化的改革，但国家规定的粮食收购标准却一直是偏低的。

“根据中共中央政策研究室、国务院发展研究中心的‘农业投入’总课题组做过的估计，单就1979—1994年的16年间，政府通过‘剪刀差’大约取得了15000亿元收入，同期农业税收入为1755亿元，财政支农支出3769亿元，16年间政府提取的农业剩余净额达到12986亿元，平均每年从农业部门流出的资金净额达811亿元。”①

相反，农村又为城市工业产品提供了广阔的消费市场，除了日常的生活性用品以外，农民对于化肥、良种、农药、农膜等生产性物质投入的不断增加，导致从1980年代中期在农业生产中开始出现“边际报酬递减”效应。使农民家庭的生产费用增长快于生产增长，从而成为农民家庭直接的减收因素。广东农民人均纯收入从1985年的495.31元增加到1990年的1043.03元，而家庭经营费用支持已占到总支出的26.5%。农业生产成本的不断增加，加上繁重的赋税，使得广大农村地区甚至出现种地赔钱的情况。

在加快农村工业化发展的动力中，除了上述来自农业内部的推力外，国家的环境与政策构成了发展的拉力。在1980年代中期，国家对生产资料实行“价格双轨制”改革，允许企业把超过计划生产部分的产品拿到市场上自由销售，这就为农村工业生产提供了必要的机器设备、原材料、能源等要素。这种计划经济体制外的生

① 谭炳才、邱加盛：《聚焦三农》，南方日报出版社2004年版。

产资料市场使农村工业化发展成为可能。

而在市场方面，由于当时我国宏观经济正处于短缺状态，总需求大于总供给，尤其是在被长期压制的生活性消费产品方面，更是供不应求，致使整个市场处于卖方市场。于是，尽管农村工业生产出的产品技术含量低、质量较差、缺乏竞争力，但在卖方市场条件下，产品的销售毫无问题，农村工业于是不断发展壮大起来。

国家对农村工业化是支持的。1984 年的《关于一九八四年农村工作的通知》、1985 年的《关于进一步活跃农村经济的十项政策》、1986 年的《关于一九八六年农村工作的部署》连续三个“一号文件”，进一步明确农村发展的方向，提入了调整产业结构、支持乡镇企业、鼓励人才流动、放活金融政策、允许自带口粮到集镇落户等指导性的意见，促进农村工业发展，提高农民收入。

在 1980 年代中期，广东省委、省政府就提出了乡镇企业发展“三个一起上”，即“一、二、三产业一起上”，“大、中、小企业一起上”，“集体、个体、联户一起上”；“四个轮子一起转”，即镇、村、家庭、联户一起转的方针。根据该方针，沿海发达地区着重发展集体骨干企业和外向型企业；山区、次发达地区重点发展小企业和家庭、联户企业。

结果广东农村的工业蓬勃发展起来，特别是珠江三角洲地区依托优越的地缘、人缘优势，工业化成为农村经济发展的主线，东莞、顺德、中山、南海几个县更造就了闻名全国的广东“四小虎”传奇。

农村和农民成为这一进程中的最大受益者。“广东农村居民人均纯收入从 1980 年的 274.37 元上升到 2002 年的 3911.91 元，增长了 13.26 倍，年均递增 12.83%。其原因是农民家庭经营纯收入结构的改变，2002 年在广东农民家庭经营纯收入构成中工业收入占到了 29%，成为最重要的收入来源。第二产业生产性收入在农民人均生产性纯收入的构成中从 1980 年的 10.5% 上升到 2002 年的 57.2%，而第一产业生产性收入则从 1980 年的 81.6% 下降到 2002

年的34.4%。"①（图3－4）

2. 外部驱动力。

广东作为改革开放的先行地区，农村地区不仅通过改革获得了发展，开放带来的大量外资企业更是其壮大工业发展的另一有效途径。

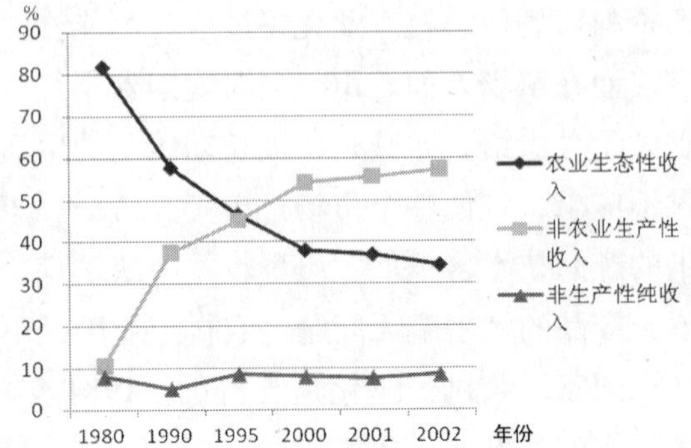

图3－4　广东农民人均纯收入构成的变化

数据来源：谭炳才、邱加盛：《聚焦三农》，南方日报出版社2004年版。

1986年，国务院颁布的《关于鼓励外商投资的规定》是我国吸引外资历史上的一个重要里程碑，即主要通过税收优惠政策，鼓励出口型和先进技术型的外企来华投资。当时国有企业普遍缴纳33%的所得税，而外商投资企业则缴纳10%～15%的所得税。

在此以前，由于有关投资的立法和政策还不完善，属于外资的试探投资阶段，外国资本在广东主要侧重于宾馆、旅游、娱乐场所等非生产服务设施的投资，主要集中在广州和深圳。1986年出台鼓励外商投资的规定之后，外商投资的生产性项目及产品出口企业大幅增加。随后，广东进一步采取"以外经促进外贸发展，以外贸增强外经实力"的策略，和"两头在外，以进养出"等措施，积极发展外向型经济。

表3－1　1980—1993年珠江三角洲实际利用外资额（亿美元）

年份	全国	广东	占全国比重(%)	珠江三角洲	占广东比重(%)	占全国的比重(%)
1980	—	2.1	—	1.0	47.2	—
1981	—	2.9	—	1.7	57.6	—
1982	124.6	2.8	—	2.2	76.2	—

① 谭炳才、邱加盛：《聚焦三农》，南方日报出版社2004年版。

续表

年份	全国	广东	占全国比重(%)	珠江三角洲	占广东比重(%)	占全国的比重(%)
1983	19.8	4.1	20.6	2.7	65.4	13.4
1984	27.1	6.4	23.8	6.2	95.8	22.8
1985	46.5	9.2	19.8	7.5	81.2	16.1
1986	72.6	14.3	19.7	9.5	66.6	13.1
1987	84.5	12.2	14.4	8.2	67.5	9.7
1988	102.3	24.4	23.9	13.9	57.0	13.6
1989	100.6	23.1	23.9	14.5	60.6	14.5
1990	102.9	20.2	19.7	15.8	78.1	15.4
1991	115.5	25.8	22.4	21.3	82.3	18.4
1992	192.0	48.5	25.3	32.4	66.6	16.9
1993	367.7	96.5	26.3	64.3	66.6	17.5
合计	1356.1	292.5	23.8	201	67.1	16.0

资料来源：《中国对外经济贸易年鉴》，各期；《广东统计年鉴》（1984—1994）；《珠江三角洲国民经济统计资料》（1980—1991）。

1990年代初，全省形成了经济特区、沿海开放城市、沿海经济开放区和山区多层次、多形式、多功能的全方位对外开放新格局。到1992年邓小平同志视察南方讲话以后，招商引资实绩有了更大的飞跃。外资的大量进入，使得在广东珠江三角洲地区涌现出一大批“三资”企业和独资企业。

表3－2　珠江三角洲实际利用外资分布（万美元）

市(县)	1980年	比重(%)	1993年	比重(%)	1980—1993年累计值	比重(%)	年均递增率(%)
特大城市	2834	28.1	84755	13.2	293698	14.2	29.9
大城市	2657	26.3	143217	22.3	591929	29.5	35.8
中等城市	2222	22.0	116262	18.1	426615	21.2	35.6
小城市及县	2367	23.6	298540	46.5	697150	34.7	45.1
合计	10080	100	642774	100	2009392	100	36.6

资料来源：珠江三角洲经济区统计资料（1995年）。

“由于农村地区提供了更低廉的土地，更充足的劳动力和更灵活的优惠措施，在投资金额、签约条件和环保指标上更没有大城市这么严格，在劳工雇用、待遇、福利等方面亦没有受国家的严格管制；并且投入的外资主要是来自港澳的中小规模、劳动密集型的制造业资本，技术成分不高。因此，对这些企业来说，考虑运输成本的关系，珠江三角洲广大的农村地区更能满足外商的投资兴趣和市场要求，小城市和县比大、中城市更具吸引力。”①

（四）农村社区工业化

简单按照字面意思理解，“农村社区工业化”就是工业在农村地区发展的过程，有别于大城市政府主导的、以大型企业为主导的工业发展模式。狭义地理解农村工业，即是目前仍在使用的“乡镇企业”的概念。

“早在上世纪五十年代前期，广东已经出现乡镇企业的萌芽，当时叫做农业生产合作社工副业小组。广东省1955年有工副业小组4万个，从业人员40万人，年收入5.3亿元。1958年人民公社化运动和大联钢铁的浪潮中乡镇企业得到进一步发展，当时称为社队企业，1984年后改称为乡镇企业。改革开放前，广东乡镇企业发展缓慢，企业规模小，生产工具落后，厂房破烂，产品档次低，经济效益差。”②

1978年，广东全省乡镇企业仅有8.57万个，企业的职工人数180万人，乡镇企业总收入30.55亿元，其中工业总产值为23.73亿元。1980年代中期，在农民强烈的致富愿望和农村剩余劳动力巨大的就业压力的双重作用下，由于受到城乡二元管理体制的限制，乡镇企业异军突起一度成为农村工业化的主导力量。2004年，广东省乡镇企业增加到130.84万个，企业人数达1268.42万人，

① 肖志平：《珠江三角洲城市化问题研究》，暨南大学政治经济学硕士论文，2000年。

② 梁荣：《广东五十年乡镇企业发展分析》，《管理科学文摘》2001年第2期，第39～40页。

营业收入14894.19亿元，总产值15205.43亿元，其中工业总产值为12476.51亿元，占全省工业总产值的36.22%。无疑，乡镇企业已经成为广东农村经济的重要支柱，在全省整个国民经济的增长中扮演着极其重要的角色。

“村村点火、户户冒烟”正是描绘了这幅广东1980年代中后期农村地区工业化大发展的繁荣景象。纵观广东农村工业化发展历程，大致可以划分为以下三个阶段：

1. 农村工业壮大发展阶段（1978—1992年）。

改革开放以后，广东农村借助家庭联产承包责任制改革的巨大推动力，以及广东的特殊政策与灵活措施，将大量的农业积累资本用于发展农村工业，形成了一大批镇、乡、村、社，以及私营开办的乡镇企业，大力生产当时国内市场短缺的一般生活消费品。

广东依托毗邻香港的人缘、地缘优势，逐步开始广泛吸引外资，特别在珠江三角洲东岸地区，大规模的承接香港产业转移，发展“三来一补”“前店后厂”的加工工业，形成许多外向型的、劳动密集型乡镇企业和“三资”企业。

“外资引进已经有1984年以前的试探阶段，每年实际利用外资在10亿美元以下，年平均增长47.8%；转入稳步发展阶段，外商投资规模的稳步扩大，年平均增长率为18.8%。”①

到1990年代初期，广东农村地区企业在“内销外贸”两个扇面发展壮大。特别在1992年邓小平视察南方讲话后，我国经济发展周期进入高峰期，这时许多乡镇企业为了寻求飞跃发展，纷纷组建企业集团，成立股份公司，发展外向型乡镇企业，山区乡镇也得到迅猛发展，顺德的美的集体股份有限公司、科龙电器股份有限公司均是在这段时间组建的。

2. 农村工业高速发展阶段（1993—1997年）。

1993年以后，国家开始实行宏观调控，紧缩银根实行“软着

① 《经济普查系列研究课题之六：广东外向型经济发展研究》，广东统计信息网，http：//www.gdstats.gov.cn。

陆”，由于发展资金不足，一部分乡镇企业的发展面临困境，开始出现产权变动。此时，在经济全球化的影响下，世界发达国家开始进行产业结构调整，大量的劳动密集型制造业也开始寻求产业转移，我国巨大的劳动力资源和市场对外资产生了极大的吸引力。利用外资的规模迅速扩大，年平均增长23.9%，广东农村地区的工业发展被再次激活。

1997年，由于亚洲金融危机的爆发和北美自由贸易区的建立，广东的外向型乡镇企业和劳动力密集型产品的出口受到打击；加上乡镇企业产权不清晰导致企业家道德危机，许多乡镇企业纷纷倒闭并让不少村庄欠下了大量的银行负债。农村工业增长速度不断回落，发展步伐放缓。

3. 农村工业整合发展阶段（1998年至今）。

1998年之后的产权改革，乡镇企业剧烈分化，发展进入调整期，产业结构和布局不断提升与优化；而广东外资利用也进入优化调整发展时期，外资利用规模稳步发展，期间累计实际利用外资达1235.06亿美元。

尽管农村工业在发达地区呈现出“村村点火、户户冒烟”的分散格局，但是从全省的空间布局来看，仍然是不均衡的，绝大部分的民营企业和外资企业集中在区位、交通条件较好的珠江三角洲地区。由于拥有企业群落数目的不尽相同，珠江三角洲地区与东、西两翼及北部山区的经济发展水平存在明显差异。

“据资料显示，无论是经济总量，还是发展规模，珠江三角洲地区发展水平都明显高于粤东、粤西及粤北山区。如平均每个建制镇镇区拥有的乡镇企业个数，珠江三角洲地区有297个，分别是东西两翼和北部山区的1.4、1.2、2.7倍；企业从业人数，珠江三角洲地区平均每个建制镇10038人，分别是东西两翼和北部山区的3.1、6、8.7倍；珠江三角洲地区平均每个建制镇实现财政总收入9394万元，东西两翼和北部山区分别实现1082、550、536万元，

珠江三角洲地区分别是它们的8.7、17.1、17.5倍等。”[①]

二、农村地区城市化与小城镇发展

（一）农村地区城市化

由于动力机制的不同，广东的城市化有两种典型模式：一种是政府主导的，由于原有大城市扩张和新设立的中心城市拉动下的“自上而下”的城市化；另一种则是发生在农村地区，通过自筹资金发展乡镇企业，或者是引进外资工厂，通过农村社区工业化推动的“离土不离乡、进厂不进城”的“自下而上”的城市化。

在大规模的农村工业拉动下，农民洗脚上田，离开了土地，进入工厂，实现由从事农业向从事非农业的转移，同时，居住地也由农村区域向农村小城镇迁移；随着人口和第二、三产业的不断集聚，农村小城镇的功能与规模迅速扩展，农民也不断接受新的城市生活方式，生活水平不断提高、生活质量不断改善。

广东农村的城市化过程主要包括三个方面的特征：一是农村人口从事的工作由第一产业向第二、三产业转变；二是居住地由农村集中到小城镇，农村人口转化为市镇人口；三是农村地域转化为城市地域，即农村小城镇数量和规模的变化。

广东农村地区的城市化过程中也始终贯穿着政府“自上而下”的调控，其中两次大的行政区划调整就是政府促进农村地区发展的重要手段，直接推动了农村地区城市化的建设步伐。

1. 撤区改镇，小城镇推动城市化。

“改革开放以后，随着家庭联产承包责任制的广泛实施，人民公社政社合一体制的行政体制难以适应新形势下发展的需要，各地纷纷取消公社建制，撤销人民公社，把公社属于政权的那一部分划

---

① 余秀江、王秀娟：《广东乡镇企业群落的发展现状及分布特点》，《特区经济》2006年第3期，第27～29页。

出，建乡人民政府。广东省的政社分开工作到1984年6月完成，原来的人民公社改建成区公所，生产大队改建成乡。国家民政部1984年颁布了《关于调整建制镇标准的报告》，1986年，省政府决定撤销区公所，改设乡（镇）制，实行与全国一致的乡（镇）管村的行政管理体制。”①

1986年，广东省政府改设乡（镇）制，实行与全国一致的乡（镇）管村的行政管理体制，使得建制镇的数量大增，推动了城市化发展。广东省的珠江三角洲小城镇数目飞跃增长，1983年的38个到1986年344个，大约为8倍，城镇人口增幅达3.6倍。到2006年，全省镇的数量已从1978年的121个增至1137个。小城镇大批量的设立，明确了村镇一级的行政权力，提高了其发展的积极性，促进了村镇工业在农村地区的大发展。

2. 整县改市，城乡协调发展显新机。

进入20世纪80年代中后期，广东一部分发达地区的农村可以说已经发生了天翻地覆的变化，全省中一批县的经济实力大为增强，各项经济指标均有较大幅度的增长，城市化水平迅速提高。这批县对外经济往来越来越频繁，为了谋求进一步发展，迫切需要有更大的、更自由的行政主权。由于县的管理权力没有市的权力大，如在招商引资的项目审批、城建资金、城市管理等各方面的权力，按照国家规定，县只能审批1000万美元的建设项目，而县级市就可以审批3000万美元的项目。通过放权可以进一步促进城市规划建设和经济总量的增长，故经济发达、实力强的县纷纷要求撤县改市。广东在1992年下半年邓小平同志视察南方之后，开始了新的一轮改革开放高潮，迅速推进了“整县改市”工作。

① 魏清泉等著：《世纪之交的珠江三角洲行政区划》，广东省地图出版社1997年版。

表 3－3　　1992—1996 年广东的整县改市

年份	整县改市
1992	撤销顺德县，设立顺德市（县级）；撤销台山县，设立台山市（县级）；撤销清远市郊区，设立清新县；撤销番禺、南海、云浮、新会等县，分别设立番禺市、南海市、云浮市和新会市（均为县级）
1993	撤销开平、三水、花县、高要、鹤山、四会、增城等县，分别设立开平市、三水市、花都市、高要市、鹤山市、四会市和增城市（均为县级）
1994	撤销恩平、从化、高明和惠阳等县，分别设立恩平市、从化市、高明市和惠阳市（均为县级）
1995	撤销陆丰县，设立陆丰市（县级）；撤销信宜县，设立信宜市（县级）
1996	撤销南雄县，设立南雄市（县级）

20 世纪 90 年代以来，广东省先后通过撤县设置了 35 个县级市（包括后来由县级市上升为地级市的揭阳和云浮市）。广东省整县改市，增加城市的数量，全省城市人口大量增加；同时，扩大了农村城市化地区的腹地，给许多县级市增添了发展活力，推动县城的建设和经济发展，有利于县级市招商引资，发展第二、第三产业。

（二）专业镇与产业簇群

“专业镇经济是指建立在一种或者两三种产品的专业化生产联系基础上的乡镇经济。换句话说，在一个镇区内，大多数企业都是围绕着一个或者少数几个产品相关产业而形成了生产的专业化分工网络。它的特点是以个体、私营企业为主，规模为中小型，以市场为依托，以简单技术应用为主。”①

在传统的农村工业化基础上迅猛发展起来的广东的专业镇经济本质上是“簇群”经济。按照美国著名的战略管理学家、哈佛商

① 王珺：《广东专业镇经济的类型与演进》，《广东商学院学报》2001 年第 4 期，第 35～40 页。

学院教授迈克尔·E. 波特（Michael E Porter）提出的“簇群”理论：“在某一特定区域下的一个特别领域，存在着一群相互关联的公司、供应商，关联产业和专门化的制度和协会”，“簇群不仅仅降低交易成本、提高效率，而且改进激励方式，创造出信息、专业化制度、名声等集体财富。更重要的是，簇群能够改善创新的条件，加速生产率的成长，也更有利于新企业的形成。”

1990年代以来，随着乡镇企业和外资企业在广东农村地区的集聚，追求外部规模经济逐渐成为新企业选址的重要考虑因素，不同的产业开始在农村地区有选择性的集聚，出现了大批经济规模超过十亿、几十亿甚至百亿元的产业相对集中、产供销一体化、以镇级经济为单元的新型经济形态，被称为专业镇经济，如：顺德的北滘镇是全国的小家电生产基地；南海的大沥镇是全国铝合金型材专业镇；东莞的虎门是国际性的服装生产基地；中山的沙溪是国际性的休闲服装生产基地。

据统计资料显示，（换成2006年数据）1998年，在全省1551个市辖镇中，全镇农村社会总产值超亿元的镇有1239个，占80%；超5亿元以上的镇达533个，占34.37%；超10亿元以上的镇有274个，占17.67%。这274个超10亿元的镇，东翼汕头、揭阳等市56个，珠江三角洲地区194个，占珠江三角洲地区全部建制镇的46.19%，而这194个经济规模超10亿元的镇中，属广州、深圳、珠海、佛山郊区和东莞、中山、南海、顺德、番禺等珠江三角洲腹地县（区）的有132个。其中有些镇的经济规模甚至达到200亿元以上。

1999年广东经济理论界提出以珠江三角洲地区为主的广东专业镇（Clusters，“簇群”）经济现象，并建议有关部门以创新（体制创新和在专业镇建立技术创新平台）支持专业镇发展。2000年，由广东省科学技术厅正式启动专业镇技术创新试点工作，以技术创新作为支持专业镇经济发展的切入点，通过建立创新平台，给传统产业注入现代科技。

2004年全省103个专业镇GDP达2171亿元，占全省GDP的13.5%，人均GDP达到2.6万元，是全省人均GDP的1.6倍；103

个专业镇总产值达5100多亿元，特色产业产值达到2693.6亿元，占专业镇工业总产值的51.3%。在珠江三角洲的404个建制镇中，已明显形成专业镇经济的约占1/4；佛山、中山、东莞等地2/3以上的建制镇已形成专业镇经济。专业镇经济已成为县域经济的重要支柱和广东最具特色、最具活力的经济新增长点。

2006年，广东省建立专业镇185个，遍及珠江三角洲、山区和两翼，覆盖了机械、印刷、五金、灯饰、电子、信息、纺织、家电、建材、电声、服装、物流、工艺美术、种植、果蔬深加工、养殖、花卉、茶叶、家具、精细化工、旅游、摩托车、陶瓷、石材、食品、饲料、玩具、鞋业、音像制品、针织服装等三十多个产业、产品类别。

“很明显，珠江三角洲地区的专业镇经济在广东省的经济发展中发挥着举足轻重的作用。当前已经基本形成珠江东岸深圳、东莞的电子及通信设备制造业和珠江西岸顺德的电气机械及设备制造业两大‘簇群’。2001年，东莞的电子及通讯设备制造业的产值超过800亿元，出口75亿多美元；其电子元件、显示器、键盘、鼠标等产量都占世界市场很大比重。而在珠江西岸地区，中山、珠海、顺德等市形成一个近4000亿元规模的全国最大的电子信息产业簇群。2000年，顺德电气机械产业产值349.76亿元，是全国最大的家电生产基地，而且这个家电簇群还延伸到邻近顺德的中山、珠海、南海等地。在珠江东西岸两大‘簇群’之间还有星罗棋布以传统产业为主的专业镇（小簇群），包括纺织服装、金属制品、建筑材料、家具、皮具、鞋业以及物流业、花卉等产业。这些专业镇的规模一般都超过20亿元到100亿元以上，集群企业从几百间到几千间不等，产品在全省到全国的市场占有率一般在20%～30%，多者占50%以上。”①

专业镇经济不仅带动了传统农村产业结构变化、产业结构升

① 路平：《广东的“簇群”（专业镇）经济》（下：2000—2002），《广东科技》2003年第1期，第25～30页。

级，对广东小城镇发展的巨大推动也是毋容置疑的。2006年10月，中共广东省委颁布了《广东省人民政府关于加快发展专业镇的意见》，进一步加快专业镇的发展，促进社会主义新农村建设，推进县域经济和内源型经济发展，推动东西两翼和北部山区加快发展。（图3－5）

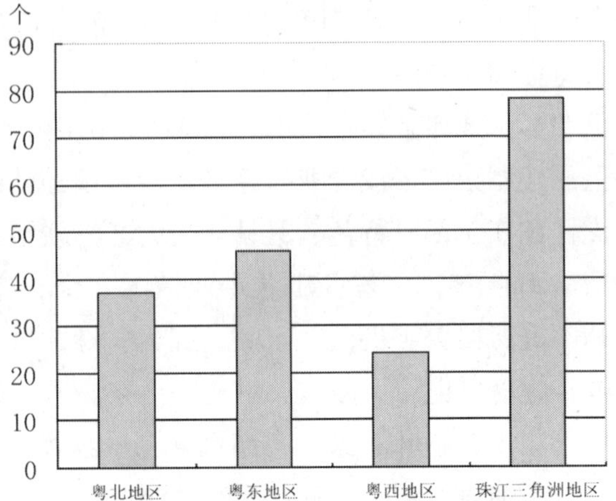

图3－5　广东四大片区专业镇数量比较

数据来源：广东专业镇技术创新网，http：//www.zhyz.gov.cn。

（三）东莞虎门，通往繁荣之路的专业镇

东莞市虎门镇位于珠江口东岸，面积178.5平方公里，下辖31个社区居民委员会。2006年，户籍人口11.99万人，外来人口50多万人。全镇国内生产总值（GDP）148.45亿元，工业总产值288.18亿元，税收总额达30.83亿元，镇本级可支配财政收入9.76亿元，实际利用外资金额2.04亿美元，农民人均纯收入12799元。（图3－6）

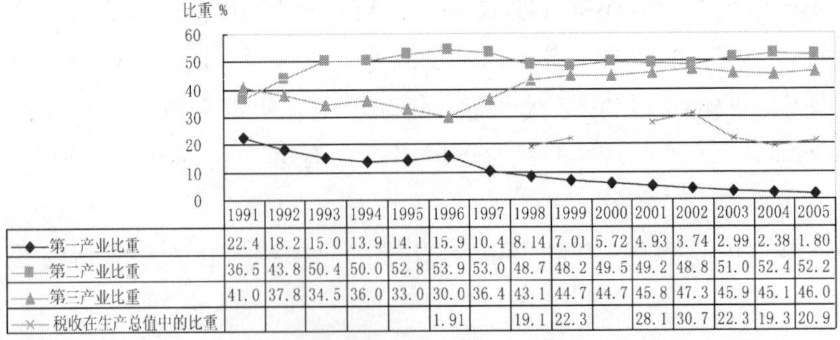

	1991	1992	1993	1994	1995	1996	1997	1998	1999	2000	2001	2002	2003	2004	2005
第一产业比重	22.4	18.2	15.0	13.9	14.1	15.9	10.4	8.14	7.01	5.72	4.93	3.74	2.99	2.38	1.80
第二产业比重	36.5	43.8	50.4	50.0	52.8	53.9	53.0	48.7	48.2	49.5	49.2	48.8	51.0	52.4	52.2
第三产业比重	41.0	37.8	34.5	36.0	33.0	30.0	36.4	43.1	44.7	44.7	45.8	47.3	45.9	45.1	46.0
税收在生产总值中的比重						1.91		19.1	22.3		28.1	30.7	22.3	19.3	20.9

图3－6　虎门镇产业结构变化及税收在GDP中的比重（1991—2005年）

改革开放初期，虎门由于靠近香港，成为香港成衣的集散市场，吸引了各地买家，然后“由商而工”发展成为“前店后厂”的服装加工销售集散中心。

1978 年，虎门镇引进全国第一家“三来一补”企业，随后外商开始在虎门开办与制衣业相关的来料加工厂，凭借便宜的地价和劳动力价格、低廉的综合生产成本、便捷的交通等诸多优势，外资和本地服装制造业迅速形成规模。1990 年代中期，由于国外产业转移，劳动密集型的服装加工工业进一步在虎门聚集，成为支柱产业。

由于虎门的服装生产一直是贴牌加工，缺少品牌效应，限制了服装产业的扩大再生产，为了解决这一问题，1996 年，镇政府组织举办了第一届中国（虎门）国际服装交易会，向海内外客商积极推介虎门的服装品牌，“以工兴商”、“工商联动”，虎门经济的发展获得新一轮的突破。

虎门镇经历了“专业镇特色经济超常规起步→大型会展跨越式提升→主导产业拉动整体经济→小城镇向现代都市突变”的发展路径。利用雄厚的专业化工业优势，建设高质量的会展中心发展会展业，从而带动了相关第三产业的繁荣发展，实现了城市功能的完备，最终使得经济结构转型优化成为城市型经济发展模式。服装产业的兴旺发展，强劲地带动了电子信息产业、旅游、交通运输、金融业等相关产业的大发展。（图 3 –7）

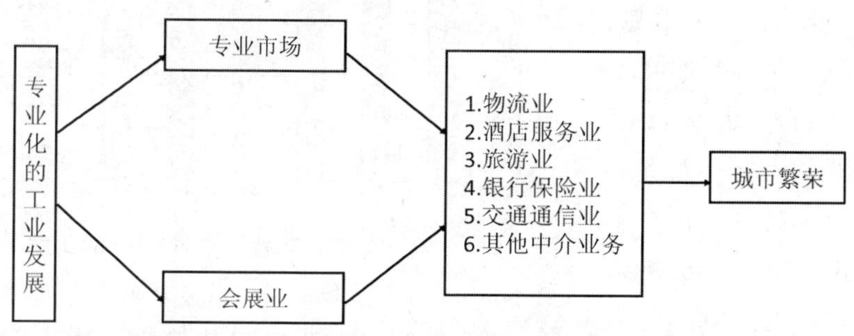

图 3 –7 专业镇发展带来城市繁荣的发展路径

随着经济发展的高速运转，原来的小镇发生了天翻地覆的变化，城市化水平已达到62.3%，中心建成区面积已从80年代末的4平方公里扩至32平方公里；城镇功能不断丰富，公共服务设施配套齐全，拥有五星级酒店、各类专业市场、步行商业街、休闲广场、体育中心、文化演示中心、图书馆、博物馆、公园、职业技术学校等。虽然当前虎门仅是镇的建制，但从规模和质量上看，已经属于现代化的中等城市。

三、农村城市化的挑战与转型

进入21世纪以后，广东农村地区发展面临许多新的问题。区域经济发展不平衡的加剧，导致广东东西两翼、北部山区和珠江三角洲地区的农村城市化将面对不同的挑战和寻求不同的转型途径。

（一）欠发达地区

1. 挑战。

（1）区域差距加剧。

改革开放以来，虽然广东四大区域（珠江三角洲、粤东、粤西、粤北山区）经济都得到了前所未有的发展，但是区域之间的经济差异也不断发展演变。2000年以后，这一趋势更为明显，区域差距不断加剧。

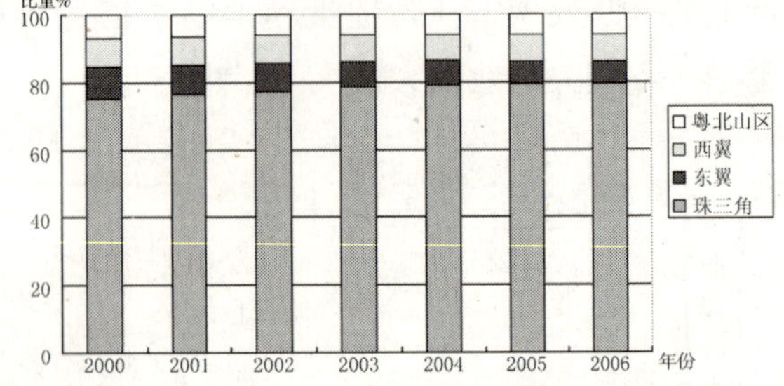

图3-8　2000年来广东各区占省GDP的比重

资料来源：《广东区域经济发展差距的评估与建议》，广东统计信息网，http://www.gdstats.gov.cn。

2000年珠江三角洲、东翼、西翼和粤北山区分别占全省GDP的75.2%、9.5%、6.8%和8.5%。2006年，区

域经济差距进一步扩大，珠江三角洲占全省 GDP 比重的将近 80%。（图 3－8）

同时，各区域人均 GDP 分化加大。珠江三角洲人均 GDP 为 47094 元，东翼 11325 元、西翼 13637 元、粤北山区 10717 元。东西两翼和粤北山区三地人均 GDP 差距较小，但三地与珠江三角洲的差距很大，且呈扩大趋势。（图3－9）

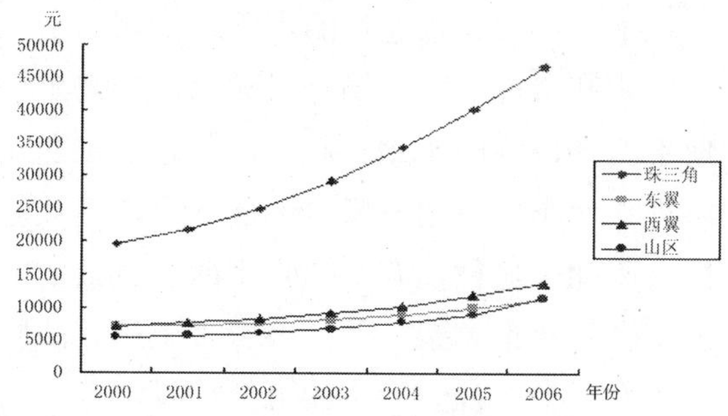

图 3－9　2000 年来广东各区人均 GDP 变化

资料来源：《广东区域经济发展差距的评估与建议》，广东统计信息网，http：//www. gdstats. gov. cn。

2000 年，珠江三角洲人均 GDP 是其他三个区域的 2. 7 ~ 3. 7 倍；到 2006 年，差距扩大到了 3. 5 ~4. 4 倍。经济发展水平的差距直接导致了农民收入的不平衡，反映收入差距的基尼系数持续上升，表明农村内部收入差距不断扩大，并且有数据表明，2005 年广东农村居民的高收入户中有 63% 分布在珠江三角洲地区，而低收入户则有 81% 分布在珠江三角洲以外的地区。收入水平的差距又进一步导致农村劳动力大规模向珠江三角洲地区的大中城市集聚。（图 3－10）

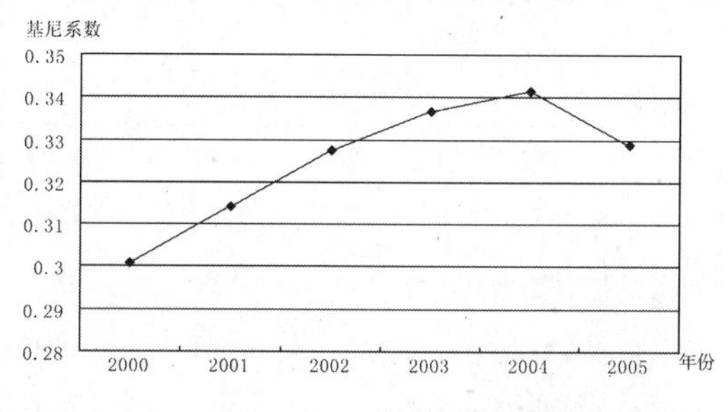

图 3－10　2000 年来广东农村居民基尼系数

资料来源：《加快东、西、北三地发展分析》，广东统计信息网，http://www. gdstats. gov. cn。

（2）分散的工业化。

随着珠江三角洲地区产业梯度转移的推进，加之农民致富的渴望，当前在广东偏远农村地区工业企业也开始“遍地开花”，延续了以前珠江三角洲农村地区工业分散发展的路径。大量农村地区的工业布局基本没有规划，耕地被大量占用，使用土地粗放，经济效益低下，导致原来连片的农用地“碎片化”，不仅不利于土地的集约使用和合理功能布局的形成，还带来了水、大气等环境污染，致使生态环境逐渐恶化。同时，分散的工业化使得基础设施建设难以跟进，而小城镇的发展也不能形成聚集效应，最终阻碍了城市化发展。因此，这种没有空间管制的、分散的、群众运动式的工业化不利于经济要素集聚、严重浪费了土地、威胁基本农业生产，严重影响了农村地区社会经济的可持续发展。

（3）缺失的城镇体系。

从完整的城镇体系格局来看，应该是包括：中心城市、县城、小城镇、基层村的格局。但是广东的小城镇发展却不尽人意，全省2000年时达1500多个，占全国的8%左右，其中存在着明显的两极分化，珠江三角洲地区的小城镇普遍承接香港的辐射，与作为区域中心城市的广州、深圳等竞相发展，规模接近中等城市，甚至有些达大城市标准；而在东西两翼，特别是粤北山区的小城镇发展步履维艰，缺少足够的建设资金，难以起到承上启下的作用。

表3－4　　广东省各片区镇的相关指标

指标	平均每个建制镇				
	全省	珠江三角洲	东翼	西翼	山区
镇区面积（平方公里）	4.51	6.93	3.31	5.41	3.81
建成区面积	2.36	4.28	1.47	2.58	2.17
镇区企业个数（个）	178	297	212	243	110
镇区企业人数（个）	3571	10038	3261	1684	1159
镇区企业营业收入（亿元）	3.2	9.4	3.0	1.4	0.9
全镇农村经济总收入（亿元）	5.6	14.9	3.9	3.7	2.0
全镇财政总收入（万元）	2855	9394	1082	550	536
全镇电话装机量（部）	5236	11113	7205	3252	2469
医院、卫生院（个）	2.29	3.71	1.80	1.86	1.88

2. 中心镇战略。

早在1998年，中共十五届三中全会通过的《中共中央关于农业和农村工作若干重大问题的决定》就明确指出："发展小城镇是带动农村经济和社会发展的一个大战略。"2000年，《中共中央、国务院关于促进小城镇健康发展的若干意见》进一步指出："要充分认识发展小城镇的重大战略意义，力争经过10年左右的努力，将一部分基础较好的小城镇建设成为规模适度、规划科学、功能健全、环境整洁、具有较强辐射能力和农村区域性经济文化中心，其中少数具备条件的小城镇要发展成为带动能力更强的小城市"，"要优先发展已经具有一定规模、基础条件较好的小城镇，防止不顾客观条件，一哄而起，遍地开花，搞低水平分散建设。"

广东省有17.8万平方公里，1500多个建制镇。小城镇量大面广，发展也很不平衡，因此，发展必须突出重点，把有限的财力、物力和人力重点放在支持少数有条件的小城镇加快发展上面，完善功能，壮大其发展规模，强化其区域中心地位，提高其辐射能力，从而带动其他小城镇及农村经济社会的全面发展。2000年广东省委、省政府连续颁发了《关于加快城乡建设，推进城市化进程的若干意见》和《关于推进小城镇健康发展的意见》两个重要文件，明确提出到2010年全省城市化水平达50%以上，其中经济特区和珠江三角洲达70%以上；全省重点建设300个左右中心镇，以此带动农村经济社会的全面发展。（图3－11）

中心镇应该是指已经具备一定发展水平，且对周边农村地区具有一定经济带动和辐射作用的小城镇。加快中心镇的发展，就是要扩大规模、增强实力、拓展空间、优化环境，目的是将发展小城镇作为消除城乡二元结构，推进全省城市化进程的重要着力点。至2003年为止，全省初步确定了21个市的273个中心镇，其中5%为县城镇（共41个），平均每万平方公里15.2个。

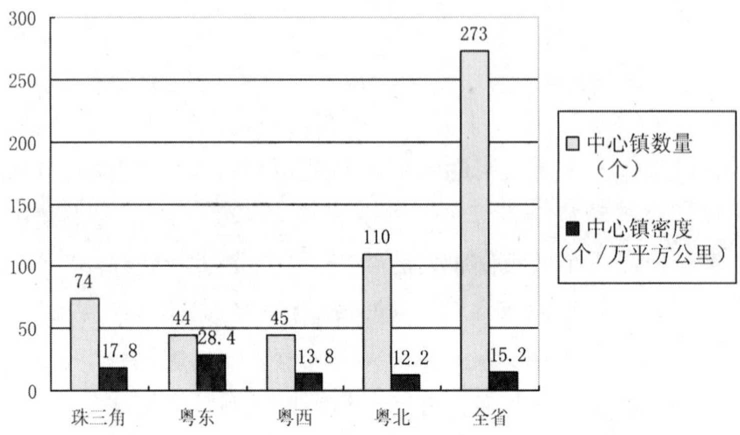

图3－11　2003年，全省中心镇地区分布与密度情况

资料来源：广东省建设厅：《广东建设蓝皮书——广东省中心镇发展评估报告（2003）》，2004年。

专栏3－1：广东省中心镇设置原则与标准

每个县（市、区）确定2～3个中心镇，对陆路和水路交通枢纽城镇、重要的海滨河滨及属我省重要对外门户和窗口的城镇予以优先考虑。具体有3个方面的指标：一是镇区非农人口，珠江三角洲7000人以上，东翼地区8000人以上，西翼地区6000人以上，粤北地区4000人以上；二是财政收入，珠江三角洲3800万元以上，东翼地区950万元以上，西翼地区690万元以上，粤北地区390万元以上；三是镇建成区面积，珠江三角洲4平方公里以上，东翼地区3平方公里以上，西翼地区2平方公里以上，粤北地区1平方公里以上。

为创新小城镇建设体制，2003年广东省政府进一步出台了《关于加快中心镇发展的意见》，在规划编制、拓展建设资金渠道、用地政策倾斜、户籍制度改革、管理体制等方面的政策都给予创新性突破。

广东省的中心镇经过几年的发展，已经初显成效，特别是粤

东、粤西、粤北地区的中心镇凭借各类优惠政策的扶持，获得较快发展，辐射带动作用得到增强，推动了广大农村腹地的经济社会发展。

2003 年，广东省中心镇国内生产总值为 2756.7 亿元。四大分区中，珠江三角洲地区国内生产总值绝对值最高，超过全省中心镇国内生产总值的 60%，其后依次为粤东、粤北、粤西。珠江三角洲是粤西的 6.6 倍，表现出较大的区域差异。而全省中心镇的人均国内生产总值为 0.82 万元/人。四大分区中，粤东最高，以后依次为珠江三角洲、粤西、粤北。可见，受外来常住人口影响，珠江三角洲人均 GDP 低于粤东地区，反映出珠江三角洲劳动生产率相对不高的问题。

根据世界城市化水平与人均 GDP 之间的相关关系，可见全省中心镇城市化水平略超前于经济发展水平，在正常的波动范围内，城市化水平整体上基本与经济发展水平同步。但粤东、粤西、粤北中心镇城市化水平仍滞后于经济发展水平。珠江三角洲由于大量外来常住人口摊低了人均 GDP。

表 3－5　广东全省及各片区中心镇经济指标比较（2003 年）

	珠江三角洲	粤东	粤西	粤北	全省
中心镇 GDP(万元)	16995406.32	4739275	2588035	3243797.25	27566514
占全省中心镇 GDP 总额的比例(%)	61.65	17.19	9.39	11.77	100.00
中心镇年末总人口(人)	19157664	4697301	3584980	6204190	33644135
中心镇人均 GDP (万元/人)	0.89	1.01	0.72	0.52	0.82

资料来源：根据《广东省中心镇发展评估报告》（2003、2004）中心镇专项统计数据整理。

表3－6　广东全省及各片区中心镇城市化指标比较（2003年）

	全省	珠江三角洲	粤东	粤西	粤北
人均GDP①（美元/人）	987.95	1072.29	1216.87	867.47	626.51
标准城市化水平②（%）	48.2	49.1	50.6	46.7	42.9
现实城市化水平（%）	50.9	72.7	36.3	31.8	38.6

资料来源：广东省建设厅：《广东建设蓝皮书——广东省中心镇发展评估报告（2003）》，2004年。

注：①美元汇率按8.3计；

②根据张颖、赵民的研究，按照公式"ULR＝－0.31469＋0.11552×InG"计算而得，式中ULR为城市化水平，G为年人均国民生产总值（美元）；研究同时指出城市化水平在±9.0%范围内波动应当归为城市化水平与经济发展水平变化一致。

按"五普"统计口径，2003年全省273个中心镇镇区总人口1171.5万人，平均人口4.3万人。镇区人口规模在1万～5万人间的占全省中心镇总数的72.1%。

全省中心镇外来常住人口高度集中于珠江三角洲，约占全省中心镇外来常住人口总数的83%。2003年，珠江三角洲中心镇外来常住人口580.1万人，平均规模为7.8万人；粤东中心镇外来常住人口51.7万人，平均规模为1.2万人；粤西中心镇外来常住人口24.1万人，平均规模约0.5万人；粤北中心镇外来常住人口41.3万人，平均规模约0.4万人。（图3－12）

2003年底，全省中心镇镇区人均住房面积达26.2平方米/人。生产性基础设施建设普遍发展较快，镇域自来水普及率达到78.1%。镇域单位面积铺装道路总长度为0.57公里/平方公里。相对而言，中心镇环境设施发展严重滞后，镇区人均公共绿地面积4.9平方米/人，镇区污水处理率仅有3.0%。

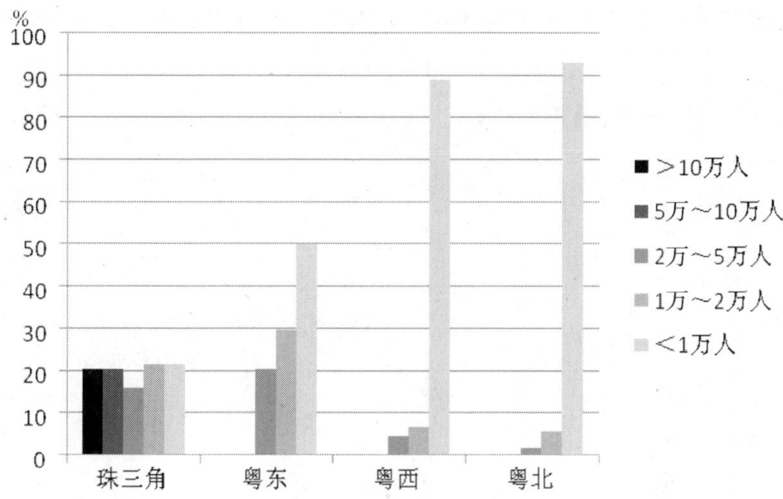

图 3－12　广东各片区中心镇规模等级分布（2003 年）

资料来源：广东省建设厅：《广东建设蓝皮书——广东省中心镇发展评估报告（2003）》，2004 年。

2003 年全省中心镇的城镇维护建设资金支出总额为 15.4 亿元，占当年中心镇可支配财政收入的 16.2%。平均每个中心镇的城镇维护建设资金支出约 578.4 万元。城镇维护建设资金不足 500 万元的中心镇占总数 79.3%。其中，珠江三角洲平均每个中心镇

表 3－7　广东全省及各片区中心镇配套设施指标比较（2003 年）

	珠江三角洲	粤东	粤西	粤北	全省
镇区人均住房面积（m^2/人）	35.60	21.90	36.60	18.30	26.20
镇域自来水普及率（%）	91.30	81.80	56.10	76.80	78.10
镇域每平方公里铺装道路总长度（km/平方公里）	1.02	0.79	0.32	0.56	0.57
镇区人均公共绿地（m^2/人）	4.10	4.00	4.50	7.40	4.90
镇区污水处理率（%）	27.80	0.70	5.30	2.84	3.00

资料来源：广东省建设厅：《广东建设蓝皮书——广东省中心镇发展评估报告（2003）》，2004 年。

的维护建设资金支出约为1605.3万元。粤东、粤西、粤北则分别为222.7万元、182.9万元、164.1万元。粤东、粤西、粤北均有85%以上中心镇城镇维护建设资金不足500万元。[①]（图3-13）

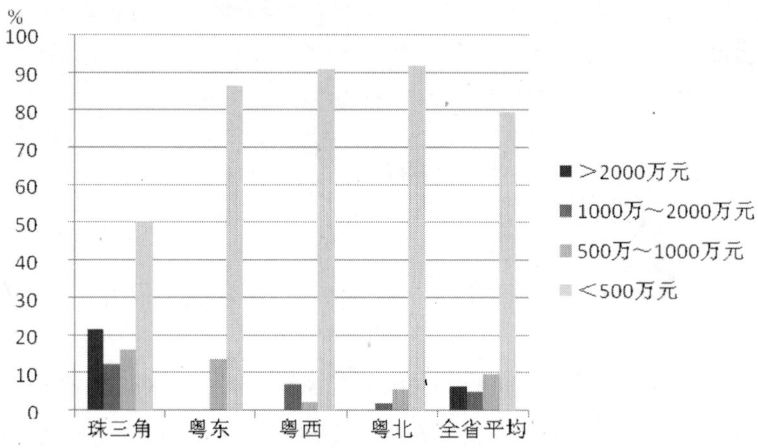

图3-13　2003年，广东各片区中心镇城镇维护建设资金投入

资料来源：广东省建设厅：《广东建设蓝皮书——广东省中心镇发展评估报告（2003）》，2004年。

在做大做强大城市的同时，为了避免城乡差距的进一步拉大，广东省开始实施“中心镇”战略。中心镇作为链接城市与农村的节点，对于促进城乡协调、融通具有重大的战略意义。通过将部分一般镇合并为一个中心镇，广东的建制镇由2000年的1556个减少为2006年的1137个，一般建制镇的合并，强化了镇的集聚力量，进而成为带动周边发展的动力。2000年7月、8月，省委、省政府连续颁发了《关于加快城乡建设，推进城市化进程的若干意见》和《关于推进小城镇健康发展的意见》两个重要文件，明确提出到2010年全省城市化水平达50%以上，其中经济特区和珠江三角洲达70%以上；全省重点建设300个左右中心镇，以此带动农村

① 广东省建设厅：《广东建设蓝皮书——广东省中心镇发展评估报告（2003）》，2004年。

经济社会的全面发展。

2003 年 7 月又颁发了《关于加快中心镇发展的意见》要求以县城和中心镇为重点，发展县域经济，推进农村工业化、城市化和农业产业化。2003 年以来，县域经济发展加快，中心镇对农村的辐射带动能力逐渐提高。2005 年，全省 67 个县（市）共实现生产总值 4027.4 亿元，与 2000 年相比增长 13.4%；截至 2005 年 10 月，全省共撤并 414 个乡镇，撤并比例达 26%。通过撤并乡镇，拓展了中心镇的发展空间，全省 271 个中心镇中有 119 个被列入全国重点镇。2005 年全省中心镇的 GDP 合计达 3000 多亿元，约占 67 个县（市）生产总值的七成。全省中心镇的数量占不到全部建制镇数量的 20%，但城镇总人口、财政收入分别占全省建制镇的 42% 和 51% 左右。中心镇的地位和作用日益凸显，已经成为城市化发展的主要载体之一。

（二）珠江三角洲

1. “非农化”挑战“城市化”。

改革开放 30 年后，珠江三角洲原来的农村地区已经发生翻天覆地的变化，经济、社会、城市建设都取得了巨大的成就，但走到今天却又普遍面临着土地资源紧缺、环境恶化、结构失序等难以跨越的瓶颈，原来推动繁荣的农村社区工业化模式反而成为当前限制这些地区持续发展的主要因素，经济发展和城市化发展模式亟待转型。

农村社区工业化在空间上的后果是出现了大量“半城半乡”低效使用的农村土地，城镇、村庄、工厂和零星农田在景观上很难分清。产业和居住分散化的发展模式使得这些地区往往无法维持起基本的服务设施，成为一种“城中有村、村中有城”的“灰色区域”，这种发展模式与其称为“城市化”不如用“非农化”更为贴切。

（1）粗放发展、土地紧缺。

“1990 年珠江三角洲城镇用地 281900 公顷，占全区土地面积的6.85%；2000年城镇用地面积增至414200公顷，比重增至10.04%。1990—2000年城镇用地的面积增加了132200公顷，占土地面积的比重增加了3.2%，即每年平均以13000公顷的速度扩展。”①

建设用地多沿交通运输网络延伸，形成典型的“马路经济”，如广佛公路大沥段两侧专业批发市场、工厂、住宅等建筑林立，是有名的“广佛商贸走廊”。而工业用地与农村居民点和农田混杂布局，导致城市、城镇、村庄很难分清，非农建设用地数量大幅增加且布局分散，非农建设用地利用粗放，土地产出水平低下等特点。

“从1980年到1998年的十八年间，珠江三角洲人均耕地面积从0.89亩减少到0.46亩，年均递减率为2.4%，耕地减少的速度一直是广东省的2倍。”②

城镇建设用地、交通基础设施用地、工业用地、农村宅基地等用地规模的激增，导致珠江三角洲地区的耕地严重流失，大大高于长江三角洲同期的3‰～5‰的水平。大量农田的基本保护用地被“碎片化”，有些地方甚至很难找到100亩以上的连片农地。

表3－8　广东省和珠江三角洲耕地面积变化

区域	耕地面积(万亩)			耕地的年均递减率(%)	
	1980年	1990年	1998年	1980—1990年	1990—1998年
广东省	4126.07	3793.25	3447.97	0.8	1.4
珠江三角洲	1486.82	1273.64	996.28	1.6	3.2

资料来源：谢涤湘、魏清泉：《珠江三角洲农业发展研究》，《地理学与国土研究》1999年第5期。

早期的农村工业化发展路径是典型的以土地换发展的模式，支

① 张文忠、王传胜、薛东前：《珠江三角洲城镇用地扩展的城市化背景研究》，《自然资源学报》2003年第5期，第575～582页。

② 谢涤湘、魏清泉：《珠江三角洲农业发展研究》，《地理学与国土研究》1999年第5期。

撑其发展的关键要素是廉价丰富的土地、廉价劳动力、廉价的能源供给和优惠政策。如今土地资源的日益紧缺，劳动力价格上涨，能源紧缺，优惠政策逐步取消，使得传统粗放工业化模式难以持续发展下去。整个珠江三角洲农村地区都面临国际竞争压力和产业升级压力，经济发展必须转型。

（2）空间混杂，半城半乡。

城市化质量低、社会发展落后的农村社区工业化产生出大量的城中村、厂中村，在工业较为发达的地区，农村的“非农化”水平均很高，以农业生产为主的传统农村已经基本不存在；“家家务工、人人姓农”，“离土不离乡，进厂不进城”导致“城不像城、村不像村”，产生了大量的“无‘农’村”（没有农业和农民的村），出现经济发达、社会基础设施严重匮乏的状态，第三产业等城市型产业无从生根。农村居民停留在原来“单家独院”、“一户多宅”的分散居住模式上，导致农村居民人均占有居住面积过大；而社会结构还停留在原农业生产方式下以亲缘、血缘、族缘、地缘聚合的村落模式。

（3）厂村混杂，环境污染。

由于发展超前于规划，产业用地基本是沿现状道路布局，且与村庄、农田混杂。同时，早期自下而上的自发招商引资发展工业，片面追求经济总量，政府对环境保护重视不足，“村村点火、户户冒烟”导致环境污染难以治理：产业门类低，且在进入社区时缺乏门槛限制和生产工艺审查；在生产过程中更是缺乏有效的污染控制程序，企业就近随意排放“三废”；产业区小而散，并缺乏公共使用的污染处理设施。

（4）租赁经济，依附土地。

在城乡二元的土地政策下，商业和房地产业开发往往需要先将土地征用为国有土地，成本高企。而同样地段的农民宅基地建房不需要负担城市住宅的高昂费用，导致很多农民仍愿意居住在村中而不愿意购买商品房进城。在一些工厂较多、区位条件较好的地区，农民自建了8、9层高的楼房进行出租。自建房出租成为农民低成本高收益的主要经济来源，很多人成为“食利阶层”。这最终导致了农民更愿意靠红利和房租生活，既不从事农业生产，也不愿意加入城市就业，保持农民身份依附土地可以得到较多利益而不愿城市化。而农民的大量自建房往往出现在城镇中成为“城中村”，更成为城市化的障碍。

2.“二次城市化”。

对于当前珠江三角洲农村地区所面临的问题，主要是土地资源的难以为继。其中，工业用地的扩张是耗费土地资源的主要原因，在90年代后期，随着外资企业的大规模进入，由于农村落户门槛和投入成本都较低，大量的外资企业通过与农村集体联合办厂等形式，采用租地或租厂房的方式按乡镇企业的政策使用非农建设用地。农地专用带来的巨大利益，使得珠江三角洲地区的农地开始以各种方式大量转为工业用地。

在这种发展模式下，形成目前农村工业化“技术含量较低的外来资本—外来低素质劳动力—村集体廉价土地”的要素结构，大量低附加值的劳动密集型、高污染型、土地利用粗放型企业在各个镇区急速蔓延，进驻企业占地多、产值小、效益差。最终导致经济贡献不大，土地消耗过多，出现严重的外部负效应。土地是经济和城市化赖以发展的基石，也必然成为限制地区发展的瓶颈。

目前，珠江三角洲各地业已展开工业向园区集中，居住向城镇、新型社区集中，农地向规模经营集中的“三集中”策略，以此促进产业布局调整和产业结构升级，走集约化发展道路，使地区经济由农村型经济形态向都市型转变。生活性服务和生产性服务需要更为广阔的空间平台，“城乡一样化”到“真正城市化”的转型成为必然，珠江三角洲的原农村地区，如东莞、南海、顺德等，正在经历着又一次历史性的变革。

四、东莞的城市化转型

东莞位于珠江口东岸，北接广州，南连深圳，水路至香港47

海里，处于穗深港经济走廊中段，是广州与香港之间水陆交通的必经之地。1987 年东莞“撤县设市”从惠阳地区分出来，1988 年设地级市更使她掌握了更多的自主发展权。

（一）东莞的崛起

东莞已经从一个农业县发展成为在世界上占据重要地位的信息技术 IT 产品制造基地和新型工业城市。1978 年东莞生产总值（GDP）仅有 6.11 亿元，财政收入只有 0.66 亿元；2007 年东莞市生产总值（GDP）3151 亿元，比 1978 年增长 119.8 倍，翻了 6.9 番，年均增长 18.0%；来源于东莞的财政收入 539.54 亿元，增长 441.2 倍，翻了近九番，年均增长 22.5%。（图 3－14）

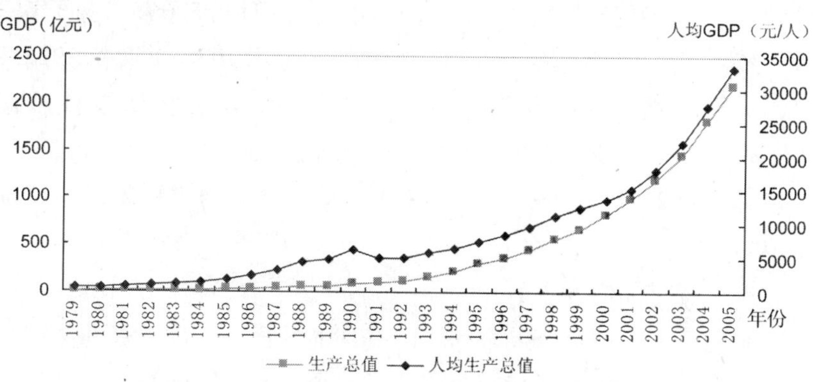

图 3－14　改革开放以来东莞经济发展演变图

1978 年以前，东莞只有 377 家工业企业，工业产值仅占工农业总产值的 30% 左右。1980 年工农业总产值仅为 8.89 亿元，其中工业 5.51 亿元，农业 3.38 亿元。80% 的人口和劳动力在农村务农。工业企业多为“五小”工业、支农工业和烟花爆竹之类的小厂，基础非常薄弱。2007 年全市有工业企业 2 万多家，工业总产值（当年价）6649.85 亿元，增长 1022.8 倍，年平均增长 27.0%，翻了十番。

2007 年规模以上工业总产值 5822.99 亿元，其中国有工业总产值337.2亿元，占规模以上工业总产值的5.8%；外资型工业总产值4574.65亿元，占78.6%；民营工业总产值787.87亿元，占13.5%。在2007年生产总值（GDP）中，外资经济占41.9%，公有经济占26.2%，民营经济占31.9%。

1978年三大产业的比例为44.6∶43.8∶11.6，2007年三大产业的比例为0.4∶56.8∶42.8，实现了产业结构由以第一产业为主的传统模式向以第二产业为主，三大产业协调发展的模式大飞跃。

经济的快速发展，也显著地提高了人民生活水平和生活条件。1978年，全市城乡居民储蓄存款余额0.54亿元，农民人均纯收入只有149元。2007年城市居民人均可支配收入27025元，比1978年增长84倍，年平均增长16.0%，翻了6.4番；农民人均纯收入11606元，比1978年增长76.9倍，年平均增长15.6%，翻了6.3番；城乡居民储蓄存款余额2120.74亿元，比1978年增长3926.3倍，年平均增长31.8%，翻了11.9番。社会消费品零售总额695.89亿元，增长325.7倍，年平均增长21.3%，翻了8.3番；出口总额602.32亿美元，增长1543.4倍，年平均增长27.7%，翻了10.6番。

这一切是如何发生的?

东莞处在广州与香港之间。前有香港这样一个世界级的国际贸易、航运和金融中心，后有广州这样一个华南地区的特大型经济中心城市。改革开放使东莞的区位优势发挥了出来，依托毗邻香港的地理优势，在1980年代东莞主动承接香港转移过来的劳动密集型加工业，以发展“三来一补”工业起步，迅速推进全市由农业经济向工业经济转变。

1970—1980年代，世界信息技术（IT）产业进行了第一次重大调整，IT制造业由美国、日本转移到中国台湾、韩国、新加坡、中国香港等“亚洲四小龙”。进入20世纪90年代以后，世界IT产业面临第二次重大调整，即全球IT制造业再向中国内地转移。

东莞市由于优越的地缘位置，在1990年代成为国际IT产业转移的首选之地。东莞抓住国际IT产业转移的契机，充分发挥自己

的独特优势，大力吸引台湾 IT 企业投资设厂，发展外向型 IT 硬件制造业的配套加工。台湾 IT 企业的投资在将东莞纳入全球 IT 产业生产体系的同时，也促进了东莞地方生产网络的形成。东莞形成了大、中、小型企业分工合作及上下游联动、配套完善的台资 IT 企业集群。①

1998 年东莞已经超过深圳、上海成为台资 IT 企业在大陆的最大集聚地，拥有台资 IT 企业 572 家。到 2000 年底，已经超过 800 家，东莞已经发展成为全球最大的电脑资讯制造业基地之一。东莞市电子信息产业占全部工业的比重在 2000 年时达到 41%，而 1995 年时只有 21.23%。到 2007 年末，东莞以电子、电脑、通讯设备及相关产品有关联的规模以上工业企业 1200 多家，产值超过 2600 亿元，在全市工业总产值中的比重超过 40%。

近年来，东莞工业形成了以电子信息制造业为龙头的比较完整、门类齐全的工业体系。以通信设备、计算机及其他电子设备制造业为代表的一批技术密集型的高附加值的行业已成为龙头产业，成为拉动工业新的增长点。许多 IT 产品在全球市场占有相当的份额：电脑磁头、电脑机箱占 40%，覆铜板、电脑驱动器占 30%，电容器、行输出变压器占 25%，扫描仪、微型马达占 25%，电脑键盘占 16%，电脑主板占 15%。东莞已经发展成为全球最大的电脑资讯制造业基地之一。2006 年规模以上电子信息制造业产值 2194.19 亿，增长 21.5%，实现利润总额 54.14 亿元，增长 31.4%。

由于“三来一补”工业的带动，从 1980 年到 1992 年间，除个别年份外，东莞经济一直以来都以高于广州、仅次于深圳的速度在增长。在 1990 年代中期之后，由于成为“三来一补”工业的主要承接地，其增长速度开始跃居全省第一位，成为全省经济增长最快的城市。1988 年，东莞地区生产总值突破了 50 亿元；1992 年又突破了 100 亿元；1998 年经济规模超过江门成为仅次于广州、深圳、佛山的第四大城市。（图 3－15）

① 谭炳才、邱加盛：《聚焦三农》，南方日报出版社 2004 年版。

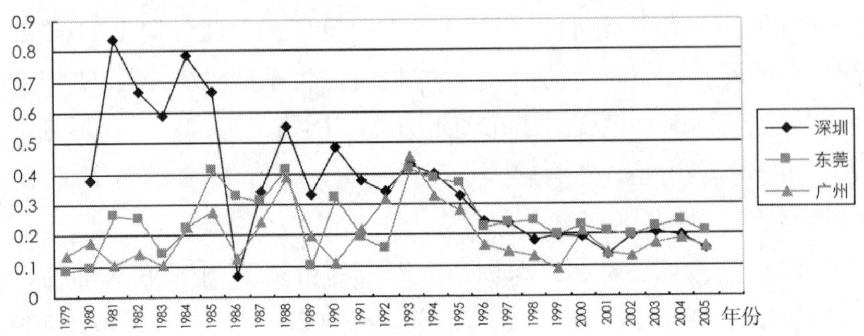

图3-15 广、深、莞经济增速比较

在取得巨大成就的同时，依靠外源型经济的发展模式对东莞未来的经济社会发展也产生了一定的制约，包括：产业链前后两端研究开发、人才教育以及现代服务业发展落后，影响着东莞制造业乃至整个产业的升级；产业链中间加工制造环节资源消耗较大，影响着东莞的可持续发展。所以进入21世纪后，为提高研发服务能力、人才教育能力以及由加工制造业向先进制造业转化的能力，东莞市又作出了开发建设松山湖科技产业园区的战略构想。

东莞的发展有着天时、地利、人和的因素。天时是改革开放、全球贸易自由化和产业大转移；地利是靠近香港；人和则是制度创新。东莞模式的精髓就是：发挥地理区位优势，用足开放政策，采取以外源经济带动为主的发展模式推动经济增长。（图3-16、图3-17）

表3-9 1978年、1987年、2007年东莞主要经济指标对比

指标	单位	1978年	1987年	2007年	1979—2007年均增长%	1988—2007年均增长%
户籍人口	万人	111.23	124.86	171.26	1.4	1.6
生产总值	亿元	6.11	39.29	3151	18	19.2
工业总产值（当年价）	亿元	4.2	36.69	6649.85	27	28.1
全社会固定资产投资总额	亿元	0.23	14.19	841.11	31.5	22.6

续表

指 标	单 位	1978 年	1987 年	2007 年	1979—2007年均增长%	1988—2007年均增长%
社会消费品零售总额	亿元	2.13	15.05	695.89	21.3	21.1
进出口总额	亿美元	—	3.94	1068.73	—	32.3
进口总额	亿美元	—	1.26	466.41	—	34.4
出口总额	亿美元	0.39	2.68	602.32	27.7	31.1
利用外资协议新签约宗数	宗	—	824	790	—	-0.2
协议规定外商投资额(旧口径)	亿美元	—	1.85	62.51	—	19.2
实际利用外资(旧口径)	亿美元	—	1.32	50.44	—	20
总供电量	亿千瓦时	1.64	6.43	507.89	21.1	24.4
总售电量	亿千瓦时	1.49	5.71	482.56	21.2	24.8
来源于东莞的财政收入	亿元	1.22	2.78	539.54	22.5	30.1
地方预算内一般财政收入	亿元	0.66	2.02	186.45	20.7	25.4
地方预算内财政支出	亿元	0.18	1.25	185.45	26	28.4
各项人民币存款余额	亿元	1.05	28.48	3751.83	31.4	27.6
城乡居民储蓄存款余额	亿元	0.54	18.97	2120.74	31.8	26.6
各项人民币贷款余额	亿元	1.96	31.24	2154.77	26.3	23.6
城市居民年人均可支配收入	元	318	1247	27025	16	16.6
城市居民年人均消费支出	元	—	1174	21545	—	15.7
农民人均纯收入	元	149	1039	11606	15.6	12.8
程控电话用户数(含小灵通)	万户	0.2	1.63	512.54	29.9	33.3
移动电话用户数	万户	—	—	1408.23	—	—

注：生产总值、工业总产值增长速度按可比价计算。

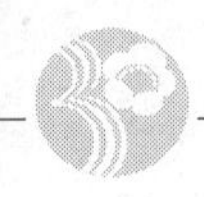

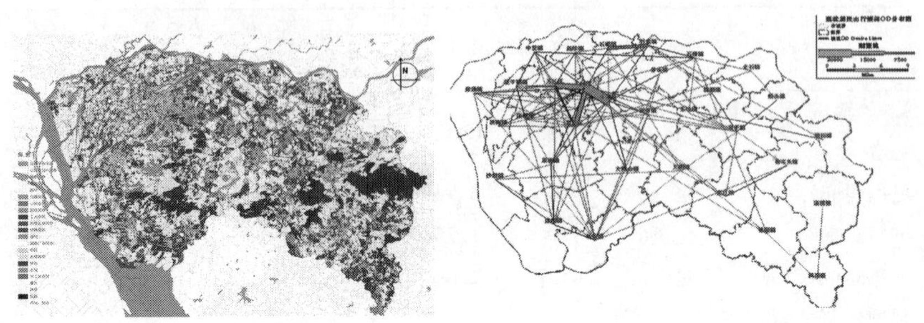

图3－16　2004年东莞市域现状图　　图3－17　东莞市现状居民出行分布图

（二）城市化模式

东莞利用国际市场、技术、资本，国内廉价的劳动力和本地的土地的结合，创造了外来的工厂、外来的技术、外来的原材料、外来的劳工、外来的市场在本地大发展的奇迹。

30年来东莞发展的主要动力是外源经济，大家习惯说东莞市是国际制造业城市，其实东莞只是国际制造业产业价值链切割中的“车间”，“工厂”的管理、技术开发、金融、流通、品牌、营销等环节多不在本地。这种经济发展模式以生产成本最小化为原则，空间上也必然会追求租用农村集体建设用地，这就锁定了东莞“以土地换资金，以空间换发展”，农村经济严重依赖土地和房屋租金的发展路径，直接导致了东莞城市化必然是“自下而上”模式。其几大特征是：

一是“离散城市化”和“均质城市化”的形态，工业布局“村村点火、户户冒烟”，在全市域的均质分布，市政基础设施严重缺失，旧村、新村、工厂、房地产楼盘、大型广场和商业街景观混杂布局，导致“城非城，村非村”，无法形成高质量的集约型的城市环境，反而形成了大规模低质城市空间；各镇区均是“麻雀虽小，五脏俱全”，缺乏合理的职能分工，大量设施重复建设。

二是城镇发展的交通导向型明显，空间布局沿对外交通线分布，在107国道、广深珠高速公路以及京九铁路和广梅汕铁路沿线扩展迅猛，并且与香港联系便捷的地区得到优先发展，形成“以

香港为指向”的外向性空间结构。最终东莞的产业和人口在空间上的集聚程度较低，呈现出“村村像城镇，镇镇像农村”的半城市化地区景观。(图 3－18)

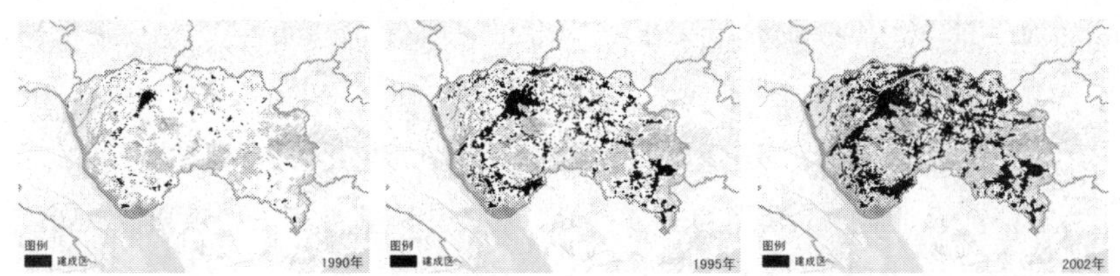

图 3－18　东莞市 1990—2002 年城市建设用地面积变化

三是外来人口成为东莞人口的重要组成部分。东莞市 1985～2000 年期间，15 年内户籍人口增加了 26%；1986—2000 年，外来人口从 15. 62 万人增加到了 254. 72 万人，14 年增加了 1613 倍，年平均增长率达到 23. 47%。[①] 2000 年的五普数据显示 2000 年暂住人口已经达 490. 14 万人。外来人口大量涌入东莞地区，并呈逐年增长趋势，外来人口与户籍人口之比大致是 3∶1～4∶1。截至 2005 年，外来人口在东莞各镇人口构成中均超过 35%，其中超过 50% 的镇区有 25 个，长安镇高达 94. 72%。(图 3－19)

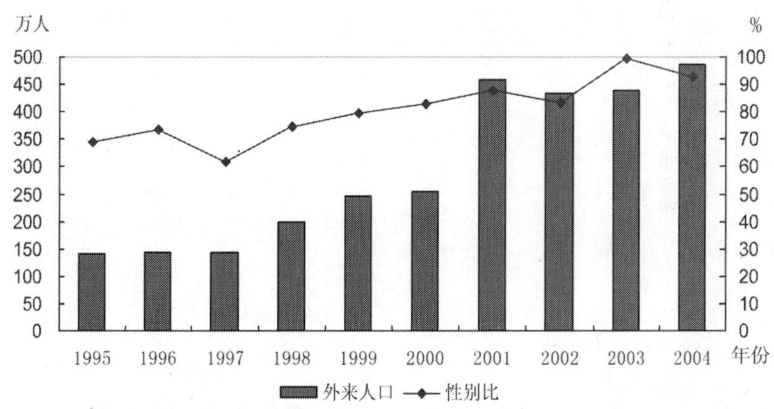

图 3－19　东莞市 1995—2004 年外来人口以及性别比构成

① 郑艳婷、刘盛和、陈田：《试论半城市化现象及其特征——以广东省东莞市为例》,《地理研究》2003 年第 11 期，第 760～768 页。

“从现状居民镇间出行起讫点（OD）分布同样可以看出，除莞城与各区的联系较多外，居民出行活动绝大部分在镇内进行。从调查结果看，现状居民镇间出行比重仅为7.6%。这些现象充分反映了东莞外源驱动，经济活动尚未与当地各种资源契合，内源活动尚未成长的特点。

这种分散的农村城市化带来最主要的问题是土地资源的难以为继。首先是土地资源消耗快，余量少。按国土部门的统计口径，2003年东莞建设用地总面积已达到940平方公里，占全市总面积2473平方公里的38%，1996—2003年平均每年新增建设用地50平方公里左右。全市除去基本农田343平方公里（不含易地保护56.9平方公里）和867平方公里的山地、水面外，全市剩余的可利用土地面积为323平方公里，按原来的消耗速度，在5～6年东莞将无地可用，目前部分镇区，如莞城、石龙、樟木头已经接近无地可用的境地。从1985—2000年的15年间，东莞市农业土地利用类型都有不同程度的减少，尤以耕地减少严重，减少率为20.63%；农业用地减少剧烈，绝对面积减少286.2平方公里，占总面积的11.6%。城市建设用地增长迅速，增长99.92%，47.224平方公里；农村非农建设用地更是大幅度增长，增长85.17%，绝对增长量高达228.878平方公里，占区域总面积的比例由10.89%攀升为20.16%。”①（图3－20）

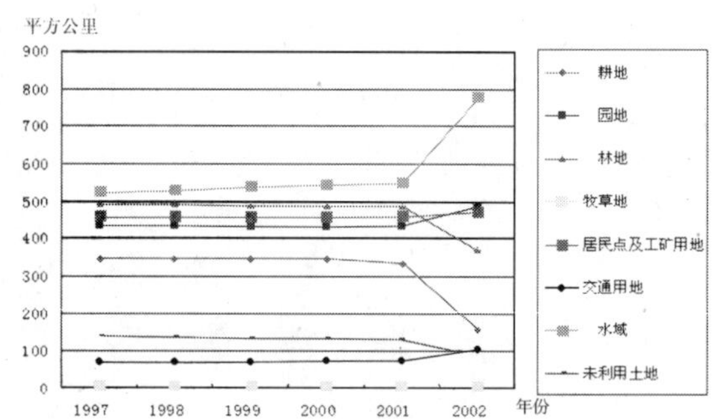

图3－20　东莞市各类用地历年的变化图

资料来源：《东莞市域总体规划（2005—2020）》。

东城区1996—2005年的十年间，土地资源中农业用地

---

① 中国城市规划设计研究院：《东莞市域总体规划（2005—2020）》。

总量减少了 15404. 44 亩，未利用土地的总量仅 8691. 05 亩，建设用地总量却由 64828. 5 亩上升到 89220. 92 亩，10 年内增长了 1/3 多。与经济发展相比较，几乎 GDP 每增长 1 亿元就得消耗 1050 亩土地，由此可见东莞经济增长模式的粗放性。早期的发展路径是典型的以土地换发展的外源型工业化模式，如今遇到了土地紧缺的瓶颈，使传统粗放型工业化模式难以持续。

表 3－10　改革开放以来东莞主要年份非建设用地与建设用地变化①

东莞市	1985 年（平方公里）	占总面积的比例（%）	2000 年（平方公里）	占总面积的比例（%）	增减量（平方公里）	增减率（%）
耕地	851. 745	34. 51	676. 031	27. 39	－175. 714	－20. 63
林地	854. 576	34. 63	751. 925	30. 47	－102. 651	－12. 01
牧草地	89. 679	3. 63	81. 821	3. 32	－7. 858	－8. 76
水域	313. 158	12. 69	322. 647	13. 07	9. 489	3. 03
城市建设用地	47. 264	1. 92	94. 488	3. 83	47. 224	99. 92
其他建设用地	40. 948	1. 66	41. 581	1. 68	0. 633	1. 55
农村非农建设用地	268. 739	10. 89	497. 617	20. 16	228. 878	85. 17
未利用土地	1. 924	0. 08	1. 924	0. 08	0	0

数据来源：中国科学院资源与环境数据中心根据 TM 影像解释制作的东莞市 1985—2000 年 1：10 万数字化土地利用图。

四是土地单位面积产出效益低。东莞 2003 年的单位面积土地产出 1 亿元/平方公里。而深圳市 2002 年，单位面积土地产出 4. 4 亿元/平方公里，其中特区内更高达 9. 4 亿元/平方公里。苏州工业园 2002 年单位面积土地产出 15. 8 亿元/平方公里；香港 2001 年单位面积土地产出 57. 7 亿元/平方公里。东莞各镇区之间的单位面积土地产出也有较大差异，最高的石龙单位面积土地产出达到 3. 5 亿元/平方公里，而最低的谢岗单位面积土地产出只有 0. 28 亿元/平

① 郑艳婷、刘盛和、陈田：《试论半城市化现象及其特征——以广东省东莞市为例》，《地理研究》2003 年第 11 期，第 760 ~ 768 页。

方公里。东莞土地效益的总体低效与局部高效（如石龙）的对比，也说明东莞在提升土地效益方面有巨大的空间。（图3－21）

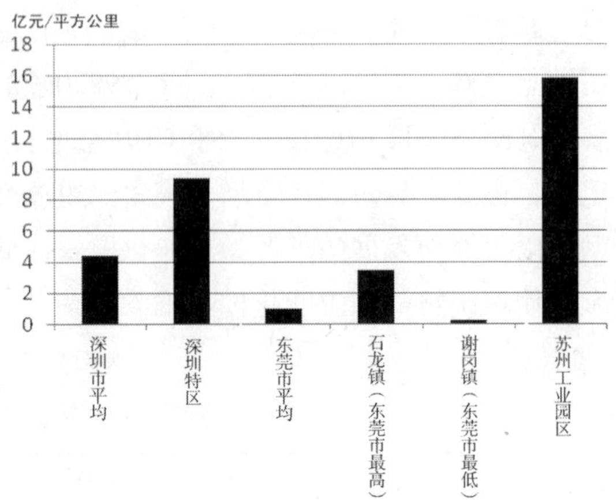

图3－21　东莞与其他城市的单位土地面积产出比较

“功能混杂，土地级差不明显，增值慢。由于东莞采用的是‘自下而上’的发展模式，各村民小组、村、镇、市多头开发，这使得各种功能布局的随机性很强，从而造成了功能的混杂，这也制约了服务业的发展，影响到产业升级、人居环境的改善，导致土地级差不明显、增值慢。”① 按照这种各自发展的土地开发模式，最终导致了土地的“碎片化”。从现有规划工业片区的规模分析中可以发现，3～6平方公里的工业片区占总面积的30.83%，1～3平方公里的也占到总面积的27.46%，如此的工业片区规模很难实现基础设施的统一建设，造成开发资金的重复浪费，更重要的是难以实现土地的集约化使用。

表3－11　　东莞工业片区规模占总面积的比重

片区规模	总面积（平方公里）	所占比例（%）
1平方公里以下	48.43	12.57
1～3平方公里	105.81	27.46
3～6平方公里	118.77	30.83
6平方公里以上	112.26	29.14
合计	385.28	100.00

资料来源：《东莞市域总体规划（2005—2020）》。

① 中国城市规划设计研究院：《东莞市域总体规划（2005—2020）》。

五是分散化的工业化导致环境治理困难，污染严重。“在农村城市化过程中，各级政府为了追求高速经济增长，片面追求经济总量，对环境保护重视不足，招商引资的门槛较低，导致环境污染治理与生态保护不力；而企业本身为了追求最大利润，不愿投入成本以降低污染排放，结果导致环境污染和生态退化。”[①] 由于早期自下而上的自发招商引资发展工业，经过30年的粗放式工业化，东莞的环境受到较大的污染，如东莞运河的水质严重恶化，重金属和垃圾污染也造成较大影响。城乡混杂导致造成了郊区工业与生活混杂区的环境污染越来越严重，如樟村受污水处理厂对周边环境影响严重；温塘的基本农田保护区受工业污染，农作物质量下降。

（三）城市化转型

进入21世纪以后，东莞的城市转型迫在眉睫。产业升级与农村城市化转型是重中之重。首先，政府开始着手实施产业空间的调整与重组，带动产业的升级，实施“腾笼换鸟”策略将分散的工业逐步迁入三大工业园区，进行集中产业布局，重新发掘土地资源。其次，通过服务业和高端工业的发展提升经济质量，将“镇域经济形态”逐步提升到“都市经济形态”，大力推动城市中心区建设，为城市型经济发展提供平台。再次，通过实施产业的技术创新和产业政策创新提升经济竞争力。制度创新包括产业空间重组、商务园区发展、城中村（旧村）改造等方面，都要依靠制度、体制和机制的创新来推进。基于上述发展思路，东莞在“十五”计划中明确提出了“拉开城市框架，扩大城市规模，完善城市功能，提高城市品位”的城市发展方针。

2000年，为适应新形势下城市发展的需要，东莞市政府组织编制了《东莞市城市总体规划（2000—2015）》，从整个市域的角度考虑东莞未来的发展方向，明确指出建设中心城区的必要性。规

① 何剑、王良健：《现阶段我国农村城市化的负面效应及对策分析》，《城市发展研究》2004年第11期，第14～17页。

划认为东莞的发展战略应为“市场导向型的极核发展战略”。在此战略的指导下，规划认为对于东莞未来的城镇发展一方面需要必须明确各城镇的功能定位，另一方面则必须进一步增强中心城在功能组织与空间组织中的集聚作用，构造不同空间层次的发展极核，将中心城与外围城镇的空间扩展相结合，体现城市空间相对有序的集中与分散发展的特点。因此，东莞市的城镇空间结构确定为由“市区、重要发展镇与其周边的一般建制镇、中心村”等共同构成“一中心多支点”的城乡协调发展的空间形态。“一中心”为中心城区，即东莞市区规划建成区，“多支点”包括重要建制镇，其中虎门、常平和塘厦为经济片区的中心，长安、厚街、石龙、樟木头、清溪等为片区的次级城镇。未来城镇的空间分布和发展基本维持“一个中心横向连接东西两翼”的现状城镇布局形态。一个中心为东莞市区，东翼为以常平为中心的广深铁路城镇带，西翼为以虎门为中心的广深高速和107国道城镇密集带。根据城镇发展现状、发展条件和潜力以及城镇空间分布，全市分为四大经济片区，以市区、虎门、常平、塘厦为片区中心，构造市域劳动空间分工和协作的基本格局。

随着2001年松山湖科技产业园建设的启动，东莞的城市结构又发生了新的变化，作为东莞高新技术产业发展的重要平台，松山湖科技产业园处于市域空间形态的核心。为拉开城市框架，进一步提升中心城区的集聚力和服务水平，2002年3月东莞市组织开展了《主城区城市发展战略规划研究》，该规划首次将中心城区、同沙生态区和松山湖科技产业园区进行统一规划，提出了打造“三位一体”主城区的发展设想，强调三大组团之间的空间结构关系和功能融合。2006年东莞市又组织编制了《东莞市主城区近期建设规划（2006—2010）》，对“三位一体”主城区进行总体统筹和规划整合，强化其中心功能并发挥其对周边地区的辐射带动作用。

在“一网两区三张牌”的规划指导下，东莞近年加大基础设施建设力度，取得了非常大的成效；大力建设中心城区、新辟松山湖研发区；另外临港工业区、松山湖、东部工业园区等三个大项目的

建设，也推动了城市结构的转变。这些为东莞由农村城市化向集中城市化转型奠定了良好的基础，大城格局初步显现。

（四）城市发展形态

随着珠江三角洲的进一步协调发展，东莞周边城市发展的态势发生转变，广州南沙开发、深圳西部走廊的建设都对东莞的发展产生影响。特别是高速公路、高速铁路、城际快轨等许多区域性基础设施的布局和建设对东莞的市域城市结构将发生重大影响，如广深高速铁路跨珠江经虎门南下深圳，东莞的空间结构将如何应对新的区域一体化趋势呢？做大做强中心城区还是东莞城市发展的最优选择吗？

一直以来，东莞市的城市形态并非一般大城市的“中心—边缘”模式，它没有一个真正的中心，迄今为止没有人会像在别的城市那样把莞城区简单地当作东莞市，东莞市应该是沿着旧的广深公路的长安、虎门、后街、莞城……和沿着广深铁路的石龙、常平、樟木头、塘厦……两条巨型发展带，如果把这个马蹄形的巨型体系看成是一个完整的城市，那么一个广域化的城市，这么多的镇，怎么才能够使得它进一步整合起来形成一个完整、有效率的城市形态？在区域发展的背景下，如果采取广州、深圳都抛弃的单中心扩张发展模式，无疑是不值得提倡的。从国外大都市区发展的经验来看，如何成为区域一体化中的一员是城市未来发展的关键所在，这也正是东莞、南海等在珠江三角洲以农村城市化模式发展起来的地区持续发展的出路。站在珠江三角洲的区域层面，东莞的空间格局应由当前的轴向发展向网络联通转变，这既是城市空间增长经济性作用的结果，也是区域经济发展的要求。

《东莞市域总体规划（2005—2020）》中提出选择“以专业化为主导的复合中心模式”要优于“以综合化为主导的强中心模式”，规划根据不同地区产业的专业化特点、交通区位条件特点、自然环境特点、现状职能特点，以目标为导向，规划形成由具有区域意义的“四大专业中心——城区、松山湖、虎门—厚街、常平

—樟木头”形成复合型的中心，共同承担区域与市域的服务职能；“四大专业中心”同时承担相应片区内部的综合服务职能。城市结构的形成过程应该是“筑网、结节、结瓜”，建设大众捷运系统、在交通网上精心培育一些节点的增长，然后将这些节点发展成为全市性的专业化的服务设施。因此，东莞目前的城市建设过于强调中心区，东莞是不是“中心—边缘”这种城市模式，是值得思考的，反而应该采取由市域，或者更广泛的区域中若干地区的结节点共同构成一个由大众捷运系统支撑的真正“多中心、网络式”的城市结构。（图3－22）

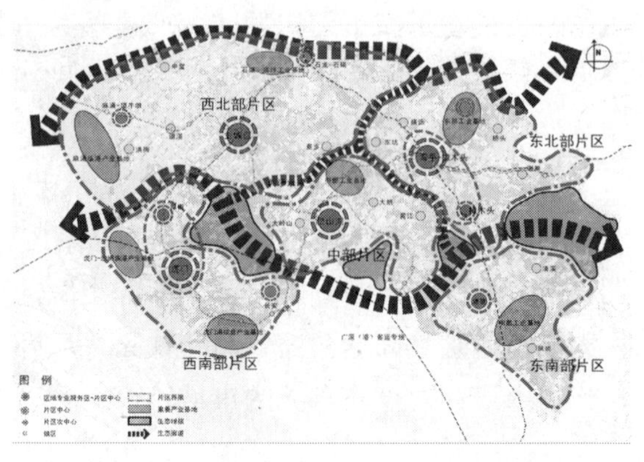

图3－22　东莞城市功能片区的划分

五、南海的城市化转型

佛山市南海区位于广东省中部，珠江三角洲腹地，环抱佛山市禅城区，辖区面积1073.8平方公里，辖2个街道、6个镇，总户籍人口106.6万。

根据“五普”资料，截止2000年11月1日0时南海总人口为213.41万（含外来人口），其中居住在城镇的人口为153.32万，以居住在城镇的人口占总人口的比例计算，城市化水平已达到71.84%。2007年末常住人口206.53万，全区生产总值1231亿元，人均生产总值59604元/人。

（一）发展成就

1978年以前，南海是以粮食种植业为主（其中又以经济作物

为主）的农业县。1978年，全县工业总收入不到1个亿。1980年南海县工业总产值也才有7.37亿元。2007年，南海区地区生产总值首次超过1000亿元，达到了1231亿元。改革开放30年，南海经济取得了巨大的成就，从一个农业县发展成为了一个新型的工业城区。

1997年，全市非公有制企业继续发展到62500户，用工总数达40万人，创税10亿多元，实现经济总收入275亿元，占全市农村经济总收入541亿元的50.8%。

2001年，南海市非公有制企业已发展到7万多户，从业人数61.7万人。非公有制经济实现地区生产总值312.7亿元，占全市地区生产总值的79.4%；非公有制工业企业实现产值（当年价）664.8亿元，占全市工业产值的85.6%；上缴税金20.6亿元，占全市工业税收总额的78.5%；出口总值10.85亿美元，占全市出口总额的70%。

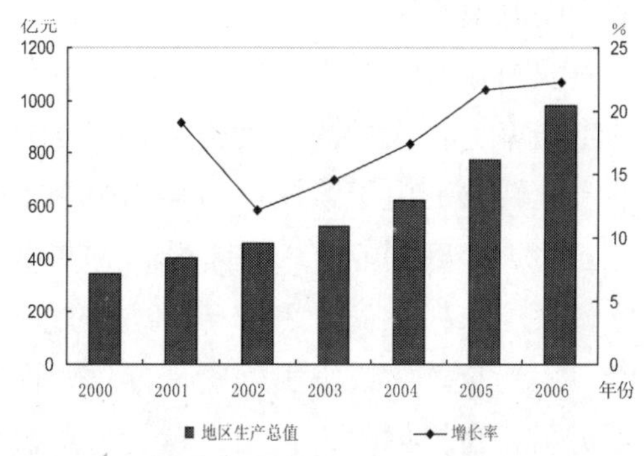

图3－23　近七年来南海地区生产总值变化图

2006年，南海实现地区生产总值达980.38亿元，增长率高达22.3%，按常住人口计算的人均GDP超过5000美元。（图3－23）第二产业比重不断增大，而第二、第三产业在GDP中的比重之和达到了97.5%，从事第二、三产业的劳动力（本区劳动力加外来劳动力）约占93%。（图3－24）

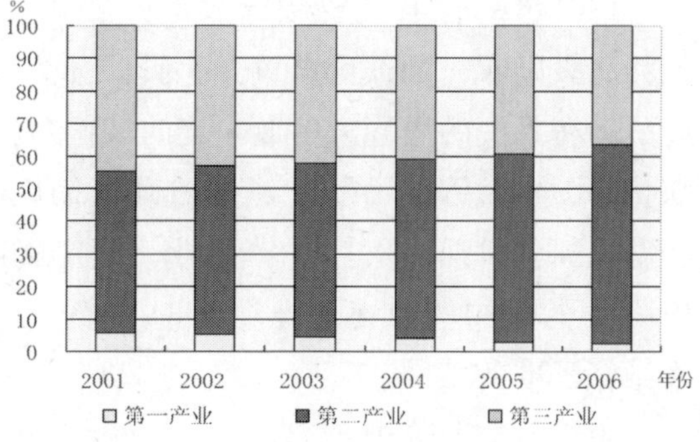

图3－24　南海三次产业结构演化图（2001—2006年）

总体而言，南海已经处在工业化后期，从经济指标来看，达到了基本实现现代化的目标。

（二）南海模式

1978年以后，在国家改革开放政策的推动下，凭借毗邻广州、佛山，邻近港澳的优势，当时的南海县委县政府明确提出“三大产业齐发展，六个轮子一起转”的经济发展战略，即所有制上“国营、集体、个体经济”齐发展；发展主体上“县属、镇属、管理区属、村属、个人、联合体”六个轮子一起转的“全民工业化”的发展道路，提出“谁先富谁光荣”的口号，创造出具典型意义的“南海模式”。

农村家庭联产承包责任制的实行大幅度地提高了南海农村的劳动生产率，将大量的劳动力从土地上解放出来，他们迅速向第二、三产业转移。由于紧靠广州、佛山两市，商品经济活跃，农村能工巧匠多，家庭副业有一定基础，并与城市的工商业有密切联系，因此，发展农村工商业和私营经济的条件好。他们没有依靠国家投资、银行贷款，或吸引外资来办厂，而是依靠自己，自找门路，自筹资金，自担风险，自主经营，自负盈亏，办起了一批与城市工业相配套或补充的加工工业和商品流通业。

1981年，由县主要领导率队开展隆重的贺富祝富活动，理直气壮地鼓励农村干部群众放开手脚，勤劳致富。通过正确引导，促进了南海人民的思想大解放。当时我国各种工业品基本上都处于短缺状态，早就铆足了劲，现在被政策彻底“激活”了的各级政府和农民抓住机遇，大搞乡镇工业，固定资产投资占GDP的比例从1980年的6.91%急速上升到1981年的27.25%，为实现经济的起飞做好了准备。

由于对非公有制经济实行“政治上鼓励、政策上扶持、方向上引导、法律上保护”的措施，南海形成了以非公有制经济为主体、传统产业为主导、中小企业集群为组织形式的格局。1980年南海的私营企业（含个体工商户）只有813户，1983年就发展到

5813户，增长了6.2倍。[①] 1984年，当时的南海县委、县政府肯定了私营经济在南海经济发展中的地位和作用，提出“六个层次一起上”的方针，强调在发展公有制经济的同时，鼓励和扶持个体与私营经济的发展。这以后，南海私营经济有了更快的发展。1988年，私营企业和个体工商户发展到26210户。1995年，又发展到54502户。

1991年，南海全市工业总产值100.6亿元，其中管理区（含经济社）和个体联办企业的产值就占到40%。乡镇企业和非公有制企业的迅猛崛起，对城市化产生了强大的推动作用。它打破了“农村搞农业，城市搞工业”的传统观念，农村二三产业迅速发展。农村非农产业特别是工业的快速发展，为城市化发展奠定了坚实的产业结构基础。乡镇企业大多都是劳动密集型企业，在促进人口集中方面有着特殊的效果。1992年农村工业和第三产业的发展就转移了40%～50%的农村劳动力。

1990年代以后，专业市场的兴起也是南海农村经济发展的一大特色。在广州商贸业的辐射带动下，南海政府大胆改革，在市场建设方面，把政府单一投资改为多元化投资，提出了“谁投资、谁管理、谁收益”的市场建设方针，大大调动了各经济层次建设市场的积极性，从而形成了国家、集体、民营、外资共同参与市场建设的局面，至2000年，全市历年投入市场建设的资金达18.6亿元，建成大中型市场157座，建筑面积172.7万平方米，人均市场面积达1.57平方米，居全国前列。由于地处广（州）佛（山）走廊中心地带得天独厚的地理优势，大沥依托广佛公路发展起了场面极其壮观的以专业市场为特色的“广佛商贸走廊”。

---

① 1981年初，农民对国家鼓励致富政策还心存疑虑的时候，南海县就大胆地开展“贺富”活动，县五大班子组成祝贺团，到先富起来的乡村和农户访富问甜，祝富贺富，把发展农村商品经济好的乡村和农户树为先进典型，成为“光荣村”、“光荣户”，使全县其他乡村的农民消除顾虑，解放思想，想富，敢富。这一具有历史意义的“贺富”活动对促进南海农村经济的迅速发展起到了很好的导向和支持作用。

（三）农村社区工业化及其利益格局

但是，1990年代后期的情况却发生了改变。由于亚洲金融危机的爆发和北美自由贸易区的建立，我国劳动力密集型产品的出口受到打击；加上乡镇企业产权不清晰导致企业家道德危机，许多乡镇企业纷纷倒闭并让不少村庄欠下了大量的银行负债。南海的乡镇企业纷纷转制成为私营企业，但转制只拍卖了原集体企业的所有权，土地所有权仍在集体（村委会或村民小组）手中，村集体于是又从靠办企业经营企业赚取利润退回到纯粹依靠土地（收取地租）生存的状态。由于乡镇企业大多已经转化为私营企业，所以1998年《土地管理法》修法以来所谓的乡镇企业用地都是农村集体租地给私营企业的。

1992年，南海撤县设市，经过十几年的发展以后，南海农村发展出现新的难题。一方面，小规模且分散的家庭农业经营，在解决农民的温饱以后，逐渐显露出其制度缺陷，一家一户对通过均田占有的土地，既不肯放弃其成员占有权，也无法进行高效的土地利用和投入，这不利于稀缺土地的集约高效利用。另一方面，南海非农产业高速发展，使第二、三产业用地紧张问题越来越突出，对地方政府和基层组织来讲，为了进一步配合农村工业化的推进，只有通过统一规划农村土地，调整用地结构，才能增加农村建设用地，进而推动农地的非农化使用，提高土地的利用效率，为集体经济组织集中土地从事非农经营创造了条件。

1993年，南海开始实施土地股份制，其核心理念是让农民以土地权利参与工业化，分享工业化进程中农地非农化的增值收益（蒋省三等，2003）。具体做法是用集体土地股份制来替代原来的农户分户承包制，农地的使用权与所有权合二为一，村集体作为土地所有权的代表人重新获得土地经营权，农民按股份获取股红。这样一来，集体土地不用经过国家征地就可直接转为建设用地。相对于使用国有土地，企业租用集体土地的手续简捷，且集体建设用地出租年期有长有短，适应了不同的用地需求，因此许多企业更愿意

租用集体土地搞建设，大量的外资企业开始落户农村地区。这一制度创新大大促进了乡村工业化进程，集中集体建设用地引进大企业、配套公共设施等。可以说正是农村集体土地的股份制改造为南海乡村工业化1990年代后期以来的发展和提升提供了制度保障。

在乡镇企业发展面临转型的同时，全球化来临，国家改革开放政策已定，外资企业开始大规模地进入内地。由于农村集体用地租用手续简捷、价格低廉且租期较有弹性，引来了大量外资企业在农村社区落户生根。从南海1993年到2002年的实际利用外资情况来看，吸引外资在1999年之前持续增长，1999年高达3.28亿美元，之后开始回落，一直维持在2.4亿~2.5亿美元之间。（图3－25）

外资企业在珠江三角洲有两个去处：一个是各地城市政府设立的经济技术开发区、工业园区；再一个就是落户到农村社区，他们通过与农村集体联合办厂等形式，采用租地或租厂房的方式按乡镇企业的政策使用非农建设用地。显然后者的进入门槛和投入成本都较低。

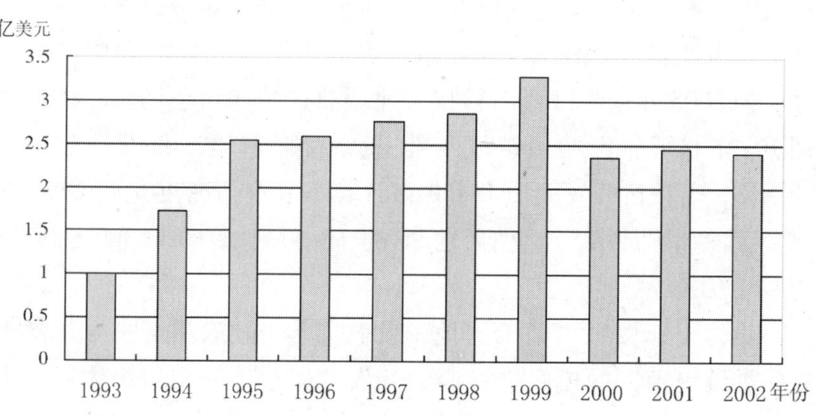

图3－25　南海历年来实际利用外资情况

资料来源：根据历年统计资料整理。

农地转用带来的巨大的利益，使得发达地区的农地开始以各种方式大量转为工业用地。国家为严格控制“农转用”建设用地，最近又提高了办理土地权证的费用。2007年新规发布以前农地转用成本包括耕地开垦费、新增建设用地土地有偿使用费和税费，办一亩地的成本合计已经超过5万元，就有“三亩征地赔款办一亩农转用”的说法。开始时农民因为办不起而不办合法的留用集体建设用地“农转用”手续，而地方政府由于支付的征地赔款本来也不多，因此也采取了放任的态度，其结果是引发了更大规模的农地违法转用潮。

2002年，南海全市工业用地共15万亩，其中保持集体所有的达7.3万亩，将近一半。同时，股份合作组织一般是规定原集体组织的承包农户才有权入股分红，承包制下农民拥有的土地转让权只限于农业用途，而股份制则将农民的土地转让权延伸到非农用途，农民可以凭借股权分享土地农转非带来的增值收益，农民收入显著提高。

目前农村社区工业化现实的要素结构是“技术含量较低的外来资本—外来低素质劳动力—村集体廉价土地”，低附加值的劳动密集型、高污染型、土地利用粗放型企业在各个镇区急速蔓延。进驻企业占地多、产值小、效益差，远低于政府主导的大型工业园区，如2005年南海区狮山科技工业园总产值316.9亿元，税收总额10.23亿元，占狮山镇域工业总产值的81.8%和税收总额的80.4%，若按已开发面积15450亩计算，其产值密度达到205万/亩，而狮山科技工业园之外的其他用地的产值密度仅为2.51万/亩。

集体土地按照“廉价土地—吸引资本—收取租金—再开发土地—继续出租”的模式进行滚动开发，但这是一个封闭体系，由于租金水平较低，因此只有不断推出土地，才能确保农村集体经济组织收入的不断增长。（图3－26）

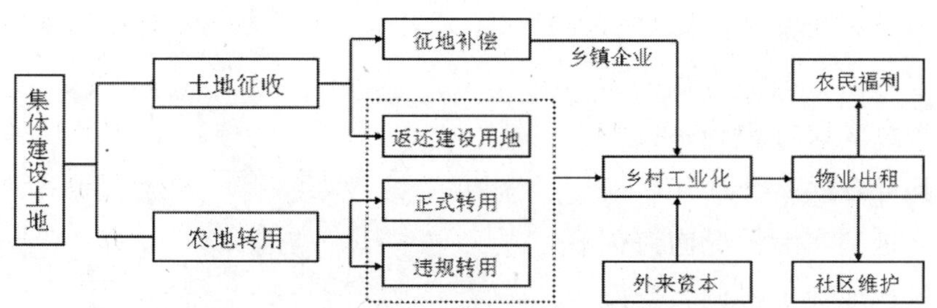

图3－26　依托集体土地的农村社区工业化

农村社区工业化模式在纯粹的乡镇企业发展阶段（即农村集体作为投资人和创办人，也是企业产权所者阶段），形成了“地租和企业利润保留在农村集体内部，政府靠收取税收”的两层利益分配格局。到后来的转制，靠出租土地给私营企业或外资企业办厂，在利益关系上又形成了“农民（农村集体）收租、企业赚利、政府收税”的三层利益分配格局。

农村社区工业化模式最大的特点是不涉及农村集体土地所有权的变更，在非农化过程中，农民始终保有土地的所有权，让渡的只是一定年期的土地使用权；土地收益留在农村集体，农地转用后的土地增值收益也基本内部化在农村集体；政府与农村集体之间的利益关系集中在税收上。

不论是初期的“两层利益分配格局”还是后来的“三层利益分配格局”，基本都是一种较稳定的利益分配格局。如果不考虑农村社区工业化的外部负效应（主要是土地利用粗放、环境污染和阻碍城市品质的提高）和与现行法律框架相冲突的问题，也是一种较好的利益分配格局。各发展主体在经济利益分配层面各得其所，在财产权利界定层面清晰。

（四）难以承受的“城乡一体化”

1995年，南海市政府组织编制《南海市城乡一体化规划》，其总体构思是基于这样一个事实，南海市经济发展均衡，第二、三产业空间分布较为分散，经济以乡（镇）以下企业占据主导地位，

很多乡村地区的建设无法可依、无例可循，而传统的区域规划难以起到有效的指导作用。根据这一实际情况南海创新性地提出协调城乡发展的空间布局，在发展战略的指导下对全市土地进行一定深度的控制，并深入研究城镇的发展用地范围，保留农田保护区，综合协调各地方各行业的规划，对城乡发展的理论及规划方法作了有益的探索。（图3－27）

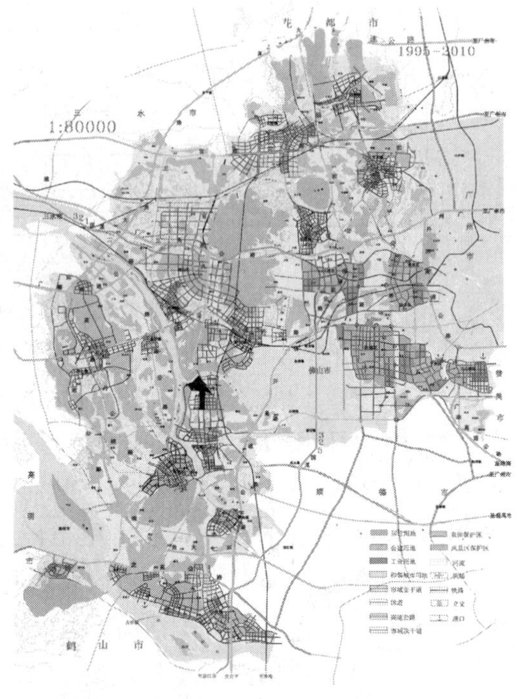

图3－27　南海城乡一体化规划图

这一“城乡一体化”规划在一定程度上适应了当时南海的发展需要，但实施效果却不尽人意。农村社区工业化在经济形态上，城乡并非城乡有机联系的一体，而是城乡产业结构的同构。因此，乡已不再是乡了，也就更谈不上“城乡一体化”了。同时，尽管南海“农民进城”进城的门槛很低，但是由于就土地政策的双轨制，很多农民不愿意放弃集体土地非农生产的收益。并且，农村宅基地建设并不纳入城市规划，居住在城市中或城市边缘的农民更愿意修建高楼，以房屋租金来生活。这样，原来城乡一体化的思路非但没有促进人口进城，反倒妨碍了城市化，城乡也并非一体。

从发展阶段上来看，城乡一体化的思路解决了当年经济发展的需要。但是按照区域经济发展阶段，南海东部地区已经处于区域经济发展的成长阶段（第二产业已经占很大优势，第三产业的比例也较高）。如何继续发展到成熟阶段是摆在地方政府面前的一个重

要问题？城乡一体化当年促进了工业化的进程，但分散的城市化却难以促进第三产业发展，无法使南海走向区域经济发展成熟阶段。

同时，城乡一起发展却导致了地区的可持续发展问题。原来城乡一体化的思路极大地激发了村（甚至组）一级发展经济的积极性。但是随着带来的却是农用地大量被占用，可开发用地面临枯竭，生态环境逐渐恶化。另外，村、组级工业园的布局原本没有规划，后逐渐扩展并“碎片化”，不利于土地的集约使用和合理功能布局的形成，导致地区发展的不可持续，“城乡一体化”基本演变成为“城乡一样化”。（图3－28）

图3－28　南海东部地区土地利用现状图

表3－12　　2002年前南海土地利用情况

总面积（公顷）	建设用地（公顷）	建设用地占总面积比例（%）	农业用地（公顷）	可利用土地（公顷）
115329	53526	46.41	49848	1264

农村社区工业化在空间上的后果是出现了大量“半城半乡”低效使用的农村土地，城镇、村庄、工厂和零星农田在景观上很难

分清。产业和居住分散化的发展模式使得这些地区往往无法维持起基本的服务设施，成为一种“城中有村、村中有城”的“灰色区域”，这种发展模式与其称为“城市化”不如用“非农化”更为贴切。如果考虑到其外部效应和与现行法律框架的相容方面，问题就凸现了：

① 出租土地与现行法律框架相矛盾。如果企业经营稳定，农村集体组织与企业签订的土地出租合同在执行上不会有问题。但是当企业经营出现困难时，问题就严重了。近年南海出现多起外资企业老板在欠薪又欠租的情况下关闭工厂逃离，导致工人闹事，然后地方政府不得不“买单”的现象。尽管从2005年10月1日开始有了广东省发布的地方法规《广东省集体建设用地使用权流转管理办法》作支持，但由于合同签订时间早于这个法规发布时间且其中有不少土地是违规转用的，没有合法手续，即使告到法院，受“伤”的还是农村集体经济组织（即损失租金），出“医药费”的往往是当地政府（即为了社会稳定和地区形象，政府要从财政拿钱补偿给被欠薪的农民工）。

② 低价招商导致土地利用粗放。建设用地沿交通运输网络延伸，工业用地与农村居民点和农田混杂布局，导致城市、城镇、村庄很难分清，耕地大量减少，非农建设用地数量大幅增加且布局分散，非农建设用地利用粗放，土地产出水平低下等特点。从南海土地利用状况来看，1991—1999年耕地数量减少19929.41公顷，其中：独立工矿用地（绝大部分是乡镇工业用地）占用达到了20.06%的比例；农业结构调整占用耕地达16.93%；灾害毁地与弃耕占16.18%。同期工业总产值从91.37亿元增长到625.05亿元，每增加1亿元的工业总产值须减少约110亩耕地。或每增加1亩工业用地，仅增加约91万元工业产值。“这主要是因为乡村工业化中劳动密集型和土地占用型的行业占绝大多数，企业规模小，建筑密度和容积率较低”。（董玉祥等，2004）

③ 产业布局混乱、污染严重。由于发展超前于规划，产业用地基本是沿现状道路布局，且与村庄、农田混杂。“村村点火、户

户冒烟”导致环境污染难以治理：产业门类低，且在进入社区时缺乏门槛限制和生产工艺审查；在生产过程中更是缺乏有效的污染控制程序，企业就近随意排放“三废”；产业区小而散，并缺乏公共使用的污染处理设施。

④ 城市化质量低、社会发展落后的农村社区工业化产生出大量的城中村、厂中村，在工业较为发达的地区，农村的“非农化”水平均很高，以农业生产为主的传统农村已经基本不存在；“家家务工、人人姓农”，“离土不离乡，进厂不进城”导致“城不像城、村不像村”，产生了大量的“无‘农’村”（没有农业和农民的村），出现经济发达、社会基础设施严重匮乏的状态，第三产业等城市型产业无从生根。农村居民停留在原来“单家独院”、“一户多宅”的分散居住模式上，导致农村居民人均占有居住面积过大；而社会结构还停留在原农业生产方式下以亲缘、血缘、族缘、地缘聚合的村落模式。

⑤ 政府公共财政和社会保障未能提供服务。集体经济组织源于土地的集体所有制，是在村委会的监督下经营与管理本经济组织的集体资产。1992 年南海区土地股份制改革之前，农村公共产品的提供源于农地承包收益的集体留成，而土地承包权收归集体之后，农村的公共产品供给自然转移到集体经济组织身上。集体经济组织实际上担负着发展经济、股红分配和提供农村公共产品等三大职能，其中后者占集体经济组织收益的比例高达 30% ~40%，农村“自己在养活自己”，政府公共财政和社会保障未能覆盖到农村。

尽管 2002 年以来珠江三角洲农村集体经济组织进行了公司化改制，并未交纳 33% 的企业所得税，“一定时期内享受当前农村集体经济组织的税收待遇”。由于政府未能从农村集体经济组织中“纳税”，自然“不情愿”为农村提供公共产品，同时农村仍承担着大量公共事务开支，又不应交纳企业所得税，结果造成农村基础设施较差，农民生活质量较低，农民对政府不太满意。

(五) 园区工业化及其利益格局

1990年代后期，改革开放政策得到了普惠。特别是西部大开发战略以后，开放的优惠政策已经覆盖到广大西部地区。国家宏观经济从“短缺经济”走向了“过剩经济”，卖方市场向买方市场转变，“自下而上”的低水平工业化已经难以支撑经济的持续发展（袁奇峰，2005），1997年亚洲金融危机以后，乡镇集体企业基本退出市场。土地资源日益减少，以土地换发展的低水平工业发展模式难以为继。

1997—2004年南海新增建设用地约218平方公里，同期GDP从251亿元增加到548亿元，GDP每增长1亿元须消耗0.73平方公里土地。虽然土地利用较以往集约，但是在可利用土地锐减、土地成本急速提升的情况下，由村镇主导的农村社区工业化与非农化模式不得不转型。

进入1990年代中后期，随着乡镇企业发展的日渐式微，当时的南海市政府为了促进工业总量的增长和工业结构的提升，在“双轮驱动”（在发展民营企业的同时，引进外资企业）的战略下，于1997年启动了狮山科技工业园的建设以吸引外资，园区规划面积38平方公里；2005年已开发10平方公里，形成总产值316.9亿元，税收总额10.23亿元。2006年实现园区工业总产值595.6亿元，GDP达到250亿元，超过广州南沙经济技术开发区。1998年底还创立了22平方公里的南海软件科技园，重点发展国家科研项目，以及软件研发加工，教育和培训等产业。

在农村土地资源富余、农地产出不高的情况下，原有大中城市的征地扩展还比较容易。首先，农村可以将获得的征地补偿作为集体经济发展的启动资金；其次，农村集体可以通过留地合法地获得一定比例的“经济发展用地”（集体建设用地）发展工商业；再次，政府征地搞工业园区还可以改善本地区的基础设施，并带来餐饮、仓储运输、商业、房屋出租等有关服务业发展、劳动力就业和留用地增值的机会。

政府拿地后实施基础设施建设，然后根据用地单位项目的需要切块将50年的使用权出让给用地单位。园区内部这一部分土地上所产生的收益，包括土地出让收益、企业上缴的税收、土地使用费等全部由政府收取。园区内部形成了“政府收税费、企业赚利润”的两层利益分配格局。但任何一个工业园区在其建设和运行过程中都会对周边地区产生外部正效应：园区建设给周边地区带来的道路、水电等基础设施和公共服务设施的改善；园区发展中外来人口增加给周边地区带来的餐饮、仓储运输、商业、房屋出租等相关服务业发展的机会。园区外部农村的经济发展用地普遍升值，土地租金的上升，而其利益分配格局与前述的农村社区工业化形成的三层利益分享格局基本相同。

（六）农村收益增长缓慢

南海曾以“六个轮子一起转”的自下而上的农村工业化模式和大力发展民营经济的“南海模式”著称于世，南海也在全国率先创造了农村集体以土地参与工业化的“以土地为中心的股份合作制”，应该说相比其他农村地区，南海的农村更多地分享了地区工业化的收益。

虽然多年来南海政府持续投巨资建设了大量基础设施和公共服务设施，但农村居民的收入仍然增长缓慢。其原因在于1990年代以后形成的农村出租经济模式，由于二元土地政策的限制，租用农村土地办厂的企业普遍档次不高，因此周边基础设施的改善对农村土地租金的提高作用不明显。不论是位于南海中心城区桂城的夏西村、靠近广州的盐步六联村，还是大沥西部落后的颜峰村，虽然区位和地区基础设施的配套程度相差甚远，但是其农地租金水平和工业用地租金水平相差很小。农地租金不会超过1000元/亩·年；工业用地租金不会超过每月3元/平方米（换算成年租金为每年24000元/亩）。

普通农民的收入由集体土地分红、住房出租和打工收入构成，大约各占1/3。但是以物业出租作为农村集体经济组织和农民家庭的主要经营方式，收益稳定又没有风险，把本来已经城市化的农民捆在集体土地上，使其缺乏提升自身素质、参与市场竞争的动力。但从1990年代后期开始，政府主导的园区工业化为投资者提供了更好的服务，农村集体建设用地租金进入“维持中的低速增长阶段”，使得城乡居民的收入差距进一步扩大。1997年南海区农村股份经济社每股股红为310.81元，2000年仅增加到314元，三年增加3.19元，人均分配1046元/年（蒋省三等，2003）。2005年南海区村组两级股份分红总额10.29亿元，参与股份分红的股东人数67.59万人，人均分配金额1523元/年，2000—2005年人均股红仅增加477元。

物业出租收益的多少很大程度上取决于区位的优劣。如南海区大沥镇颜峰村有10个自然村，人均股红400~6000元不等，不同区位的村庄村民小组的集体分红差距也很大。我们到村庄的调查中也发现了这一点。

尽管2005年南海农村居民的人均纯收入达到了同期全国的2.7倍、全省的1.9倍，但从增长率来看，全国是6.2%，全省是7.4%，而南海只有5%。2005年，南海城镇居民人均可支配收入18217元，增长8.3%，全区农民人均纯收入8744元，增长5%（图3－29）。城镇居民的可支配收入是农村居民纯收入的2.1倍。

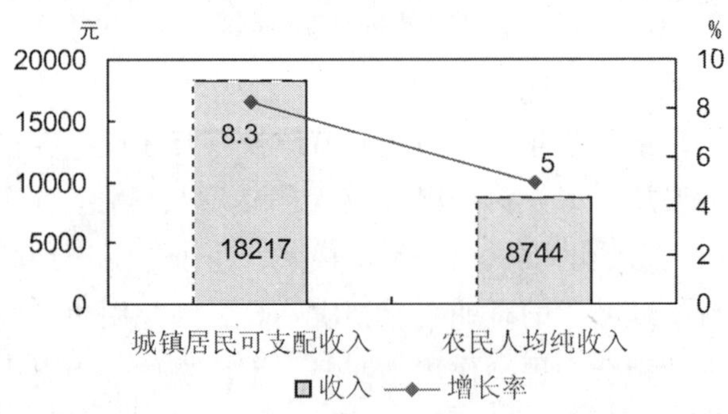

图3－29　2005年南海城乡居民收入增长率的差距

再比较“十五”期间城乡居民收入的增长情况。2001—2005年，南海城镇在岗职工平均工资从13352元增长到22455元，增长了68%；而同期农民人均纯收入从7142元增加到8744元，只增长了22%。这说明，即使在南海这样的发达地区，城乡居民的收入

差距也与全国一样在扩大。不仅如此，2001—2005 年，南海农民人均纯收入的增长幅度还不如全国平均水平——全国同期农民人均纯收入从 2366 元增加到 3255 元，增长了 38%。（图 3－30）

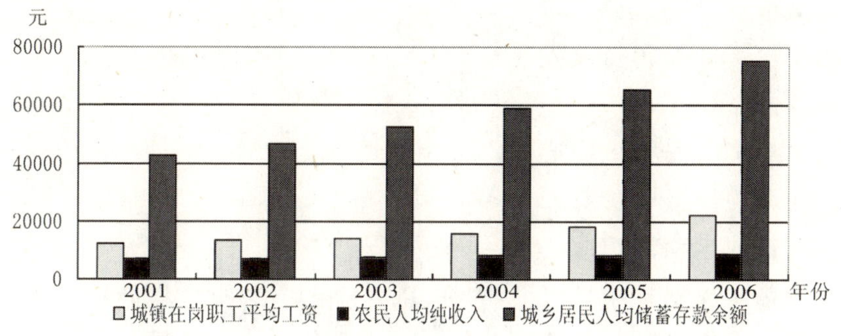

图 3－30　“十五”期间南海城乡居民收入的增长情况

（七）走向紧凑集约的城市化

南海经济的持续发展，增加了地方的财政收入，为地方提供了雄厚的建设资金。随着经济发展模式由农村社区工业化转变为园区工业化，政府财政实力的增强，逐渐重新在地方发展过程中担任起重要的角色，传统的农村城市化发展路径开始转型。

2003 年 1 月，南海“撤市建区”，同年开始实施“东西板块”发展战略和民营、外资“双轮驱动”战略，着力推进经济结构调整和经济增长方式转变。南海经济将朝着工业结构高度化和经济服务化的方向发展，实现南海经济从“工业经济”到“服务经济”、从“村镇经济”到“都市经济”的转型，锻造“城市南海”的新品牌。特别是东部板块中的桂城和大沥地区，服务业的发展将成为经济发展的主线条和主引擎，这时作为空间载体的城市中心区，其建设将从幕后走到前台，重构土地利用布局，提高土地利用效率，实现集中的城市空间形态。（图 3－31）

像南海这样的半城市化地区的发展有别于一般的农村城市化地区，它的经济发展模式，以及在都市连绵带中的地位，都决定了它不应该采取一般的小城镇发展模式，而可以利用区位优势走一条“主动城市化”的道路，以为第三产业获得持续发展动力。

其实南海城市中心区建设的设想早在1992年编制的《南海市中心城区总体规划》中已经提出；1996年的总规修编中，又进一步明确了城市中心区的发展方向和选址，确定将桂城蠕岗山以北地区作为中心区的发展用地，南海城市中心区建设由此确立。1998年，南海政府又组织完成了南海新城市中心区的城市设计。

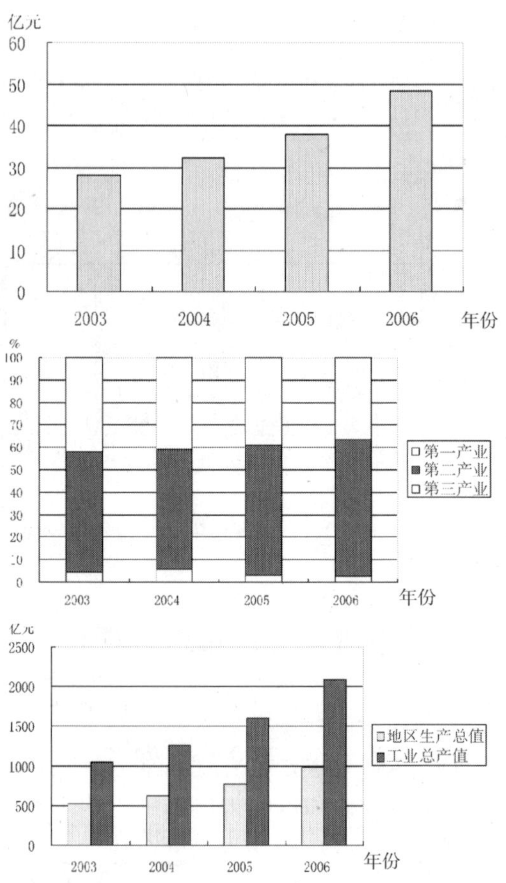

图3－31　2003—2006年以来南海的主要经济指标变化图

最后形成的城市设计方案首先确定了中心区定位是集金融、商贸、信息、文化、会展、行政及居住于一体的城市核心，既是南海市迈向21世纪的象征，又是珠江三角洲中部都市区的一个重要的后续发展地区。在此基础上划定了中心区的范围：由海三路、海八路、桂澜路、南海大道围合而成，面积345ha，其中核心区为225ha。方案提出了土地预留和有限度的开发的规划思路，为了保证规划实施的整体性，政府对中心区用地进行了大规模的土地储备，支付了大量的征地费用。但是由于经济环境的影响，开发一直缺乏动力，大量的储备用地闲置，中心区建设遭

到质疑，而从另一方面来看，也正是当时战略性的用地储备，才使目前中心区建设得以顺利进行。

2002 年，为了启动南海城市中心区的建设，南海政府委托美国 SWA 环境设计公司完成了中轴线的景观规划设计。2003 年，千灯湖公园竣工，大大提升了中心区的土地价值，开发商开始陆续进入投资建设。同时，南海区政府继续在中心区投资建设图书馆、市民健身广场等大型公共设施，进一步丰富了中心区的城市功能。其结果是大量的房地产、商业设施、五星级酒店等市场项目开始选址落户中心区，迅速催熟土地市场。

南海城市中心区最终得以迅速发展的原因是因为采取了“以政府为主导、以土地经营为理念”的建设模式，即政府投资建设设施（包括基础设施和公共设施），以改善中心区开发投资环境、提升土地价值；吸引投资者进行项目开发；政府利用土地收益进一步完善城市功能。这是一个漫长的培育过程，政府不仅需要有财力，更需要有魄力、毅力和耐心，采取“不求所有，但求所在”的战略思维，积极推动实施工作，将长远利益摆在第一位，最终将实现经济增长模式与城市空间形态的双重转型。

随着南海千灯湖地区的快速发展，土地储备逐渐减少，已经受到空间资源条件的约束。应该说中心区的规模在规划之初是合理的，但是随着南海经济的再次大发展，加上“城市南海”战略的明确提出，目前的中心区规模显然难以承担如此重任。南海城市中心区的进一步发展亟须扩宽视野，扩大市场区范围，从“千灯湖时代”跨入“泛千灯湖时代”。

2007 年，南海政府又组织了《南海城市中心区的北延战略研究》，研究正式提出南海中心区应由当前的千灯湖地区北延，跨佛山水道与北部的大沥镇商贸综合发展区共同构建新的南海城市中心区。城市中心区北延战略明晰了南海东部地区的城市发展思路，对大沥、桂城的空间格局进行重构，跨行政区域的整合布局将最终形成“一脊两翼”的空间结构：“一脊”是以千灯湖中心商务区、一河两岸都市核心区、大沥商贸综合发展区为轴线的南海新城市中心区，它将打造广佛都市区综合型次核心区，具有居住、商贸、商务、行政、公共服务等复合功能的新城。“两翼”则是由其他商业、居住、工业等功能组团构成的东西两侧发展带，与中心区一起共同构成南海东部板块的城市化地区。（图3－32）

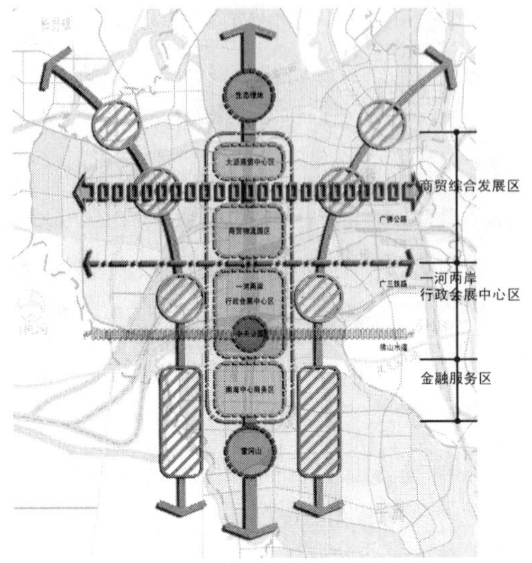

图3－32　南海中心区“一脊两翼”的城市空间结构

新南海城市中心区由三个部分组成：

“金融服务区”是目前的南海城市中心区，以广东省金融高新技术服务区和千灯湖公园为核心，集商务、居住、休闲、公共服务等为一体的功能区。（图3－33）

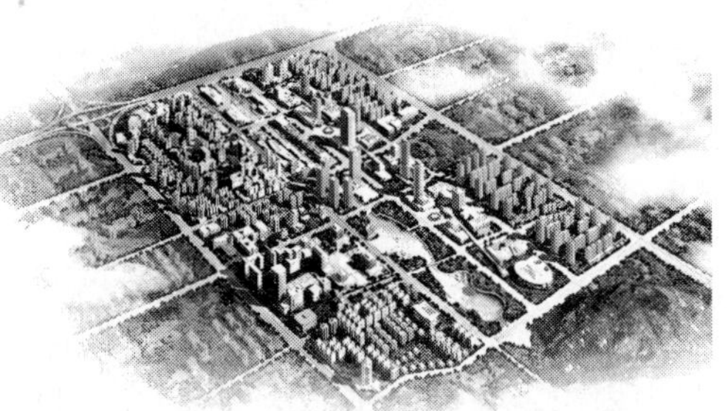

图3－33　南海金融商务区城市设计

“一河两岸行政会展中心区”是以行政、文化、会展、商务、游憩、居住为主导功能的都市核心区，是城市中心区北延的关键区域，是大中心区空间融合的重要节点。（图3－34）

“商贸综合发展区”由华南国际商贸城的中心服务区（CSD）和商贸物流区南北两个功能区组成，前者主要提供行政、商务、金融、酒店、产业博览、居住等生产性服务功能；而后者主要发展园区化商贸批发业，提供物流仓储及其相关配套服务功能。（图3－35）

从南海坚持不懈的城市中心区建设中可以看出，地区经济发展水平和城市化水平是相互匹配的，不同的经济发展阶段对应了不同的城市化模式。对于南海这类珠江三角洲的原农村地区来说，当前如何突破村镇经济形态，发展都市经济，成为珠江三角洲一体化中的重要一员，是其未来发展的必经之路。在这一经济的转变过程中，改变传统分散、粗放的“农村城市化”，走向集中、集约的“真正城市化”是与之匹配的城市化发展路径，这些都可以从南海、东莞、顺德等地当前的发展中得以印证。也许有人会认为，我国农民数量巨大，发展小城镇才是农村地区城市化的根本途径，但是地区的发展是一个不断积累和提升的过程，像南海这样的农村地区城市化后再“二次城市化”的模式同样是值得期待的。

图 3－34　南海佛山水道一河两岸城市设计

图 3－35　南海大沥新中心区城市设计

第四章 特区城市的崛起

广东省由于独特的地缘和人缘优势，成为国家经济特区政策受益最大的省份，1980 年代初的国家经济特区政策客观上为广东省培育了三个中心城市——深圳、珠海和汕头。三个经济特区充分利用政策优势，大胆创新、先行发展，优化了省域城市体系，对省域经济和社会的快速健康发展发挥了重要促进作用，并以示范作用推动珠江三角洲地区成为中国改革开放的前沿阵地。

在经济特区开放、创新、探索、维护祖国统一的共同目标基础上，深圳、珠海和汕头的成立背景、禀赋条件、发展路径不尽相同，并形成了具有差异化的城市特色：深圳经济特区已经跻身国内大城市的第一方阵，不仅是中国改革开放的前沿窗口，也是中国现代化实现跨越式发展的典型；珠海经济特区则从小渔村逐步成长为珠江西岸的中心城市，并在城市人居环境方面享有国际知名的美誉度；汕头经济特区在经历一番风雨之后重新步入稳健发展的轨道，其对于粤东地区的发展起着举足轻重的作用。

经济特区是改革开放政策的产物，为中国的改革开放起到了重要的试验和示范的作用，但随着国家改革开放事业的深化，经济特区的成功经验被广泛运用，特区原享有的特殊政策不断弱化。但是凭借业已形成的先发优势，经济特区仍然要继续创新制度，提升完善城市功能，并为促进区域发展和祖国统一发挥更大作用。

一、经济特区的发展

（一）国家经济特区的设立

中共十一届三中全会后，以邓小平为核心的中共中央在进行拨乱反正的同时，坚持解放思想、实事求是的思想路线，努力探索对外开放和吸引外国资金、技术、设备的具体方式和途径。

1979 年 1 月 17 日，邓小平同胡厥文、胡子昂、荣毅仁等工商界领导人谈话时说："现在搞建设，门路要多一点，可以利用外国的资金和技术，华侨、华裔也可以回来办工厂。吸收外资可以采取补偿贸易的方法，也可以搞合营，先选择资金周转快的行业做起。当然，利用外资一定要考虑偿还能力。"① 同年 5 月，邓小平在分别会见美国和日本客人时，又一次论述了对外开放的方针，他说：所谓开放，是指大量吸收外国资金、技术和管理经验来加速我国的现代化建设。

毗邻我国广东、福建两省的台湾、香港、澳门地区，在二战后经济发展速度很快。那里的发展经验引起了两省领导人的注意。台湾在 1965 年建立了高雄出口加工区，在传统的自由港和自由贸易区的基础上，进一步发展加工制造业，取得了很大成效。香港利用自由港的优势，吸引了大量外国资金，成为了东方金融贸易中心。

1979 年 4 月 5 日至 28 日中央工作会议期间，时任广东省委负责人的习仲勋同志向中央汇报，提出在临近香港、澳门的深圳、珠海、汕头建立出口加工区，福建省委领导听了后也说要搞。两省的意见首先得到了邓小平的赞同和倡导。邓小平在听取习仲勋等同志的汇报后说："还是叫特区好，陕甘宁开始就叫特区嘛！中央没有

① 《邓小平文选》第 2 卷，人民出版社 1994 年版，第 156 页。

钱，可以给些政策，你们自己去搞，杀出一条血路来。”① 他向中央建议批准广东省这一要求。

中共中央工作会议之后，中共中央和国务院派当时负责这方面工作的国务院副总理谷牧同志带了一个工作组到广东、福建考察，同两省领导同志研究试办特区的问题。经过调查研究，提出在广东省的深圳、珠海、汕头和福建省的厦门划出一块地方，试办特区。广东、福建两省省委分别于1979年6月6日、6月9日向中央提交了关于试办特区并在特区对外经济活动实行特殊政策和灵活措施的报告。广东省委的报告提出的设想是：“特区内允许华侨、港澳商人直接投资办厂，也允许某些外国厂商投资设厂，或同他们兴办合资企业和旅游等业。”特区的管理原则是：“既要维护我国的主权，执行中国的法律、法令，遵守我国的外汇管理和海关制度，又要在经济上实行开放政策。”

同年7月15日，中央和国务院批转了两个省的报告，形成了《中共中央、国务院批转广东省委、福建省委关于对外经济活动实行特殊政策和灵活措施的两个报告》，这就是著名的中发〔1979〕50号文件。50号文件给广东、福建两省在计划、财政、金融、物价等方面以较多的自主权，并确定了在深圳、珠海、汕头、厦门四市划出一块地方，试办“出口特区”②。

正是这个50号文赋予的广东省对外经济活动和经济管理体制试验方面比内地更多的自主权和经济特区的设立，极大地提高了广

---

① 赵海均：《30年：1978—2007中国大陆改革的个人观察》，世界知识出版社2008年版。

② 1980年3月24—30日，谷牧副总理受党中央和国务院委托，在广州召开广东、福建两省会议，总结两省试办出口特区的执行情况和在对外经济活动中实行特殊政策的情况，讨论研究当时存在的问题和准备采取的措施，会后向中央提交了会议纪要。5月16日，党中央和国务院发出文件，批准了这次两省会议纪要。在这个文件中，第一次把我国“出口特区”改为内涵更丰富的“经济特区”。1980年8月，全国人大常委会召开第十五次会议，审议批准了建立深圳、珠海、汕头、厦门四个经济特区，并批准公布了国务院提请审议的《广东省经济特区条例》。1980年8月成为我国经济特区正式诞生的时间。

东省发展经济的积极性，并通过深圳、珠海、汕头经济特区[①]这三个开放“窗口”引进了大量的资金，促进了地方的工业化，带动了地方经济的发展。

特区的设立，一方面是为改革开放探路子。海外华人中约80%来自广东省，其次是福建省，两省可利用与外界特殊的亲近关系，吸引来国内投资，缓解国家预算的压力。从广东、福建起步的开放政策，也需要先找突破口，进行试验，在两省划定适宜的区域，为大面积改革开放开路。另一方面，特区的设立也是为祖国的和平统一做准备。1979年元旦中央正式宣布和平统一祖国的大政方针，号召海峡两岸实行“三通”、“以通促统”，继而提出把深圳建成相当水平的工农业相结合的出口商品基地和吸引港澳游客的游览区。特区对保持港澳的长期繁荣和稳定，加强海峡两岸的经济技术合作，实现祖国的完全统一，具有积极的促进作用。

经国家授权，经济特区可以实行与其他地区不一样的经济体制和经济政策。所谓特殊政策，从本质上说，就是允许经济特区引入国际上通行的市场经济体制。在国家宏观调控下实行市场经济的特区，实际上就是作为社会主义市场经济的“试验区”。

1980年代初期，相对于我国的大部分地区的封闭状态，经济特区采取了一系列“特殊”的政策：采取比其他地区更优惠的政策广泛吸引外资流入，大规模利用外资推动特区的经济发展；特区所有制结构以“三资”企业为主，非公有制经济的比重高于其他一般地区；特区实行出口导向型经济，“三资”企业生产的产品以外销为主；在其他地区实行计划调节为主的情况下，特区经济运行在国家宏观调控下实行市场调节为主，即与其他地区相比，市场机制在特区发挥更大的调节功能；国家在经济特区实行更大的权力下

① 1980年除了深圳特区的面积覆盖了327.5平方公里外，珠海特区的面积仅为6.8平方公里，而位于广东最东部的汕头特区的面积仅为1.6平方公里；到1984年珠海特区的面积扩大至15.2平方公里；汕头经济特区的面积达到52.6平方公里；而到1991年11月，汕头经济特区范围扩大到整个汕头市区，面积由52.6平方公里扩大到234平方公里。

放，使特区的政府和公有制企业拥有更大自主权，同时在财税、融资、价格、工商管理等方面实行一系列特殊的经济政策。

特区在短短三十年间快速发展成为举世瞩目的现代化城市，形成了明显的优势：一是区位优势。特区与港澳毗邻，通过与港澳台之间的物资、资本、人员、信息等方面的双向流动，区位优势得到进一步的加强。二是先行优势。经济特区无论在体制改革还是在对外开放方面都比其他地区先行一步，并由此积累了相当的物质能量和经验，市场经济的新观念已深入人心，从而形成先行优势。三是体制优势。经济特区无论在社会主义市场经济体制的建立和完善，还是在与国际惯例的接轨方面都走在全国的前列，从而具有明显的体制优势。四是人文环境优势。特区开放的环境和较高的收入水平，吸引了大批国内外管理人才和技术人才，形成了年轻人居多、观念更新、市场经济意识强、充满活力的多元化移民文化。五是实力优势。由于一直保持了较快的经济发展速度，经济特区的综合经济实力具有明显的增强。

经济特区释放出的巨大能量带动中国经济迅速向前迈进，“闯”的作用与价值被放大出来。特区是我国改革的窗口，是我国经济发展构想的试验田，尤其是在90年代中期以前，经济特区充分运用国家赋予的“特殊政策，灵活措施”，实行特事特办，发挥毗邻港澳、华侨众多的优势，充分利用国内国外两种资源、两个市场，取向市场经济，着力在体制创新、制度创新、组织创新上下功夫，大力发展以工业经济为主的社会生产力，在改革、开放、发展等方面走在全国的前面，对内地的示范、辐射和带动作用不断得到增强。

（二）广东省的三个经济特区

三个经济特区市共有土地面积5704平方公里，仅占广东省全省面积的3.2%。但是2006年末常住人口为1487万人，占全省总人口16.0%；完成生产总值（GDP）7175亿元，实际利用外资42.33亿元，均占全省总量的近三成（27.6%和29.2%）。在拉动

经济增长的“三驾马车”中，投资、消费、出口分别占了全省的21.0%、25.5%和52.3%。

广东省在改革开放中充分利用三大特区的设立，最先成为与世界经济接轨的地区，并凭借这种先发优势成为我国改革开放的实验基地。三个经济特区的快速发展，促进了所在城市功能的形成和提高，昔日的边陲小镇、滨海小镇和经济落后的旧城市，已经发展成为经济比较发达的现代化的新型城市。深圳、珠海和汕头现已成长为综合性的中心城市，成为区域发展的重要增长极，在省域城市体系中占据了举足轻重的地位。

表4－1　深圳、珠海和汕头三大经济特区主要经济社会指标一览表(2006年)

	辖区陆域面积(平方公里)	人口(万人)	GDP(亿元)	固定资产投资(亿元)	社会消费品零售总额(亿元)	实际利用外资(亿美元)	进出口额(亿美元)
广东省	179800	9304	25968.55	8116.89	9118.08	145.11	5272.24
三个经济特区占全省比重	3.2%	16.0%	27.6%	21.0%	25.5%	29.2%	52.3%
三个经济特区合计	5704	1486.77	7174.91	1705.40	2327.41	42.33	2756.45
深圳市	1953	846.43	5684.39	1273.67	1671.29	32.69	2374.11
珠海市	1687	144.99	749.6	255.02	255.52	8.24	328.21
汕头市	2064	495.35	740.92	176.71	400.60	1.40	54.13

资料来源：2006年广东省、深圳市、珠海市、汕头市统计公报。

总体上看，改革开放的30年中三个经济特区的经济和社会均经历了快速发展，但发展特征和速度并不平衡。1980年设立经济特区之初，深圳、珠海经济总量相当，GDP均为2亿多元，分别处于珠江三角洲的东、西两岸，都有毗邻香港或澳门的独特地缘优势；汕头则拥有数量庞大的海外侨胞，当初的经济总量已过10亿，经济实力相对雄厚。经过26年的发展，2006年，深圳的GDP总量已接近6000亿元，珠海与汕头的GDP总量相当，均突破700亿元，三个经济特区分别呈现跨越式发展、稳步提高和低速演进的特征。

中央政府在深圳和珠海设立经济特区就是为了打开一扇开放的"窗口"，为中国的大规模改革开放做试点。从政治上考虑，就是为了减小与香港或澳门之间的落差，为港澳的回归做准备。

表4-2　　2006年广东省各地市GDP排名

序号	城市	GDP(亿元)	GDP排位	增速(%)
1	广州	6068.00	1	14.40
2	深圳	5684.39	2	15.00
3	佛山	3024.50	3	19.30
4	东莞	2624.63	4	19.00
5	中山	1034.00	5	20.20
6	惠州	933.20	6	16.30
7	茂名	930.00	7	15.50
8	江门	921.00	8	15.30
9	湛江	770.00	9	12.80
10	珠海	749.60	10	14.60
11	汕头	740.92	11	11.60

数据来源：《广东统计年鉴》(2006)。

深圳位于珠江口东岸，紧邻香港。设立特区之初，深圳即被赋予了与香港进行贸易和为收回香港做准备的使命。深圳市依托香港、外引内联、大胆创新，确立了高新技术、金融和物流等作为支柱产业，取得了持续高速发展：2006年，城市综合发展实力已位居全国第三位，人均GDP在国内大中城市排名第一；在最近北京、上海、香港相继公布的中国城市科学发展指数、和谐指数与城市成

长竞争力排行榜上，深圳均名列第一。比照国内其他城市，年轻的深圳经济特区已经跻身国内大城市的第一方阵，不仅是中国改革开放的前沿窗口，也是中国现代化实现跨越式发展的典型。

珠海位于珠江口西岸，紧邻澳门北部。珠海市建市以来，从边陲滨海小镇逐步成长为珠江西岸的中心城市，经济实现快速发展，本地生产总值、工业增加值、投资、消费、出口、财政收入、城乡居民储蓄存款平均年增速均超过 20%；珠海市人居环境一流，先后荣获“国家园林城市”、“国家环保模范城市”、“国家卫生城市”、“国家级生态示范区”、“中国优秀旅游城市”称号。设立珠海特区之初，珠海也明确其可经陆路与人口约为 40 万的澳门进行贸易，为国家收回澳门做准备。与深圳相比，从渔村起步、成立时经济实力差别不大是两个经济特区的共同特征。但在后续发展过程中，由于澳门综合实力落后于香港，对珠海带动作用也远远无法与香港对深圳的影响等量齐观；珠海不像深圳充当体制改革的先驱，它基本仿效深圳的改革；珠海在主导产业选择上，从早期定位于以旅游和商贸业为主，到建设花园式工业商贸城市和高科技城市，都对传统制造业有所排斥，在珠江三角洲其他城市经济高速发展的 1990 年代，珠海失去了承接产业转移的发展机遇，此后珠海市先后提出“三基地一中心”、“工业西进、城市西拓”战略，大力发展外向度高的工业，城市经济基础得到巩固和加强。由于珠海市在发展过程中始终坚持环境优先原则，其所保持的美丽滨海特色的优质环境，为城市增添了异彩，并成为城市具备后发优势的重要因素。

如果说深圳和珠海两个经济特区具有较多相似之处，汕头则具有迥异的成立背景和发展历程。不同于深圳（香港）、珠海（澳门）、厦门（台湾）所承载的祖国统一的使命，汕头经济特区的成立，则是由于大量汕头人移居海外并逐渐在东南亚商业社会中占有支配地位，成立特区的目的是通过吸引海外的汕头人投资来推动内地的发展。

深圳和珠海原来只不过是拥有众多农村人口的小镇、所建设的是全新的城市，而汕头在设立特区起已经是人口密集的城区。在作为经济特区的发展过程中，汕头不同于深、珠两市，由于各种原因，其在吸引海外（华人）资金方面并不理想：经济外向度较低，外贸依存度达不到全省平均水平，更多的是依赖“草根经济”发展起家；尤其是2000年遭受信用危机后，经济遭受重创，近年虽逐步恢复，却未能形成具规模的特色产业，GDP年均增速更是下滑，低于同期全省、全国的平均增速。作为经济特区之一，汕头市的经济总量却由曾经的“广东第二”一落千丈——汕头现在的国内生产总值仅有深圳的1/8，与人口不足其1/4的珠海市相当，在广东省的经济实力已经落到了十名以外。近年来汕头市的经济社会复苏并稳定发展，有望在粤东地区中心城市的定位下取得更好的发展。

从经济特区的发展历程来看，若以深圳经济特区的经验为基准，可以分为三个发展阶段：第一阶段（1980—1984年），工业化程度很低，引进外资也相对缓慢，投资资金主要靠财政支出和大幅度的银行借款，对于国内资本依赖较大；第二阶段（1985—1992年），依靠经济特区“特殊政策”，进行外资引入、对外贸易和资本市场运作，使工业化快速持续发展，基于外向型经济的第三产业比重快速提高；第三阶段（1993—1998年），仍享有一定的特殊政策，由于外资投资与出口、工业化发展迅速而且工业化带动了第三产业的发展，自有资金积累增加，吸引外来人口力度加大，城市具备自我发展的动力；第四阶段（1998年至今），走出依赖特殊政策发展的阶段，成为综合性城市，开始依靠自身积累的经济优势自主发展。由于早期的快速发展存在许多急功近利的问题，加上政策优势的弱化和区域环境的变化，城市高速发展在一定程度上受到抑制而进入调整和转型期。

（三）新时期经济特区发展要求

我国的经济特区是改革开放政策的产物，它为中国的改革开放起到了重要的试验和示范的作用。自1978年中国实行改革开放以

来，综观全国，从深圳、珠海、汕头、厦门、海南设立经济特区，到开发上海浦东和天津滨海新区，再到2007年新批准的成渝“城乡统筹”综改区和武汉、长沙“两型社会”综改区，中国的“特区”布局，已经从南至北，由东至西，由经济改革向社会综合改革全面、梯度展开。

1990年代中后期中国为应对经济全球化加入WTO，随着整个国家开放战略的深化，政策性经济特区的生命力受到了怀疑，在1995年还引发了一场经济特区是否还有必要存在的大讨论。对于得益于改革开放和特殊政策发展起来的经济特区来说，其成功经验已经被推广，原享有的特殊政策正不断已经弱化。

如今，在区域竞争日趋激烈的背景下，各经济特区自身也面临着诸多问题和挑战。深圳面临着资源和环境巨大压力下成功推动了城市的转型；珠海当年超前建设带来的“后遗症”依然存在；汕头则在努力破解重塑政府、企业信用的问题。

在新形势下，党和国家依然对经济特区的发展给予了关注和支持。温家宝总理在特区成立25周年之际强调指出，经济特区要继续发挥排头兵、试验田、窗口和示范作用，以特区之为，立特区之位，并赋予了经济特区“特别能创新之特”的新内涵。广东省的深圳、珠海和汕头三个经济特区应立足新形势、新要求，在继续推动改革开放、维护祖国统一和稳定、促进区域发展、提升城市自身实力等方面，发挥重要作用。

第一，改革开放先行的积累使得经济特区拥有了市场、产品、体制、人才等多方面的优势，在经济全球化背景下，这些优势将转变为进一步促使特区融入世界经济体系的润滑剂。在新的背景下，要继续发挥经济特区的作用，前提是经济特区也要转型，由政策性经济特区转向制度性经济特区——即符合国际通用规则的经济特区。立足全面体制开放的现实，建立符合国际标准的新特区，这是中国经济特区长远的发展方向。

第二，经济特区也仍将在祖国统一大业中发挥重要作用。在港澳回归后，经济特区对港澳的繁荣稳定仍具有重要的意义，其作用仍未充分发挥。具体来说，深圳、珠海就是要为港澳的繁荣和稳定服务，汕头就是要在联系世界华人中发挥重要作用。

第三，充分发挥在区域中的地位和作用，在推动区域的整体发展的同时，谋求城市自身发展的良性外部环境。深圳市应发挥省级中心城市、支持香港繁荣稳定的作用；珠海应发挥珠江西岸中心城市、支持澳门繁荣稳定的作用；汕头应发挥粤东城镇群中心城市的作用。

第四，经过二十多年的发展，经济特区已经成为具备自我发展动力的城市综合体。深圳、珠海和汕头更应该立足于城市发展条件，不断提升和完善，创造新的辉煌。通过制度创新和制度接轨，建立起更加完善、更加成熟的市场经济体系；在提高经济增长质量和水平方面继续发挥示范作用，更加注重加快产业结构优化升级，大力发展产业；要继续发扬敢为天下先的精神，不断深化改革，在体制创新中更好地发挥“试验田”作用，在改革的重点、难点上率先突破，为全国的改革探索路子，积累经验；要继续以开放促改革促发展，扩大和提高对外开放水平，在发展开放型经济中更好地发挥“窗口”作用，提升“引进来”的质量，增强“走出去”的实力；要在落实“五个统筹”和建设和谐社会过程中，继续走在全国前列，更加注重经济社会协调发展。

二、深圳经济特区的发展

（一）新兴城市，一鸣惊人

1980年，设立深圳经济特区。特区凭借税收优惠、财政单列、强自主权等政策优势和毗邻香港的区位优势，创造了高速发展的深圳奇迹。1988年，深圳地区生产总值首次超越江门，成为广东省仅次于广州、佛山的第三大经济城市。1990年，深圳超越佛山，成为仅次于广州的第二大经济城市。此后，深圳经济增长速度继续加快，与广州的差距也越来越小。

深圳经济特区从一个落后的边境小镇成长为现代化城市及全国经济中心，创造了中国经济增长的神话。“时间就是生命，效率就是金钱”，从1980年到1994年，深圳创造了“三天一层楼”的速度，GDP以每年35%以上的速度递增，历时9年突破了100亿元，1993年突破了500亿元；1994年后，全国各地的改革开放不断推进，国家给予深圳的“特殊政策”变成普惠政策，但深圳GDP增速仍在20%以上。1980年到2006年，深圳经济特区GDP年均递增34%。2006年在全国大中城市中排名第四，人均GDP已在内地大中城市中排名第一。

1. 名副其实的“经济”特区。

从1980—2006年，深圳取得了地区生产总值年均27.4%、人均值12.8%的高速增长奇迹。2006年深圳市本地生产总值达到5684.39亿元；上缴中央财政收入达1180.34亿元；地方财政一般预算收入达500.88亿元；高新技术产品产值达6306.38亿元，跻身全国首位；外贸进出口总额达2374.11亿美元，连续十四年居全国首位，约占广东省的45%和全国的14%；人口猛增至1200万人……深圳的综合经济实力已进入全国大中城市前列，初步形成了现代化城市的规模和格局。2007年，深圳已经成为我国大陆第一个人均地区生产总值突破10000美元的城市，并还有多项指标排在全国大中型城市的前列。

深圳同时也走出了一条高产出、低消耗的增长道路，2007年每平方公里土地产生GDP为3.91亿元，每万元GDP能耗仅0.59吨标准煤，高新技术产品增加值占GDP比重31.2%，在全国大中城市也排在首位。深圳在高新技术、金融、物流和贸易等领域已经初步成为了区域性的产业中心城市；高新技术产业、物流业等支柱产业已经实现与国际对接，成为国际产业链的一个重要组成部分。

（1）抓住开放机遇，通过承接香港制造业起步。

深圳在1980年设立经济特区。一开始是作为各省市自治区的窗口进行贸易活动启动地区发展的，然后从1990年代初期开始，积极承接香港制造业的转移，重点引进服装、手表等劳动密集型轻

加工产业，主体是“三来一补”企业。

（2）注重高新技术产业的发展，促进产业结构升级。

高新技术产业一枝独秀。近10年来，深圳高新技术产品产值以年均50%的幅度递增，显示出强劲的发展后劲，高新技术产业成为深圳四大支柱产业之一。深圳已经成为我国高新技术产业发展的重要基地。

2006年，全市高新技术产品产值达6293.68亿元，首次在全国大中城市中排名第一；高新技术产品增加值达1808.17亿元，比上年增长29.18%，占全市GDP比重的31.39%，居全国第一；具有自主知识产权的高新技术产品产值达3708.24亿元，占全部高新技术产品产值的比重为58.92%，居全国第一。深圳市高新技术产业发展呈现独有的特点：培育了一批年产值超百亿元、年利润超10亿元的龙头企业；企业自主创新能力强，2006年前三季度深圳企业发明专利申请达10071件，名列全国第一位；高新技术产品外向型程度高，据海关统计，2006年深圳口岸高新技术产品出口额达696.2亿美元。

早在1992年，深圳就做出了发展高新技术产业的决定。在20世纪90年代初期，房地产、股市、贸易三大行业出现严重滑坡，深圳市经济一度低迷不堪。正在这个时候，随着改革开放在全国范围内的发展和市场经济的建立，深圳的政策优势逐渐减弱，大量“三来一补”加工型外资企业纷纷外迁。在这种形势下，深圳果断地做出发展高新技术产业的决定，并出台相关法规，促使高新技术产业成为深圳经济发展的第一支柱产业。2000年前后，外资投资热点开始从珠江三角洲转向长三角，外资进入深圳的速度减缓，深圳经济的增长也随之放缓。深圳认识到发展高新技术产业必须依靠自主创新，因此出台了《关于完善区域创新体系，推动高新技术产业持续快速发展的决定》等法规，鼓励本土企业大胆创新，掌握核心技术。2006年，深圳市又率先将创新作为未来发展的主导战略，颁布了《关于实施自主创新战略建设国家创新型城市的决定》，将自主创新提升到城市发展战略的高度，并制定了一系列的

具体规范来支持这个战略。

（3）注重金融、现代物流等生产性服务业的发展。

从1990年代开始，深圳就大力发展金融业。除了深圳证券交易所落户深圳外，还通过优惠政策吸引多种类型的金融机构在深圳设立总部或分部。目前已初步形成了以银行、证券、保险为主体，其他多种类型的金融机构并存的现代金融体系，金融业的综合实力和竞争力位居全国前列。2006年，深圳各项存款突破1万亿元大关，资本市场成交量突破3.5万元亿大关，证券交易所股票、基金总成交3.87万亿元，资金流动总规模突破30万亿元，占全国的1/10，金融总资产达到1.61万亿元，比上年增长29%，全国排名第四。2006年，金融业在深圳第三产业增加值中高达17.06%，比广州高出10个百分点，增加值达到470.5亿元，比广州整整高了1倍。目前，金融业已成为深圳的支柱产业之一。深圳凭借以资本市场为重点的现代金融体系和完善的金融基础设施，促进了区域金融资源的聚集和整合，成为了中国重要的区域性金融中心。

深圳初具建成现代物流中心城市的基础条件，包括四通八达的货物集散运输网络、比较完善的各类大型运输结点、国际性港口以及物流信息系统等。2006年，深圳市现代物流业总产值达到1374.03亿元，实现了物流业增加值547.55亿元，深圳市社会物流总额为19188.34亿元。2007年深圳海港集装箱吞吐量达2110万标准箱，增长14.2%，稳居世界集装箱港口第四；机场旅客吞吐量达2062万人次，增长12.3%，居国内第四。物流业的迅猛发展为深圳及珠江三角洲地区的工业生产和进出口贸易提供了良好的物流服务，很好地发挥了中心城市的生产服务功能。

（4）对接国际，促进开放。

为了推动对外开放，经济特区遵循国际惯例，改革制约对外贸易和利用外资的管理制度，较快实现了与国际通行经济规则接轨，现已成为全国开放度最高的地区，对外开放成绩斐然。2006年深圳经济特区的出口总额达到2374亿美元，高居全国各大城市榜首；全年累计实际利用外资达32.69亿美元，在深圳投资的世界500强

跨国公司总数累计达141家，深圳企业在境外设立企业和机构的国家和地区达到88个；深圳与多个国家和地区存在经贸联系，对外依存度与香港、新加坡基本相当；在外向发展的过程中，深圳特区还积累了参与国际经济合作与竞争的丰富经验，培养了大批从事国际经贸业务和管理工作的人才；同时，深圳等特区还不断加强与周边地区和内地省市的区域经济合作，促进区域资源整合和优势互补、共同发展。深圳的外贸出口额已接近世界出口总额的1%，位列全国大中城市首位。

2. 全国体制改革的“试验田”。

在市场经济和对外开放方面进行大胆实践、先行先试是经济特区的基本目标。为了发展有计划的商品经济，深圳经济特区身先士卒，大胆试验：改革了计划管理体制，减少指令性计划，扩大指导性计划和市场调节的范围；改革了价格体制，运用调放结合的办法最终实现放开价格，由市场定价；改革了劳动用工制度，实行职工聘任制，干部能上能下；改革了财税体制和分配制度，打破两个“大锅饭”，调动企业和劳动者积极性；改革了金融体制，拓宽市场融资渠道；改革了投融资体制，使外资经济、私人经济、个体经济和公有制经济共同成为投资主体，并且创造各类投资主体平等竞争的环境；改革了国有企业管理制度，下放企业经营自主权，实行承包经营责任制，并探索新的国有资产管理制度；改革了外贸体制，放宽外贸经营权，积极培育各类商品市场和要素市场，在全国率先建立起房地产市场、建筑工程承包市场、劳动力市场、资本市场、外汇市场、技术市场、信息市场、产权交易市场等等，并谋求规范市场秩序，健全市场机制；改革了政府机构设置，转变政府职能，提高办事效率，强化政府服务功能，探索“小政府、大市场”的政府管理体制……深圳作为经济特区的开拓性改革，被誉为“拓荒牛”而广泛传颂，特区的许多改革经验在全国推广，有利促进了整个国家的经济体制改革。

26年来，深圳的开发积累了创新发展的经验，探索了改革开放之路，创建了比较健全的市场机制，创立了深圳速度的经济发展

模式。国家众多重要的改革决策，都出自深圳这个试验场的提炼：截至2005年8月，深圳创造了230多项全国改革之最，深圳给国家用选择战略极点方式来推动区域发展的模式以信心和决心，对于中国改革开放和中华民族崛起的世纪大业功不可没。

3．区域的增长极。

深圳经济特区在现代化建设中发挥了“示范区”，利用在资金、技术、人才、信息、管理等方面的优势，大力开展与各地区的经济技术交流与合作，产生了巨大的“扩散效应”，辐射和带动了内地经济的发展。特区成立初期“外引内联”的“内联”，即体现了深圳作为对外窗口，吸引各地方政府在此设立办事机构，成为内地收集国外信息的重要基地。同时，深圳也吸引了许多内地企业设立分支机构，使其得到大量的技术和专门知识并转移到内地。此外，深圳在城市规划和建筑方面，取得的成功的新技术和管理经验也很快扩散到了全国。

深圳也发挥着区域中心城市的作用，是经济区经济增长中心、控制中心和文明辐射源，是城市群发展的龙头。深圳发展至今，经济总量名列全国第四，实际管理人口已达1200万，与省域另一区域中心城市广州相比，基本持平（广州GDP 6068亿元，深圳5684亿元）。深圳具备如此之大的社会经济总量，承担着作为区域中心城市的作用，主要体现在相关功能的溢出和作为中心地的服务方面。

随着产业结构的升级，深圳顺应经济发展规律，及时调整产业结构和发展战略，重点鼓励发展高新技术产业、金融、物流业等资本、技术密集型产业，不仅使深圳经济特区得以继续保持高速增长，而且随着劳动密集型的产业外移，经济特区成了经济扩散中心，带动着珠江三角洲等地区经济的发展。珠江三角洲也因此一度成为全国最具活力的经济区域。

深圳区域中心城市的地位尤其体现在服务业方面。深圳在金融等生产性服务业上，不仅具备先发优势，而且在规模和服务能力上已具备中心城市的实力。深圳所具备的交通和物流枢纽的优势，使其成为区域重要的物资输送中心和客运中心。

4．维护香港繁荣稳定的“大后方”。

为香港服务，是中央赋予深圳的历史使命。当年，邓小平在毗邻香港的小渔村圈定深圳经济特区，赋予深圳的根本使命固然是学习身边的老师、充当全国改革开放的试验田，但为香港顺利回归发挥作用、促进香港保持繁荣稳定，则是“硬币”的另一面。在香港回归之前的1995年，时任中共中央总书记的江泽民曾两度视察深圳，代表中央明确要求深圳“发挥好在恢复对香港行使主权和保持香港繁荣稳定方面的促进作用”。以胡锦涛为总书记的新一届中央领导集体对香港的关怀一如既往，对深圳的期望同样殷切。

香港是国际金融中心、信息中心、贸易中心、航运中心。与香港相比，深圳虽然发展非常迅速，成就举世瞩目，但无论从经济总量还是国际影响力上，都还有相当差距。深圳的改革创新的真实含义很大程度上就是学习香港。作为国际著名的金融物流信息商贸中心，香港自深圳经济特区成立以来，不仅其产业转移的方式为深圳的发展提供了经济支撑，而且成为深圳对外交往的重要窗口，引进国际资金技术和先进管理经验的重要来源地，并与市场经济体制和机制的输入，为深圳的发展提供了模式和借鉴。

深圳也为香港的社会稳定、经济繁荣提供了必要的空间腹地和资源平台等方面的支持，为保持香港的繁荣稳定发挥了积极作用。事实上，无论在香港回归前还是回归以后，深圳一直是支撑香港经济发展的重要产业基地，承接香港北移的制造业，为“前店”担当“后厂”。特别是香港回归后，深圳作为唯一与香港接壤的内地城市，在建设与香港“接驳”的大型基础设施和不断改善口岸通关软环境方面不遗余力；深圳还担当为香港输送内地新鲜低价副食品、供水供电的重要枢纽和“后勤基地”。

香港作为“一国两制”的首个实践者，其繁荣稳定对于祖国统一大业的完成具有特殊的政治意义。从这个意义上看，深圳进一步增强服务香港的意识，更自觉更有效地发挥好促进香港保持繁荣稳定的历史作用，可以说是深圳对全国改革开放大局的又一历史性贡献。

（二）超速发展，起承转合

深圳特区的开放事业，从开辟以招商局蛇口工业区为代表的以园区经济吸引合资独资企业，到外资参与城市高楼群、商业设施和基础设施的建设，到以港澳台为主体的加工贸易企业蜂拥而至，再到国际大型制造业企业、跨国公司的大规模进入，形成了外向性因素进入的洪流之势。在发展外向型经济，走向国际化的同时，特区所具有的特定空间为国内外的商品、劳动力、资本、企业、技术等生产要素提供了一个自由流动的舞台。从1980年至今，深圳特区经历了从出口加工区—综合型特区—经济型城市—南方经济中心的"转换"。在城市发展过程中，"特区"使命所形成的"特区"情结，在给深圳发展带来无穷动力的同时，也因特区政策的弱化引发了深圳强烈的集体失落感和困惑情绪。

1．改革开放的排头兵（1980—1993年）。

深圳第一次有明确的定位是1980年，定位是享受优惠政策的经济特区。异于内地的各项优惠政策使深圳政府、企业和人民迸发少有的建设热情，拓荒牛精神遍地开花，深圳特区随之崛起。深圳以先驱者的身份启动了中国的改革开放，担当着探索中国现代化的使命。

1984年，邓小平同志视察深圳并题词："深圳的发展和经验证明，我们建立经济特区的政策是正确的。"此后的五年间，深圳市委市政府提出了将深圳建设成为综合型城市的定位。那时的定位主要是改革开放取得初步成就后，提升深圳"试验田"的城市功能，包括城市功能提升和城市基础设施完善等方面。

由于对外开放尚未成为中国各地政府推动经济发展的基本共识，外资对中国开放的认知处于将信将疑状态，这种认知的落差使作为"试验田"的深圳在相当大程度上承接了外资对中国的投入，而香港是深圳早期快速发展的重要影响因素。深圳选择的对外开放，首先就是对香港开放，蛇口工业区兴建也是按照香港模式进行管理的，特区建设初期的许多具体管理政策（特别是1990年深圳证券交易所的成立），都是从香港直接借鉴的；深圳早期的工业化也主要是香港资金推动的、以“三来一补”为主的出口导向工业化，在引进外资的过程中，香港传过来的资金、技术、管理、理念等同步冲击深圳人的思维，它们在很大程度上又转化为深圳内在的制度创新动力。

广东省对深圳的全力支持是深圳快速发展的另一重要外部条件。从特区成立到1980年代中期，广东省在各方面都对深圳给予了极大支持，深圳和特区也是广东省从中央获得的“特殊政策、灵活措施”的最重要组成部分之一。从1980年代到1990年代中期，在很大程度上，是深圳而不是广州代表着广东改革开放的形象。

在珠江三角洲内部没有与深圳竞争各种资源、要素和政策的新兴城市，是深圳市在该阶段得以快速发展的另一重要因素。在这个时期，以佛山、中山为代表的珠江三角洲西部地区，主要是采取引进外资和外国技术、在本地生产并实行内销的模式，取得了较大成功，虽也属于市场导向，但与深圳的外向型工业化竞争关系不大。在深圳和周边的珠江三角洲东部其他地区之间尚未形成中心城市和腹地的关系，也没有广大农村地区带来的包袱，超脱于广东经济发展背景有利于深圳的早期发展。

2．重心转移后的惯性发展（1993—1998年）。

1992年邓小平南方视察讲话，标志着中国进入了全方位推进改革开放的时代，深圳独有的一些特殊政策基本已经在全国范围内推广，但这种政策上的微妙变化，并没有在1990年代中期给深圳带来明显的不利影响。深圳凭借原来积累的体制优势，保持了较快的发展势头。不仅如此，深圳在前一阶段建立起来的优势在这个阶段结出了硕果，如深圳在1980年代培育的创新体制衍生出了某些独特的优势。

（1）深圳在20世纪80年代后期和90年代初期突破重重阻力大胆创建的股票交易市场带动了与股票交易相关的金融业的大发展。而中国只有上海和深圳两个证券交易所的格局，意味着深圳获

得了一个具有独特的优势产业。

（2）香港全方位与中国内地接轨，给深圳带来了更多的国际资源。虽然深圳在港资对内地投资中的比重有所下降，但在绝对量上获得了大发展，从而形成了空前的商机。

（3）深圳自身的城市化获得了强有力的市场动力。1980 年代深圳的城市化主要由政府的投资推动，1990 年代后，随着深圳的房地产价格在中国率先走向市场化，其长期的价格上升轨迹，吸引了大量特区外的居民来此投资，这批居民在深圳形成了强大的购买力和投资（投机）能力，从而形成深圳内部投资（投机）的循环动力。

1990 年代深圳从经济特区成功地转变成为功能齐全的经济性城市，相应地，深圳进行了大规模的城市建设，使经济特区的功能和城市功能相互补充和支持。这一时期深圳的高速发展本质上还是基于特区所具有的优惠政策和毗邻香港的地理区位优势所推动，但政策优势能否支持城市的长远发展，已经引发了若干思考和争论。

3. “深圳，你被谁抛弃”（1998—2002 年）。

进入新时期，在中央政府的部署中，中国对外开放的重点已经从华南转移到了华东的上海，深圳的高速发展与中央特殊政策的弱化，使深圳在保留“特区”这个名义的同时，政策方面已不太具有优势。此外，深圳原来发展的其他有利条件也发生了改变，加上城市自身在产业、体制方面所积累的矛盾加深的情况下，1998 年深圳迎来最低迷的时期。2000 年，《深圳，你被谁抛弃》这篇网文引起了很大轰动，它反映出很多人对深圳衰落的担心。

（1）1998 年，中央对金融发展的思路发生了变化，2000 年 9 月深交所新股停发，而此前设立创业板的动议却迟迟未能兑现，深圳的金融业陷入了危机。与新股发行有关的投资银行、基金等金融机构的总部大量迁往上海。深交所新股停发及其后续效应，表明深圳在 1990 年代的“特殊政策”不再存在优势。

（2）深圳的高新技术产业存在隐忧。它主要集中在电脑和电信设备制造产业，但是象征着这个行业较高科技含量的笔记本电脑、手机等产品的外商投资全面集聚到华东地区，最上游的集成电路行业迟迟无法在深圳（甚至是珠江三角洲地区）取得突破（而上海则迅速在张江高科技园区形成了规模）。

（3）亚洲金融危机后，香港已经跨越深圳，与广东其他地方和全国更广泛的地区建立更为直接的联系，对广东特别是对深圳的带动作用大幅度衰减。另外，深圳与周边地区的关系未能改善：随着深圳获得副省级和计划单列地位，广东省和深圳的关系淡化，而深圳方面也逐渐将“服务全国的对外开放”当作己任；与此同时，广州的快速复兴，重现了其作为珠江三角洲经济天然中心的辉煌，给深圳作为珠江三角洲中心城市的前景带来了沉重压力。

（4）深圳内部的创新速度、范围和深度都受到了限制，原来那些过度寻租、短期行为等负面因素大大强化。已经度过了高速创业阶段的深圳出现了“内地化”和官僚化的各种征兆，各种既得利益在日益侵蚀早期深圳对其他地区形成的制度落差，深圳在这个时期的各种自我创新往往流于形式，相关的创新活动并没有在本质上优化投资环境、改善生活环境、打好未来发展的基础。

随着前期积累的矛盾全面爆发，由于发展模式的变化，一定程度上继续强化了旧有矛盾，如对土地资源的过度使用、低素质人口继续大量涌入、政府办事效率和责任心也在“制度创新”的口号中悄然流失，城市发展的步伐一度摇摆和徘徊。

4. 重新找回定位（2003 年至今）。

“深圳，你被谁抛弃?”所反映出来的失落，从根本上体现了在国家区域协调发展政策背景下，深圳依然未能摆脱是办特区还是做城市的困扰。2003 年，中共中央总书记胡锦涛视察广东，对广东提出了加快发展、率先发展和协调发展的要求，让广东在与长三角的竞争劣势中获得了新的政策动力。2003 年 7 月 1 日，新任国务院总理温家宝视察深圳之后，很快向深圳派出了调研组，听取各

方对深圳未来发展的意见。2005 年，温家宝总理在特区成立 25 周年之际强调指出：经济特区要继续发挥排头兵、试验田、窗口和示范作用，以特区之为，立特区之位，并赋予了经济特区“特别能创新之特”的新内涵。在保持城市历史定位的延续性和稳定性基础上，根据当前新时期、新形势进行适当和必要的调整，拟定城市性质，成为影响深圳城市发展的重大战略性课题。

自从 1979 年开始设立特区，深圳经济特区 29 年来几乎抓住了国家每一个发展的机会，先是通过贸易启动；然后是引进加工工业，轻工、服装、手表等劳动密集型产业为主体的“三来一补”工业；再发展技术密集型产业；进入 1990 年代，深圳又一次抓住了新技术革命的浪潮，抢在教育和科研水平更高的北京和上海之前，率先瞄准世界市场，发展高新技术产业，成为我国高新技术生产的重要基地。近年来，深圳高新技术产业、现代物流业、金融业和文化产业优势地位不断巩固。

区域中心城市是区域在发展过程中，形成的行政、经济、文化、商业和服务中心。可见中心城市不仅通过资源的聚集和经济的扩散、辐射能力在区域经济发展中发挥着主体和导向作用，而且在区域均衡和区域公共产品提供方面承担着重要责任。

国家建立经济特区的初衷是要进行改革实验，开辟窗口和试验田，而不是要在某个地区建立区域中心城市，区域中心城市和特区都是国家社会经济和城市化发展的重要战略部署，但两者有着明显不同的功能和内涵要求，区域中心城市更多地承担国家经济总量的增加和城市化人口转化的重要责任和义务，而特区则需要为国家探索改革开放，经济与体制改革起到开路先锋作用。如果把特区更多地建成地区中心城市，首先特区势必失去改革特色，其次，面积较小的特区环境承载力也无法承担如此巨大重任。建设区域中心城市与建设特区城市有着不同的模式。

总结和回顾深圳建市近 30 年来不同时期和阶段的城市定位与发展目标，经历了一个由“经济特区”到“区域中心城市”和“国际性城市”的发展变化历程。在最新修订的《深圳市城市总体规划（2007—2020）》（送审稿）提出，深圳市的城市性质为创新型综合经济特区，华南地区重要的中心城市，与香港共同发展的国际性城市。

“经济特区”、“中心城市”和“国际性城市”，分别代表了深圳城市在国家和区域整体发展中不可替代的核心地位和职能；对《深圳市城市总体规划（1996—2010）》确定的“现代产业协调发展的综合性经济特区，华南地区重要的经济中心城市，现代化的国际性城市”进行了继承和延续。

（1）创新、探路、勇做先锋是国家改革开放初期设立深圳经济特区的目的，也是深圳在新时期仍然要发挥的作用，这既是深圳的责任，也是深圳的使命。“经济特区”意味着深圳要继续承担改革开放试验田的功能，要求继续深化改革，在新时期继续担当引领全国改革开放、科学发展的排头兵。同时，强调“创新型”和“综合性”，体现建设国家创新型城市以及综合配套改革试验区的新时期任务要求。

（2）经过20多年来的快速发展，深圳已经成为形成中的珠江三角洲大都市连绵区的重要的中心城市。“华南地区重要的中心城市”反映了深圳市在珠江三角洲、广东省乃至更大区域范围内应发挥的作用和功能。这也是落实广东省委省政府的要求以及《广东省城镇体系规划》、《珠江三角洲城镇群协调发展规划》等上层次规划的体现，深圳需要在区域协调发展中承担更多的责任。

（3）建设国际性城市一直是深圳努力追求的目标。2007年5月召开的广东省第十次党代会对深圳的要求是“建设成具有中国特色、中国风格、中国气派的国际化城市”。与深圳毗邻的香港已经是世界上具有重要影响力的国际性城市，基于深港合作的不断深化推进，与香港共同建设国际大都会的条件和时机日益成熟，提出“与香港共同发展的国际性城市”，进一步明确了深圳建设国际性城市的方向和路径。

表 4－3　　漂移的城市发展目标

时间	规划名称	城市性质
1980	深圳特区城市规划	建设以工业为主，工农相结合的边境城市，并以发展来料加工工业为主的经济特区
1982	深圳经济特区社会经济发展大纲	以工业为主，兼营商业、农业、住宅、旅游等多功能综合性经济特区
1986	深圳经济特区总体规划	发展外向型工业、工贸并举、兼营旅游、房地产等事业，建设以工业为重点的综合性经济特区
1989	深圳市城市发展策略	对外贸易、金融、高科技比较发达，贸工技结合的、外向型的、多功能的、基础设施齐备的及具有创汇农业、环境优美的国际性城市
1995	广东省珠江三角洲经济区现代化建设规划	广东省的副中心城市，珠江三角洲的金融、贸易、信息中心和技术密集型产业基地，与香港功能互补、共同协作，共同成为国际性城市，成为珠江三角洲城市群的核心之一
1996	深圳城市总体规划	现代产业协调发展的综合性经济特区，华南地区重要的经济中心城市，现代化的国际性城市
2001	广东省城镇体系规划	全国经济特区及综合改革试点城市，全国最大的出入口岸，国家优秀旅游城市和园林城市，广东省中心城市和珠江三角洲东岸的都市区的核心城市
2004	珠江三角洲城镇群协调发展规划	在珠江三角洲城镇群中具有重要影响的、对珠江三角洲有很强辐射带动作用的外向型、国际化的区域中心城市
2005	深圳 2030 年发展策略	可持续发展的全球先锋城市（深港共建国际都会、最宜创业最宜居住的城市）
2005	深圳"十一五"规划	建设亚太地区有重要影响的国际高科技城市、国际物流枢纽城市、国际金融贸易和会展中心、国际文化信息交流中心和国际旅游城市

（三）空间拓展，结构优化

1979 年深圳市建市之初，建设集中在深圳镇、蛇口、沙头角三个点。其中深圳镇人口约 2.9 万，面积不足 3 平方公里，道路总

长8公里，街道狭窄房屋简陋。深圳建市二十多年来，凭借其超常规的发展速度，高起点的城市规划，城市建设蓬勃发展，特区内已经基本形成了较为完善的城市空间结构，特区外的城市建设也全面展开。

1. 初创阶段（1979—1993年）。

1980年代中期，罗湖、上步30余平方公里土地开发全面铺开，与此同时，南头、沙头角、沙河（华侨城）三片也相继开始据点式开发。截止1984年底，城市建设用地规模达38平方公里，平均每年以12平方公里的速度扩张。

进入80年代中期后，由1984年开始、1986年完成的《深圳经济特区城市总体规划》（以下简称《86总规》）开始实施并发挥作用，对特区的城市发展产生了深远影响。该规划将城市规模定为122.5平方公里用地，110万人口，并对1986—2000年特区城市发展做出了全面安排，于1986年获广东省人民政府批准实施，成为特区城市建设的里程碑。（图4－1）

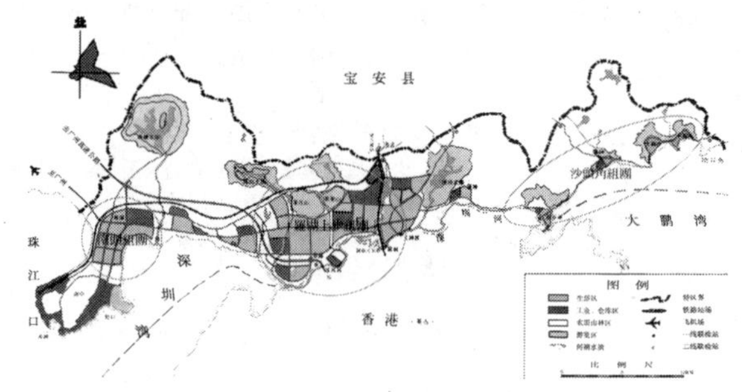

图4－1　《深圳经济特区城市总体规划》（1982年）

1980年代中后期香港制造业开始大规模北移，1980年代末1990年代初，特区因产业结构升级工业企业大量开始外迁，导致特区外加工工业的大规模发展，城市建设方面主要表现为特区的充实提高和特区外的稳步扩张。特区各个组团基本形成，罗湖、福田、沙河、南头四个组团构成相对独立又紧密联系的带状组团式城市空间结构；特区外扩张则以各村镇为基础，在整个宝安县境内呈大规模"斑块状"发展。从1986年至1990年，全市人口由93.56万增长到201.94万，城市用地由73.7平方公里增长到136.6平方公里，年均扩张量为15.7平方公里。其中，特区人口由48.87万

增长到100.98万，城市用地由47.6平方公里增长到69.3平方公里，城市开发速度由过去的年均12平方公里，降低为年均5.4平方公里。与此同时，特区外宝安县的工业开始崛起，人口由44.69万增长到100.96万，建设用地相应由26.1增长到67.3平方公里，年均增长速度达到10平方公里，高于特区。

1990年房地产业急剧发展，1992年邓小平同志视察南方并发表重要讲话，推动了新的建设高潮，特区推行了农村城市化，特区外实施了撤（宝安）县设（宝安、龙岗）区，深圳开始步入了一个新的高速扩张时期，至1994年高潮退去的这段时间，城市空间演变主要表现为特区外的高速扩张和特区的结构转型。该阶段特区快速发展致使用地日益紧张，城市空间出现了向特区外扩张的趋势。而且，产业结构的调整也导致大量工业企业外迁，特区内城市功能结构开始发生较大程度的转变。与此同时，特区外由于大量“三来一补”企业的迁入以及“撤县改区”造成的土地批租失控，城市空间迅速扩张，特区内外之间“核心—外围”结构雏形开始出现。从1990年至1994年，全市人口由201.94万增长到335.51万，城市用地由136.6平方公里增长至299.5平方公里，年均扩张量超过

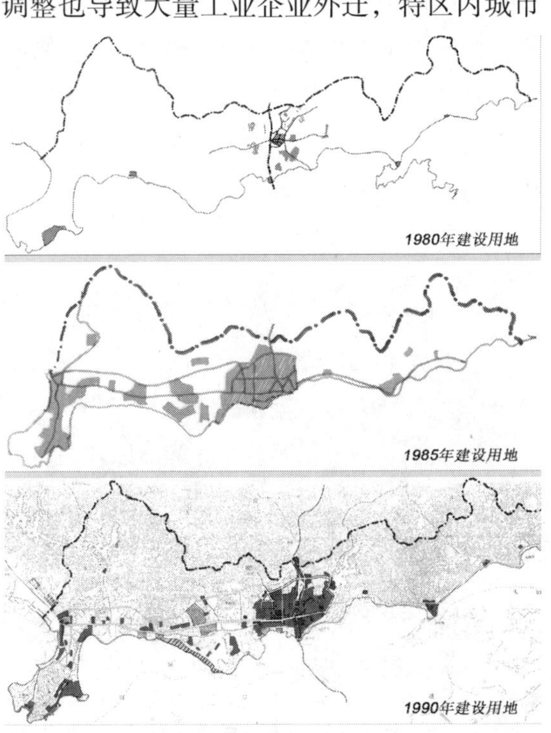

图4-2　“深圳经济特区”1980年、1985年和1990年建设用地演变

40平方公里。其中，特区人口由100.98万增长到147.53万，城市用地由69.3平方公里增长到101.0平方公里，城市开发速度维持在8平方公里；特区外则获得了前所未有的大发展，人口迅速由100.96万增长到187.98万，建设用地相应由67.3增长到198.44平方公里。（图4－2）

2. 市域拓展阶段（1994—2000年）。

1996年，《深圳市城市总体规划（1996—2010）》（以下简称《96总规》）编制完成并付诸实施。《96总规》第一次将城市规划范围由特区拓展到整个市域，确立了以特区为核心，东、中、西三条放射发展轴为基本骨架，形成轴带结合、梯度推进的组团集合结构的空间布局战略（深圳市人民政府，2000）。在该规划的引导下，深圳城市快速发展。1998年，特区调整行政区划，将盐田区从罗湖区中独立出来，有力地带动了东部地区的发展。1994—2000年，全市人口由335.5万增长到432.9万，年均增长16.2万；建成区面积由299.5平方公里增长到467.3平方公里，年均增长28.0平方公里。（图4－3）

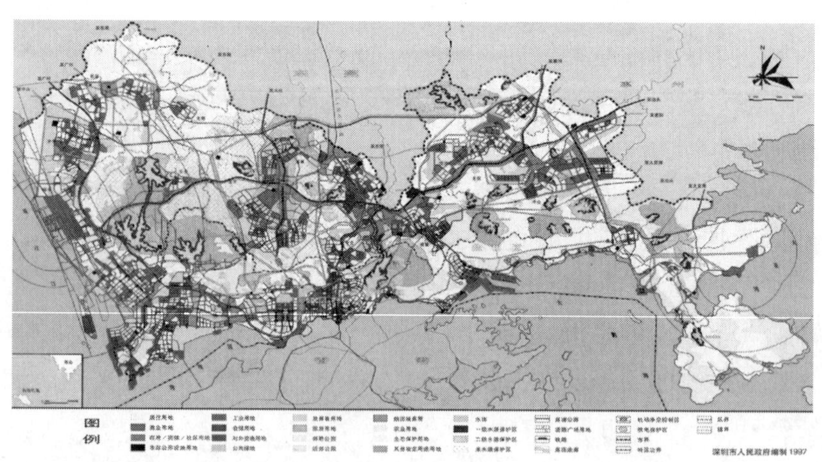

图4－3　深圳城市总体规划图（1996—2010年）

资料来源：《深圳市城市总体规划（1996—2010）》。

该阶段城市发展主要表现为特区外城市用地规模的外延扩张和特区城市用地的结构调整。特区内外联系进一步加强，由城市政府主导的以龙岗大工业区为代表的成片开发开始向特区外扩张，高新技术产业园区、物流园区开始在特区外出现。与此同时，特区的综合服务功能进一步向特区外延伸，特区外中心城镇的商贸、房地产业日益繁荣。

伴随着产业结构的调整和功能演进，本时期特区城市发展以调整、提高为主，城市建设主要表现为市政公用设施的完善、老工业区功能转型、旧区改造以及房地产开发等方面，城市空间的外延扩张速度进一步降低。与高新技术产业、物流业等新兴产业迅速发展相适应，高新技术产业园区、大学城、物流园区开始崛起或出现。在特区城市发展步入提高、调整阶段的同时，特区外以城镇为单位的外延扩张势头有增无减。1994—2000 年，特区外城镇建成区面积由 198. 4 平方公里迅速扩张到 333. 9 平方公里，年均扩张 22. 6 平方公里。

3. 填充发展阶段（2000 年至今）。

2000 年以后，随着国内经济形势持续向好，深圳城市各项事业都经历着高速发展，城市规模进一步快速膨胀。人口大量涌入，繁荣的制造业和房地产业对土地产生了很大需求，加上特区外较为宽松的土地和开发环境，城市进入了工业用地占主体、以特区外为重点的建设速度最快的时期，在原已拉开的城市框架基础上进行了填充式发展。

2000—2005 年，深圳市建设用地年均增长约 47 平方公里。其中，特区年均增加 10 平方公里；宝安区年均增加 21 平方公里；龙岗区年均增加 16 平方公里。高速扩张的同时，深圳剩余可建设用地潜力不足的问题凸显，给城市的持续发展能力造成了极大的约束。(图 4 –4)

近年来，深圳市政府以紧约束的土地政策作为城市发展的基本前提，力争通过土地效益的提升与结构的优化和城市更新改造等方式来满足各项空间需求。在新一轮编制的《深圳市城市总体规划

（2007—2020）》中，明确提出“工作重点由增量空间建设向存量空间优化转变”的基本原则。（图4－5）

4．小结。

回顾深圳的城市建设史，所确立的以国际先进水平为奋斗目标，通过编制高水准规划引导城市空间发展的举措取得了巨大的成功。可以说，深圳采用的“带状组团式”城市结构，源自对自然条件的深刻理解，也是最经济实用的结构模式，对深圳城市建设“跳跃式”的发展具有较强的适应能力，同时也为各阶段城市各种功能的协调发展与新陈代谢奠定了坚实的基础。建市之初，经过国内专家学者的共同努力，深圳市设立了最富有生机活力的特区的“带状组团式”城市结构，巧妙地利用了深圳地形狭长的特点，从东到西，依次布置了南头—蛇口、华侨城、福田、罗湖—上步、沙头角—盐田五个组团。随着深圳的城市

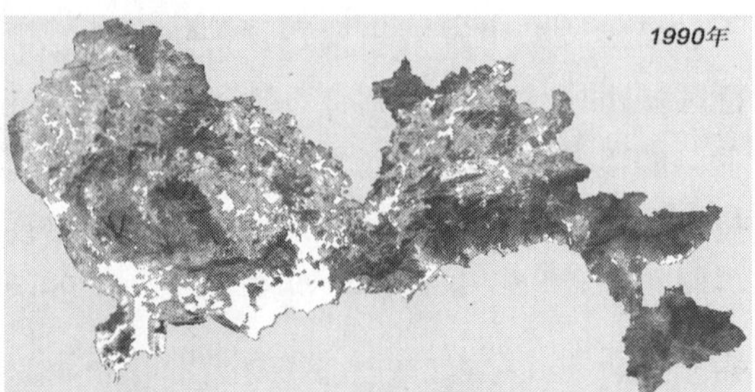

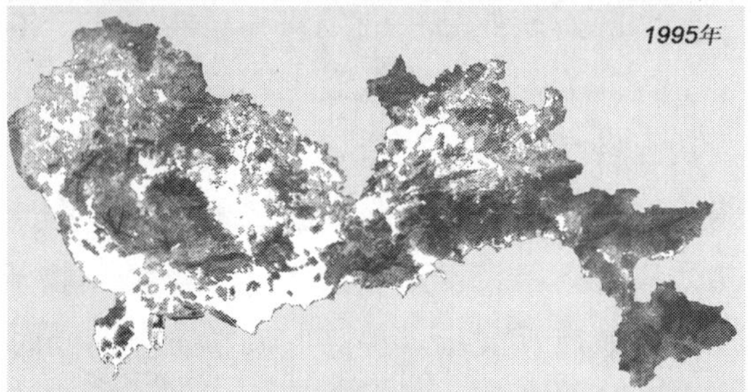

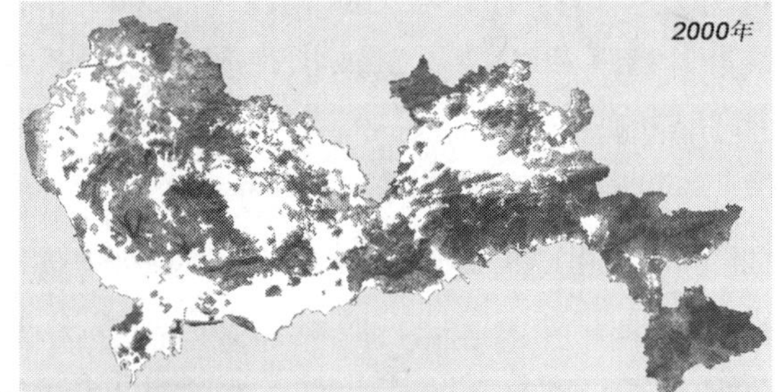

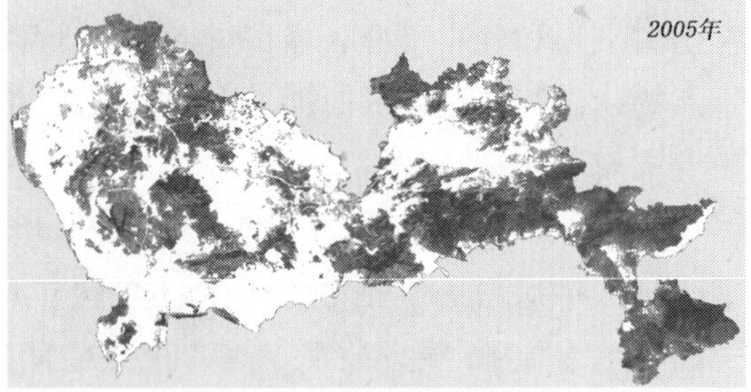

图4－4　1990—2005年深圳市建成区范围演变图

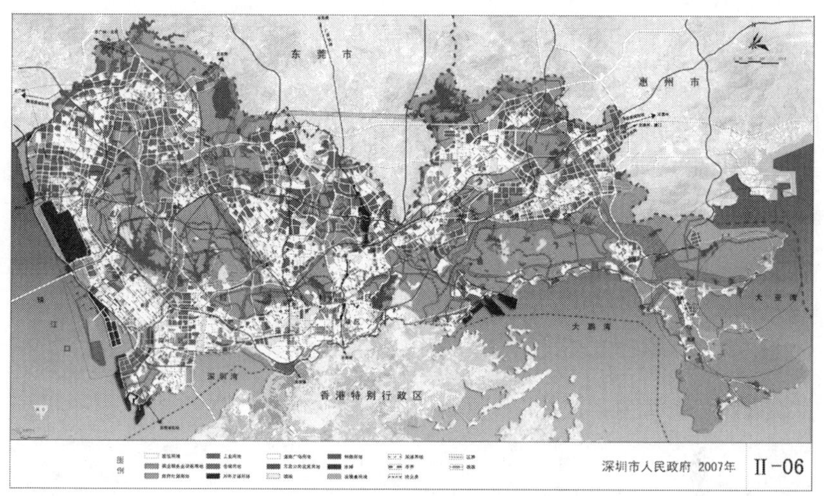

图 4-5 《深圳市城市总体规划（2007—2020）》

建设扩展到全市，“带状组团式”的城市结构理念得到进一步的充实与发展，在《深圳市城市总体规划（1996—2010）》中，结合深圳特有的山水环境，为加强对特区外城市建设的控制以便从全市整体角度综合平衡各社会经济要素，规划在市域范围内确立了“网状组团式”城市结构，以特区原有的“带状组团式”结构为核心，向西、中、东有机延伸出三条放射状发展轴，并和非建设用地构成了“W”和“M”的契合关系。（图 4-6）

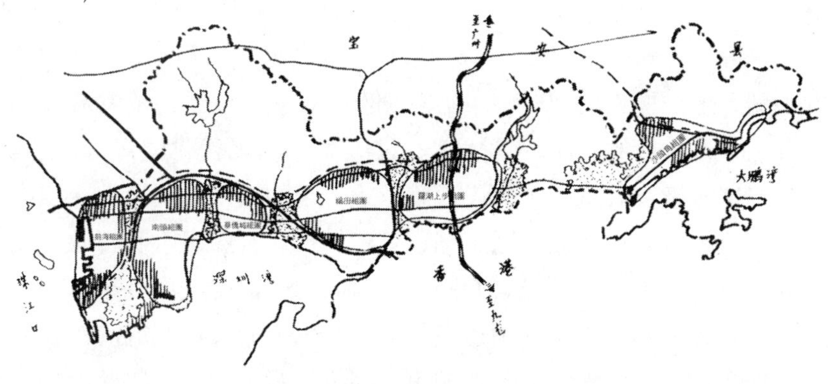

图 4-6 1986 年特区总体规划的特区“带状组团式”结构

经过多年的努力，深圳市提出的“以特区为中心，以西、中、东三条放射发展轴为基本骨架，梯度推进的组团集合布局结构”的城市空间结构已基本形成。而城市建设事业较好地适应了城市经济社会的发展要求，并为将来的持续发展奠定了良好的基础。（图4－7）

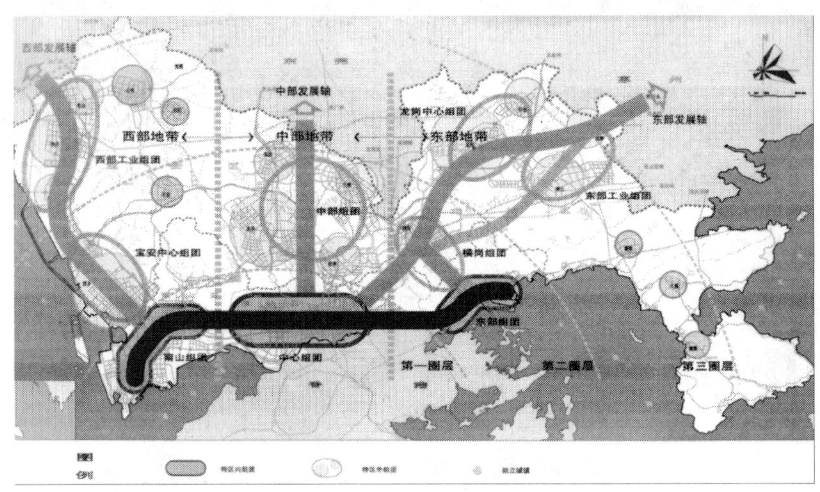

图4－7　1996年城市总体规划的全市域网状组团式结构

三、珠海经济特区的发展

珠海自1980年成为经济特区以来，经济总量从改革开放初期的不到3个亿增长到2005年的635亿，从一个边陲小镇发展成为拥有141万人口的一座环境优美、设施齐全的现代化滨海大城市。但是，珠海确实又是一个发展面临严重约束的城市：周边缺乏强有力的产业扩散源；地处交通末梢；城市结构受自然山水和行政区划隔离，主城区土地资源极其有限。这就决定了她的发展经历了一系列在约束中崛起，在发展中遭遇困难，在困境中又再崛起的历程。

珠海也是一个无法平凡的城市，因为她紧邻澳门，因此背负了太多的期望：在国家战略层面她是“一国两制”的前沿、经济特

区，要为澳门特别行政区的持续繁荣提供支持。在广东省的战略中她是珠江三角洲城市群西岸中心城市，冀望她能够与澳门联动形成珠澳大都市区，带动西岸的发展。广东省最近又提出将珠海“建成珠江三角洲现代化区域中心城市和广东省实践科学发展的先行示范市”，要求“在珠海再造一个深圳”。

珠海已获得“中国旅游城市”（1991 年），“国家卫生城市”（1992 年），“中国环保模范城”（1997 年），联合国颁发的“国际改善居住环境最佳范例奖”（1998 年），“广东省现代化科技示范市”（2001 年）、“国家软件产业基地”（2001 年），“科技进步先进城市”（2002 年），“全国双拥模范城”（2004 年），“欧洲人最喜爱的中国旅游城市”（2005 年）等众多殊荣。

（一）追求跨越，回归平常

根据珠海市自设立到如今经济、空间与目标定位的发展演变，我们可以大致地将珠海的发展历程划分为以下几个阶段。（图 4－8）

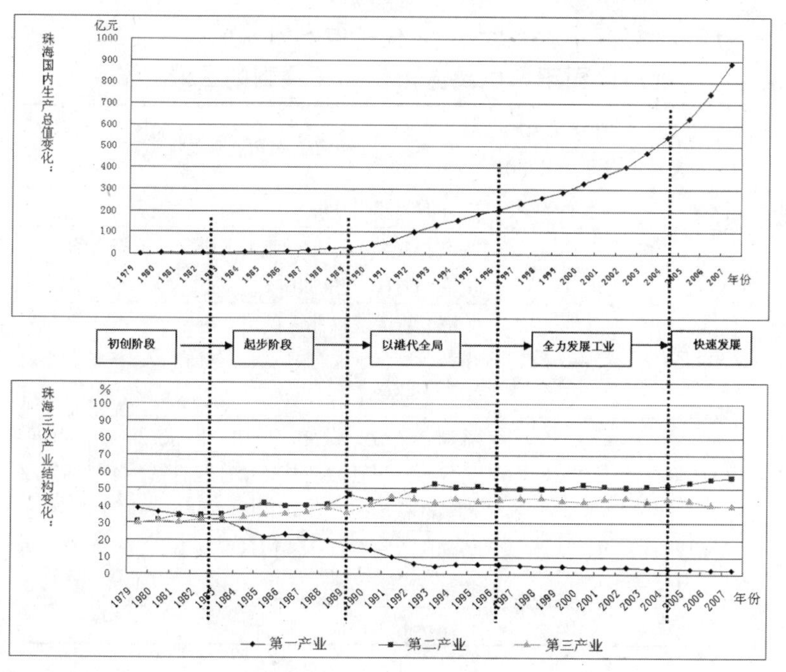

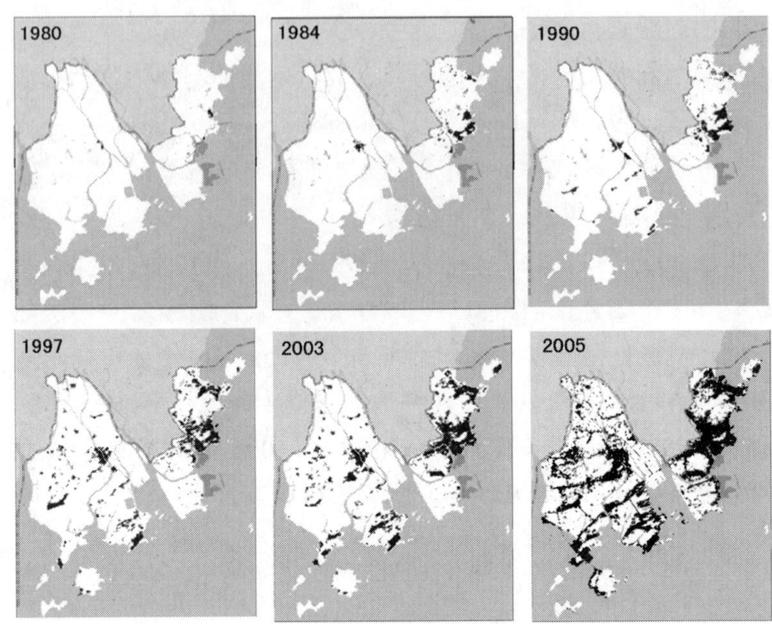

图4－8　珠海经济发展与城市空间演变图

表4－4　珠海市1980—2005年城市人口数量、建成区面积，以及城市空间拓展到的区域

年份	城市总人口（万人）	建成区面积（平方公里）	城市空间拓展到的区域
1980	36.53	1.99	老香洲、斗门县城
1984	39.52	10.84	香洲、吉大、拱北、前山，唐家、下栅（金鼎），南屏、湾仔、斗门县城
1990	74.66	40.22	香洲、吉大、拱北、前山，唐家、下栅（金鼎），南屏、湾仔、斗门县城、三灶镇、红旗镇、小林镇、平沙镇
1997	116.89	95.89	香洲、吉大、拱北、前山，唐家、下栅，南屏、湾仔、斗门县城、三灶镇、红旗镇、小林镇、平沙镇、横琴镇
2003	127.89	148.43	香洲区、金湾区、斗门区、横琴、东部群岛、高栏港区
2005	141.57	195.54	遍布珠海可建设用地

1．初创阶段（1978—1984 年）。

（1）经济发展以商贸业和旅游业为主。

1979 年到 1984 年是珠海发展初创阶段。改革开放初的珠海“一穷二白”，1980 年建立特区，旨在“引进先进技术、引进先进设备、引进先进管理经验、引进外国资金”，并成为全国改革开放的“窗口”。然而从一开始，珠海过分倚重自身的地理环境优势，提出以发展旅游和商贸业为主的发展思路，在兄弟城市大力发展“三来一补”工业的时候，忽视了工业的发展。因此 5 年来，珠海有一定的发展，但远远低于国家办特区的期望值，经济总量相对其他经济特区在低位徘徊。

这一阶段，第一产业比重很高，第二产业开始起步，第三产业（以旅游业和商贸业为主）发展迅速。地区生产总值 5 年平均增长率为 28.43%，其中第三产业最高，年均增长率达到 39.21%，同时三次产业在 GDP 中的比例由 1979 年的 47.29%：24.60%：28.12% 发展为 1984 年的 24.32%：33.61%：42.07%，其中第一产业比例明显下降了近 23 个百分点，第三产业比重经过 5 年的发展，比例在 GDP 中最高，由 1979 年的 28.12% 上升到 1984 年的 42.07%，三产结构与发展策略相一致，呈现出“三二一”的结构。

表 4－5　1979—1984 年珠海不变价 GDP 构成变化（亿元）

年份	不变价 GDP	均增长率	第一产业	比例	均增长率	第二产业	比例	均增长率	第三产业	比例	均增长率
1979	3.43	28.4%	1.62	47.29%	12.4%	0.84	24.6%	36.7%	0.96	28.1%	39.2%
1984	11.98		2.91	24.32%		4.03	33.6%		5.04	42.1%	

数据来源：《珠海市统计年鉴》（1985）。

（2）设立特区，城市建设高潮到来。

改革开放前，珠海县城所在地香洲还是仅有一条街的边陲小镇，建成区面积约 2 平方公里。1979 年编制的第一轮总规范围包

括香洲、吉大、拱北、前山、南屏、湾仔地区，规划面积15.16平方公里；城市性质定位为“具有相当水平的工、农、渔业相结合的出口商品基地，风景游览区和新型的边境城市”；城市布局为“五朵金花式”组团结构，分香洲、吉大、拱北、前山和湾仔（南屏）五个组团，沿海岸线呈带状分布，奠定了珠海组团式城市布局。

1980年设立珠海经济特区，面积6.81平方公里，为靠近澳门北部及西部的半月形的狭长地带，分为互不相连的吉大（东片）、拱北（中片）和湾仔（西片）三个部分。1981年由特区建设公司编制了与市区总规衔接的“珠海经济特区总体规划”，对特区性质定位为“兼营工、商、住宅、旅游、科研等多种行业的综合性特区”。珠海发展初期，市区和特区相互独立，有各自规划指导建设，发展设想也较为谨慎。随后，珠海与港澳合作兴建了石景山旅游中心、拱北宾馆、银海新村、海滨新村等一批旅游和房地产项目，主要为南海石油的勘探、开发服务可停放30架直升机的机场和万吨级轮的涉外港口——九洲港也相继建成使用，并形成了以建材、食品、电子和轻纺为主的工业布局，主要拓展空间为拱北、吉大及香洲。

至1984年，建成区面积扩展至10.8平方公里，不含南屏、唐家、下栅，它们的建成区面积为7.87平方公里。市区人口已达14.4万人。与此同时，1983年5月斗门县划入珠海市，使得珠海拥有了广阔的西区。

2. 起步阶段（1985—1988年）。

（1）经济发展“以工业为主，各业综合发展”到“五个转变”。

1984年初，邓小平同志到珠海视察进一步强调“特区的问题不是收，而是放，主要还是放得不够”，鼓励珠海特区要“大胆尝试，大胆地闯，正确的你们就要坚持，不正确的你们可以改”。在此基础上珠海确立了“以工业为主，各业综合发展”的方针，并针对一些不适应特区发展的环节进行了一系列改革，理顺了市委、

市政府与特区管委会双轨并行的特区管理体制，进行负债建设，以项目大力吸引外资，修编特区城市建设规划等，并从国内招聘了一大批人才参加特区建设。如，1984 年全市引进外资 600 多个项目中，工业占了 87.4%，引进外资从原来的以旅游服务业为主逐渐转移到以工业、交通和能源建设等领域。

“以工业为主，各业综合发展”的战略是以发展劳动密集的“三来一补”为主，但当时政府认为劳动密集的“三来一补”产业效益不高，政府所得较少，而且人口难以控制，城市负担与社会包袱较大，难以实现经济特区的作用。同时在此期间，国内出现了“基建失控、金融失控、外汇失控大、物价失控”的情况，中央针对这种形势，调整压缩了基建规模，对珠海的经济发展影响较大，因此珠海提出经济工作的产业结构要逐步从劳动密集型为主向技术密集型为主转变等“五个转变”，把珠海经济发展转到依靠自身力量，提高工业档次，提高科技含量的方向上来。

此间，第一产业持续下降，主要是第二产业带动经济发展，第二产业以年均 31.21% 的速度高速增长，初步形成了以轻纺、电子、食品、建材、机械等为主的产业体系，第二产业比重超过第三产业比重，达到 43.63%。1988 年轻重工业比例为 80.41% ：19.59%，以轻工业为主，与一段时间内实行的以“三来一补”为主的工业发展模式有关。第三产业增长速度降低，但传统的旅游、饮食、商贸等行业所占比重仍比较大；房地产业开始发展，以建厂房、职工宿舍的大片开发土地为主。

表 4－6　1984—1988 年珠海不变价 GDP 构成变化（亿元）

年份	不变价 GDP	均增长率	第一产业	比例	均增长率	第二产业	比例	均增长率	第三产业	比例	均增长率
1984	11.98	22.9%	2.91	24.3%	12.7%	4.03	33.6%	31.2%	5.04	42.1%	20.8%
1988	27.35		4.70	17.2%		11.94	43.6%		10.72	39.2%	

数据来源：《珠海市统计年鉴》（1984—1988）。

（2）城市以新建“工业区”的形式拓展。

随着特区的建设，珠海城市空间逐渐自香洲向南、向西、向北延伸，人口规模和用地规模均已突破了原规划的近期目标。同时，考虑到不连片的分散的小范围不能满足外商大面积的投资要求，也不利于统一规划与管理，1984年，将原划定的东片和中片连成一体，特区扩界至15.16平方公里。第二轮城市总体规划（1988年经省政府批复实施）将城市性质确定为：以工业为重点，兼营旅游、商业、贸易、农（渔）牧业的外向型综合性经济特区和高度文明的对外开放的现代花园式海港城市。规划范围扩大至50.15平方公里，城市布局结构为八个组团构成的“一主两翼”格局，其中环绕板樟山的香洲、吉大、拱北、前山组团为市区主体，唐家、下栅（金鼎）组团为北翼，南屏、湾仔组团为南翼。城市拓展空间在填充香洲、吉大、拱北的基础上，逐渐向前山、湾仔、斗门等地区延伸。南山工业区、吉大工业区、北岭和兰埔工业区已初具规模。

3. 负债建设，以港带全局（1989—1998年）。

（1）负债经营，“建设大港口，促进大工业、大发展、大繁荣”。

1989年到1992年是珠海寻求更大发展空间的时期。这一时期提出了“大港口带动大工业，大工业带来大经济，大经济带来大繁荣”的发展战略，提出了开发西区、经济重心向西部转移的发展战略，进行了高栏港建设。这一战略的提出源于以下两点：①为带动西区协调发展。西区有着包括斗门、平沙、红旗及三灶、小林、南水等辽阔的1000多平方公里的区域，经济发展缓慢，跟不上特区发展步伐，需要加快西区建设促进珠海市经济全面协调发展。②借鉴了世界上许多大型港口城市发展经验，认为有了大港口才能有大工业，有了大工业才能够有大繁荣。珠海交通较落后，成为扼珠海发展咽喉的条件，基于西区高栏岛沿岸有优良的建设深水大港的条件，珠海提出了兴建珠海深水港，“一港带全局”的发展思路，规划了与港口相配套的临港大工业区、铁路、机场以及桥梁

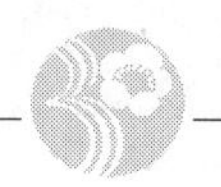

等多个对珠海发展前途起决定作用的重大基础设施项目。为了解决基础设施投资的问题，珠海采取了负债经营的策略。

1992 年邓小平视察珠海之后，继续实施大港口、大工业、大发展、大繁荣战略，坚定不移地开展了大规模基础设施建设，初步建立了立体交通运输网络。

1987 年，珠海取消了用地单位直接到农村征地的做法，由市国土局实行“五统一”的土地管理体制。改变了开放初期分散征地、多头开发无偿或抵偿使用土地的形式。1986 年起，“星火计划”和“火炬计划”的相继实施，使得高新技术产业开始起步，并为高新技术的发展提供了诸多的政策优惠和激励机制，并在电子信息、生物技术与制药、新材料、光机电一体化等领域实施了一批高新技术项目，形成了一定规模的高新技术产业。

由于资金、人才、科研基础、开发能力等方面的限制，最主要的是在产业配套成本方面的局限性，高新技术产业发展并不稳定，没有在区域内形成明显的比较优势，与相同经济类型的城市比较还有一定差距。但高新技术产业发展战略对城市经济发展起到了明显的积极作用，带动了城市产业结构的升级，使科技进步对经济增长的贡献率保持在较高水平，同时也维护了城市的生态环境质量。

这一段时期，珠海发展受到了国家宏观调控和亚洲金融风暴两次巨大的冲击，新建的基础设施利用程度不高，负债发展使珠海面临巨大的压力。

此间，虽然珠海 GDP 年均增长率达到了 26.52%，但相对珠江三角洲其他城市 GDP 增长速度来看，仍显缓慢。第一产业比重呈下降趋势，由 1988 年占 18.49% 下降到 1998 年仅占 4.76%。第二产业比重增加了接近 9 个百分点，达到 52.29%，工业跨入了加速发展时期，电子信息业、家电制造业、医药业和食品业是珠海市的四大支柱工业，工业中仍以轻工业为主，占了 70% 以上，而这一阶段大力发展的借助大港口的大工业发展效果不佳，使得工业仍以轻工业为主。高新技术产业在相应战略下开始起步，电子信息业成为支柱工业。第三产业发展较为正常，但房地产、基础设施等超前发展，进入1990年代以后，房地产业急速发展（以住宅为主），出现了土地开发热，商品房和高层写字楼的空置率较高。

表4－7　1988—1998年珠海当年价GDP构成变化（亿元）

年份	当年价GDP	均增长率	第一产业	比例	均增长率	第二产业	比例	均增长率	第三产业	比例	均增长率
1988	25.07	26.5%	4.63	18.5%	10.5%	10.99	43.9%	28.8%	9.45	37.7%	28.2%
1998	26.35		12.54	4.8%		13.78	52.3%		11.32	43.0%	

数据来源：《珠海市统计年鉴》（1988—1998）。

（2）城市重点建设西移。

1980年代末，城市规模已经突破了1985年总体规划的目标。1988年特区再次扩界至121.6平方公里，调整后的特区范围包含香洲区（市区）326平方公里的辖区在内，包括上涌、下栅两个边检站以南的陆地和北面的淇澳岛。1990年城市建成区面积达到40.22平方公里。

1990年代初，广东省确定珠海金湾区与横琴岛作为广东90年代的发展重点。为适应新的发展形势，第三轮总体规划（1995年报省政府审批，未获批复）规划区范围扩大到了全部陆域与海域。陆域城市总体布局形成西沿崖门水道，中沿磨刀门水道，东沿珠江口的“东、中、西三条城市带”的新格局。东部沿海规划目标是以发展工业为主，同时发展科技、旅游、金融、商贸、运输、农渔牧等各业的综合性、国际性经济特区，城市布局仍保持原“一主两翼”的组团式模式，但增加了淇澳、香洲北、洪湾、横琴等四个城市组团。金湾区以港口为中心，以能源、石化冶炼等大型重工业为主导，综合配套发展高科技产业、海洋旅游业、金融商贸业及农副渔等各业，建成外向型、现代化、国际性、花园式、多功能的大经济区。城市发展实施“大港口、大工业”战略，从而使得城市的基本骨架逐渐拉开，城市建设重点向西推移，珠海机场、珠海大道相继建成使用。

1990年代中期以前城镇建设主要集中在东部地区（中心城区和南湾及唐家湾地区），而西部地区发展较慢（现金湾区及斗门区各镇区）。1990年东部地区建成区面积达40.22平方公里，而原井岸镇建成区面积5.72平方公里，平沙建成区面积1.6平方公里，红旗建成区面积1.3平方公里，三灶镇非农业人口仅有0.17万人。如1988年至1994年，多项大型交通、能源基础建设全面铺开，珠海港、发电厂、三灶机场陆续兴建，西区得到初步发展。同时，城市东部的吉大、前山、湾仔等地区继续维持小规模的填充补实与延伸外，香洲空间逐渐往现新香洲延伸，唐家湾地区也得到一定拓展。

1990年代中期以后，从建设用地的变化上看，唐家湾和中心城区增长速度减慢，相应其他地区用地增长速度明显加快。1995—1999年唐家湾和中心城区年均用地增长分别为0.94平方公里和1.14平方公里，而西部地区的高栏港区年均增加建设用地1.186平方公里，金湾、斗门、南湾分别为0.53平方公里、0.484平方公里、0.394平方公里，均大于中心城区的0.378平方公里。由此可见，珠海城市增量的重心发生了重大的变化。

4. 推动工业发展阶段（1999年至今）。

（1）全力发展工业，逐步高技术化、重工业化。

亚洲金融危机结束后，珠海市与广东省发展态势一样，进入了一段稳定发展的时期。随着新一轮世界性的产业转移、泛珠江三角洲的构建、粤港澳合作、珠江三角洲城镇群整合，以及港珠澳大桥等大型交通基础设施的建设被提上议事日程，为珠海带来历史性的机遇，珠海市重新审视未来发展之路：

2003年，珠海市委决定实施“工业西进、城市西拓”战略。2004年珠海市五次党代会进一步提出构筑东西“双城”框架，并提出了一系列的具体策略，包括实施科教兴市、实业旺市、环境强市、文化盛市四大战略，增创开放、科教、产业、人才、体制、环境六大优势，坚持走跨越式和可持续发展的路子，大力推进“工业西进、城市西拓”，实现县域经济、产业发展、基础设施建设、区域合作“四个新突破”，加快构建电子信息、家电电气、石油化工、电力能源、生物医药、精密机械制造等六大工业产业基地；坚持市、区、镇、村联动，大中小项目一起上，多种所有制经济共同发展，充分调动一切积极因素，迅速壮大工业经济规模，发展壮大县域经济。

这一时期经济发展总体速度较前几个时期均有所放缓，与珠江三角洲发展的整体环境相一致。2006 年第一、二、三次产业增加值比例为 2.7：55.4：41.9，2007 年为 2.6：56.5：40.9。第一产业比重平缓下降，第二产业结构明显调整，随着临港工业区的不断发展，轻重工业产值比例由 2006 年的 42.4：57.6 调整为 2007 年的 40.7：59.3，大港口带动大工业在上一个时期未能实现，在本时期开始初步显现早年基础设施建设带来的优势。第三产业持续发展，房地产业等行业发展态势良好。

表 4－8　珠海市 1999—2007 年经济发展主要数据

年份＼指标	本地生产总值（亿元）	工业总产值	固定资产投资（亿元）	地方财政一般预算收入（亿元）	外贸进出口总额（亿美元）	社会消费品零售总额（亿元）
1999	286.61	537.65	116.92	20.16	62.86	105.74
2000	330.26	674.59	94.98	24.23	91.65	115.2
2001	366.59	700.12	104.87	31.56	98.03	128.44
2002	406.27	789.39	120.53	31.23	128.39	143.47
2003	473.27	1037.30	141.05	34.82	167.8	159.18
2004	546.28	1291.28	179.6	34.46	218.13	179.89
2005	634.58	1610.50	218.52	48.97	257.29	220.14
2006	749.60	2005.70	255.02	60.27	328.21	398.69
2007	886.84	2504.43	343.16	75.82	255.52	343.16

数据来源：《广东省统计年鉴》（2008）。

（2）工业向西，城市西拓，新香洲和唐家湾空间崛起。

1997 年后，珠海实施“三基地一中心”战略，重点发展高等

教育、高新技术产业和工业园区，大学园区和高新技术开发区的入驻使得唐家湾地区空间进一步拓展，同时南屏、新青、三灶等地段的工业园区获得一定的发展。2001 年，珠海市行政区划调整，原由珠海市香洲区所辖的西区正式成立金湾区，香洲区的行政区域范围不再包括三灶、南水、红旗、平沙、珠海港区、小林等镇区，原斗门县撤县改区为斗门区。2003 年批复的第四个总体规划提出把珠海建设成为“珠江三角洲中心城市之一，东南沿海重要的风景旅游城市”。规划用地发展由“东、中、西三条城市带的格局”转向“主城区—次中心城—外围新城—中心镇构成的多层次、组团型”的城市空间发展模式。同时，实施“城市西拓，工业西进”战略，西部地区沿珠海大道等主要道路用地扩张明显。2005 年，珠海城市建设用地规模为 195. 54 平方公里，其中香洲区为 97. 98 平方公里。

由于缺乏产业发展动力，西区工业虽有一定程度的发展，但城市西拓进展缓慢，城市形象的重点体现在新香洲和唐家湾等地区。此间，拱北海岸线推出了一批高层建筑，改写了城市轮廓线。情侣南路进行了一定规模的填海改造工程，拓宽了道路，湾仔未有实质性的空间改变。而新香洲和唐家湾掀起了一轮建设高潮，一方面是城中村改造和文化体育设施的建设。1998 年以来，新香洲先后建成体育中心、博物馆、广播大楼、电视中心、报业大厦、妇女儿童活动中心、青少年科技中心、珠海大会堂（原珠海影剧院的改造）等一批文化设施。新建成的住区以较高密度中高层建筑群取代了昔日的低矮村宅，城市建成区范围不断扩大，中心城区已基本饱和。而唐家湾地区由于大学城和科技创新海岸建设得已快速拓展，以凤凰山为背景逐步向北蔓延。

（3）现状城市空间格局。

随着城市的发展，城市组团功能逐步演化，中心城区生活居住功能日益强化而金湾和斗门的工业发展显著，同时斗门的生活服务功能得到了提高、金湾的交通条件也得到了改善。如从不同区域的用地变化来看，居住用地增长集中于斗门和中心城区均大于 700 公顷，工业用地以金湾和斗门为主导，分别为1357.1和992公顷，而中心城区只增长了54.5公顷。公共服务设施用地增长集中在斗门和南湾/横琴，分别为239和147.1公顷，中心城区和金湾区相对较少。道路广场用地金湾和南湾/横琴增长较多，分别为130.1和109.5公顷。

由于当前珠海的经济重心、服务业重心与人口重心仍在东部地区，西部地区仍处于工业化发展的初期，各城镇的发展较为松散，生产服务、公共设施配套等还处于起步阶段；珠海东部与西部发展的不平衡。

（4）现状空间格局存在的问题。

内外部发展不协调：澳门北部地区、珠海市主城区与中山坦洲地区发展并没有呈现一体化协调发展的态势。从珠澳发展现状看，珠海主城区城市建设发展连绵成片，尽管拱北口岸地区与澳门半岛接壤，却并没有完全承接澳门发展的溢出效应，迎宾路两侧商业街仅形成1公里长的商业轴；从中珠发展现状看，坦洲与珠海西部接壤处用地开发呈粗放零星分散状分布，发展基本呈自下而上的模式。坦洲与珠海市主城区接壤处呈东西不平衡发展，坦洲土地尚未开发，而珠海土地则已基本开发完毕，且以工业为主，两者均属于城市边缘地区的开发模式。由此可知，坦洲并没有能吸收珠海主城区的辐射效应。综上所述，中珠澳三者在空间发展上，缺乏在更高层面的宏观协调，没有发挥土地的最佳效应。

东西区发展不平衡：珠海东部与西部的空间结构发展存在不平衡的状况，成为现实中的“两个珠海”，珠海大道承担东西向的交通；在城市空间上初步形成“单中心+弱组团”的结构。中心对西岸区域服务不强。人口与劳动力分布呈现出区域差异性。中心城区的人口密度最高，远高于其他地区；人口素质方面比较，高中以上程度人口分布香洲占40%，斗门占18%，金湾占25%。产业空间发展也表现出区域差异性。珠海产业发展总体上对外依存度较高，且近期发展迅速。

地区与城乡人均收入差距扩大：珠海市2001年至2004年中，

城市居民与农渔民人均纯收入差异明显，农渔民年纯收入不及城市居民1/3，基本保持在500元/人；从2004年各区在岗职工年平均工资看，在各区中香洲区国有经济企业职工工资较高，也呈现地区收入较大的差异性。

表4－9　　珠海四轮总体规划主要指标一览表

名称	编制完成时间	规划范围（平方公里）	规划期限(年)	城市规模	城市性质
第一轮	1980年	15.16	1980—1995	人口14万,建成区7.9平方公里	出口商品基地、风景游览区、新型的边境城市
第二轮	1986年	50.15	1985—2000	人口23万～25万,用地50.15平方公里	工业、旅游、商贸,外向型综合性经济特区，现代花园式海港城市
第三轮	1994年	1200		城市综合人口约60万,城市用地规模约89.7平方公里	东区为工业、科技、旅游、金融商贸等综合性、国际性经济特区,西区为港口,以能源、石化冶炼等为主导的多功能大经济区
第四轮	2003年	全市域7653	2001—2020	人口245万(参与用地平衡计算的人口为215万),用地225平方公里	珠江三角洲中心城市之一、东南沿海重要的风景旅游城市、国家经济特区

（二）宜居城市，经济滞后

1．好山好水，宜居城市。

珠海采取了不同于珠江三角洲其他城市的差异化发展策略，因此错过了低成本工业化的机遇，但却使珠海留下了青山绿水、清新空气和整洁环境。珠海成为了珠江三角洲地区最适宜居住的城市和休闲旅游的胜地。从上个世纪90年代初，珠海在“中国旅游胜地四十佳”的评选中，唯一以整个城市作为景区入选以来的近十年

间，珠海先后获得了“国家园林绿化城市”、“国家生态环保模范城市”、“国家生态示范城市”、“国家卫生城市”、“中国优秀旅游城市”等殊荣。在全国新闻媒体对国内知名大中城市特色的评比中，珠海市获得了“最浪漫城市”的称谓。1998年，联合国还授予珠海“国际改善居住环境最佳范例奖”，使珠海成为闻名中外的“最适合人类居住的地方”。

（1）好山好水。

长期坚持对自然与环境的保护政策，构筑了良好的自然生态系统，处处青山绿水，城市大气、水体、声环境均保持了全国领先水平；珠海的城市建设充分利用和发挥了山海环抱的地形地貌优势，营造了优美宜人的城市风貌和赏心悦目的建设环境。

同时，珠海淡水、岸线资源丰富。珠江八大口门中有5个口门经珠海入海，年径流量1518亿立方米，占珠江径流量的46.6%，在一定程度上能满足珠海的生产生活需要。此外，珠海海岸（岛岸）线长691公里，可建设港口岸线103公里，城市滨水岸线也为城市独添了一份特有的城市魅力，如已经建成的珠海情侣路长度就达28公里，已经成为珠海人乃至珠海城市的象征。

（2）生态宜居。

珠海于1980年设立特区，虽然在全国全面对外开放的背景下，特区体制优势逐渐丧失，但“珠海经济特区”形象已经深入人们心中。此外，珠海自改革开放以来，以发展商贸和旅游开始，对珠海未来的发展，长期秉持着保护与发展相平衡的观念，“生态、海滨、宜居”已经成为珠海的城市品牌象征，这为珠海未来的发展奠定了基础。如在2007年的《中国城市竞争力报告》中，珠海排在第16位，在珠江三角洲排广州、深圳之后。

（3）发展宜业。

经济得到一定程度的发展——在1979年珠海建市之初，珠海还是一个落后的边陲小城，GDP只有1.3亿元，人口只有10万人。经过二十多年来的改革开放，目前珠海已建立起以工业为主，商贸、旅游、金融、房地产、信息、物流、农渔等各行业协调发展的

综合性外向型经济格局，初步形成了电子信息、家电电气、石油化工等优势产业，工业结构呈现出高级化和适度重型化趋势。2006年全市实现地区生产总值749.60亿元，全市常住人口144.99万人，按常住人口计算的人均GDP为52317元，居全省第三位。

科技教育投入积累的人才资本优势——作为特区，珠海发扬了“敢闯、敢试、敢做”的精神，开创了多项“广东乃至中国第一”。如“不求所有、但求所在”的创新理念开启了大学城建设，为珠海带来高素质、高消费人群，改善地区人口结构的同时，更是为珠海发展高新技术产业、高知识含量的现代服务业等提供了强有力的人力资源支持。现在，珠海已经有中山大学、吉林大学、北京师范大学、哈尔滨工业大学、清华科技园等国内著名的大学与研究机构。在校学生数近8万人，位居全省第二。

差异化发展道路带来了“后发优势”——改革开放以来，深圳、东莞、佛山、中山等城市快速推进以劳动密集型制造业为主体的内源型（如佛山、中山）或外源型（如深圳、东莞）工业化发展道路，这种工业化道路在我国农村体制改革背景下，普遍分散在广大农村地域即所谓的“遍地开花”的农村工业化。工业化发展带来了城市经济的发展，而这种发展是以土地粗放利用、城市化质量不高、环境严重污染、社会矛盾极化等等为代价的。而珠海则选择了一条差异化的发展道路，经过对产业进行选择避免了与珠江三角洲其他城市的产业同构化倾向，较好地避免了土地资源浪费及生态环境恶化的弊病。因此，在兄弟城市普遍面临产业转型、转移，用地紧张、环境压力突出、社会问题频发的困境时，珠海显得镇定自如，在新的发展形势与格局下，良好的环境与土地等资源禀赋为珠海进一步走生态化、高度化、重型产业化的发展道路奠定了基础。

城市初具规模、城市形象突出——经过30多年的发展，珠海已经由30年前的小渔村成了拥有户籍人口近百万的大城市，建成区规模逐渐增加，到2006年总计建成区面积达到109.1平方公里。同时珠海一直注重城市形象的塑造，城市形象得到极大的提升。如

珠海渔女、珠海近40公里的情侣路等等，都为在珠海居住提供了良好的环境和设施。（图4－9）

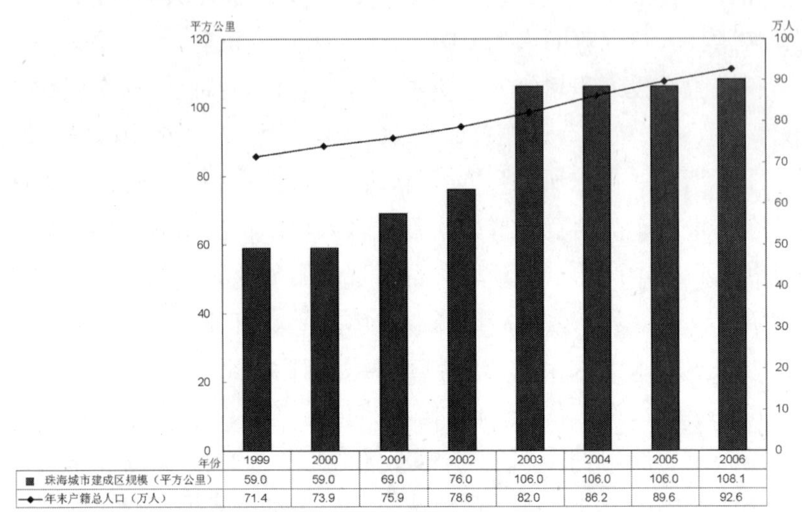

	1999	2000	2001	2002	2003	2004	2005	2006
■ 珠海城市建成区规模（平方公里）	59.0	59.0	69.0	76.0	106.0	106.0	106.0	108.1
◆ 年末户籍总人口（万人）	71.4	73.9	75.9	78.6	82.0	86.2	89.6	92.6

图4－9　珠海城市人口和用地规模变化

2．不同路径，珠海落后。

1980年珠海成为经济特区，凭借政策优势，经济一度快速增长。1990年代，在深圳、东莞、佛山、中山等城市快速推进以劳动力密集型制造业为核心的工业化的同时，珠海采取了以高新技术产业、金融业、旅游业做主导产业的经济发展战略。在工业化的初始阶段，由于工业规模和产业档次较低，像高新技术、金融等生产性服务业的需求明显不足。加上人民的收入水平和财富积累还有限，旅游业的国内需求也很不足，所以直接导致了珠海的经济增长动力不够，增速放缓。1996年，珠海的经济总量在珠江三角洲高于中山市，名列第八。到2006年，珠海的地区生产总值在全省21个地级市中却只排到了第十位。（图4－10、图4－11）

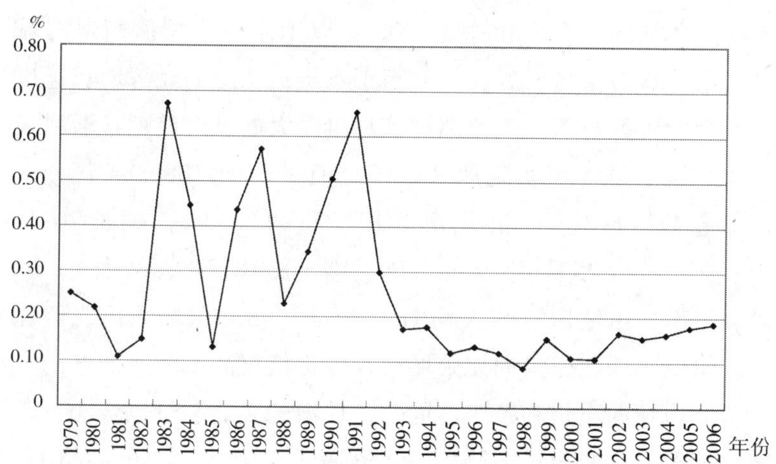

图 4－10 改革开放以来珠海经济增长速度（纵轴 ×100）

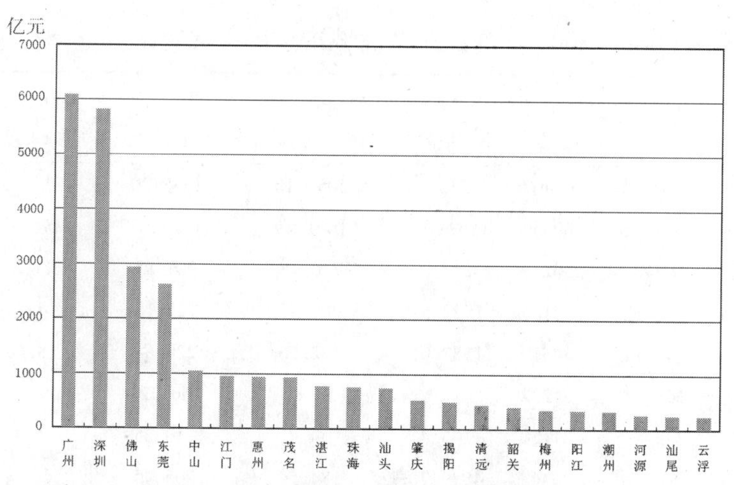

图 4－11 2006 年广东省 21 个地级市生产总值排名

（1）经济总量基础薄弱。

从城市自身发展来说，珠海市自建市以来，各项事业取得了长足的发展。但就其作为最早成立的国家经济特区来说，其相较同样位于珠江三角洲地区的另外一个经济特区——深圳来说，则存在巨大的差距；珠海的发展甚至不及珠江三角洲的其他非特区城市——

在珠江三角洲的9个城市中，2006年以国内生产总值衡量的城市经济实力，珠海排名居后，仅略高于肇庆；珠海的经济增长速度也排在倒数位置，与珠江三角洲经济总量较大的城市差距日渐增大。

2007年，珠海市实现地区生产总值（GDP）886.84亿元，工业增加值471.93亿元，占全市GDP比重的63.2%，增长20.1%，实现工业总产值2504.43亿元，比上年增长18.7%；从表4-10我们可以看出，虽然珠海的人均GDP位居广州和深圳之后，但珠海经济总量位居珠江三角洲兄弟城市6位，仅仅高于西岸的江门和珠江三角洲边缘的惠州和肇庆。同时，珠海的工业总量也较小，珠海规模以上工业总产值排在第六位，远远低于深圳、广州、佛山和东莞等市，即使在西岸地区也排在中山之后。

表4-10　2006年珠江三角洲城市经济指标对比

城市	GDP(亿元)(当年价格)	人均GDP(元)	工业总产值(亿元)	社会消费品销售总额(亿元)	固定资产投资(亿元)	实际利用外资额(亿美元)
广州	5643.95	67407	40715.38	2054.10	1573.20	27.28
深圳	5813.56	69450	11928.60	1671.29	1273.67	32.69
佛山	2928.17	50232	6289.09	776.18	909.83	11.37
珠海	747.71	52185	1952.51	255.52	257.16	8.24
惠州	588.49	34519	1582.01	182.16	226.64	8.48
肇庆	163.03	31232	170.16	57.87	56.22	1.12
江门	485.68	31750	1105.41	148.6	110.25	3.31
东莞	2626.51	39468	4839.70	584.54	705.45	18.08
中山	1036.32	42058	2756.27	331.07	346.95	7.13

数据来源：《广东统计年鉴》(2007)。

（2）产业优势不明显，辐射力度不强。

从产业结构、工业结构、经济外向性以及经济增长的质量三个方面，我们可以看出珠海的产业结构依然处在工业化发展中期，工业总体水平不高，经济外向度高，同时经济增长主要依靠大型企业

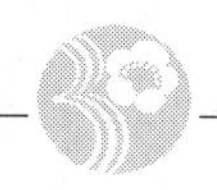

拉动，产业链配套不够完善，因此珠海在兄弟城市中产业优势不明显，辐射力度不强。

产业结构稳中有变，总体上处于工业化中期——2006年，珠海的三次产业结构为2.7：55.4：41.9，呈现出“二三一”形态，与珠江三角洲除广州外的其他城市的产业结构形态一致。与深圳相比，第一产业比重高1.6个百分点，第二产业高2.9个多百分点，第三产业则低深圳6个百分点，低广州更多，但远远高于佛山、中山、东莞乃至惠州市区；与东岸相比，由于地理位置偏，无法借助香港、广州和深圳这三个龙头城市的消费能力，第三产业比重普遍落后；与西岸城市比较，第一产业比重较低，第二产业比重低于中山、和江门相当，第三产业比重高于中山和江门。如果说广州、深圳处于工业化中后期的话，珠海与西岸其他城市就还处在工业化的中期。(图4－12)

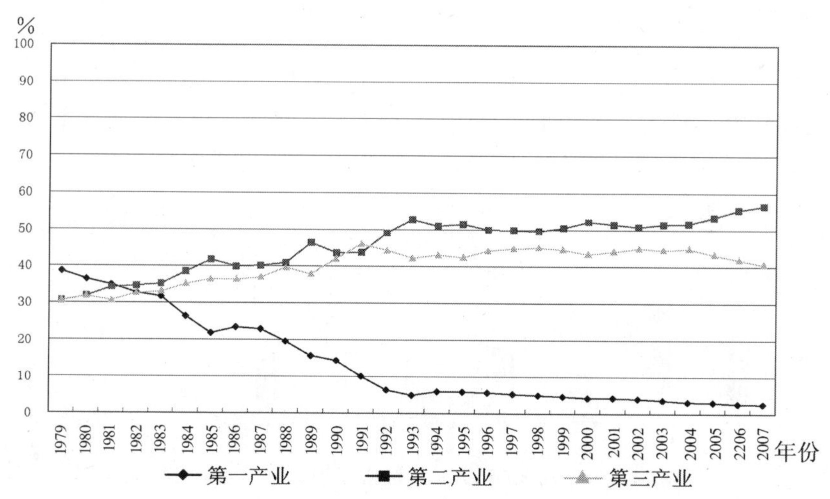

图4－12　珠海历年产业结构变化图

准备发展重工业化，但工业总体发展水平较弱——珠海工业的增加值率在珠江三角洲也不具优势。在珠江三角洲城市中，珠海的规模以上工业总产值与工业增加值均排在第六位，远远低于深圳、广州、佛山和东莞等市，即使在西岸地区也排在中山之后。

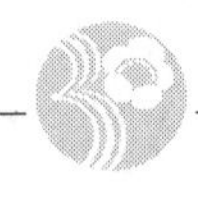

表4－11　2006年珠江三角洲（肇庆、惠州以城区代）各城市三次产业比重情况

城市	第一产业比重(%)	第二产业比重(%)	第三产业比重(%)
广州	2.39	40.01	57.60
深圳	1.20	52.46	47.42
珠海	2.82	55.31	41.87
佛山	2.58	62.92	34.50
江门	8.14	54.64	37.22
中山	3.05	61.61	35.33
东莞	0.45	58.15	41.40
惠州市辖区	3.37	62.61	34.02
肇庆市辖区	5.15	36.26	58.59

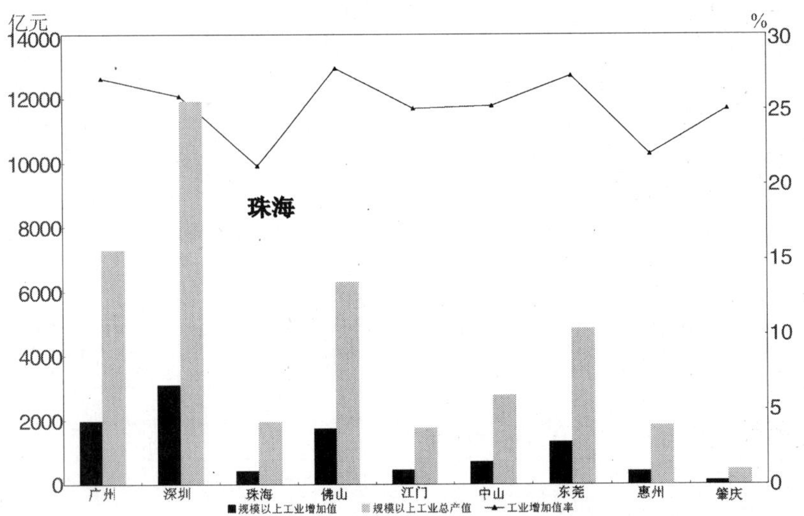

图4－13　2006年珠三角各市规模以上工业产值

珠海工业产业链配套不够完善。2006年，珠海的工业增加值率为0.21，在珠江三角洲城市中排在最末尾，显示珠海支柱工业由于缺乏上游零部件和原材料生产环节所带来的附加值低的缺失。工业增加值率反映了工业总产值中企业税收、职工工资、企业盈余和折旧的比例。一般而言，工业增加值率高，反映了企业缴税多、

员工工资高和企业盈利多，是描述一个地区工业质量的重要指标。（图4－13）

第三产业相对薄弱，生产性服务不强——2006年，三次产业对珠海经济增长的贡献率分别为0.9%、71.2%和27.9%，第二产业对全市经济增长的贡献率远远大于第三产业。中心城市的服务功能主要表现在中心城市为各类要素的自由流动和优化配置提供必需的服务，包括交通运输、信息服务、工商支持、中介咨询、会议会展、创意研发等服务。由于工业发展整体水平不高，制造业刚刚起步，生产性服务业的市场容量还很小，从各方面来看，现在的珠海作为区域性中心城市其生产服务功能都不强，但经济外向依存度高。（图4－14、图4－15、图4－16）

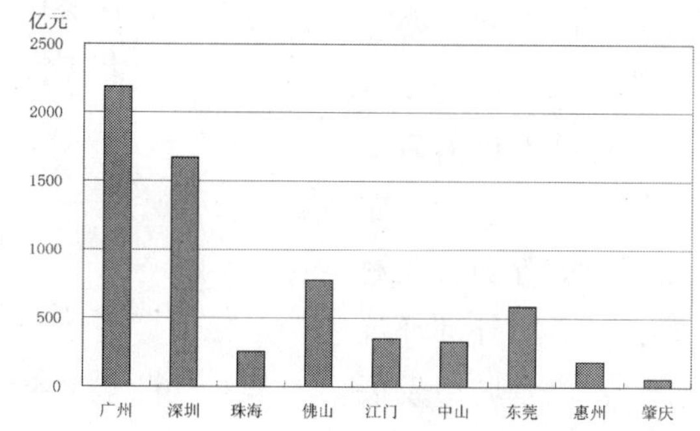

图4－14 2006年珠三角各城市社会消费品零售总额

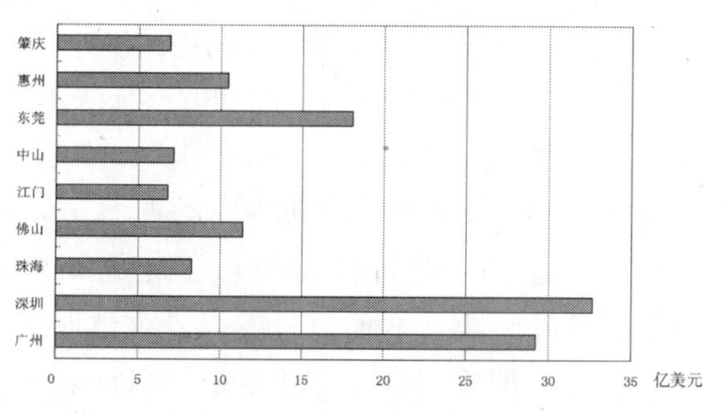

图4－15 2006年珠三角各市实际利用年外资额

（3）差距背后的原由。

1979年3月，珠海县改为珠海市，1980年8月珠海经济特区与深圳经济特区同时成立。珠海与深圳一样，在改革开放初期都是一个以渔业生产为主的农业县，一个是比邻香港，一个是比邻澳门。在改革开放的初期，珠海与深圳的经济规模相当，1980年二者基本一样。但是到1990年时，珠海的地区生产总值只相当于深

圳的24%。到2004年时，珠海更是只有深圳的13%。改革开放以来，珠海经济增长速度不仅落后于深圳，而且落后于东莞、中山等地，既有地缘因素等外部环境原因，也有城市发展道路选择的原因。

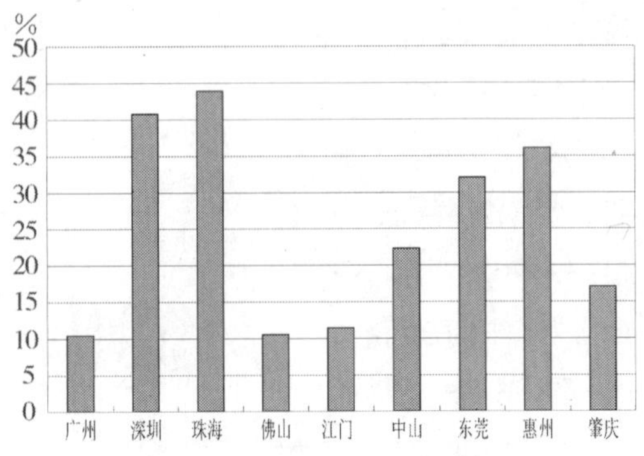

图4－16　2006年珠三角各市外贸依存度

从与香港的关系来看，珠海一直处在边缘位置并且珠海一直处在交通的末梢位置。改革开放初期，由于香港与深圳构造了一个典型的“二元经济结构”和“核心—边缘”二元空间结构，客观上存在着经济势差和经济要素流动的内在要求，这种要求导致了改革开放以来深圳的快速发展。虽然珠海也处在珠江三角洲的内圈层，但与香港的直接陆路联系通道一直缺乏，香港到珠海在虎门大桥建成之前要通过广州这个节点城市、走完珠江出海口这个湾区，大大增加了陆路距离，从而也就阻碍了香港制造业的转移。珠海虽然邻近澳门，但澳门制造业比重低、以博彩和旅游业为主的产业结构由于服务业发展的地域限制性，澳门对珠海的带动能力也就低很多。

珠海的城市定位和战略一直处在摇摆之中。1990年代，在深圳、东莞、佛山、中山等城市快速推进以劳动密集型制造业为主体的内源型（如佛山、中山）或外源型（如深圳、东莞）工业化的同时，珠海却采取了以高新技术产业、金融业、旅游业作为主导产业的经济发展战略。由于经济发展的压力，珠海的定位和发展战略经历了较多的波动，从“以旅游与商贸为主”到“以工业为主，各业综合发展”，从发展“技术密集型工业为主”到“大港口带动大工业，大工业带来大经济，大经济带来大繁荣”（一港带全局、负债发展），最近又提出“发展重化工业、工业西进、城市西拓”

等。发展战略的不断变动使得珠海市不能自始至终集中力量在某一个方向发展，导致经济总量未能像其他城市那样迅速扩大并占据优势。

过高的债务负担，过多的出让土地闲置，影响了城市的整体布局与进一步发展。过于超前的基础设施投资，使珠海背上了沉重的债务负担。据有关统计，珠海债务量曾一度为每个珠海市民约 16 万元人民币。“以土地换工程款”的操作办法，虽为珠海赢来了大量的基础设施建设资金，但土地出让的失控造成了大量的土地闲置，严重影响了城市持续发展的能力。

专栏 4－1：珠海与深圳的距离越拉越大

改革开放以来，珠海的经济取得了很大的进步，从改革开放初期的不到 3 个亿增长到 2005 年的 635 亿元。但与同样是特区的深圳比较，增长速度就显得慢了许多。1980 年，珠海与深圳的 GDP 基本一样多，但到 1995 年，珠海的 GDP 只及深圳的 23%，到 2004 年，珠海的 GDP 只及深圳的 13%。从近年开始，随着珠海西部高栏港重化工业的发展，珠海的经济增长速度开始有所提速，与深圳的差距也不再进一步扩大。

表 4－12　　珠海与深圳的 GDP 差距变化

城市＼年份	1980	1990	1995	2004	2005	2006
深圳(亿元)	2.7	172	796	4282	4927	5684
珠海(亿元)	2.6	41	185	552	635	749
珠海/深圳(%)	96.3	23.8	23.2	12.9	12.9	13.2

数据来源：各年《广东统计年鉴》。

（三）西岸中心，积极应对

1．发展的新机遇。

尽管由于过去珠海变动的发展策略使得珠海失去了一些发展机

会，但也使得珠海有着明显与珠江三角洲其他城市不同的行业结构，避免了与珠江三角洲其他城市的产业同构化，使其得以错位发展，赢得后发优势，从而可在新一轮机遇的优势下获取突破性发展。未来珠海发展获得多方面的机遇优势如下：

——区域整合发展的机遇。改革开放30年来因为区域交通设施发展的不均衡导致了“珠江三角洲”东西部形成明显不平衡的发展态势，珠江东岸发展迅速，而西岸相对滞后。在“大珠江三角洲”和“泛珠江三角洲”区域合作的框架内，珠江西岸将随区域经济体系的重新建构和高速发展迎来了新一轮发展的最好机遇。

——广东省产业升级、重型化的机遇。广东省正处于由轻加工工业为主向高加工工业为主演进的工业化中期阶段，面临从加工基地向制造服务基地转变的艰巨任务，加快发展装备制造业，是广东省加速产业和产品结构优化升级、提高国际竞争力和建设经济强省的重大举措。珠海则在重工业发展方面已经积累了明显的优势，有望在装备制造业转移的潮流中占据先机。

——区域性重大交通设施建设推动区域协调发展。珠海市目前已经列入建设计划的珠港澳大桥、广珠铁路、广珠城际快速轨道交通，已建或即将建成通车的粤西沿海高速公路、太澳高速公路、江珠高速公路，以及借此发挥其应有潜力的港口和机场，将使珠海在珠江三角洲区域网络中地位发生本质的变化，城市内部空间、产业、内部交通网络与周围城市的联系也必将随之发生深刻的变化。

——蓬勃发展的休闲旅游业、区域房地产业。顺应生活闲暇化、人口老龄化的趋势，依托优美的自然环境和城市景观资源，珠海在休闲旅游、会议博览、区域房地产等行业将具有巨大的潜力，并将推动城市的高效益、可持续的发展。

表 4 – 13　　珠海市重大交通设施联运作用

名称	区域作用	重大交通枢纽组合功能
高栏港	珠江三角洲西部地区进入国际市场的出海口，成为香港国际交通枢纽的外围组成部分。	与广珠铁路、高速公路、港珠澳大桥组合，为临港工业区及腹地内的重工业项目提供大运量运输服务。
珠海机场	快速疏散机场客流，提升其作为珠江三角洲西部地区客货交通枢纽地位，有望争取成为港珠澳三地巨型航空港组成部分，承担其货物运输的分流功能。	与高速公路、广珠城际快轨、港珠澳大桥组合。
港珠澳大桥	建立珠海与香港的直接陆上交通联系，开辟大陆与香港之间的东西向陆路通道，提升珠海区位，使其成为珠江三角洲西部进入港澳的桥头堡。	与珠江三角洲城际轻轨组合，加强与珠江三角洲西部城市和港澳的联系，为珠澳大都市区形成提供条件。
广珠铁路	加强与广州及珠江三角洲西部地区的货物交通联系，拓展珠海的内陆腹地范围。	与珠海港组合起疏港作用，为珠江三角洲西部内陆腹地内的工业项目提供出海通道。
珠江三角洲城际轻轨	加强与广州及珠江三角洲西部地区的客运交通联系，拓展珠海的内陆腹地范围。	与珠海机场组合，为珠海机场成为港珠澳三地巨型航空港组成部分提供支撑。

2. 自身的主动应对。

珠海的城市定位在经历了多次调整之后，2003 年 5 月，《珠海市城市总体规划（2001—2020）》获国务院批复，提出把珠海建设成为“珠江三角洲中心城市之一，东南沿海重要的风景旅游城市”。其后的《珠海城市空间发展战略（珠海 2030）》着眼于城市更长远的发展，将城市定位为：区域性商贸、服务和金融中心，区域性海陆交通枢纽，珠江三角洲西部临海产业基地，亚热带海滨风景旅游胜地。这使珠海市的城市发展方向得到明确，城市各项事业的发展将围绕城市自身功能的完善和发挥区域中心的职能而展开。

为提升城市综合实力，珠海的产业发展策略进一步明确为：将产业次序由“二三一”战略向“三二一”战略转变。第一产业向开放型、高效型、城郊生态型、观赏休闲型都市现代农（渔）业发展；第二产业以产业升级与结构优化为重点，发展综合集成、深度加工为特征的现代城市工业，优先发展高新技术产业，在特定职能的城市外围组团内积极促进空港产业、海洋产业、临海产业；第三产业重点发展旅游业，适度发展住宅产业，积极发展新型服务业和交通运输物流业。

四、汕头经济特区的发展

（一）粤东重镇，小型特区

1981 年经国务院批准，从汕头东部划出 1.6 平方公里试办经济特区。创办经济特区之后，汕头曾有过改革开放初期经济高速增长的“辉煌”，也有过 2001 年出现经济负增长的“低谷”，近年来经济得以复苏并稳步发展。

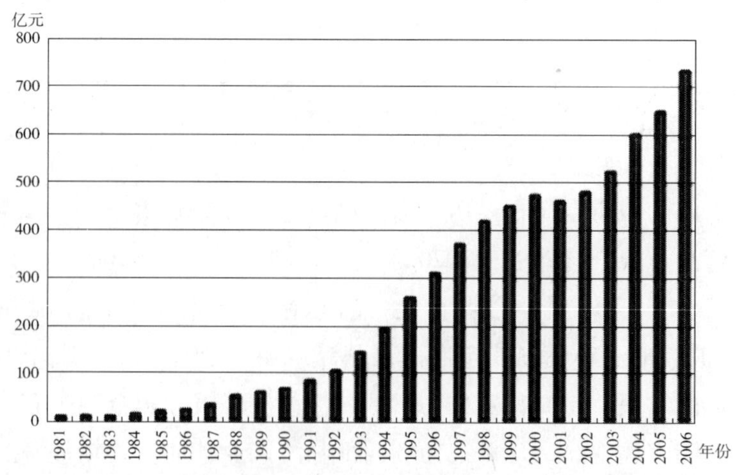

图 4－17　汕头市 1981—2006 年国内生产总值变化

资料来源：《广东统计年鉴》（1981—2006）。

1980年汕头市国内生产总值10.78亿元，1987年，全市实现人均国内生产总值比1980年翻一番，1992年实现第二个翻番，1995年实现第三个翻番，1998年全市实现国内生产总值（GDP）423.18亿元，人均GDP首次超过万元；2000年，汕头市遭遇信用危机，2001年，全市GDP负增长1.9%；2003年后，汕头市各项事业发展逐步回暖。至2006年，汕头人口495.35万人，全市国内生产总值740.92亿元，人均国内生产总值接近1.5万元，在广东省地级市的国内生产总值指标排序中，汕头市名位跌落至第11位。（图4－17）

相对于深圳和珠海经济特区来说，汕头市的经济外向度低，工业基础较为薄弱。2006年，汕头市民营投资占全社会投资比重连续三年超过40%，民营工业企业产值占全市工业总产值的63%。民营经济的问题是规模化程度不够，现代化的企业管理意念薄弱，还有一定数量的“隐性经济”或“地下经济”成分。2006年汕头市外贸出口34.8亿美元，实际吸收外商直接投资3.76亿美元，远低于深圳市，与珠海市相比也有较大差距。同时汕头市工业基础相对薄弱，工业经济以外延扩大再生产为主，产业构成以传统产业为主，虽然已经有纺织、感光、超声、电子、食品、医药、化工、塑料、陶瓷、工艺、机械、建材、采矿、电力等行业，但存在产业升级优化滞后、产业结构层次较低和新兴产业发展缓慢等问题。（图4－18）

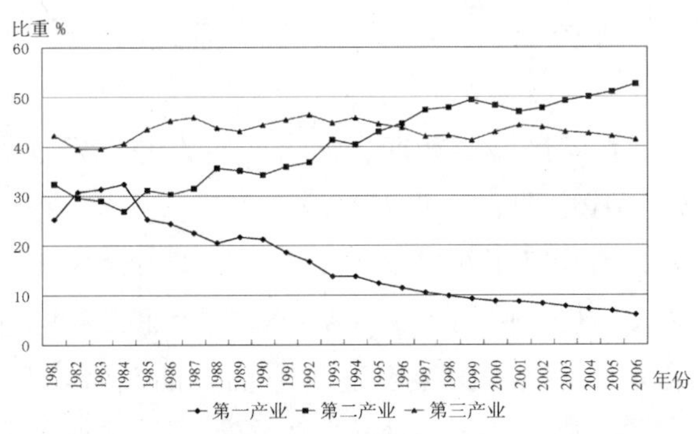

图4－18　改革开放以来，汕头次产业比重变化图

资料来源：《汕头市城市与产业发展战略定位研究》。

（二）高调起步，坎坷发展

1. 特区成立与初期发展（1980—1992年）。

汕头在历史上就是通商口岸，1949年，汕头作为贸易中心的地位，在广东省内仅次于广州。共和国成立前后，大量的汕头人移居海外，尤其是在东南亚社会中占有支配地位，在中国改革开放之际，海外的汕头人有回家乡投资发展的诉求。因此，在深圳和珠海两个经济特区成立后，国家在汕头选定了1.6平方公里的土地，宣布成立经济特区。1984年，国务院批准汕头经济特区范围扩大到52.6平方公里；1991年，国务院再次批准汕头经济特区范围扩大到234平方公里。

在特区城市初期，汕头开始为经济发展做好基础设施的准备。80年代中期，汕头港口改建后，可以容纳万吨巨轮；1986年，汕头机场开辟了飞往香港、曼谷、新加坡的航线；1991年，汕头海湾大桥投入使用。这些基础设施为汕头恢复与外部世界的贸易联系奠定了基础。在城市建设方面，汕头经济特区坚持“开发一片、建成一片、获益一片”的方针，有重点、分期分批地进行开发建设。

汕头的工业投资起步较晚，初期以恢复传统工业如服装加工、陶瓷为主，稍后开始进入塑料、电子和录音带等新的生产领域。80年代后期，汕头已开始在某些高科技领域，例如超声波医疗器械和摄影器材等方面有所发展，并在广东省居于领先地位。1984年，龙湖区全部纳入特区之后，汕头的工业区范围得到扩大。如在1987年，汕头特区已拥有数百间厂房，1.88万名雇员，工业年产值达3亿元，占整个汕头地区总产值的10%，在生产出口工业品方面取得了不俗的成绩。1991年底，已有15个国家和地区的外商在汕头特区投资设厂，投资范围涉及20多个行业，外资企业的产值约占全区工业产值的70%，成为经济特区的主要支柱。

汕头也凭借独特的资源禀赋在创汇农业方面进行了开拓性的发展，使特区农业与工业一起，成为特区的支柱产业，享受特区优惠

政策。出口产品品种有高档蔬菜、蘑菇、对虾、膏蟹、鳗鱼、芦笋等，初步形成了以汕头特区为龙头，以潮汕平原为腹地，种养、加工、出口一条龙的新型创汇农业生产体系。

1992 年，汕头市的国内生产总值达到 109.10 亿元，进入“全国投资硬环境 40 优城市”和“中国城市综合实力 50 强”之列。但由于区位条件、宏观政策和自身发展等原因，汕头经济特区的发展，相对于深圳和珠海两个经济特区来说较为滞后，主要原因如下：

（1）距离港澳距离较远的区位条件，限制了汕头对于投资者的吸引力。在 80 年代，从香港到汕头的陆路仍需 10 小时，海路则需 24 小时，难以建立像香港与珠江三角洲间的密切联系，使其在早期发展过程中未能似珠江三角洲城市般大量吸收港资发展制造业，从而制造业的发育晚于珠江三角洲城市。

（2）由于香港和东南亚的潮州后裔空间距离汕头较远，且潮州人在银行界居多而实业界较少，因此汕头在 80 年代虽然接受了华侨的经济支援，但工业投资较少，因此对地区发展带动作用并不显著。

（3）汕头成立之初已经是具有相当规模的城市，划定的汕头经济特区只是城市的一部分，且定位于“出口加工区”，具有较大局限性。由于汕头市在特区成立之初已拥有干部队伍及大量城市人口，因此在人员引入方面力度较小，地方气息浓厚而迥异于深圳和珠海这样的集全国各地优势资源于一体的新兴城市，这也成为汕头的外向度低的原因之一。不仅如此，本次就业压力的存在还成为汕头市发展资金和技术密集型产业的制约因素。

（4）汕头市的市场辐射范围偏小，且腹地经济基础较差，这是汕头市发展落后于其他特区城市的另一个重要原因。经济基础相对较差、对汕头市的支持能力较弱是汕头的直接腹地和间接腹地的共同弱点，区域经济的整体优势不明显。

2. 快速发展与问题积淀（1992—2000 年）。

进入 90 年代，拥有“经济特区”头衔、集中了粤东地区优势资源的汕头市，保持了稳步发展的势头。1991年4月6日，国务院批准汕头经济特区范围由52.6平方公里扩大到234平方公里，扩大后的汕头经济特区包括了整个汕头市区以及潮阳、澄海、南澳三个县，面积超过了珠海。特区范围的调整理顺了特区管理体制，使汕头经济特区获得了一个多功能城市综合发展的必要条件。1992年邓小平视察南方讲话后，汕头以房地产为龙头，推动城市经济进入了一个黄金发展的时期。

在这一阶段，城市基础设施日趋完善，特别是“八五”期间的大投入、大建设，构筑了中心城市应有的基础设施体系。期间顺利完成珠池港一期工程、广梅汕铁路、海湾大桥、礐石大桥、深汕高速公路、汕头机场改造工程、广澳港区和国际集装箱码头工程、华能汕头电厂一期工程、500千伏输变电工程、卫星通信地球站、国际海缆登陆站等一批关系大局的重大建设项目，使多年以来一直困扰汕头市经济发展的能源、交通、通信等大型基础设施在这个时期有了重大突破。

城市功能也由较单一的商贸海运逐渐向经济多元化发展，尤其是1993年汕头保税区的设立有力地推动了汕头经济特区外向型经济的发展，它为特区吸引了大量外资，引进了一批技术先进、档次高的项目，促进了特区产业结构的调整和升级，成为90年代汕头经济特区发展新的经济增长点。

1997年汕头市进入“中国城市综合实力50强”，列第41位，居广东省内第3位。2000年全市国内生产总值486.5亿元，人均10800元，城市综合实力明显增强。

然而，90年代末，汕头在经济发展的过程中也遭遇了重大挫折，汕头市出现的逃税骗税、制假售假、坑蒙拐骗等违法犯罪活动，严重损害了特区形象，汕头的经济社会发展环境、进出口贸易受到了严重的不利影响。2000年、2001年连续两年，汕头市各月的GDP呈负增长，外贸出口负增长达71%，外资利用负增长46%，税收负增长68%，经济增速持续减缓。城市的发展处于停滞，甚至后退的状态。

3. 发展调整期（2000 年至今）。

国家税务总局的51 号文件也严重影响了潮汕地区的营商环境。在这次整治中，相当一部分正当经营的企业，其年审、退税等问题均受到了不同程度的影响。众多企业因为身在汕头，身在潮阳，从而连正常的待遇都不能享受，这不仅严重影响了企业正常的生产经营，部分企业还因此更产生了搬迁的念头。如许多企业纷纷向珠江三角洲及内地转移，在汕头注册的台商由当时的600 多家，减少到200 多家。

从 90 年代初开始，汕头为改变基础设施落后局面，利用多种途径筹集到大量资金，开展基础设施建设。如汕头市在 90 年代的后五年内投入基础设施市政建设的资金达 240 亿元，平均每年近50 亿元，该市2000 年的财政收入也仅为38. 3 亿元。这些超前的建设固然使汕头的硬件环境在几年内有了大的飞跃，然而，也使政府背上了沉重的财政负担。对于民间来说，则因为就业问题难以解决，生活水平也原地踏步。政府、民间的积累缺乏造成了地方经济、人才的后劲乏力。汕头经济出现大幅滑坡，连续几年低于广东省平均水平，甚至于2001 年出现了负增长。

汕头经济特区信任危机的爆发诚然对于城市造成了明显的负面影响，但与此同时也激发了汕头人自我反省的意识和迎头赶上的热情，汕头市有效扭转了经济一度下滑态势，迅速实现了全市经济较快恢复性增长，开创了稳定发展的新局面。近年来，汕头经济特区的国民经济在新的起跑线上稳步发展。全市经济从 2001 年 GDP 下降 1. 9% 的“谷底”，逐渐恢复到 2004 年 GDP 增长 11. 1%；2005年全市实现生产总值650. 83 亿元，增长 11. 3%；2006 年全市生产总值740. 92 亿元，比上年增长 12. 2%。

2000 年以来，汕头经济特区的产业综合竞争力明显提升，2006 年，全市第一、二、三产业比例为 5. 9：52. 3：41. 8。工业的主导地位明显增强，全市初步形成以纺织服装、玩具礼品、工艺毛衫、轻工机械、精细化工、音像制品为主体的工业产业集群——澄海区和潮阳区谷饶，潮南区峡山、两英、陈店等镇（街道）分别获得“中国玩具礼品城”、“中国工艺毛衫名城”及“中国内衣名镇”、“中国名家居服装名镇”、“中国针织名镇”等区域性品牌，呈现产业集聚发展的态势；农业标准化、产业化水平明显提高，建成60个省级无公害农产品基地，91个农产品通过国家无公害农产品认证，21个农产品通过绿色食品认证；在第三产业发展方面，现代物流、商务会展等生产服务业发展迅速，服务业行业门类基本配套。

汕头经济特区的城市发展空间也得到拓展，城市发展形成新格局。经国务院批准，汕头市于2003年实施行政区划调整，市区面积从301平方公里扩大到1956.4平方公里。2006年末，市区建成区面积166.15平方公里，实有道路长度1288.48公里，人均公共绿地面积11平方米。以往局限在中心城区的汕头市，在作为核心的中心城区功能日益完善的同时，澄海、潮阳、潮南区治所在地的副中心也取得了较快发展，而以南澳为前沿的一批中心镇为骨干的海湾型组团式城镇体系也初步形成。

2006年11月9日，国家税务总局下发了《关于印发〈出口产品税收函调办法〉的通知》，正式明确停止执行曾经令汕头市尴尬不已的51号文件，这无疑意味着，对于汕头经济乃至整个粤东经济来说，一个长达7年之久的“紧箍咒”终于被彻底解除，为汕头市未来放下包袱、大步发展，创造了必要的外部环境。

（三）省府扶持，区域中心

由于汕头特区规模较小，而城市发展历史悠久，因此，汕头在经济特区中较早提出建设中心城市的发展目标。1988年汕头就确立了成为“粤东地区中心城市”的目标，在随后特区成长和城市发展的过程中，汕头的经济实力逐步增强，与粤东各市的经济联系不断加强，区域交通基础设施的连接更为紧密，汕头在粤东地区发挥着增长极、窗口和商贸业中心的角色。尤其是1992年邓小平南方视察讲话后，汕头以房地产为龙头，推动城市经济进入了一个黄金发展的时期。同时，城市基础设施日趋完善，特别是“八五”

期间的大投入、大建设，构筑了一个中心城市应有的基础设施体系。

2006年9月广东省委、省政府在汕头召开粤东会议，出台了一系列扶持措施，对粤东、对汕头给予全方位的支持，使汕头迎来了新一轮大发展的重要战略机遇期。按照“粤东会议”提出的“三年打基础，五年大变化，十年大发展”总体部署，汕头市为未来的跨越式发展勾勒了一份“进度表”：“从2007年到2011年，汕头市的GDP在2006年740.92亿元的基础上翻一番，达到1400亿元，年均增长14%以上，增速达到全省平均水平；从2012年到2016年，GDP在2011年1400亿元的基础上再翻一番，达到3000亿元以上，平均增长17%，经济社会发展总体上达到全省平均水平。”

未来，汕头市按照建设现代化港口城市、区域性中心城市和生态型海滨城市的城市定位，以及建设新兴制造业基地、临港工业基地、现代效益农业基地和综合服务业基地的产业定位，提出规划建设东部城市经济带、工业经济带、生态经济带“三大经济带”的战略决策，为汕头城市发展和工业发展提供广阔空间和战略腹地。

汕头是粤东的中心城市，这是区域发展的需要，也是汕头应力争发挥作用的重要领域。从广东省区域统筹发展的角度出发，对粤东地区而言，需要培育一个更为突出和具有外部竞争力的中心城市，真正发挥中心城市应有的整合辐射功能，勇挑领导区域性整体发展的重任。汕头作为这一地区最直接的口岸地区，拥有粤东其他地区不可替代的区位、特区、港口和民营资本等优势，《广东省城市化“十一五”规划》明确将汕头定位为粤东区域中心城市。

对于建设区域性中心城市来说，汕头市一是要加强区域合作，通过资源整合、分工协作、联动发展，最大限度地提高城市竞争力，共同架构空间与功能一体的大潮汕城市群，在区域竞争中推动粤东地区的发展；二是要积极完善区域交通、港口和基础设施建设，提高汕头在大区域范围内对外交通的便捷性和可达性，使汕头成为真正意义上的粤东地区港口、公路、铁路、航空一体化的综合

交通枢纽；三是要强化区域服务功能，积极发展商业贸易、金融信息、物流会展等服务于区域的生产性服务产业，增强中心城市的集聚和辐射能力。

为了提升城市自身的竞争力，汕头市需要加快新型工业化，构筑高效集约发展的产业体系，主动承接先进发达国家（地区）的产业转移，积极融入区域经济合作。依托大港口，发展大工业、大服务，促进大流通，优化产业结构和空间布局，建设以高新技术产业为先导、轻型加工业为主体的新兴制造业基地，以港口为依托、重化工业为带动的临港工业基地，以商贸业为基础、现代服务业为龙头的综合服务业基地，以良种良法为途径、产业化为核心的现代效益农业基地，全面提升产业资本集聚能力，实现产业高效集约发展。

汕头作为国家最早成立的经济特区之一，曾经经历了困难和波折。进入新的历史时期，汕头市依然肩负着光荣而艰巨的任务，那就是继续发挥特区的先行优势，在推动本市经济社会又好又快发展的同时，做好粤东地区的辐射极和振荡器，担当起区域中心城市的重要使命。

第五章
培育新的中心城市

改革开放使我国经济发展转入了新的历史阶段，也重启了工业化的新进程。为了适应经济发展的需要，推进城市化、发展中心城市、打造和培育具有较强带动能力的增长极，成为区域开发必然的路径选择。

一、培育新的“增长极”

（一）新设中心城市的背景

新中国成立后，我国实行全民所有计划经济的制度，通过工农业产品价格“剪刀差”提取农业剩余，走了一条农村支持城市、重点发展工业的发展道路。城市的发展主要依靠中央政府或省市政府通过计划投资建设国营企业或城市基础设施来推动，出现了政府计划投资指向型和行政职能指向型城市化两种形式，是典型的“自上而下”的城市发展路径。广州、汕头、韶关、湛江、茂名等城市就是在计划经济的背景下得到了一定的发展，形成为区域的中心城市。但是，由于计划经济的束缚和城乡割裂的“二元体制”，原有城市除了提供行政和公共服务之外，对区域发展的影响在广度和深度上都极其有限。

国家在改革开放之初对城市发展持谨慎的态度，但也开始强调要重视发挥城市经济功能，作出了一系列有利于培养中心城市的重要决策。从1981年全国五届人大四次会议提出“以大中城市为依托，形成各类经济中心，组织合理的经济网络”开始，到1987年党的第十三次代表大会，几乎每次党和国家的重要会议都提出了发挥大中城市的作用和城市改革的目标、要求与政策。其中，1984党的十二届三中全会，通过了被誉为我国经济体制改革蓝图的《中共中央关于经济体制改革的决定》，明确了城市在国民经济发展中的性质、地位、作用，对城市改革的目标提出了明确的要求。与城市经济体制改革相匹配，国家多次出台行政区划调整的政策并公布新的设市标准，加强了地方建立中心城市的积极性。

（二）“市带县”体制

“县”在我国是农业地区基本的行政区划单元；而长期以来作为省政府的派出机构“地区行政公署”是省与县之间的一个行政架构，往往设在比较大的城市中，管辖若干个县。但是由于“地区”不是一级政府，没有独立的财政权，只有管理协调功能，而管辖地域范围又大，既没有责任也没有能力推动经济发展，作为“地区”驻地的城市因此也难以发挥大的带动作用。另一方面，在改革开放的“放闸”效应之下，广大的乡村以工业化、城市化为路径，率先迸发了巨大的发展活力，形成了“自下而上”的发展模式。

为了集聚整合生产要素，促进中心城市发展，强化城市的辐射带动作用，1986年国家出台了《关于调整设市标准和市领导县条件的报告》，我国的地方行政区域管理体制开始了“市带县”的模式创新。“市带县”体制是改革开放的产物，是生产关系适应生产力发展的客观要求。初期叫做“市领导县”，后又称为“市管县”。这两种称谓的政治色彩和行政管辖的意味较重，随着我国建立社会主义市场经济体制目标的确立，“市领导县”和“市管县”的提法便被更具经济意义的“市带县”所取代。

第一类是依托中心城市，变更行政区划形成。这种方式是将与

中心城市经济关联度大的县（市），通过行政区划的调整，划归中心城市领导和管理。

第二类是以原地级行政区划为基础，改革其行政管理体制形成。这种方式是将原来作为省派出机构的地区行政公署撤销，依法设立“地级市”和市辖区，使之成为一级地方政权机构，即所谓的“撤地设市”。

第三类是适应一定区域经济发展和行政管理的需要，将地域太广、县制较多、负担过重、管理不便的市（地）行政区域进行调整，综合生产力水平和经济流向、历史文化等因素，集中部分县（市），重新设立新的地级市，管理若干县（市）而形成的。

“市带县”体制的形成方式虽各有不同，但其形成的基础条件和目标要求都是一致的。它们都是经济发展到相当程度的必然选择，是生产关系适应生产力发展的客观要求；它们都力求最大限度地发挥中心城市的经济、科技、教育、文化中心的作用，充分发挥中心城市的辐射带动功能及其对生产要素的集聚整合效应；通过宏观调控和市场机制双重作用，实现资源的优化配置；通过培养增长极，以城带乡、城乡互补，带动、推动、拉动所属县域经济，实现区域经济的良性循环和可持续发展。

广东“市带县”体制主要是通过“撤地设市”，即通过撤销原地区行政公署，重新划分行政管辖范围，设立地级市和市辖区，使之成为一级地方政权机构。在我国，“地级市”虽不属于正式法定的行政区单位，但它却是源于行政公署，居于省、县二级之间的中间层，“市带县”的行政建制使“地级市”成为不可或缺的行政级别。地级市的设立意味着给了中心城市更高的行政管辖权和财政权，而“市带县”则通过行政手段给中心城市划定了足够大的辐射吸引范围，为促进中心城市与区域的协调发展提供了体制基础。

二、设立新的中心城市

1980年代以来，广东省积极通过行政区划的手段培育了若干新的中心城市：

（一）撤地设市（1983—1988年）

在国家普遍实施“市带县”体制下，广东也开始了“撤销地区，地改市”的行政区划调整，大量设立地、县级市，以期培育区域性中心城市，建立区域“增长极”。在逐步撤销七个“地区”，通过“撤地设市”又新设立和升级了若干地级市。

1983年，广东选取了佛山、汕头、韶关与湛江等四个地区实行了“地改市”，新设市的城区就依托原有的中心城市。但由于原地区所辖县太多的，还划了一些县给周边的中心城市和地区，如佛山地区的几个县就分别划分给了珠海市和江门市。当时广东的中心城市数量依然过少，格局分散。珠江三角洲只有珠海、深圳、广州、佛山和江门设地级市，粤西仅有湛江、茂名两市作为中心城市，粤东地区只有汕头作为地区的中心城市，而广大北部山区则只有韶关一个地级城市。1984年，在国家深化经济体制改革的背景下，地级城市纷纷设立市辖区，开始加速城市建设的步伐。

1988年，海南设省。广东也启动了“改地（区）为（地级）市”的行动。首先将肇庆、惠州、梅州等改为地级市，并将部分辖县重新划分给周边新设地级市；然后新设立汕尾、河源、清远、阳江等四个新的地级市；将中山、东莞升级为地级市。其中，阳江市是在原阳江县基础上切块设立阳西县、阳东县和阳江城区；汕尾市是从惠阳地区中整块切出，市区原址竟是一个公社的所在地；而现地级市河源、清远则是在原河源、清远县城基础上发展起来的。

广东北部山区形成了河源、清远、韶关、梅州的中心城市格局。1991年揭阳、潮州再由县级市升级为地级市，奠定了粤东的中心城市发展格局。云浮于1992年设县级市并在国家调整设市标准之后于1994年设立地级市。这一阶段，新设立的地级市都是从原“地区”中划出来的，一个市带若干个县。除汕尾市设在一个小镇（人民公社驻地）上外，市区一般设在发展条件较好的县城。从空间上看，新设的地级市都位于珠江三角洲的外缘，珠江三角洲与粤东、粤西

之间的“城市真空地带”，经济基础较弱，发展较缓慢。可见，这些新的中心城市的设立，旨在依托处于珠江三角洲功能向外辐射的第一圈层，培育区域的“增长极”，带动地区发展。（图 5 – 1）

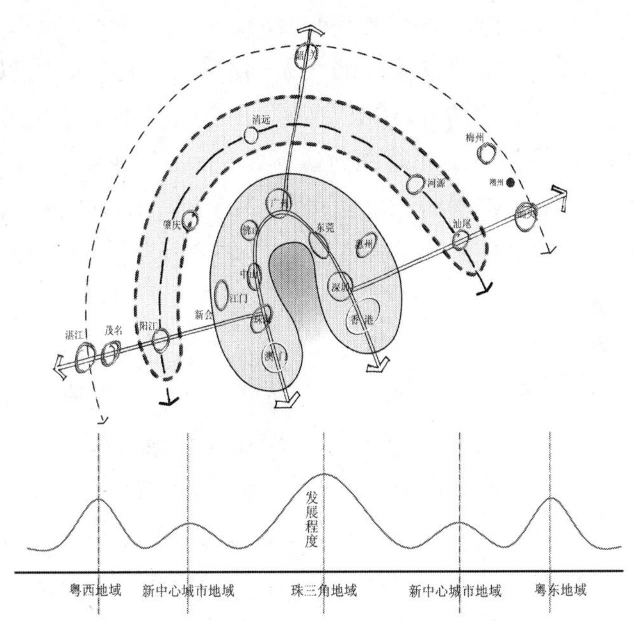

图 5 – 1　“地改市”背景下，新设中心城市空间分布图

（二）撤县设市（1992—1996 年）

1992 年下半年邓小平视察南方，开始了新一轮改革开放的高潮。在地级市的行政区划格局基本稳定之后，广东省发达地区县域经济也取得了较快的发展，随着工业化推进、第三产业兴起，一批经济实力较强的县为了谋求进一步发展，迫切需要拥有更大、更自由的行政权力。基于路径依赖，广东进一步对经济发达、实力强的县实行撤县改市、整县改市，赋予县级政府城市管理权限。这一阶段以大量“县改县级市”为特征，增加了行政上城市发展主体。“以分权促竞争，以竞争促发展”，区域管治进一步趋向分权。

广东省开始从珠江三角洲经济发达地区逐步推进“县改县级市”：1992 年，顺德、台山、番禺、南海、云浮、新会等县撤销设立“县级市”；1993年，开平、三水、普宁、罗定、潮阳、高州、高要、鹤山、四会、增城、廉江等“撤县设市”；1995年，陆丰、信宜县改市。县改市直接增加了广东城市的数量，各县城加快城市建设和经济发展，给广东城市发展增添了发展活力。

这个阶段广东省培育城市的一系列举措是与国家“放权搞活，加大开放”政策一致的。“撤县改市”在空间上主要集中分布在经济发展水平较高的珠江三角洲地区，如南海、顺德、三水、高明、番禺、花都、从化、增城、惠阳及江门的五邑地区。另外，粤西、粤东等经济相对发达的地区也有一些。

从以上的历程来看，“广东省改革开放以来对中心城市的培育是在‘中央集权的计划经济’向基于开放背景下，不断分权给地方、完善市场经济体制转变的‘市场取向的分权’或‘经济性分权’历程，这种‘市场化分权’大大激发了地方政府、市场和公民社会的积极性，共同推动了‘中心城市’的发展”。

伴随着市场化分权的推进，行政区划的调整与“中心城市”的发展始终存在着紧密的相关关系。广东省通过行政区划设立“中心城市”，培育地区经济的“增长极”，“市场和社会”则为进一步成为推动“中心城市”形成的催化剂和主角。(图5－2)

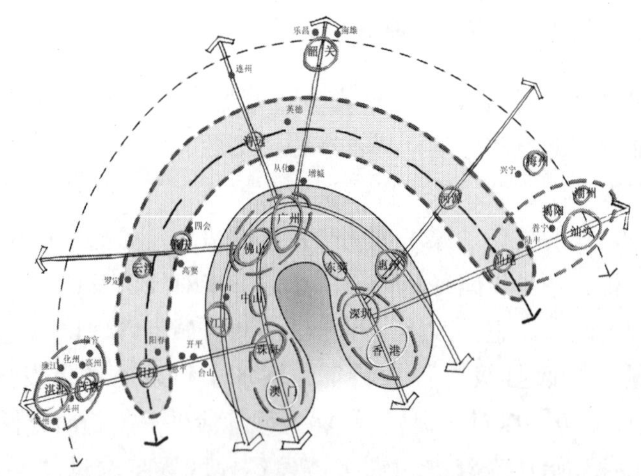

图5－2 “撤县设市”设立县级市的空间分布图

表 5－1　　　　**广东省行政区划演变历程**

年份	主要特征	县级以上行政区划调整（不包括镇的调整）/主要政策
1949		佛山撤镇设市（县级），脱离南海县，以南海县佛山镇为其行政区域
1950		佛山市改为地级市
1958		设立佛山专区，辖3市（佛山、江门、石岐）、13县（南海、番禺、顺德、中山、三水、新会、鹤山、高明、开平、台山、恩平、珠海、花县）
1959		《关于直辖市和较大的市可以领导县、自治县的决定》
60年代初		自然灾害，短缺经济，市领导的县划为专区
1978	切块设市	设立梅州市，以梅县的部分地区为其行政区域
1979	①整县改市 ②切块设市	①设立深圳、珠海市，分别以宝安、珠海县（撤销）的行政区域为各自的行政区域；②设潮州市（县级），以潮安县的部分地区为其行政区域；③汕头市区名更换
1980		设立汕头市金砂区
1981		①撤销高鹤县，恢复高明县、鹤山县；②设西沙、南沙、中沙群岛办事处（县级）
1982		《改革地区体制、实行市领导县体制的通知》肯定辽宁的市管县体制 恢复宝安县，由深圳市领导，深圳市管辖市区内2个街道，以及5个公社
1983	①撤佛山、汕头、韶关、湛江地区，县分划各市 ②县改县级市 ③市县合并	《关于地市州党政机关机构改革若干问题的通知》要求地区改为名副其实的派出机构，由实变虚，每个地区的编制由当时的1500人左右，压缩到300人左右。 《关于地方机构改革中的几个主要问题的请示报告》提出了撤县设市、撤县并入市的标准。同时，国务院批准在江苏省试行市领导县，并在全国试点 ①撤销佛山地区，南海、三水、顺德、高明4县划归佛山市；开平、台山、恩平、新会、鹤山5县划归江门市；斗门县划归珠海市。②撤销汕头地区，澄海、潮阳、揭阳、揭西、晋宁、惠来、饶平、南澳8县划归汕头市；海丰、陆丰2县划归惠阳地区。③撤销韶关地区，南雄、始兴、仁化、乐昌、翁源、英德、阳山、连县、乳源瑶族自治县、连南瑶族自治县、连山壮族瑶族自治县共11县划归韶关市；清远、佛冈2县划归广州市。④撤销湛江地区，徐闻、海康、廉江、遂溪、吴川5县划归湛江市；高州、化州、信宜、电白4县划归茂名市；阳江、阳春2县划归江门市。⑤中山县改县级市。⑥撤销潮安县并入潮州市。⑦梅州市与梅县合并，设立梅县市（县级）。⑧海口降县级市，划归海南行政区管辖

续表

年份	主要特征	县级以上行政区划调整(不包括镇的调整)/主要政策
1984	市区设区	①设立汕头市达濠区;②撤销崖县,设立三亚市(县级);③海南行政区设一级地方国家政权机关;④汕头市6区升为县级建制;⑤设立佛山市汾江区、石湾区;⑥设立江门市城区,郊区;⑦设立韶关市浈江区、武江区、北江区;⑧设立湛江市坡头区;⑨设立珠海市香洲区
1985	①县府搬迁 ②县改县级市	①广州设天河、芳村两个市辖区;②惠阳县人民政府驻地由惠州市迁至淡水镇;③东莞撤县设县级市;④惠阳、肇庆、梅县三地区尚不具备地市合并
1986	县府搬迁	《关于调整设市标准和市领导县条件的报告》提议“整县改市”为主要模式 ①高要县政府驻地由肇庆迁至南岸镇;②海口升为地级市;③设立通什市(县级)
1987		①广州郊区更名为白云区;②佛山市汾江区更名为城区;③三亚市升格为地级市
1988	①县级市升为地级市,地市合并 ②县级市升为地级市,县分划地市 ③撤县设市 ④切块设市	广东省全面推行市领导县体制 ①设立海南省。②撤销肇庆地区,肇庆市升格为地级市,设立肇庆市两个市辖区。肇庆地区的高要、四会、广宁、怀集、封开、德庆、云浮、新兴、郁南、罗定10县划归肇庆市管辖。③撤销惠阳地区,将惠州市升为地级市;设立惠城区;惠阳地区的惠阳、博罗、惠东3县和广州市的龙门县划归惠州市。④撤销梅县地区和梅县市,设立梅县、梅州市(地级),原梅县市的二十七个乡镇为梅县的行政区域,县政府驻扶大;将梅县和原梅县地区的兴宁、五华、丰顺、大浦、平远、焦岭6个县划归梅州市管辖。⑤设立汕尾市(地级)和城区、陆河县,市政府驻原汕尾镇,以海丰县的7个镇为汕尾的行政区域。将陆河县与原惠阳地区海丰县、陆丰县划归汕尾市管辖。⑥撤销河源县,设立地级市和源城、郊区两个市辖区;市政府驻原东埔镇,将原惠阳地区的紫金、连平、和平、龙川4县划归河源市管辖。⑦撤销阳江县,设立阳西县、阳江市(地级)和江城、阳东两个市辖区,以原阳江县的9个乡镇及织篢农场为阳西县的行政区域,县人民政府驻织篢镇,以原阳江县的其他部分为阳江市的行政区域,市政府驻原江城镇。将阳西县和江门市的阳春县划归阳江市管辖。⑧清远撤县设地级市和两个市辖区;市政府驻原清城镇,将广州市的佛冈县和韶关市的英德、阳山、连县、连山、连南5个县划归清远市管辖。⑨将东莞、中山升为地级市

续表

年份	主要特征	县级以上行政区划调整(不包括镇的调整)/主要政策
1990		深圳市设立福田区、罗湖区和南山区
1991	①改区设县 ②撤县设市,县分划各市	①阳江市阳东区撤区设县,其行政区域不变;②汕头市6个市辖区调整为龙湖、金园、升平、达濠4区;③潮州市升为地级市,设立湘桥区,设立潮安县,将潮安县和原汕头市的饶平县划归潮州市管辖;④揭阳撤县设地级市,设榕城区,设立揭东县,将揭东县和原汕头市的普宁县、揭西县、惠来县划归揭阳市管辖;⑤汕头市管辖潮阳、澄海、南澳3县
1992	①县改县级市 ②撤县设区 ③改区设县	①撤销顺德、台山、番禺、南海、云浮、新会等县,设立县级市;②撤销清远市郊区,设立清新县;③潮安县政府驻地由枫溪迁至庵埠镇;④撤销宝安县,设立宝安、龙岗两个市辖区
1993	①县改县级市 ②改区设县	《关于调整设市标准的报告》 ①撤销开平、三水、普宁、罗定、潮阳、花都、高要、高州、鹤山、四会 、增城、廉江等县设立县级市;②撤销河源市郊区,设立东源县,以原河源市郊区的行政区域为东源县的行政区域,县政府驻仙塘镇
1994	①县改县级市 ② 县 市 改 地级市	①撤销英德、恩平、从化、澄海、高明、连县、海康、乐昌、阳春、惠阳、吴川、兴宁、化州等县设立县级市。②云浮市升格为地级市,新兴县、郁南县划归云浮市管辖。罗定市由省直辖。③设立汕头市河浦区(县级)(不作为特区)。④将江门市城区更名为江海区,郊区更名为蓬江区
1995	县改县级市	撤销陆丰、信宜县设立县级市
1996	县改县市	①设立云浮市云安县;②撤销南雄县,设立南雄市
1997		调整深圳罗湖区行政区域,增设盐田区
1999		开平市政府驻地由三埠前往长沙街道
2000	撤市设区	番禺、花都设区
2001	撤市设区	①设立茂名市茂港区;②撤销斗门县,设立珠海市斗门区,设立金湾区
2002	撤市设区	①新会撤市设区;②撤销南海、顺德、三水、高明、佛山市城区和石湾区,设立佛山市和五区
2003	撤市设区	①撤汕头市澄海、潮阳市设澄海区与潮阳区、潮南区,改原四区为金平、濠江区;②惠阳市撤市设惠州惠阳区

续表

年份	主要特征	县级以上行政区划调整(不包括镇的调整)/主要政策
2004	县区合并	撤韶关北江区、曲江县,设立曲江区,调整浈江、武江区和仁化县的行政区划
2005	区区合并	撤销广州市东山区、芳村区,设立广州市南沙区、萝岗区

信息来源：根据中国行政区划网整理，http：//www.xzqh.org/quhua/44gd/index.htm。

三、中心城市带动区域发展

改革开放前，原有中心城市数量少，格局极为分散，对周边的辐射地域范围有限，如珠江三角洲外围边缘就形成了一个经济发展弱，城市建设水平低的“城市真空地带”。

经过1980年代后期以来一系列培育中心城市的举措，广东逐渐形成了一批具有不同规模、结构和功能的中心城市。目前中心城市已经接过小城镇的接力棒，成为了广东城市发展的主角和先锋，对区域发展的带动作用越来越突显。

“市带县”体制的实质是地方政府在国家分权化改革中的适度集权，促进中心城市的培育和发展。80年代以来广东省大规模的“地市合并、撤县设市”带来了地级市的增加，完善了省域中心城市的发展体系，有效带动区域的城市化和经济社会的发展。目前，广东内部各个区域已经形成了比较完善的中心城市结构体系。

珠江三角洲内部凭借中心城市的大发展，积极构建都市区的同时，都市连绵区开始逐渐成形；粤东、粤西两翼城市密集区也开始显现雏形，城市空间形态上逐渐分别形成以汕头和湛江、茂名为中心城市，各中等城市为次中心的城市群的趋势。北部山区则以点状分布在广大地域范围内，在城镇的地域组合类型上，形成了三个不同的亚区域：粤东北山区以梅州市区、河源市区为中心，粤北山区以韶关市区、清远市区为中心，粤西北山区包括云浮为中心，区域的城镇发展处于初级均衡状态。

在中心城市的培育和发展过程中，省域的中心城市互联互动，发挥了各自应有的功能和作用。珠江三角洲整体以其较强的经济、技术、科技、创新、服务，已经初步成为了省域的“增长极”。伴随着产业升级的过程，近年来，珠江三角洲的外溢效应开始显现，产业的辐射和扩散的能力加强，1988 年前的“城市真空地带”承接了珠江三角洲的产业转移，成为了珠江三角洲外围边缘的第一辐射圈，开始跨越式发展。在粤东、粤西的区域发展中，中心城市也成为了经济发展的增长极，发挥了显著的带动作用。

然而“市带县”也有弊端，首先是增加发展主体的同时也促成了地方保护主义的发展，即在中心城市行政化的同时，地级市成为了新的、仅小于省的“块块”。“旧有的条块分割尚未完全清楚，新的条块分割又已经形成，市、县（市）矛盾、利益冲突愈演愈烈。”① “在打破了‘城乡分治’后形成的‘城乡合治’并未从根本上解决区域协调发展的内在问题，反而对城市和城市化发展均产生许多不利影响。”②

根据“市领导县”构建中心城市的不同特征与方式以及相应的经济发展水平之间的差别，将中心城市分为：经济发达地区的中心城市、经济欠发达地区的中心城市、中等经济发展水平地域中心城市。一般经济发达的珠江三角洲地区，市辖区数量较多，设立中心城市时，多为已有的地级市或者县级市升为地级市，进行地市合并而来，区域城市与城市之间差别不大。而经济欠发达地区，市辖区较少，城区规模小，并辖较多的县，设立中心城市是源于对县的“切块设市”与“撤县设市”，原有城市基础薄弱，如表 5 - 2。

---

① 罗震东：《中国都市区发展，从分权化到多中心治理》，中国建筑工业出版社 2006 年版，第 87 页。

② 刘君德：《石狮设市模式剖析——关于我国设市模式改革和完善的思考》，《经济地理》1996 年第 4 期。

表5－2　各市行政建制（2006年）

地市	辖区数	辖县	县级市	地市	辖区数	辖县	县级市	地市	辖区数	辖县	县级市
广州	10		2	惠州	2	3		潮州	1	2	
深圳	6			肇庆	2	4	2	揭阳	1	3	1
珠海	3			湛江	4	2	3	梅州	1	6	1
佛山	5			茂名	2	1	3	河源	1	5	
江门	3		4	阳江	1	2	1	韶关	3	4	3
东莞				汕头	6	1		清远	1	5	1
中山				汕尾	1	2	1	云浮	1	3	1

信息来源：中国行政区划网，http：//www. xzqh. org/quhua/ 44gd/index. htm。

（一）经济欠发达地区——“弱县弱市”

这一类地区的中心城市主要分布在广东北部山区，由于地域经济发展水平比较落后，市辖县的数量一般较多，农村地域范围广，中心城市尚未形成，核心与外围地域之间的经济联系比较松散。在行政区划调整中，设立中心城市的方式多为切块设市或整县改市，因此，中心城区较为弱小，无法形成强大的“增长极”，造成了“小马拉大车 ”的局面。对“增长极”本身而言，极化效应远远强于扩散效应。

“在我国‘市领导县’的体制下，政府既具有一般地域型行政建制的性质，又具有专门市镇型行政建制的性质，管理城市的同时，也管理农村。而且农村地域范围广大，无法对辖区内的城市地区实施专门的管理。”① 市政府更加偏重于一般地域型建制的性质，因此城区管理与发展建设较为缓慢，也无法带动区域发展，例如河源市的源城区、清远市的清城区、梅州市的梅江区、云浮市的云城区等。

① 张鸿雁主编：《制度与创新——中国城市制度的发展与改革新论》，东南大学出版社2000年版，第54页。

（二）经济发达地区——“强市强县”

这类地区主要位于广东珠江三角洲地区，经济比较发达，基础设施完备，经济开放程度高，发展速度快，市场经济活跃。从城市行政建制角度来看，市辖区数量较多，而县级市、县的数量较少，有的已全部为市辖区，空间地域上主要为城市型地域，农村地域和经济形态较少。中心城市形成强大的“增长极”，对周边地区产生极大的扩散效应，促进周围地域发展，甚至各级别中心城市辐射范围相互交错，形成强烈的竞争态势。这种地域中心城市如2002年行政区划调整前的佛山市。在我国“市领导县”的体制下，经济较发达地区的中心城市城区与外围地域或次级中心形成竞争大于合作，甚至外围行政级别较低的次中心经济和极化作用超越行政级别较高的中心城区。“市县两级财政‘分灶吃饭’，市辖区财政主要由市统揽，市领导直接对城市居民负责，解决好城市的问题。由于城市政府直接对辖区负责，使得辖区与广大县域形成了不平等竞争。”① 因此，中心城区与外围地域竞争大于合作，县市之间的矛盾突出，如2002年佛山行政区划调整之前。顺德、南海的经济总量一直超越佛山市区，经济实力和城市行政级别不平衡、不对称，矛盾、冲突大。(图5-3)

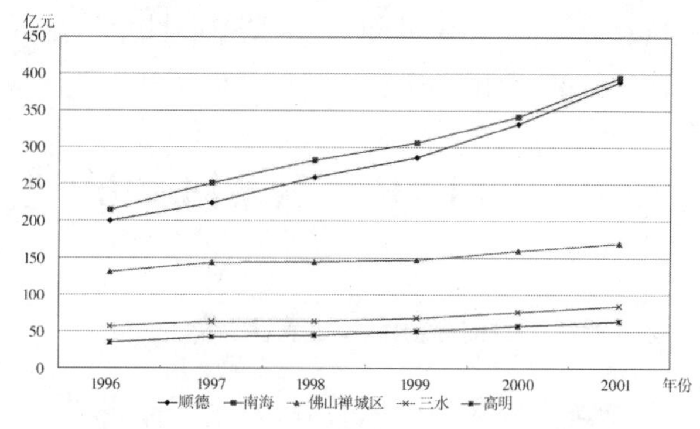

图5-3　佛山行政区划调整以前的经济状况

因此，此类中心城市，由于“为了发展而分权，为了增长而竞争”，带动了地区经济的普遍繁荣，然而在“市领导县”的体制

① 浦善新：《中国行政区划改革研究》，商务印书馆2006年版，第82页。

下，矛盾冲突大。市域内部各“增长极”的辐射范围远远超越了市域所辖范围，因此此类中心城市在矛盾冲突剧烈演化下，面临着行政区划的进一步调整和地区发展转型，将各“增长极”统一成一个整体，加强合作与优势互补，共同成长成为更大地域范围的“增长极”。2002年佛山行政区划调整，将顺德、南海、山水、高明撤市设区，开始了由“分权发展，竞争大于合作”向“多中心，多极整合，合作先于竞争”转变，统一后的大佛山其辐射范围扩展迅速。

（三）中等发达地区——“强市弱县”

这类地区主要分布在广东的粤东、粤西等经济中等发达的地区，中心城市已经有相当规模，但整个区域经济还不发达，市县经济实力悬殊，中心城市与外围地区能进行有效的协作，取长补短，广大农村地域接受中心城市极化作用的同时，中心城市向周围广大地域发散资金、信息、物质和精神、文化的辐射。在空间地域上主要表现为规模相当的中心城区和外围相对较落后的地区，之间的“高差势能”较大。同时，这类中心城市所辖区的数量和辖县的数量均衡，处于相当规模，如粤西的湛江、茂名以及粤东的汕头。

四、山区城市河源市的发展①

（一）山区城市，远离中心

河源市现辖“一区、五县”，包括源城区、东源县、和平县、龙川县、紫金县与连平县。2005年，河源在广东省21个地级市地区生产总值排名中位于最后。随着珠江三角洲产业转移，河源“一区六园”（市高新技术开发区和五县一区工业园）工业格局逐步成型，2006年，河源经济总量实现了较大的突破，达到263.99

① 本节数据源于《广东统计年鉴》、《河源市统计年鉴》。

亿元，超越了汕尾与云浮。河源市 GDP 增速居全省第一，比上年增长 27.3%。人均 GDP 也较上年增长达 25.1%，其他经济指标也都有较大幅度的增长。

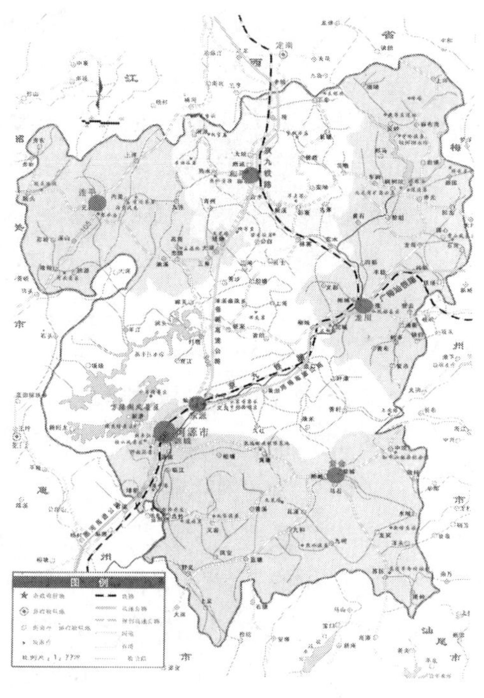

图 5－4　河源市域现状图

与经济发展相伴随的是基础设施条件的完善。京九铁路穿越市区和龙川、和平、东源 3 县，广梅汕铁路在龙川县域交汇，并设立了华南地区最大的铁路编组站。105、205 国道纵贯全市；惠河、河梅、粤赣高速公路全面贯通，境内高速公路里程 232 公里，公路里程 13417 公里，公路密度达 84.9 公里/百平方公里。

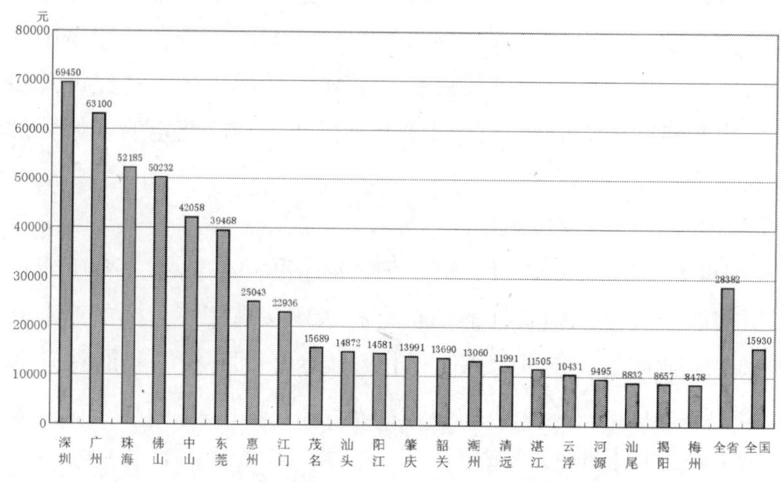

图 5－5　2006 年河源市人均地区生产总值的区域比较

同时，河源源城区城市建成区面积也由2005年的13平方公里增加到2006年的25.3平方公里，扩大了近一倍。城市常住人口达278.52万人，非农人口达85.58万人。非农人口比重由1988年建设之初的12.66%增加到2006年的25.08%，城镇人口占常住人口的比重也达到40.12%。在经济快速发展的同时，城市化水平也得到较大提高。

（二）产业转移，经济起飞

1. 行政区划奠定发展格局。

1988年以前，现河源市行政范围归惠阳地区管辖。1988年1月7日，国务院撤销惠阳地区，同时在撤销河源县的基础上设立地级市，原河源县被分为源城、郊区两个市辖区。其中，源城区辖源城、东埔和埔前三镇，市政府驻东埔镇。1993年，民政部批复撤销河源市郊区，设立东源县，以郊区行政区域范围为其所辖地域。至此，河源"一区五县"的行政地域格局得以确立。

河源建市是省政府推行"市带县"体制的结果。但是由于河源地处北部山区，经济基础较为薄弱，中心城市发展受行政区划约束，难以起到"增长极"的辐射带动作用：市政府直辖的源城区的地区生产总值一直位于其他各县之后；在城区与各县的竞争中往往处于劣势。因此，河源的发展相对较弱，长期以来，在经济总量上位于广东省最末，这在一定程度上与行政区划所奠定的区域分散独立发展格局是分不开的。

2. 承接转移，发展迅速。

自1988年设市以来，河源经济发展速度一直较慢，2001年以后在努力改善基础设施条件的前提下积极承接珠江三角洲的产业转移，兴建工业园区，加快了招商引资的力度，随着工业的快速发展，经济增长速度开始超越全省平均水平，与清远比肩成为新世纪山区城市经济增长的明星城市。

（1）前慢后快。

以1987年河源的地区生产总值为基数，翻一番用了约6年时

间（1993 年实现），翻两番用了约 7 年时间（1999 年实现），翻三番用了 5 年时间（2004 年实现），翻四番只用了 3 年时间（2007 年接近实现翻四番目标）。将经济增速与全省比较，可以将河源市经济增长过程分成两个阶段：

1988—2000 年，河源每年的地区生产总值增速基本都是低于全省（1988 年和 1989 年是个例外，这主要是由新设市初期带来的固定资产投资规模骤然上升导致的）。2000 年与 1987 年相比，河源地区生产总值增长了 364%，而全省增长了 470%，河源的增长率比全省低 106%。

2001—2007 年，河源市经济增速高于全省。2001 年河源经济增速比全省高了 1.2 个百分点，到 2006 年时，高出了 13.3 个百分点。2007 年与 2000 年相比，河源地区生产总值增长了 232%，全省只有 145%，比全省高出 87%。(图 5－6)

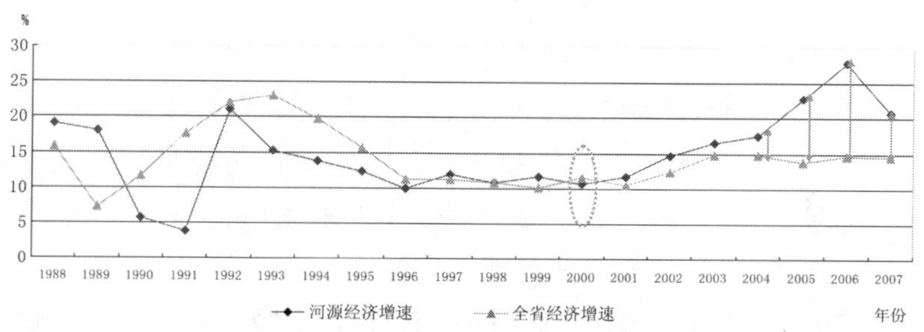

图 5－6　河源历年经济增速与全省的比较

（2）县域经济争先发展。

河源建市之初，由于“切块设市”，城市中心区经济基础较弱，位于各县域经济之后，随着经济的发展，源城区与各县域经济的差别越来越大，各县域经济成为经济发展的主力军，城市中心区发展动力一直不足。

在广东省扶持山区发展的政策支持以及珠江三角洲产业转移的背景下，河源各区县纷纷建立工业园区，积极发展工业，如源城区龙岭工业园，东源县由徐洞工业区、仙塘工业园、县城工业一区、

县城工业二区组成的工业园，包括忠信工业园和石龙民营工业园的连平县工业园、依托交通枢纽发展的龙川工业园、和平工业园以及紫金县工业园。如2002年以来，连平、紫金、龙川工业一路领先其他区县，成为发展的主力军。（图5－7）

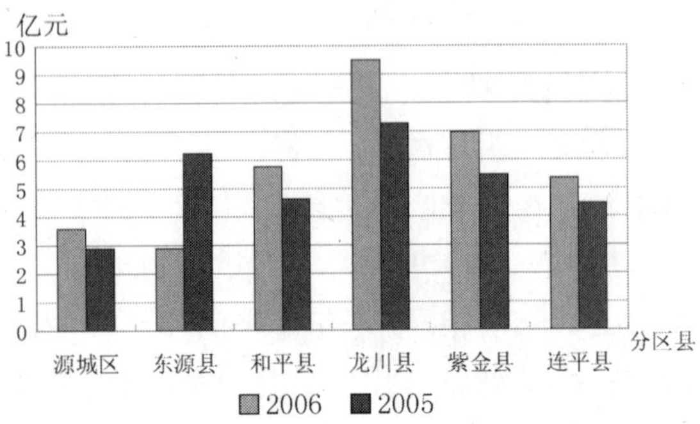

图5－7　河源市分区地方财政预算内支出

而中心城区工业2002年虽然有较大的增长，但工业增加值增长幅度仅仅位于和平县之上。但是2002年河源高新技术开发区的建立，使市值工业增加值迅速增长，成为带动中心城区经济增长的主要动力。

（3）工业发展“一枝独秀”。

2002年以前，河源的三次产业结构中，除了1992、1993年两年外，工业比重一直保持在22%～25%，而农业和第三产业比重的增加是经济增长的主要因素，而其中农业虽然比重一直在减少，但一直较高，而第三产业比重则一直保持着增加。

1989年三次产业结构为53.03：24.45：22.53，到2002年三次产业结构比重为30.54：25.48：43.98，可以说农业是这个时段主要的经济形态。2003年之后河源的工业开始高速发展，二次产业比重由2002年的25.48%，即四年时

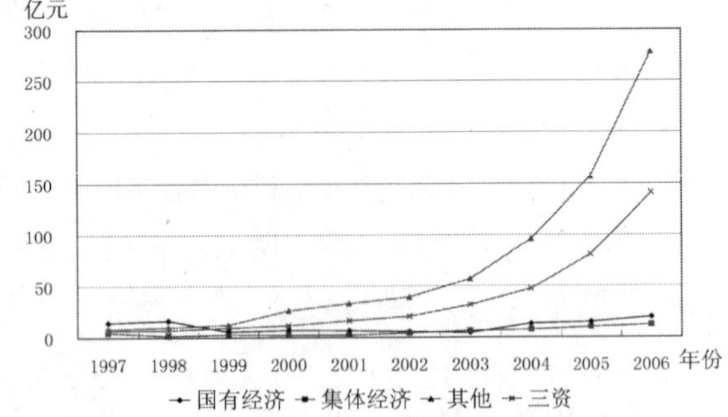

图5－8　河源市规模以上工业总值分组情况

间增加到 47.49%，年均增长 6.9%。(图 5－8、图 5－9)

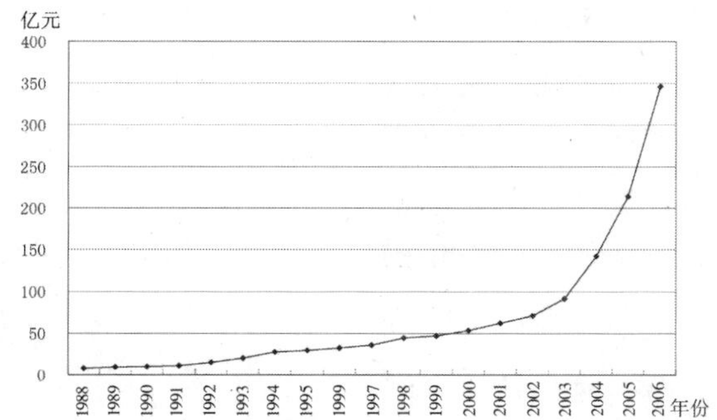

图 5－9　河源市改革开放以来全部工业总产值

2006 年三次产业结构为 16.77 : 47.49 : 35.73。工业开始登上“历史舞台”，成为拉动经济增长的主要动力。到 2007 年时，第二产业在地区生产总值中的比重超过了“半壁江山”，达到了 51.9%。(图 5－10)

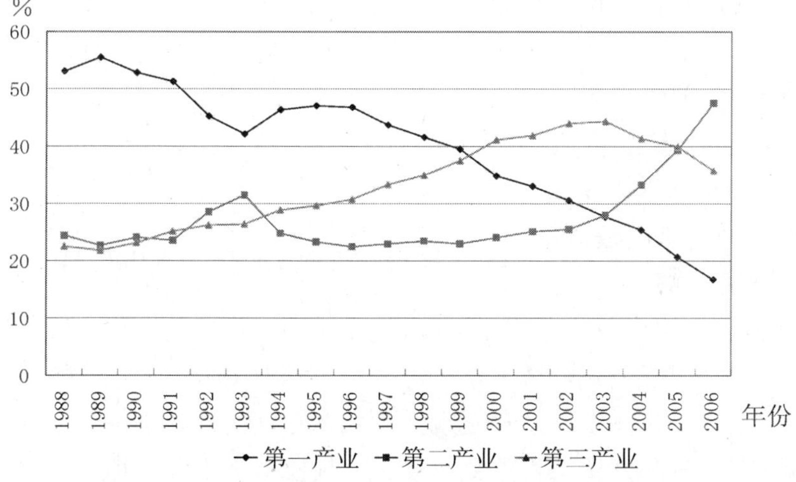

图 5－10　河源三次产业结构演变情况

(4) 投资拉动经济增长。

在河源工业快速增长的背后是伴随着各地工业园区建设，而带来的各地财政预算支出大幅度增加，社会固定资产投资的大幅度增加，进而推动经济的增长。因此河源通过投资拉动经济增长的特征明显。河源 2001 年后地方财政预算支出加速增长，相反地方财政预算收入则相对滞后于投资，于 2003 年开始有加大的增长。

（图5－11）

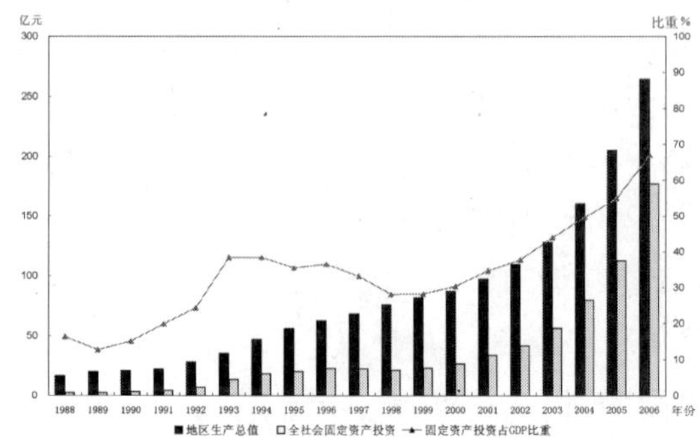

图5－11　河源市财政预算收支

而全社会固定资产投资中除了建市之初，进行城市建设带来固定资产投资增加，到1993年达到最大之后一直呈下降的趋势到1998年达到最低，此后河源全社会固定资产投资占GDP的比重加速增长，由1998年的28.15%增加到2006年的67.03%。而全社会固定资产投资中，市域基本建设投资所占的比重较高，超过了50%。（图5－12）

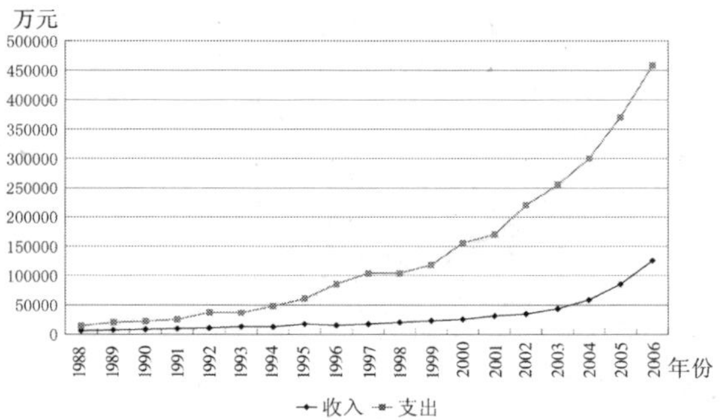

图5－12　河源市固定资产投资占GDP的比重

（5）非公有制经济主导。

河源的工业发展主要是承接珠江三角洲的产业转移，其中港资、外资和私营企业占的比重较大。规模以上工业总值中，“三资”企业和其他非公有制企业增长最快。

3. 工业化推动城市化。

河源工业的大发展促进了城市化。2000年前由于珠江三角洲的聚集作用，周边地区的生产要素都向珠江三角洲集中，如河源在户籍人口稳定缓慢增加的基础上，常住人口在2000年前呈直线下滑，到2000年达到最低点。随着工业的发展，常住人口开始逐步增加。非农人口比重在2001年也有较大的提高，由2001年的21.61%急剧增加到2003年的25.31%。（图5－13）

工业的建设带来了城镇建设面积的扩展，市辖区的面积由2002年的8平方公里扩展到2005年的13平方公里，2006年则陡增至25.6平方公里，几乎翻了一倍。（图5－14）各县城区也纷纷以工业园区的形式加快了建设的步伐。如河源高新区首期规划用地面积18.31平方公里，源城工业园区规划用地18.42平方公里、东源县工业园区规划用地20.5平方公里。

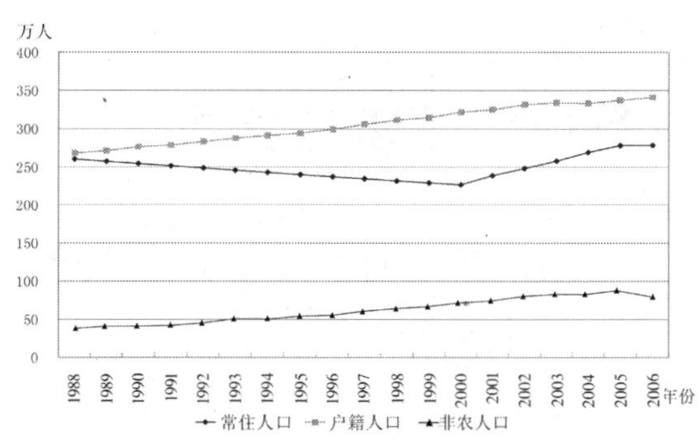

图5－13　河源市人口的历史变化

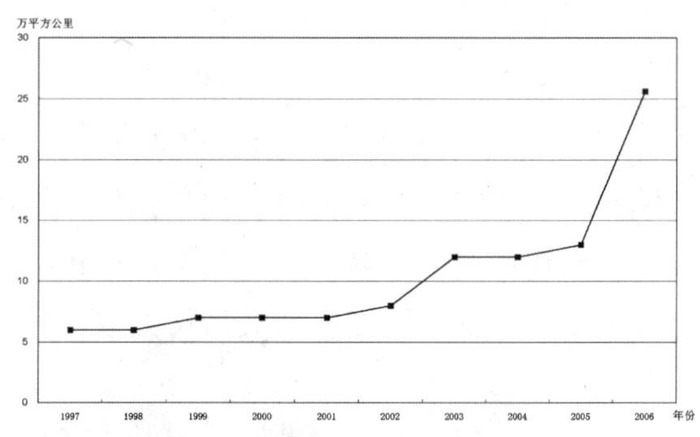

图5－14　河源市建成区面积的历史变化

由于山区经济发展弱后，城市建设和服务配套未能跟上工业集聚的步伐。现状工业园区大多只具有单一的产业功能，政府服务不足，生产性服务业匮乏。生活居住、文化娱乐设施缺乏，无法满足企业员工尤其是高层的生活需求。工业的聚集也无法充分享受到城市化经济的福利，如果在发展中不注意，将会影响工业的进一步集聚。

第六章
原有中心城市的拓展

1990 年代中后期，我国的经济发展进入了新的阶段，国际、区域和城市之间的激烈竞争，使加强区域性中心城市建设、走规模化的城市化道路成为新的选择。全球城市体系发展的态势和中央政府城市发展方针的转变，为大城市的发展创造了条件。

一、城市发展方针之变

1978 年《中共中央关于加强城市建设工作的意见》提出："控制大城市规模，多搞小城镇"的口号。1980 年国务院批转《全国城市规划工作会议纪要》明确了城市发展的总指导方针是："控制大城市规模，合理发展中等城市，积极发展小城市。"1989 年颁布的《中华人民共和国城市规划法》第四条规定："国家实行严格控制大城市规模、合理发展中等城市和小城市的方针，促进生产力和人口的合理布局。"该法还明确了："大城市是指市区和近郊区非农业人口 50 万以上的城市。中等城市是指市区和近郊区非农业人口 20 万以上、不满 50 万的城市。小城市是指市区和近郊区非农业人口不满 20 万的城市。"

（一）“小城镇，大问题”

1980年代初农村体制改革首先破局，“包产到户”、“联产承包责任制”，土地使用权的明晰让农民将生产结果与收益明确联系起来，理顺了农村的利益格局，使农村焕发活力，农产品供应迅速走出需缺阴影。由于国企改革滞后和商品供应短缺，发达地区农村乡镇企业迅速发展，推动了农村产业升级，也促进了小城镇的发展。

费孝通先生当时就在“苏南模式”研究的基础上提出了“小城镇，大问题”这个命题，主张采用发展乡镇企业、以乡镇工业化带动农村城市化，让农民“离土不离乡”具有中国特色的乡村城市化模式。广东的小城镇发展得益于农村经济体制改革，由于不受计划经济约束而先于大城市从而获得了发展机会。乡镇企业遍地开花，小城镇的发展重新启动了城市化的进程，形成了“乡镇企业—小城镇—小城市”自下而上的城市化模式。

广东省原有大、中城市数量本来就不多，而且极为分散、城市基础设施滞后、实力较弱、辐射范围较小、城乡分隔，城市规模扩张又长期受国家严控大城市发展的政策和土地供应控制，在原有大、中城市创业和就业成本较高。因此积极发展小城镇、选择并培育中小城镇发展为区域中心城市就成为了可供省政府选择的最佳城市化政策。小城镇历史性地成为了广东经济建设的主战场。

广东的农村改革为城镇的发展打下了良好的基础，特别是乡镇企业的蓬勃发展，小城镇迅速扩张。珠江三角洲东岸地区的“东莞模式”，大量“三来一补”的加工贸易型企业基本都分布在小城镇。内生型的西岸地区也依托小城镇发展：顺德、中山是类“苏南模式”的地区，依靠集体乡镇企业推动地区工业化。南海则是类“温台模式”的地区，出现了大量民营中小企业推动地区工业化。小城镇作为农村的“近亲”，便先于大城市而获得了发展。作为人口输入地，内地大量“离土离乡”的劳动力入粤并没有全部涌入原有的少数大中城市，而是随着生产力布局自然流向广大小城镇。

在国家行政分权的大背景下，广东积极进行了一系列的行政区划调整：1985—1990年，广东省建制镇从421个增加到1297个，五年间增加了两倍。新城镇发展的动力和活力也大于原有城市自身的发展，除了深圳、珠海等新兴的特区城市之外，南海、中山、顺德、东莞等地方的一大批中心城镇和专业镇迅猛发展，成为了城镇发展的“明星”。

但是依靠小城镇的城市化也存在着明显的不足，容易造成资源浪费、环境污染、土地利用效率低下等诸多问题。2002年，深圳、中山、佛山三市的建设用地已占其可利用土地总量的72.93%、84.24%和87.32%，已无多少土地可以利用。土地利用粗放的原因主要是农村社区工业化带来的入驻企业规模普遍偏小、效益较差，2002年珠江三角洲有四个主导行业的企业平均资产规模在50万元以下（服装及其他纤维制品制造业22.19万元，皮革皮毛羽绒制品业36.55万元，金属制品业35.61万元，塑料制品业44.54万元）。

（二）大城市规模难以控制

在全民所有计划经济条件下政府控制了所有的资源，城市就业机会把握在政府手中，人口流动被户口制度困住，通过粮食供应、生活消费品的配给制体现出来，虽然同样存在城乡二元化的问题，但是在党的统一领导下造就了一个强控制、单纯、稳态的社会，人口迁移是可控的，城市人口规模因此也是可以计划的。

事实上由于我国快速工业化、城市化过程中东西部区域发展严重不平衡，大量人口和产业向东部发达地区聚集，而城市户籍制度的改革，更使城市人口规模预测往往沦为“数字拼凑游戏”，基于人口控制的城市总体规划便失去了基础，甚至无法做到“实事求是”这个基本的要求。

通过土地供应控制大城市发展规模的政策是极其苛刻和偏颇的，随着区域经济的繁荣，巨大的发展动力迫使大城市不断在旧城挖潜改造，广州在改革开放的前20年里，通过“旧城改造”再造了一个更加困难的旧城——高层建筑“见缝插针”、“遍地开花”，难以合理布局公共设施，无法形成高质量的公共空间，旧城改造高

层高密度的失误加剧了原已十分拥挤的局面，基础设施超负荷运行。历史环境“大拆大建”，历史文化名城保护的防线退到“文物保护单位”，千年古城的历史文化物质基础、岭南城市特色丧失殆尽。

我国现行的城市规划体系是在全民所有计划经济时代完成的制度设计，其理论基础是在空间上落实国民经济和社会发展计划。城市规划管理的权力根源是上级政府行政审批通过的城市规划方案，大城市总体规划则通过国务院审批成为国家事务。1989 年颁布的《中华人民共和国城市规划法》立法的目的也是“为了确定城市的规模和发展方向，实现城市的经济和社会发展目标，合理地制定城市规划和进行城市建设，适应社会主义现代化建设的需要”。

相比小城镇，特大城市、大中城市在推动城市产业结构升级和经济发展方面具有更大的能量，聚集效益也具有明显优势。因此，以上海、北京等为代表，大城市的发展已经势不可挡，“控制大城市”的方针已经为客观实施所突破。1990 年代中后期，大城市作为区域的经济中心，人口、产业高度集中，规模和集聚效应明显，对周边城镇和地区发展的带动功能日趋突出，在城市化进程中起着举足轻重的作用。

（三）“市带县”分权带来的弊端

广东于 1991—2000 年推行了“整县改市”，设置了大量的县级市，“分权以促竞争、竞争推动增长”。在这个过程中，增设城市和行政管理主体，并在财政、投资和金融等方面进行分权以给地方政府更多权力，以刺激地方政府积极推动城市发展增加自身的财政收入，适应了当时的经济发展状况。改革开放初期，各发展主体之间竞争较少，同时各发展主体根据自身的条件差异化发展，形成了不同工业产品集群，并创造了南海、中山、顺德等多种模式，创造了“从无到有”的奇迹，启动了经济发展，获得了巨大的经济效益。但是，随着经济的发展，在原有的行政建制格局下各中心城市功能逐步完善，争做“全能冠军”，带来了两个问题：

一方面，在整个资源有限的条件下，各主体为了发展自己的经济，形成地方保护主义，强化了所谓的“行政区经济”，各自为政阻碍了要素市场的流动，“诸侯割据”加剧了市场分割和行政区间的经济摩擦。在“行政区经济”与“市带县”背后，竞争存在极大的不公平，经济较为发达的中心城市凭借其品牌地位和行政等级优势，在竞争中获得极大的优势，如调整前的广州与番禺、花都。此外，在珠江三角洲农村工业化阶段，土地是经济的主要载体，因此拥有较大面积的发展主体虽然行政等级较低，其发展超越了高行政等级的发展主体，相互之间矛盾更为突出，如调整前的佛山和南海、顺德。

在这一分权化过程中，地方政府的经济职能为行政区经济相对独立运行提供了保证。但在各级政府强烈追求自身利益最大化的动机驱使下，政府对经济的不合理干预行为使得区域经济带有强烈的地方政府行为色彩。在这种情况下，行政区划就如同一堵“看不见的墙”，阻碍区域经济联系与发展，甚至出现与区域经济一体化相悖的运行态势（罗震东，2006）。

另一方面，由于财政的分权，各发展主体依托土地，在畅通的地方政府信贷基础上，投资积极性高，市、县（级市）都按照小而全、小而散的模式建设，带来了区域设施和城市功能的重复建设、重复布局，导致了产业结构雷同、无序竞争、重复建设、资源浪费、效率低下等问题，而且态势愈演愈烈，产生了许多的市县（级市）矛盾。其中最为突出的又是“市县同城”，即地级市与县级市政府同时管理和建设两个连在一起的城区，结果各搞一套。

（四）大城市的“再中心化”

1. 提高城市化质量。

分权管治带来了发展的活力，也存在着明显的不足，城市发展出现了资源浪费、环境污染、效率低下等诸多问题。相比之下，大城市作为区域的经济中心，人口、产业高度集中，规模和集聚效应显著，市场配置资源的作用强大，在区域分工、优化区域产业结构、产业结构升级等方面具有明显优势，对周边城镇和地区发展的

带动功能日趋突出，在城市化进程中具有更大的承载力和影响力，主力地位逐步凸现，起着越来越举足轻重的作用。

随着城市化的发展，1990 年代后期控制大城市的政策实际上已被城市发展的客观现实所突破。大城市无论在规模上还是数量上均以势不可挡的速度发展，原有的中心城市规模迅速扩大，用地紧张，中心城市的市政设施、交通设施已经向周围县（市）建设拓展。

在信息化、国际化的背景下，大城市在为工业经济、信息经济提供效率方面的优势日益凸显，我国的城市发展方针也有了重大的扭转。面对城市发展的效益及其在社会经济中的中心作用，我国重新重视大城市发展，走集中型城市道路是必然的选择。

2．参与国际竞争。

随着经济全球化的发展，全球的城市已经形成一个联系紧密的网络和高度竞争的体系。经过改革开放以来的迅猛发展，中国的城市也已经成为世界城市体系的重要组成部分。（图 6－1）在这个过

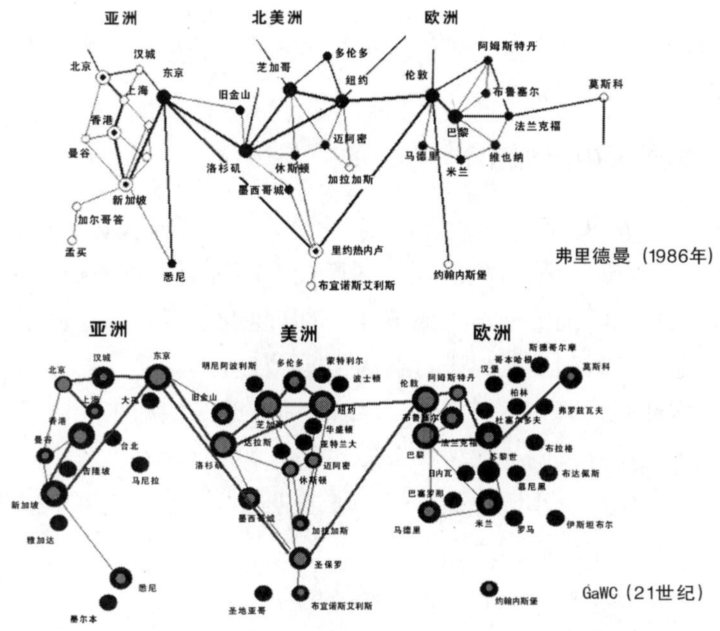

图 6－1　两个关于“全球城市体系”的图示

程中，大城市正是引领中国城市融入世界城市体系，参与国际竞争的“领头羊”。未来，国家与国家之间、区域与区域之间的竞争，将不再是表现在单一的城市主体上，而更多的是在多个城市的组合体、城市群体也即都市区、都市圈整体实力之间的竞争，而大城市就是区域的核心。因此，从参与国际竞争的需要来看，广东城市发展不能“只有星星，不见月亮”。

2000年以来，广东形成了珠江三角洲、粤西、粤东三大城市密集区，并初步呈现了“广佛”、“港深”以及“珠澳”等三个都市圈的雏形，珠江三角洲的一体化正在加速发展。做大做强若干中心城市，对于统筹、整合区域的发展格局，提升区域竞争力具有重要的意义。

大城市的拓展，改变了原来的管理架构，有利于进行统一的城市规划，整合资源，集中资源和力量自上而下地推动城市建设，优化投资环境。城市扩张使区域间的行政界限消失，打破了“画地为牢”的经济格局，减少管理层次，促进区域经济的整合在更大区域内实现了优化配置，避免了重复建设和资源浪费，从而增强城市和区域的竞争力。

（五）大中小城市协调发展

改革开放30年来中国经济抓住全球资本主义时代贸易自由化、产业大转移的这个战略机遇期，利用代工的机会迅速发展制造业，已经在较短的时间内基本完成了国家的工业化，近年正在抓紧发展重化工业和装备制造业，进行着优化国家工业体系的工作。

事实证明，只有靠工业化，像日本那样通过出口工业产品、服务和技术在世界范围换取生存资源和生存空间，才能养活中国众多的人口，才能进行小康进而富裕。以工业化带动城市化是中国经济发展、社会进步的必由之路。

完全依赖小城镇发展城市型经济也存在着明显的不足，随着规模和数量的扩张，小城镇的产业质量低、环境污染分散、土地利用效率低下等诸多问题也开始受到关注。“城市经济的集聚效应是以

规模发展为特征的，其规模下限的城市人口数是 10 万 ~15 万人，如低于 10 万 ~15 万人的城市，其经济效益明显偏低。50 万人以上的城市，人均国民生产总值比 2 万 ~5 万人的城市，效益高出 40% 以上。”①

邓小平对中国城市发展也有着自己独特的观点：“你们（天津）在港口和城市之间有这么多荒地，这是个很大的优势，我看你们潜力很大，可以胆子大点，发展快点。”②（1986 年）“比如上海，目前完全有条件搞得更快一点……回过头看，我的一个大失误就是搞四个经济特区时没有加上上海。”③（1992 年）

主张鼓励大城市发展的观点认为：①大城市病不是城市本身固有的，而是重生产、轻基础设施建设，不合理的政策所导致的；②大城市高效、有活力，拥有资源、技术人才的优势，能充分地发挥资金的作用，“好钢用在刀刃上”；③中小城市不见得没有城市病，许多小城市的污染更严重；④中小城市由于资金、技术等所限，以及观念的落后，造成资源的严重浪费；⑤许多地方发展目光短浅，追求片面效益、当前利益，无可持续发展可言。

大城市发展的效益日益突显。从 1994 年全国城市用地每平方公里创造的工业产值分析，中等城市是小城市的 7 倍，大城市是中等城市的 1.6 倍，特大城市又是大城市的 6.4 倍。大城市作为区域的经济中心，人口、产业高度集中，规模和集聚效应已经开始显现，对周边城镇和地区发展的带动功能日趋突出，在城市化进程中具有更大的承载力和影响力，主力地位日益凸现。因此，大城市的发展已经势不可挡，“控制大城市”的方针已经被客观发展有所突破。

90 年代中后期，我国的经济发展和城市发展进入了新的阶段，区域、城市之间的竞争日益激烈，加强区域性中心城市建设，走规

---

① 李津奎：《城市经营的十大抉择》，海天出版社 2002 年版。

② 中央电视台：www.cctv.com/financial/jingji/sanji/jujia，《天津纪事——发现新天津》2002 年 6 月 9 日。

③《邓小平文选》第 3 卷，人民出版社 1993 年版，第 376 页。

模城市化道路成为各地不约而同的选择。各省区开始从区域经济发展的需要出发，适度扩大中心城市的规模，充实强化本省区的区域性经济中心城市。城市发展态势的变化和政府对大城市发展态度的转变，为大城市发展创造了条件。

十六大报告明确提出："农村富余劳动力向非农产业和城镇转移，是工业化和现代化的必然趋势。要逐步提高城镇化水平，坚持大中小城市和小城镇协调发展，走中国特色的城镇化道路。发展小城镇要以现有的县城和有条件的建制镇为基础，科学规划，合理布局，同发展乡镇企业和农村服务业结合起来。消除不利于城镇化发展的体制和政策障碍，引导农村劳动力合理有序流动。"① 在中国城市化高速推进，人口东移，大城市大发展的时代，城市发展方针已经发生变化。这种调整适应了市场经济的规律和机制。在市场经济条件下，各种城镇的发展受到经济规律的影响和作用，往往不是人们主观意志能够左右的。

新一轮城市化浪潮中，广东省也积极调整了城市化的发展战略，改变了过去控制大城市的态度，积极发展大城市、特大城市成为了21世纪初的新焦点。

自1990年代末开始，广东开始了以"撤市设区"为特点的新一轮的行政区划调整，共有十多个县级市转变成了大城市的市辖区，县级市也由原来的33个减少至2003年的23个。大广州、大佛山、大汕头、大惠州等通过撤市改区而产生，广东的城市格局出现了新的变化。

2005年广东省人口100万以上的城市有7个。其中，广州市市辖区面积3719平方公里，建成区面积608平方公里；深圳建成区面积达516平方公里，跃居全国第4位；东莞通过近几年的迅速扩展，建成区面积达到246平方公里，居全国第12位。佛山市"撤市设区"后实现市区面积扩大了50倍，建成区面积扩大了3倍，

① 江泽民：《全面建设小康社会，开创中国特色社会主义事业新局面》，人民出版社2002年版，第23页。

也达到了200平方公里；江门市区面积扩大了10倍，建成区面积扩大了两倍。经济规模上，广州、深圳近年来稳居全国第三、第四位，佛山和东莞均进入全国前列。

二、广州的战略拓展①

（一）区划调整，重拾生机

改革开放以前，广州作为省会，在全省的城市格局中一枝独秀，占据了绝对中心地位。改革开放后，外资大举进入珠江三角洲并在区域的发展中发挥了强大的主导作用，激起了珠江三角洲工业化和城市发展的高潮，广州周边的城镇迅速崛起，珠江三角洲呈现出多极发展的“拼图式”经济格局。在改革开放初期，广州作为省会城市，计划经济时代积累的基础优势成为了“船大难掉头”的劣势，未能充分借助外资推动的作用力获得快速发展，成为了珠江三角洲区域经济增长相对缓慢的城市，城市的地位相对下降，城市发展面临巨大的挑战。

1．城市发展面临困境。

1978年代以后，珠江三角洲地区发挥毗邻港澳的优势，通过承接香港劳动密集型产业转移，以令人瞩目的速度推进工业化进程。在这一轮工业化过程中，广州作为老城市，劳动力、费用成本、土地供应等方面的竞争优势都不如珠江三角洲其他地方。相反，老城市在新体制下负重难行，时兴的产业难以在广州获得相对的发展优势，导致了经济发展相对缓慢。同时，城市的后续发展也面临着一系列环境、资源、政策等的约束。

1980年代，由于广州市经济技术开发区的建设拉动，东翼黄埔组团迅速发育。城市用地向东发展，在沿江狭长地域形成类似带

---

① 本节图表非特别注明，数据均源于各年《广东统计年鉴》、《广州市统计年鉴》。

状的组团式城市总体发展形态。1984年国务院批复第十四轮“广州市总体规划”。这个规划在特定的历史时期里，很好地解决了80年代广州城市产业发展的问题。以工业为主导的产业发展向东拉开了阵势，使城市结构出现了向东疏解的趋势。但是由于历史的原因和人的认识局限性，当时没有痛下决心将城市中心迁出旧城区。行政、商业、居住等依然在旧城区沿用“摊大饼”的发展方式，人口和功能日益密集。

广州长期以来的空间发展局限于市区1400多平方公里的范围，产业选择和空间拓展受到了严重制约，城市格局难以优化。1990年代初，社会、经济超速发展，城市发展需求大量土地。虽然广州市政府提出发展东南部的战略，但是东部组团已不能满足发展的需要，而南部地区受行政区划的制约难以施展。

受制于行政区划，1996年的第十五轮“广州市总体规划”急于寻找发展的空间，强化了北翼大组团的开发，但是，这一举措仍然囿于以旧城为中心的城市格局，导致了旧城开发强度居高不下和交通的聚焦，反而加剧城市问题，引发了旧城发展的危机。同时向东、北两翼发展，将城市中心移回“云山珠水”自然生态格局约束中的旧城，显化了千年古城传统城市结构的约束，重新回到“摊大饼”的城市发展形态。（图6－2、图6－3）这个方案存在几个问题：

图6－2　广州市城市总体规划图（1991—2010年）

（1）由于白云山和珠江的限制，东、北两翼的人流、物流、车流必然通过交通业十分困难的旧城，加剧全市的交通矛盾。城市环境质量下降，现状用地界线作为征地边界，异形土地产生异形建筑。沿繁华商业区的高架道路“外科手术式”的市政建设严重影响城市环境。

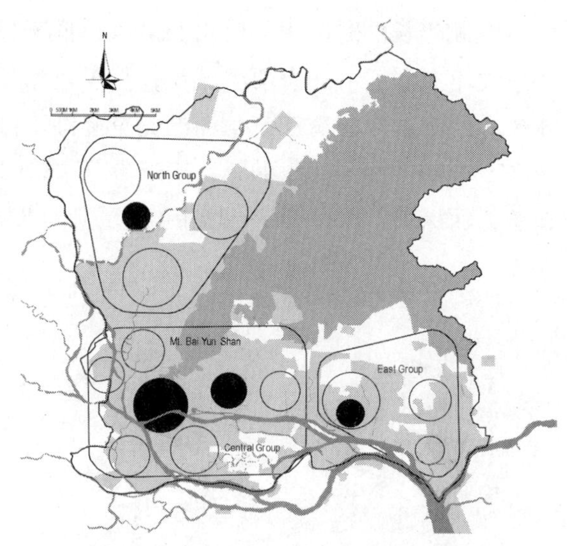

图6-3　广州城市总体规划结构示意图（1991—2010年）

（2）由于缺乏疏解旧城的整体战略，城市中心区局限在旧城“云山珠水”的狭小地域，人口和活动过密，导致旧城交通堵塞、环境恶化，且难以根治。由于强化了旧城的中心区位，非但未能起到疏解旧址的目的，反而提升了旧城土地的经济价值预期。高层建筑“遍地开花”，旧城改造高层高密度的失误加剧了广州原已十分拥挤的局面。

（3）北冀组团方案侵入了广州市自己宝贵的水源保护区——流溪河、广花平原地下水涵养区，进入了可能会发生地质灾害的不宜建设的广花平原岩溶地质地带。北翼组团与花都区发展，大有重新包围新机场，使之重蹈白云机场覆辙之势。

（4）80年代盼发展，90年代初大发展，90年代末大治理。“见缝插针”式的旧城改造无法形成高质量的公共空间，难以合理布局公共设施，基础设施超负荷运行。且破坏了千年古城形成的历史文化物质基础，降低了历史文化名城的整体价值。历史文化名城保护的防线已经退到“文物保护单位”这样一个层次。

2．首位度持续降低。

在相当长的时段中，广州经济增速低于周边地区，GDP 增长率不仅比不上深圳、珠海两个城市，甚至还略低于珠江三角洲的平均水平，经济总量在珠江三角洲的比重逐渐下降。1980 年广州在珠江三角洲 GDP 总额中占 44%，1985 年下降到 36%，到 1990 年已为 32%，而深圳、珠海等新兴城市的比重则在明显上升。（图6－4）

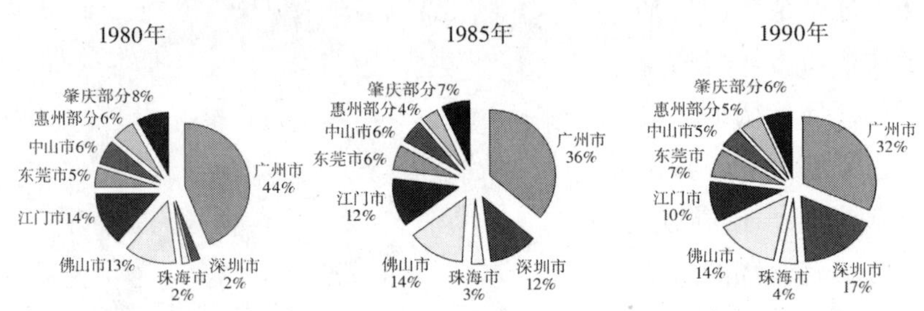

图 6－4　珠三角各市 GDP 贡献率

资料来源：《珠三角统计年鉴》（1980—1990）。

随着经济实力的相对弱化，广州的区域影响力趋于下降，在计划经济向市场经济转变的过程中，经济领域的权力下放，区域关系从行政等级联系向横向经济联系转变，广州原有的行政与计划控制力不断减弱，面临周边城市强有力的竞争。

3. 区划调整带来了机遇。

2000 年，行政区划调整为广州城市空间拓展和城市发展格局的跃变创造了难得的历史契机。广州撤销了番禺、花都两市，设立番禺、花都两区，这一调整使广州市区面积从调整前的 1443 平方公里跃升至 3718.5 平方公里，面积增加了近两倍。区划调整解除了广州城市发展的空间制约，为广州进行战略拓展提供了巨大的平台和空间，广州的城市发展不再束缚于“云山珠水”。（图 6－5、图 6－6）

（二）云山珠水，商贸名城

广州一直是广东的经济中心。1990 年以前广州地区生产总值

占全省 GDP 的比重一直在 20% 以上，其他城市的比重均不超过 10%。1990 年深圳的地区生产总值在全省的比重开始超过 10%，而广州的经济首位度开始低于 2。广州独大的格局终于被打破。

图 6－5　2000 年区划调整前广州市区图—广州市城市建设现状图

图 6－6　广州 2000 年区划调整后的市区图

表 6－1　广州经济首位度变化

年份(年)	1978	1980	1982	1984	1986	1988	1990
首位度	3.01	3.07	2.8	2.81	2.47	2.38	1.86

1．城市经济的拓展。

1949—1978 年，广州作为华南地区的中心城市，初步形成了机械制造、钢铁、石油化工、造纸、轻纺等工业基础。这些工业主要布局在南石头、凤凰岗一带（50 年代初建设）以及鹤洞重工业区、赤岗工业区和员村车陂工业区（1958 年后建设），60 年代又重点规划开发了黄埔区一带作为广州新的工业区。到 1980 年代初期时，仅黄埔区就已新建 20 多家大中型工厂，包括广州石油化工总厂、广州汽车制造厂、文冲造船厂、黄埔发电厂等。

1978年，广州的地区生产总值为43.09亿元，占全省的23.2%，是广东省经济总量最大的地级市，人均地区生产总值907元，是全省的2.45倍。三次产业结构为11.67∶58.59∶29.74，其中工业比重达到了56.52%，比全省高15.5个百分点，工业比重相比1949年整整提高了24.3个百分点。轻重工业产值比例为63.24%∶36.76%，重工业比重比1949年提高了26.5个百分点。[①]地区生产总值的83%、工业总产值的93%分布在市区（老八区）。

改革开放后，广州经济发展依托大型开发区和产业基地引进境外资本，实现本地工业化；通过轻工业起步，随后向重化工业升级。

（1）依托新产业空间发展。

"广州经济技术开发区"、"广州高新技术产业开发区"和"南沙经济技术开发区"等新产业空间的向外拓展，使广州有了可以大力开展招商引资工作的产业基地，成功在全球化背景下借助外资推动了本地工业化的快速发展。

1980年代至1990年代，广州的工业发展主要是依托市区东部的广州经济技术开发区和广州高新技术产业开发区（前者于1984年经国务院批准开始成立，后者于1990年经国务院批准成立）。1984年经济技术开发区成立后，工业增长速度非常快，工业产值在全市的比重逐年提高，到1990年时，已经占到3.11%。1990年高新区成立，1991年保税区成立，2000年出口加工区成立，随后开始实行"四区合一"的管理方式。2000年，广州开发区（包括了经济技术开发区、高新区、出口加工区和保税区）工业产值在全市的比重突破了10%。2006年，广州开发区实现地区生产总值789.44亿元，占全市的比重为13%，而工业增加值则占到了27.3%，工业总产值则占到了24.7%（其中高新区完成工业总产值987.92亿元，占全市比重为12.2%）。（图6-7）广州经济技术开发区工业产值中的95%是由"三资"企业创造的。

进入21世纪后，广州工业的主导发展空间又向市区南部的南

① 根据《广州五十年》整理。

沙地区拓展。短短几年时间，先后建成了（和正在建设）汽车基地、造船基地、钢铁基地、石化基地。2006 年，南沙区实现地区生产总值 210 亿元，比上年增长 47.3%。三次产业结构为 4.65：78.23：17.12。完成工业总产值 475 亿元，增长 80.9%，工业总产值已占到全市的 5.9%。实际利用外资 4.57 亿元，增长 12.7%。完成固定资产投资 215.3 亿元，增长 31.6%。完成税收总额 37.7 亿元，增长 1.1 倍。区预算内财政收入 8.4 亿元，增长 53.3%。

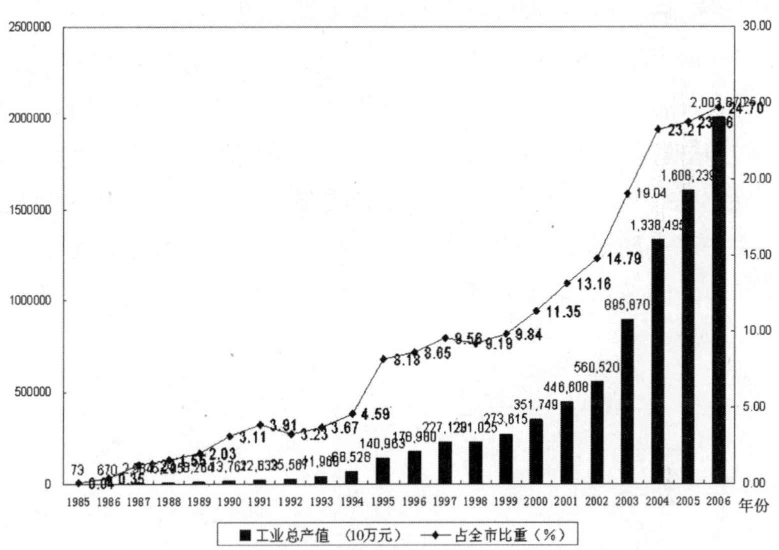

图 6－7　广州开发区工业产值在全市的比重大幅提高

资料来源：根据历年《开发区统计年鉴》、《广州市统计年鉴》整理而得。

（2）从轻工业升级到重化工业。

改革开放前，广州的工业结构是轻工业主导的，比重在 60% 以上。改革开放后到 20 世纪末期，这种结构基本维持着，但轻工业比重呈现逐年下降的趋势。在 1997 年之前，有些年份是轻工业增长速度快于重工业，有时又反过来。1997 年是个转折点，从该年开始，重工业产值的增长速度就一直高于轻工业，并维持在年增长 20% 以上。

2006年与1978年相比，广州轻工业产值增长了52.87倍，而重工业产值的增长倍数则达到了109.44倍，是轻工业的两倍多。但如果将2000年与1978年比较，轻重工业的增长倍数则基本一致。这说明，改革开放后广州的工业化是以轻工业起步和打基础的，然后在我国消费结构升级进程的推动下，21世纪则以重工业推动广州工业化的进一步发展。这种以劳动密集型的轻工业起步，然后转到资本密集型的重工业，最后转到技术密集型的高技术制造业的顺序是符合一般地区的工业化发展规律的。

2. 城市空间的拓展。

城市的拓展是一个长期不间断的过程，但是城市拓展的过程在不同的时期都表现出明显的阶段特征。广州城市空间拓展经历了核心边缘发展阶段、自然拓展阶段、战略提升阶段，而今正处于“多中心多极网络化”结构的前期“多极提升”的阶段，其历程大致可以划分为四个阶段。（图6－9、表6－2）

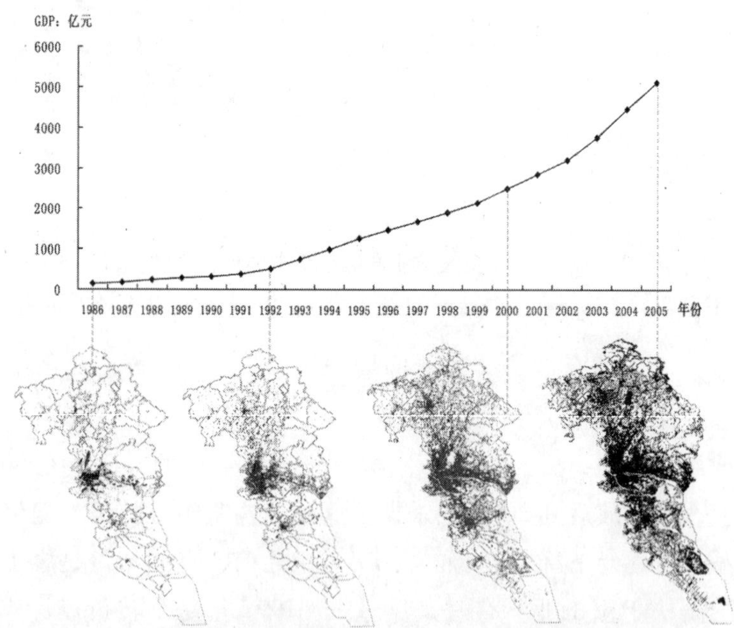

图6－8　广州经济、城市发展历史演进

资料来源：《广州2020战略产业专题》，中山大学出版社2007年版。

表 6－2　　　　广州经济、城市发展历程

年份	1985	1990	2000	2005
人口（万人）	544.98	629.99	994.2	949.68
人均 GDP（元）	2302（288 美元）	5073（713 美元）	25073（3134 美元）	54273（6784 美元）
建成区面积（km^2）	162.92	187.4	431.5	734.99
三次产业结构	9.7：52.9：37.4	8：42.7：49.3	3.8：41：55.2	2.5：39.7：57.8

注：由于没有 1985 年常住人口的资料，考虑到外来人口是在 90 年代大量涌入广州，在 1985 年以年鉴总人口计算人均 GDP，1990、2000 和 2005 年都是按照普查人口计算人均 GDP；汇率按 1：8 计算。

资料来源：《广州 2020 战略产业专题》，中山大学出版社 2007 年版。

（1）改革开放前，以老城区为中心。

计划经济时期，在单中心纵向行政体系的框架下，广州在历史形成的“以老城区为中心的单中心”基础上，逐步开始沿着老城边缘向外拓展，逐渐形成“组团式”的城市发展结构。“一五”时期，强调变消费型城市为生产城市，以食品与轻纺工业为主，兴建了一批工厂和工业新村；“二五”时期，城市发展迅猛，大批工业区向城市周边蔓延，形成了一定规模的工厂区和工人住宅区；1958—1964 年，城市用地除向东发展外，还向北延伸，至 1962 年建成区面积达 76 平方公里。

（2）1980 年代，城市向东带状组团式拓展。

1961、1984 年的规划相继将天河与黄埔确定为城市向东拓展的两个城市组团后，广州便开始“沿江向东的带状组团式”拓展。此一阶段，广州城市向东发展的趋势明显。首先是天河新城区的规划和建设，以举办全国第六届运动会为动力，广州在天河新区建设天河体育中心带动片区的发展，使其形成以商务、体育、交通、旅游、贸易为中心的综合新城区。其次是在政府主导下开发区的建设得以发展，开发区吸引、承载了广州大量工业企业，初步成为广州工业化的龙头和经济发展的增长极。

（3）1990 年代，城市向外自然蔓延拓展。

1990年代，广州经济持续增长，产业结构逐渐调整，尤其是1992年邓小平同志视察南方以后经济增长速度较前一个阶段有所加快，城市的经济密度有了明显提升，但城市空间处于自然蔓延的状态。

1989—1992年，为了顺应邓小平视察南方讲话以后经济和城市快速发展的态势，并缓解当时房地产经济过热的局面，广州在制定第十五轮广州城市总体规划时，提出了向东、向南发展，但是，由于“云山珠水”以及行政区划的限制，把行政区划内可用地全部作为备用地，进而形成了北翼大组团、东翼大组团和中心组团，城市不得不形成了“扇形拓展模式”。同时，政府积极加大交通基础设施的投资建设，开始了城市在更大地域范围内扩展，城市以老城区为核心，沿着交通干线和珠江岸线向南和向东延伸，其中沿珠江北岸向东的用地延伸相对明显（图6-9）。

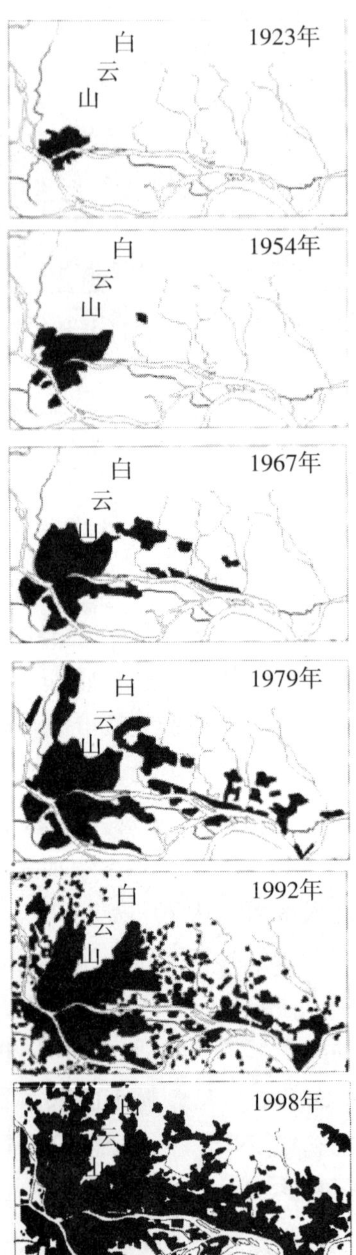

图6-9 1923—1998年广州城市建成区演变示意图

（4）2000年至今，区划调整城市拓展。

广州2000年开展了“撤市设区”的行政区划调整，扩充了广州的城市发展用地，为广州的产业和空间拓展创造了条件。

为了顺应行政区划调整，广州实施了“拉开结构、建设新区、保护名城”的城市空间发展战略，按照“南拓北优，东进西联”的八字方针，使广州从“云山珠水”走向“山城田海”，引导广州向更深、更广的方向拓展。伴随战略的推进，南部快速路、轨道交通、大学城、新客站、南沙港等各项大型设施得以建设，形成了城市外围发展的新一轮动力。随着城市空间的跨越式拓展，广州城市架构迅速拉开，经济的发展加强了城市在更大地域范围内的分散，居住和就业功能在外围发展起来，多个增长核在老城市中心外开始形成，并逐渐强大，得以构成广州市域城市空间的增长极，城市空间结构开始进入“多极提升”向“多中心多极网络化”的过渡阶段转折期。

2005年东山、越秀合并为越秀区，芳村、荔湾为荔湾区，成立萝岗区和南沙区，进一步优化了广州城市空间结构。自此，广州初步形成了以都会区为主，南沙区、萝岗区和新白云国际机场周边地区为辅，各区之间由生态廊道分隔的城市空间形态，其中各区内各功能组团之间又由生态廊道分隔，多中心、组团式网络型的城市结构框架已见雏形。

（三）山城田海，工业重镇

2000年，广州抓住了城市区域调整的重大历史契机，开创了国内概念规划研究的先河，在全国率先开展了城市总体发展战略规划研究，形成了《广州城市建设总体战略概念规划纲要》，明确了广州的城市定位、发展方向、发展重点、功能布局、空间结构以及交通建设、生态建设等重大战略问题，为大广州的建设和发展提供了战略决策思路，产生了非常重要的影响。（图6－10）

1．战略构想。

（1）城市发展目标：坚持实施可持续发展战略，实现资源开发利用和环境保护相协调，充分发挥中心城市政治、文化、商贸、信息中心、交通枢纽等功能，巩固、提高广州作为华南地区的中心城市和全国的经济文化中心城市之一的地位与作用，使广州在21

世纪建设成为一个高效、繁荣和文明的国际性区域中心城市，一个适宜创业又适宜居住的山水型生态城市。

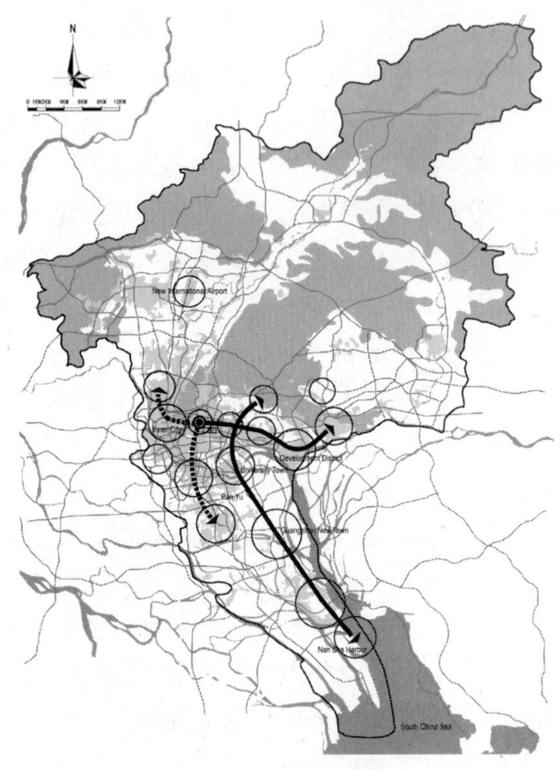

图 6-10　都会区土地利用结构解析

注：整理自《广州总体发展战略规划(2001 年)》。

（2）城市发展战略：以区域协同和生态优先为前提，利用广州经济高速增长和中国快速城市化的机遇，采取跨越式发展，通过“南拓、北优、东进、西联”，调整城市空间结构，促使城市结构从单中心向多中心转变；保护历史文化名城；加强城市基础设施建设，完善城市功能，促进产业化水平的提高和经济健康增长；维护地区生态环境的平衡，并保持社会稳定。城市发展的主要方向为南部和东部，空间布局的基本取向是：南拓、北优、东进、西联。

南拓：南部地区具有广阔的发展空间，新兴产业区、会展中心、生物岛、广州大学城（45 平方公里）、广州新城（228 平方公里）、南沙新区（50.3 平方公里）等将布置在南部地区，使之成为完善城市功能结构，强化区域中心城市地位的重要区域。其中南沙开发区将成为集汽车、石化、钢铁、造船、临港产业等为一体的产业集聚区。

北优：北部是广州主要的水源涵养地和交通枢纽，应优化地区功能布局与空间结构，发展生态旅游业，并在保证新白云国际机场

“机场控制区”的前提下，适当发展临港的机场带动区，建设客流中心、物流中心。

东进：以广州珠江新城和天河中央商务区的建设拉动城市发展重心向东拓展，依托广州经济技术开发区和广州科学城，将旧城区的传统产业向黄埔—新塘一线集中迁移，利用港口条件，形成密集的产业发展带。

西联：西部直接毗邻佛山等城市，应加强广州同西部周边城市的联系与协调发展，加强广佛都市区的建设，同时对旧城区进行内部结构的优化调整，保护历史文化名城，促进人口和产业的疏解。

（3）城市空间结构：以山、城、田、海的自然格局为基础，主要沿珠江水系发展的多中心组团式网络型城市结构。确立珠江作为城市空间景观发展的纽带，构筑一江多岸，两轴三带，两个转移带，三个大港，四个物流中心的多中心、网络型、生态系统复合的城市结构。

两轴：两条城市功能拓展轴。自中心城区向黄埔方向，重点发展传统产业的“东进轴”；沿地铁四号线从广州科学城、琶洲会展中心、广州生物岛、广州大学园区到广州新城、南沙经济技术开发区、龙穴岛深水港，重点布局新兴产业和港口工业用地的“南拓轴”。

三条城市发展带：沿珠江前航道发展带；沿珠江后航道发展带；沿沙湾水道发展带。

两个转移带：白云山西侧“北部转移带”；海珠区—市桥“南部转移带”。

三个大港：新白云航空港、南沙深水港、琶洲信息港。

（4）城市生态环境：基于区域与城乡生态环境自然本底及其承载能力，以“山城田海”的自然特征为基础，构筑“一环两楔”区域生态圈、建立“三纵四横”的生态廊道，打通汇集到珠江、密布城乡地区的河网水洗而形成的网状“蓝道”系统，结合城市基础设施廊道、防护林带、公园等线状和点块状的生态绿地，建设多层次、多功能、立体化、复合型网络式生态结构体系，形成山水型生态城市基本构架。

(5) 城市综合交通：在保护生态、环境的前提下，密切结合土地利用，积极构筑以机场、港口、铁路为龙头，以“双快”交通体系（高快速道路与快速轨道线）为骨干的高效、快捷、人性、智能、生态的都市综合交通运输系统，适应、促进并合理引导城市空间拓展与未来的持续发展，强化广州作为交通枢纽、物流、客流中心的地位，充分发挥华南政治、经济、文化中心和国际商贸中心的作用。

2. 战略的实施。

在2000年《战略规划》的指导下，广州城市空间初步完成从“云山珠水”向“山城田海”扩张的格局，形成了“一心两区三张牌”的六大重点空间据点，即珠江新城城市中心，萝岗和南沙两区，大学城、汽车城和亚运城市三张牌。城市产业空间北抵花都，南至南沙，东到萝岗，南北跨度达到128公里，东西跨度43公里，广州市区面积也从原来的1443平方公里扩展到3718.5平方公里。城市基础设施也在这样一个巨型尺度下布局，城市轨道交通网、高快速路网、高速铁路网、新白云机场国际航空港、武广新客站枢纽、南沙深水港，共同构筑了广州“一网两高三枢纽”的基础设施格局。

(1) 一心两区三张牌。

“一心”之珠江新城——在战略规划指导下，2003年新一轮珠江新城规划首次提出建设广州市21世纪城市中央商务区（GCBD21）的目标，明确珠江新城功能定位为21世纪城市中心商务区硬核的重要组成，将发展成为贸易、商业、文娱、外事、居住和行政等，集国际金融、强大的商务、商业、文化、会展、酒店等为一体的城市一级功能设施区，发挥广州作为区域性中心城市的作用，成为体现21世纪广州城市发展与城市形象的标志性地区，以适应广州作为珠江三角洲区域中心城市生产性服务业发展的定位要求。

“两区”之新设立萝岗区和南沙区——目的是促进城市发展资源的整合，实现了从开发区走向行政区的跨越，符合了城市空间东

进、南拓的发展战略，并且用行政区划将东进、南拓的成果巩固下来。

“三张牌”之大学城、汽车城和亚运城市。

——大学城。选址于新造小谷围岛，规划面积43.3平方公里，可建设用地面积为30.4平方公里，规划总人口35万~40万人。大学城是广州南拓的突破口和启动区，连接内城和南拓的桥梁。大学城是广州基于知识经济的城市竞争力的价值重构点。

——汽车城。近几年来，广州汽车工业快速崛起，并形成了东部本田汽车生产基地、北部东风日产为龙头的花都汽车城和南部南沙丰田国际汽车城为主导三大组团式布局的汽车产业集群。

——亚运城市。2010年亚运会的成功申办将成为广州城市发展的重要契机，对广州市社会、经济、文化、城市建设与形象等方面产生深远影响，广州迎来了迈向国际化、提升城市竞争力的空前机遇。广州市正在以建设现代化、国际性“亚运城市”为目标，加快建设现代化基础设施，优化城市生态环境，带动城市新区发展。

（2）一网两高三枢纽。

“一网”之城市轨道交通网——近几年来，广州在地铁1号线基础上加大了建设力度，其中在2005年的256亿元城建投资中，就有78亿元投入地铁建设中，全面展开3、4、5号线建设，建成并开通地铁3号线客村至广州东站段和4号线大学城专线；同时，展开3号线机场线和6、7号线的前期工作。

“两高”之高快速路网（环城高速、二环高速、区际高速路等）、高速铁路网（武广高铁、广深港城际高铁）。

——高快速路建设。2000年以来，为配合拉开城市空间布局结构，完善珠江三角洲区域路网的衔接，广州加快了市域高快速路网的建设，广惠高速公路、新机场高速公路北延线南段、广园东路延长线、华南路二期、京珠高速、南沙港快速路、广珠北段高速公路（化龙—亭角）等的建成，有力地促进和带动了城市的外拓和发展。东二环高速公路、街北高速公路、新光快速路、华南西路等重点快速路陆续建成并投入使用。

——高速铁路建设[①]。在区域高速铁路建设上，武广区际高速铁路、广深（港）城际高速铁路的建设将有力地促进广州服务珠江三角洲乃至泛珠江三角洲的区域中心地位。

“三枢纽”之海陆空三大枢纽，新白云机场国际航空港、武广新客站枢纽、南沙深水港。

——航空港。新白云国际机场是珠江三角洲地区的重要的航空枢纽，国家三大枢纽机场之一，第一期工程于2004年8月建成并投入使用。2005年，旅客吞吐量已达到2600多万人次，现有内地航点81个，国际航点34个，营运定期航班的航空公司有29家，各项指标在珠江三角洲内仅次于香港。美国联邦快递公司将把亚太快件转运中心设立在这里并将于2008年至2012年期间投入运营。广州新白云机场将于2010年前完成机场二期工程，最大规模可达每年8000万人次客运和300万吨货运，并将成为亚太枢纽航空港之一。

——广州铁路新客站枢纽2004年获国务院正式批准立项建设，2005年1月破土动工。新广州客运站及相关工程总投资高达147.6亿元。是铁道部规划的全国铁路四大客运中心之一，北接武广客运专线，南接珠江三角洲城际快速轨道交通广珠段及广深港客运专线，并通过三眼桥联络线与广州站、广州东站连接，建成后的新广州火车站将同时成为高速化客运专线及泛珠江三角洲地区城际客运铁路的中心枢纽。

——广州港南沙港区。广州港是中国第四大港（含香港港），进入世界超级大港行列。2006年广州港的货物吞吐量突破了3亿

① 武广高速铁路于2005年动工，北起武汉新火车站，南至广州新火车站高速铁路，全长995公里，总投资约1166亿元。武汉—广州高速铁路规划在2010年底建成通车。广深（港）高速铁路广深段由铁道部与广东省政府合资兴建，投资约167亿人民币，于2005年底动工，预计2010年落成。广深（港）高速铁路的广州总站将设于新广州站，经东莞、虎门至新深圳站（龙华），全长105公里，并预留位置向南延伸至香港，及在虎门站预留了位置通往惠州方向。广深港高速铁路列车时速可达每小时350公里。由广州至香港约180公里，行车时间约为1小时。

吨，同比增长22.7%，集装箱的吞吐量达到660万标箱，同比增长43.1%。南沙港一期工程于2004年9月28日投产，吞吐量增长迅速，集装箱在2005年达到了108万标箱，2006年达到了241万标箱。目前已吸引中海集运、中远集运、长荣海运、赫伯罗特和阳明海运等中外班轮公司在南沙港区开辟航线或开展业务，航班可直达国内各主要港口及韩国、日本、美国、东南亚、中东、欧洲及澳洲等地。

3. 战略的成就。

2000年以来广州城市空间治理的核心是“向外拓展”，这种城市空间外拓的战略为产业升级提供了大量土地储备，这对提高广州城市竞争力十分关键，为经济的长远发展打下了基础。广州围绕“两个适宜”的城市发展目标，坚定不移地全面实施战略规划，在战略规划的指导下，适度超前建设以道路交通为重点的城市基础设施，大力拓展城市空间，优化城市功能布局；同时，接应“拉开结构、建设新区、保护名城”的空间部署，广州实施了“再工业化、重型化”的经济发展战略，使得城市拓展和生产力布局在空间上有了较好的叠合，基本实现了自身发展的双重跨越。

随着“一心两区三张牌”城市空间的打造和“一网两高三枢纽”基础设施的建设，广州的城市拓展取得了显著成就，城市经济发展与产业结构明显提升，城市空间格局与城市形象得到有效优化，中心城市的地位得到巩固和加强。

（1）经济发展与产业结构提升。

2000年后，广州重新调整了经济发展思路，经过7年的时间检验，广州再工业化、重型化战略的实施取得了巨大的成效。

广州GDP成功实现了翻倍增长，经济实力大幅提升，经济呈现出良好的发展潜能。2000—2005年广州市生产总值年均增长13.8%。经济总量迅速增长，2006年的经济总量高达6068.41亿元，仅次于上海、北京而连续17年稳坐全国“第三把交椅”。（图6－11）经济总量与上海、北京的差距逐年缩小。改革开放初期，上海的经济规模是广州的4倍多，现在缩小到1.6倍，与北京的差距也不断缩小。按户籍人口和常住人口计算的人均GDP分别达到

8393美元和6520美元，达到中等发达国家和地区水平。

2005年珠江三角洲9个城市生产总值达到18244.46亿元，其中广州市占到28.25%，位列珠江三角洲城市首位。从社会消费品销售总额、固定资产投资、在岗职工工资等经济指标看，广州在珠江三角洲城市中稳居第一。从人均GDP、实际利用外商直接投资额、工业总产值等指标看，广州落后于深圳位居第二。从珠江三角洲各城市经济指标对比可以看出，广州市在珠江三角洲的经济地位比较稳定，领先于其他城市较多但与深圳经济实力相当。

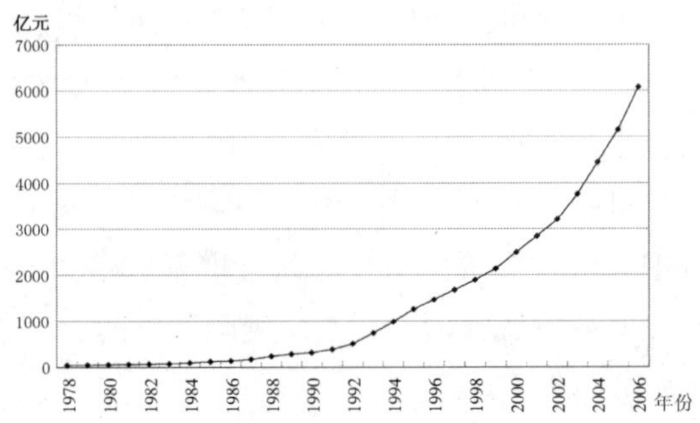

图6-11　广州历年GDP值变化图

表6-3　2005年珠江三角洲城市经济指标对比

城市	GDP（亿元）	人均GDP（元）	工业总产值（亿元）	社会消费品销售总额（亿元）	固定资产投资（亿元）	实际利用外商直接投资额（亿美元）	在岗职工工资（元）
广州	5154.23	53809	6032.09	1898.74	1445.33	26.49	33839
深圳	4950.91	60801	9567.68	1437.67	1176.13	29.69	32476
佛山	2383.18	41266	4696.82	634.47	756.42	9.29	22037
珠海	634.95	45284	1562.04	220.14	218.52	6.66	21844
惠州	803.43	21896	1411.85	251.51	351.69	10.42	16017
肇庆	450.57	12315	319.94	142.29	177.86	6.03	16002
江门	805.37	19636	1443.28	309.82	237.46	6.06	15030
东莞	2181.62	33263	3942.03	500.01	597.24	14.68	28253
中山	880.2	36207	2216.9	276.6	320.92	6.51	22751

数据来源：《广东统计年鉴》（2006）。

2000年后，随着重工业化政策的推进，以汽车、石化为代表的重工业发展迅速，成功实现与以加工业为主的珠江三角洲产业错位发展。广州很快由原来的九个优势不明显的工业主导产业转换成规模化的汽车、石化和电子制造三大支柱产业。广州确立了三大支柱产业，工业结构得到重塑，实现了从传统密集型产业向资金、技术密集型产业主导转变。

2006年三大支柱产业的工业产值贡献率为37.86%，规模以上工业产值为3068.19亿元。其中汽车制造业完成工业1163亿元，目前整车生产已突破100万辆，传统的石化工业获得大发展，产值也突破1000亿元，电子产品制造产值为816亿元。广州工业产品得到升级换代，广州的生产力得到较大的提升。随着先进技术的引进，轻纺、食品、医药、建材等传统行业升级换代，以电子通信、汽车制造、石油化工等行业为支柱的新兴产业及高科技产业迅速发展，工业技术水平有较大提高。

表6－4　2005年广州三大工业支柱产业贡献（亿元）

产业 \ 年份	2005	2004	2003	2002
电子信息业	142.64	99.68	102.6	78.02
汽车制造业	264.47	187.28	138.54	83.05
石化制造业	336.3	333.13	228.2	134.71
工业增加值	1843.96	1594.15	1314.13	1069.02
三大产业贡献率(%)	40.32	38.90	35.71	27.67

资料来源：《广州市统计年鉴》(2002—2005)。

从2004年开始，广州重工业比重超过轻工业，在工业结构中占据主导地位，并普遍具有良好的生产效益。广州市在完成了产业结构转变后发展势头强劲，工业结构逐步向资金技术密集型转变，劳动密集型工业地位逐步下降。

第三产业保持持续的繁荣，服务业提升战略得到推进。战略规划后广州延续了传统的商贸服务的优势，同时广州工业经济的振兴也为服务经济的发展提供了强有力的支撑。在工业经济快速增长的同时，第三产业仍然保持着相对大的增长规模。和工业相比，第三产业仍然是广州城市经济的主体。广州为提高服务业档次，实施了以大规模基本建设投资为主的服务业结构的增量调整战略，构筑了大学城、生物岛、科学城、珠江新城、琶洲国际会展中心等知识产业、现代高端生产性服务业基地。广州服务业层次得到较大提升，产业结构知识化、高端化趋势逐渐加强。（图 6－12、图 6－13）

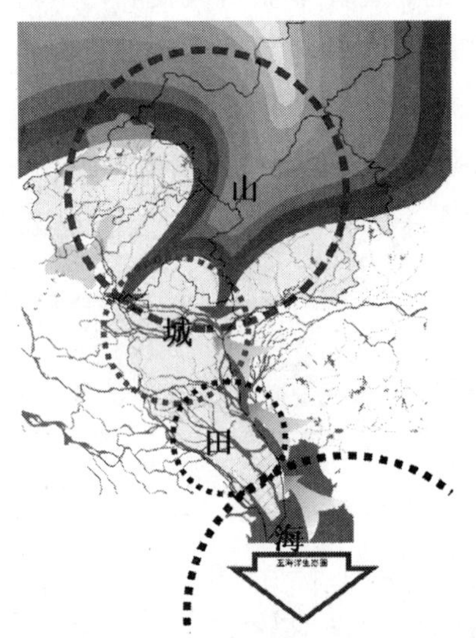

跨越之一：人“云山珠水”走向“山城田海”八字略方针的实施，广州已经从传统的“云山珠水”的小山小水式的自然格局跃升为具有“山城田海”特色的大山大水的自然格局。广州未来声调发展框架已成雏形。

跨越之二：从“商贸轻工”到“工业大市”

2000年后，打破常规，重型化的发展浪潮，形成“汽车、石化和掀起再工业化、电子信息”三大工业支柱工业。

图 6－12　广州城市发展的两个跨越

整理自《广州总体发展战略规划（2001 年）》。

（2）空间格局与城市形象优化。

“山城田海”自然格局形成。通过八字战略方针的实施，广州从传统的“云山珠水”的小山小水式的自然格局跃升为具有“山城田海”特色的大山大水自然格局。

改革开放以来，广州经济社会保持着高速发展态势。但长期以来，广州中心城区发展受到“云山珠水”自然格局、单一中心的

城市结构和行政区划等三方面的制约，空间布局难以优化，土地资源、基础设施与生态环境均无法支持城市可持续发展。

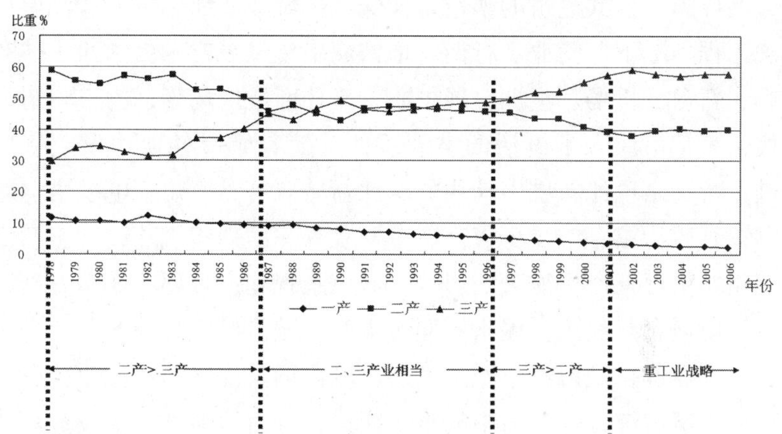

图 6－13　广州 1978 年以来三次产业变化与阶段划分图

“十五”期间，广州市按照“拉开建设，优化布局，新区先行，带动老区”的思路，坚持新区建设为主，积极实施“南拓、北优、东进、西联”的空间发展策略，优先推进广州南部、东部地区开发，短短几年中，广州每年以平均200亿元左右的大手笔投入城市基础设施建设。

城市建设用地供应基本按照《广州市城市总体规划（2001—2010）》、《广州市近期建设规划（2002—2005）》的供应计划控制，以新区供应为主、旧城为辅，优先和重点供应南部地区（主要是南沙、大学城），并加强了东部地区的居住用地供给，促进了城市空间结构的大幅度调整，加快了广州由单中心向多中心的转变，基本形成了由都会区、片区中心区、外围卫星城（中心镇）及村镇居民共同构成的组团式空间城市结构的雏形，多个产业功能区得以成功构筑，为城市发展空间的进一步拓展与调整奠定良好的基础。城市空间结构的优化通过调控城市建设用地供应得以实现，不断拉开城市布局，组团式城市格局初现雏形。

在战略规划指引下，“十五”期间，广州市按照广州现代化中心城市建设的要求，加大综合整治城市环境力度，进一步维育“青山、名城、良田、碧海”的城市格局。一大批重点建设工程与大型标志性公共建筑的塑造，如珠江新城临江绿化带、珠江两岸景观工程、上下九商业步行街、地铁网络建设、广东奥林匹克体育中心、新白云机场、琶洲会展中心、正佳商业广场等，为广州迈向现代化大都市注入了鲜活的空间载体。随着城市各项建设正快速推进，特别是珠江新城中轴线的珠江新城双塔、广州新电视塔、新图书馆、博物馆、市二少年宫、歌剧院等一系列建筑陆续动工，将对广州城市形象产生显著的影响。城市景观和市容环境焕然一新，城市环境质量与经济发展指标同步提升，城市风貌大为改善，城市形象得到提升，城市特色更加突出。城市形象提升与环境改善已经成为广州城市综合竞争力中的重要因素，有力地促进城市投资环境和城市吸引力的提升。

（3）中心城市地位强化。

随着广州整体经济实力增强、产业结构进一步优化、城市建设与空间形象明显改善，其中心城市地位得到巩固与强化，广州的国际影响力，以及在国家的地位也得到巩固与强化。

2001 年 12 月广州市获得“国际花园城市”荣誉称号。同年，荣获国家建设部颁发的“中国人居环境范例奖”和“迎九运城市基础设施建设和环境综合治理特别奖”。2002 年 5 月广州市又获得“联合国改善人居环境最佳范例（迪拜）奖”。

（四）建设新区，保护名城

现在的广州已经成为一个“巨大”城市，空间尺度已经接近于一个大都市区域的尺度，城市发展步入“区域”化的治理阶段，与战略拓展初期的广州相比，城市所面临的问题、撬动城市快速发展的支点等已经发生变化，如何在“区域”化的城市空间内，有效配置资源，提升空间绩效，以保证城市持续稳定增长将成为此阶段所关注的核心问题。

对照 2000 年战略规划“拉开结构、建设新区、保护名城”的

城市建设总体战略，2007年“拉开结构”基本完成，“建设新区”正在推进，但是“保护名城”则面临“外溢回波”加剧带来的巨大挑战。

由于2000年以来广州城市拓展的特点是以产业拓殖为主，城市在各个方向的外拓，制造了大量单一功能的新区——广州经济技术开发区、南沙经济技术开发区、华南板块、大学城、汽车城、亚运新城……又由于市域交通网络格局继续沿着以往中心放射形结构发展，其结果是单一功能的城市组团在市域的广域分布和放射形交通网络的结合，使得各组团（新区）对中心城区的依赖日益加剧。以城市战略拓展为名的单一功能“外溢”进一步加剧对中心城区的综合功能“回波”，广州目前这种巨型尺度的“外溢回波”加剧了城市中心城区的困境。

1. 城市发展的三个偏向。

（1）城市管治主体偏向市级政府。

2000年行政区划的调整使得广州市获得了更多战略性资源，在战略规划的“八字方针”指引下，为便于集中优势资源对城市重点战略空间的推进，广州逐渐将部分权限逐步上收至市级统筹，充分发挥市级政府的政治能力、投融资能力、招商引资能力以及人才能力来促进战略性空间的开发。这种集中的政府治理利于在战略制定初期将重要决策得以迅速贯彻，使区域外部经济内部化，有利于战略规划的顺利实施与统一规划，并能够集中城市公共财源，满足城市发展的战略需求。

但在获得发展空间的同时带来的是城市管辖空间的迅速扩大，城市政府管理事务大大增多。随着三年过渡期的结束，广州市与番禺、花都两区之间潜在的管理与协调困难开始逐渐显现，区级政府权力受到限制、政府配置资源的主动权下降。

因此，随着市级城市管辖空间的迅速扩大与管理事务的大大增多，如何既满足城市战略规划的发展需求，提升城市政府的管理效能（尤其是关系到城市发展的重大决策方面），又发挥区级力量的主动性与积极性，平衡多方利益，是需要长期探索和实践的改革方向。

（2）公共财政投入偏向培育产业区。

为顺利实现城市跨越式扩张与为实现经济的“再中心化”，广州在战略规划之后积极投入公共财政，加大基础设施与公共设施建设力度，以促进与培育产业区的发展壮大。“十五”时期，广州投资约800亿元进行城市基础设施建设，重点项目29项，主要用于中心城区与产业新区之间的道路建设、产业区内部的基础与公共设施建设。有数据表明，作为新区之一的萝岗区在“十五”期间固定资产投资累计366亿元，其中公共基础设施投资为169亿元，占总投资的46%；而广州珠江新城CBD建设，仅政府投入的资金则将高达1800亿元之巨。

随着公共财政的偏向投入，城市重点推进的空间，如大学城、南沙开发区、南沙港、花都汽车城、科学城、天河软件园、珠江新城、琶洲地区等新的产业区得以迅速崛起，形成广州新的空间增长极与经济增长“发动机”。

另一方面，广州公共财政对直接关系民生的经济适用房建设投入在这个期间基本是停滞的。从90年代初开始建设，到2002年为止，仅兴建棠德花园等7个安居房小区，共计单位3万多套，项目供应量最高的年份，不到市场份额的5%。从2002年开始，广州逐步停止经济适用房新项目建设，改为以住房货币补贴及廉租房建设为主，直到2006年初，广州才重启了经济适用房建设。

表6-5　近几年来重大项目与基础设施建设投资情况

产业区	重点项目	投资额(亿元)	合计(亿元)
花都汽车及空港产业区	花都汽车产业基地	30	259
	现代商用车整车项目	33	
	新白云机场	196	
经济技术开发区	出口加工区基础设施建设	10	98
	汽车产业基地	55	
	交通枢纽及中心城区设施项目	33	

续表

产业区	重点项目	投资额（亿元）	合计（亿元）
科学城高新技术产业区	基础设施建设	50	50
大学城	基础与公共设施建设	300	300
生物岛生物医药产业区	基础设施建设	8	8
南沙汽车及临港产业区	基础设施建设	120	548.7
	南沙汽车产业基地	74.4	
	石化炼油改造项目	9.04	
	地铁四号线	90.35	
	出海航道疏浚工程	2.7	
	出口加工区基础设施	4	
	LNG 接收站	48.21	
	临港石化基地窗体底端	200	
珠江新城 CBD	核心区市政交通项目	48	80.27

（3）产业发展战略偏向重大型项目。

近几年来，广州加大在重点发展的支柱产业的发展力度，广州对外招商引资出现结构性变化，引进资金大部分流入制造业领域，且引进的制造业项目规模大、带动力强，包括了日本三大汽车集团、三菱重工，美国杜邦、法国道达尔集团、德国拜尔公司等世界500强的制造业企业，优化了广州市工业结构，提高广州工业竞争力水平。2005年广州共批准投资总额1000万美元以上的大项目193个，增长20.6%，平均不到两天就有一个超千万美元的大项目落户。

尽管大型项目成为了广州经济发展的重要推动力，但广州现代重化工业体系仍不完善，大中小企业配套与产业集群的潜力还远未发挥。就汽车产业为例，由于对中小企业的忽视，使得一些产业链上游的零部件生产落户广州周边地区，而现有的汽车零部件企业规模偏小，产业集中度低，在产品品种、产品质量、生产规模和效益等方面与上海有较大的差距，绝大部分零部件企业研发能力不强，无法参与整车开发工作，不具备模块化生产供货的能力。

在服务业层面，广州服务业的发展相对滞后于其经济发展水平，且服务业层次也较低，现代服务业特别是生产性服务业发展明显不足。作为生产性服务业中最重要行业之一，金融业在广州的发展明显与其中心城市地位不匹配，2004 年，广州金融保险业增加值为 174.95 亿元，远低于上海、北京、深圳。

2. 空间拓展的三个不匹配。

（1）空间管制与城市空间拓展不匹配。（图 6－14）

图 6－14　广州城区密度分区图

资料来源：广州规划在线网。

在广州城市框架已经拉开，多组团空间格局基本成形的同时，城市空间管制模型仍然是使用了原来的中心边缘模式，旧城区具有较高的土地开发强度、建筑密度、容积率等指标，而新区却属于较低的密度分区，在这种模式下使得旧城始终保持着较高的土地开发价值，当新区的土地开发达到饱和之后，大规模的开发又汇流到旧城区，将具备区位优越、交通便捷的地区二次开发，造成了新区旧城同时开发的局面，进一步破坏了旧城的空间结构，甚至威胁到历史文化资源的保护。

（2）就业岗位与城市空间拓展不匹配。

城市空间向外拓展的过程中，虽然在产业新区提供了大量的就业岗位，但是主要被农民工所获得，而城市居民的就业仍然集中在城市中心区，并未随中心城区居住空间的拓展而外移，造成在城市中心区外围形成了一圈以居住为主导功能的空间圈层，导致就业空间与居住空间分异，由此产生大量的通勤人流。由于就业岗位的缺乏，使得这类地区财政较为困难，海珠区就有着“80 年代靠工业、90 年代靠房地产、21 世纪财政靠什么”的问题。就业岗位与城市空间拓展的不匹配，阻碍了城市空间格局的均衡发展。（图 6－15）

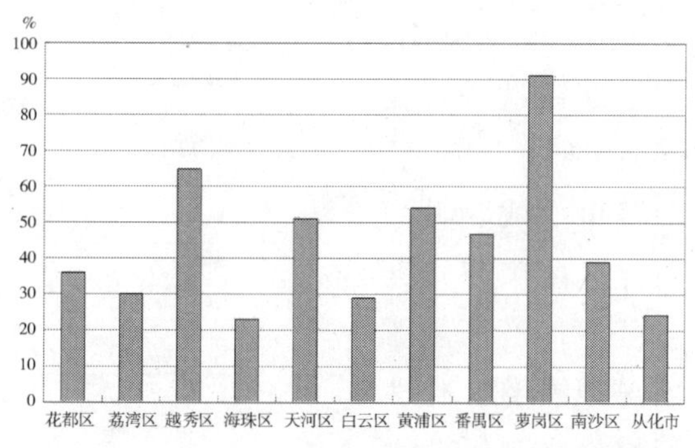

图 6－15　2005 年广州各区就业居住人口比

（3）公共设施与城市空间拓展不匹配。

广州中心城区居住空间外拓是由房地产开发驱动的，由于各房地产商都只顾自己楼盘的“小配套”建设，公共设施建设缺乏整体协调，而政府对于地区的公共设施配套往往力不从心，导致了外拓地区的公共设施建设滞后，并未培育起完善的公共服务体系。同时，随着高快速路网和轨道交通的建设，缩短了城市中心区与周边地区的时间距离，大量的公共服务需求回到母城消费，进一步抑制了地区公共中心的培育，城市“中心—边缘”更为突出，使得周边地区真正成为了依赖母城的“卧城”。（图6-16）

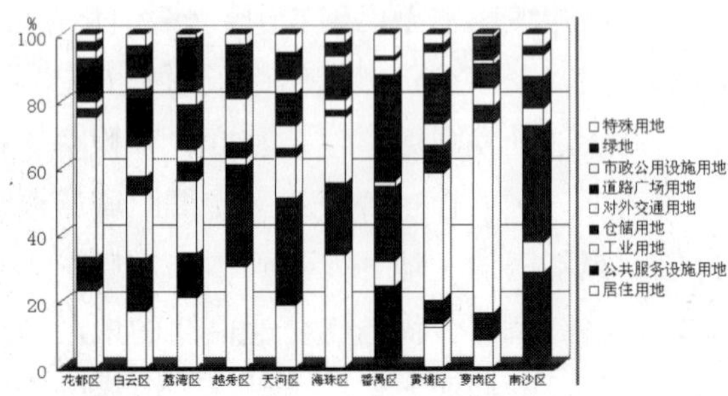

图6-16　2007年广州土地利用现状比例图

3. 旧城区的三个困境。

（1）旧城生活空间质量的困境。

在占建成区21%的旧城区土地上，集中了全市大部分的经济和社会活动，城市功能的聚集，使得旧城区始终保持着较高的开发价值，优越的商业、教育、医疗等公共资源对开发商与居民都产生了极大的吸引力，加上地铁这种便捷交通的介入之后，旧城再次成为开发热点，由广州近年各区房地产开发强度可以看到，作为旧城区的越秀、荔湾和海珠区在房地产开发强度上一直保持在全市各区的前列位置，而且数值与较低的行政区差距也比较大。（图6-17）高强度的房地产开发加剧了旧城区的“三高问题”，即人口密度高、建筑密度高、交通密度高，生活环境进一步恶化，直接导致了生活空间缩小和生活质量下降。

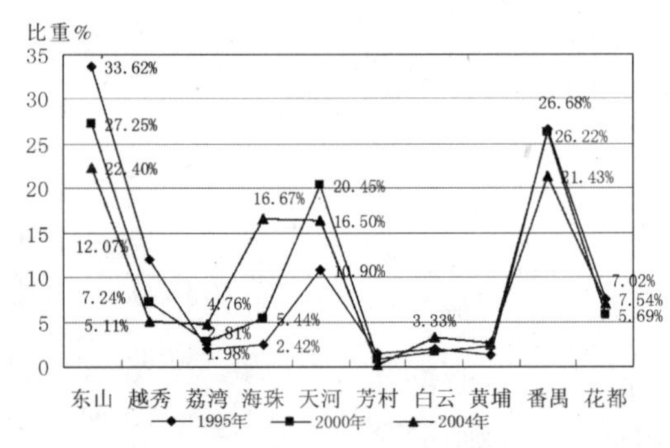

图6-17　广州重要时间点商品房增量的空间分布图

（2）旧城历史文化保护的困境。

在旧城更新改造的过程中，城市建设还忽视了旧城的传统城市空间肌理，缺乏对空间形态的有力控制，使得体量尺度与旧城原有

建筑环境极不符合的建筑物混杂、零散地分布在旧城范围，旧城的一些传统轴线、空间节点被大量的现代建筑破坏，城市传统空间被刻意地改变。

对比分析广州传统中轴线的现状与规划设计可以发现，规划设计没有很好起到对现代建筑建设的控制，城市肌理没有按照规划的形式延续，旧城改造也突破了原有规划的建筑体量。究其根源，在于旧城更新和保护之间存在矛盾，存在重开发轻保护的现象。（图 6－18）

图 6－18 “农讲所”周边开发失控示意图

注：截图于“E－都市”网。

同时，广州现行的旧城更新改造模式仍然是市场占主导，政府对改造开发的控制不力造成了旧城改造的建设呈现某程度上的失控，容积率和建筑体量高度等指标不断被突破，历史文化名城的整体建筑环境受到破坏。

（3）旧城传统社会人文发展困境。

旧城传统社会人文发展受困于两个“侵入”：

一是在旧城更新改造过程中，大量小地块、单独的高层建筑侵入成片的街区，造成单调的居住模式侵入原有多样化的街区生活模式。这样单一的改造更新在很大程度上忽视了传统地区空间的多样性特征，影响了街区内原有公共生活模式的延续和发展。

二是大型商业设施对旧城区的“侵入”，同样造成了对传统生活方式的破坏。对传统街区多数采取拆除重建的方式或者是局限与沿街改造，在功能置换上也往往局限于传统居住功能和商业功能的置换，造成原有的社区小商业渐渐地被大型商业、批发市场代替，破坏了传统街区多样化的生活方式，促使了人口向外迁移。

三、佛山的城市整合

在改革开放的初期，佛山市是经济总量排在广州、江门、茂名之后的全省第四大城市。到1984年佛山超越江门，成为仅次于广州的第二大城市，到1989年，佛山被深圳超越，成为广东第三大城市。这种次序，一直持续到2007年。

1978年，佛山的地区生产总值只有12.96亿元，到2006年，增长为2926亿元，按可比价格计算，增长了75.26倍，即翻了六番多。佛山与深圳、东莞完全依托外向型经济的发展道路不一样；与广州依托国有企业和外来企业的混合型经济的发展道路也不一样。佛山在改革开放后以顺德、南海为平台创出了一条新的发展道路，即以集体经济和民营经济为龙头带动地区发展的道路，分别被称为“顺德模式”和“南海模式”。

（一）行政区划的变化

建国以来，佛山进行了十五次行政区划调整，经历了由镇到地级市、到专区、到地区、再到地级市等一系列转变，其中1983年的“市带县”、1992年的“撤县设市”、2002年的“撤市设区”是改革开放后佛山行政区划调整的三个重要历史节点。

1. 1983年的“市带县”。

1983年，根据中共中央、国务院关于改革地区体制、实行市管县的部署，广东省逐步推行以市管县的政区管理体制改革。佛山地区首当其冲，在辖中山市（县级）的同时，撤销地区，将南海、顺德、三水、高明四县划归佛山市管辖。

“市带县”使佛山中心城区人力、物力等资源直接或间接流入周边郊区县，带动了县（及村镇）工业的发展。由于中心城区较多地保持了传统的计划经济体制色彩，而周边郊县相对拥有较灵活的制度，制度的差异及靠近广州、地处改革开放前沿地带的优势，地方经济得到了飞速发展，顺德、南海、中山三县（县级市）的

实力逐渐提升并逐步超过佛山中心城区，并与东莞一起被称为广东“四小虎”。①

2. 1992—1994“整县改市”。

广东省是“撤县设市”行动较早、进展较快的省份，县域经济发达的佛山市又是先行军之一。1992年，顺德县和南海县先后被撤销，设县级市建制，接下来的两年又有三水县和高明县“撤县设市”，在代管的机制下实行佛山地、县市两级“财政分权、分灶吃饭”的制度，各县级市发展迅速，经济实力不断增强，特别是南海和顺德，各类专业镇迅速崛起，形成了以市、镇两级集体企业为主的工业化的“顺德模式”和以“六个轮子一起转”为特色的“南海模式”。四个县级市经济实力增强以后就逐渐脱离了佛山市的管辖，走上比较独立自主的发展道路，佛山市对县级市的代管就变成了只是形式上的代管。

专栏6－1：顺德模式

改革开放30年来，顺德由一个传统的农业县发展成为现代新兴的工业城区。顺德于1993年被批准为广东省综合改革试点，1999年被确定为广东省率先基本实现现代化试点，2000年至2003年连续四年居国家统计局公布的全国县域经济百强之首（2004年和2005年被昆山超过，落到第二位）。2006年顺德全区实现生产总值1058.42亿元，比上年增长21.5%。三次产业结构为2.4∶62.2∶35.4。按户籍人口计算，人均生产总值90432元，比上年增长19.8%。

改革开放后顺德的工业化道路与东莞不同，顺德的工业化是依靠集体工业起步的，这也是顺德道路的精髓。

顺德在改革开放前就是一个商品经济相对发达的地区，县（市）和乡镇的经济实力比其他地区强。1980年，顺德工业产

① 周霞：《行政区划调整与规划管理体制完善——以佛山市为例》，《规划师》2005年第12期，第80～82页。

值中乡镇以上的工业占了89.5%，村及村以下工业仅占10.5%；乡镇以上工业平均产值规模为175万元，比东莞、中山、南海高62%到140%。根据这种情况，改革开放以来，顺德市在经济发展过程中，推行了“以公有制经济为主、以工业为主、以骨干企业为主”的发展策略，把工业发展的重点放在市和乡镇办的公有企业上。由于适应了当时的思想认识水平，容易获得银行的信贷支持，并且在机制上又比国有企业灵活和更具自主性，所以在上个世纪的80年代顺德的市办和乡镇办企业得到了迅速的发展，成为推动全市国民经济工业化的主体，带动了城镇和农村经济的全面发展。

这种公有企业同国有企业一样，存在着产权不清、责任不明确、政府直接投资或出面担保，但对企业监督机制缺乏导致政府承担投资风险和经营风险的弊端。进入1990年代以后，随着国内市场由卖方市场转为买方市场，市场竞争日趋激烈，这种体制的弊端愈发暴露出来。

为了解决这个问题，从1993年开始，顺德对全市乡镇以上企业开展了以理顺产权关系为核心的企业制度改革。改革的内容包括三方面：一是优化公有资产结构，改变单一公有制的产权结构，大力发展股份制和股份合作制等混合所有制企业；二是争取解脱政府负担并创造平等的竞争环境，使企业真正成为市场的主体；三是实现政企分开和政资分离，促进政府职能转变，强化政府行政职能。经过3年的努力，改革基本完成。到1995年底，市、镇两级工业总资产中，公有资产的比重由改革前的90%降至62.4%，外商及民间投资者资产占了37.6%。企业的活力和自我约束力都大大增强，促进了90年代后期顺德工业和国民经济的健康发展。到2001年，在全部工业总产值中，国有企业和集体企业的产出更是降到只有2.4%。顺德对集体企业以产权为核心的一系列改革措施，促进了企业所有权的清晰化，企业重新焕发活力，带动顺德经济走上了健康、持续的发展道路。

（二）2002 年行政区划调整

“2000 年广东省编制‘十五’规划，时任广东省委书记的李长春在珠海的一次座谈会上第一次提出要把佛山建设成为广东省‘第三大城市’；2001 年 8 月，李长春到三水考察时再一次透露佛山市行政区划调整一事；2002 年广东省委第九次党代会后的 6 月 4 日，李长春到佛山视察工作，他明确提出佛山要建成广东省‘第三大城市’；2002 年 9 月底，广东省委常委、原珠海市委书记黄龙云调任佛山市委书记，佛山行政区划调整的步子真正迈开。”① 2002 年 12 月 8 日佛山市的顺德、南海、三水和高明四市正式“撤市设区”。

1. 打造“第三大城市”。

改革开放至今，珠江三角洲内部呈现出东西岸发展不平衡的局面，东岸城市（深圳、东莞、惠州等）在香港的辐射带动下凭借出口加工贸易发展较快，而西岸城市发展相对缓慢，位于珠江三角洲东西结合部的佛山地区，具有较为发达的经济实力，极有条件打造成为仅次于广州、深圳的广东第三大城市、珠江三角洲西岸新的增长极，对珠江三角洲西岸发挥传导带动的作用，加快珠江三角洲西岸地区的发展，使珠江三角洲实现东西岸平衡发展。同时，佛山的整合，有利于实施广佛一体化的实行，打造广佛都市圈。

表 6－6　　2003 年佛山在珠江三角洲的综合竞争力分析

项　目	指　标	排名	结　论
经济实力	佛山的 GDP 1381.39 亿元	3	
	工业总产值	3	
	财政总收入	3	
	社会消费品销售总额	3	
	人均 GDP	5	

① 章文、辛述之：《广东打造第三城》，《新闻周刊》2003 年第 1 期，第 28～30 页。

续表

项　目	指　标	排名	结　论
开放度与资本竞争	出口依存度	6	引资力度不够，但民间资本雄厚
	外资投资额	5	
	人均固定资产投资额	6	
	城乡居民储蓄余额	3	
科技化与信息化	科技化与信息化指标	4	
劳动力	万人拥有专业技术人员数	7	劳动力素质状况需改善
社会状况与可持续发展能力	在岗职工平均工资	6	与其城市经济地位不相符
	建成区的绿化覆盖率	8	

资料来源：《佛山城市发展概念规划》（2004—2020）。

2．打破“行政区经济”。

珠江三角洲在90年代中期进行，分权大量设立“县级市”，如今呈现了明显的“行政区经济”的特征。原佛山市与下辖各县级市长期以来实行“财政分权、分灶吃饭”的制度，各县级市拥有的行政权力较大，加之各县级市的经济实力较强，代管体制基本上已经有名无实，各县级市独立自主地发展，佛山市很难协调区域的整体发展，各市产业结构时有雷同、无序竞争，“诸侯割据”、行政管理壁垒繁多。

原佛山市石湾区与原南海市南庄镇仅一水之隔，都以陶瓷产业为主导产业，两地的陶瓷产业长期处于低水平的竞争中，对高科技陶瓷工业发展的投入不够，导致久负盛名的石湾陶瓷逐步衰落，佛山整个陶瓷产业的升级换代也受到很大的阻碍。又如原佛山市电话区号有两种，佛山市区、南海市、三水市、高明市的区号都是“0757”，顺德市的区号则是“0765”，顺德市与佛山市其他地区通电话以长途计费；佛山市内共有43个收费站，多设在五市的交界处，最密的相距不到两公里，是全国收费站密度最高的地区之一。因此，“撤市设区”，打破行政区划壁垒，整合区域内部各种资源要素实现优化配置及经济融合，构建一体化的大城市，就成为广东省理所当然的决策。

3. 做大“中心城市”。

佛山市虽然代管南海、顺德、高明、三水四个县级市，但只是形式上的代管，自身实际管辖的只有城区和石湾区 77 平方公里这么狭小的区域，发展空间严重受限，迫切需要扩展用地规模。（图 6－19）

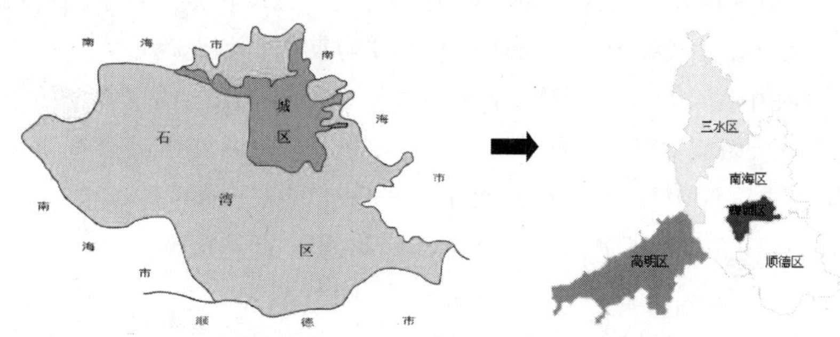

图 6－19　佛山行政区划演变图

（三）地区分工，协同发展

1994 年后佛山城区和四县级市的格局得以奠定，各县级市超越了原有佛山市城区快速发展，其中南海、顺德由于在农村工业化阶段起步较早，积累较好，从一开始便领先于佛山市的城区和其他县市。从 1996 年到 2002 年佛山经济年均增长 10.75%、顺德年均增长 13.9%、南海年均增长 11.54%、高明年均增长 12.32%、三水年均增长 9.5%，而佛山市城区仅增长 8.39%。

2002 年开始“撤市设区”，同时也带来了佛山市经济的高速发展和普遍繁荣，2003 年以来，全市生产总值年均增长 18.6%，佛山全市以及南海、顺德、三水、高明四区的 GDP 的增速都明显加快。顺德 2003 年后年均增长 27.6%，到 2006 年成为我国第一个 GDP 超过 1000 亿元的县级行政单位。南海年均增长速度也达到 26.59%，2007 年 GDP 也超过了 1000 亿元。原佛山城区增长速度则达到 31.6%，一改“撤市设区”前的经济发展速度最低的状况。

伴随着“分权”向“分权与集权平衡”的转变、行政区划调整的发展变化，佛山市经济和城市建设都取得了较大的发展。如果说前一个阶段，佛山基于分权快速发展积累了资金。那么2002年“撤市设区”变成大佛山之后，城市经济开始飞速发展。2002年佛山的GDP为1175.9亿元，短短四年时间到2006年佛山市的GDP达到3033.5亿元，几乎是2002年的3倍。实现翻一番花了6年，增加两倍仅仅花了4年时间。佛山市的经济总量和城市竞争力的提升主要得益于城市经济规模通过并区在短期内得到迅速增大。

“在中国200个城市综合竞争力排名中，佛山由2002年的第24位一跃而成2003年的第15位；在珠江三角洲城市综合竞争力的排名中，佛山从2002年的第5位跃升至2003年的第3位。”①

2002行政区划调整前，佛山市辖城区、石湾区两区，户籍人口49万，辖区面积77.8平方公里，建成区面积仅38平方公里，被戏称为“佛山镇”；2002年调整后，佛山市管辖5区，户籍人口339万，辖区面积3848.5平方公里，建成区面积突增至115平方公里，辖区面积接近原来的50倍，户籍人口接近原来的7倍。到2006年，城市建成区面积达139.60平方公里，户籍人口全部非农化达358.06万，被称为“大佛山”。

“撤市设区”后，佛山市的土地面积、人口、经济总量和城市竞争力都得到了提升，佛山市既实现了空间拓展，真正成为广东省“第三大城市”，基本上实现了广东省进行这次区划调整的初衷的两个方面。（图6－20、图6－21、图6－22）

（四）统一规划，统筹建设

1．城市整合的挑战。

“撤市设区”打破了市一级的行政区划壁垒，带来经济的普遍繁荣、城市规模的扩张和城市地位的提升，但行政区划调整仅仅是第一步，城市整体的融合与协调更是新时期大佛山面临的巨大挑战。

---

① 倪鹏飞等：《2003年城市竞争力报告》，社会科学文献出版社，2004年版。

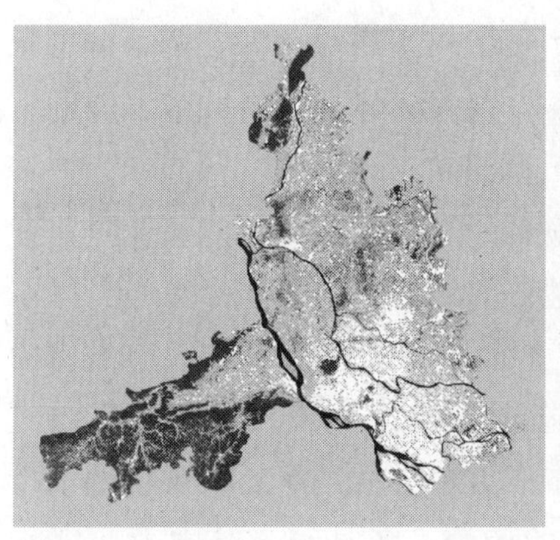

图 6－20　佛山市 1990 年卫星影像图

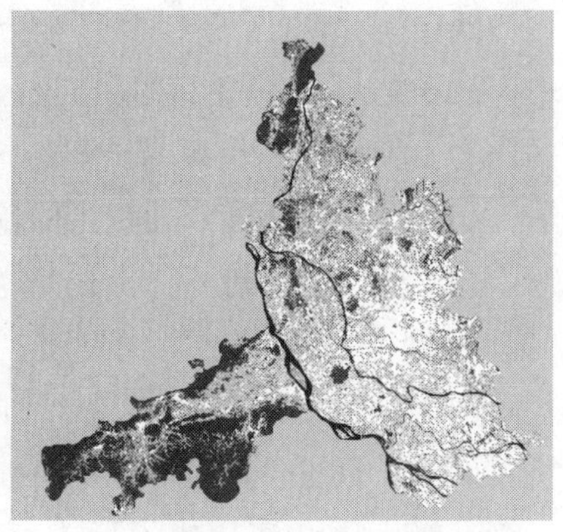

图 6－21　佛山市 2003 年卫星影像图

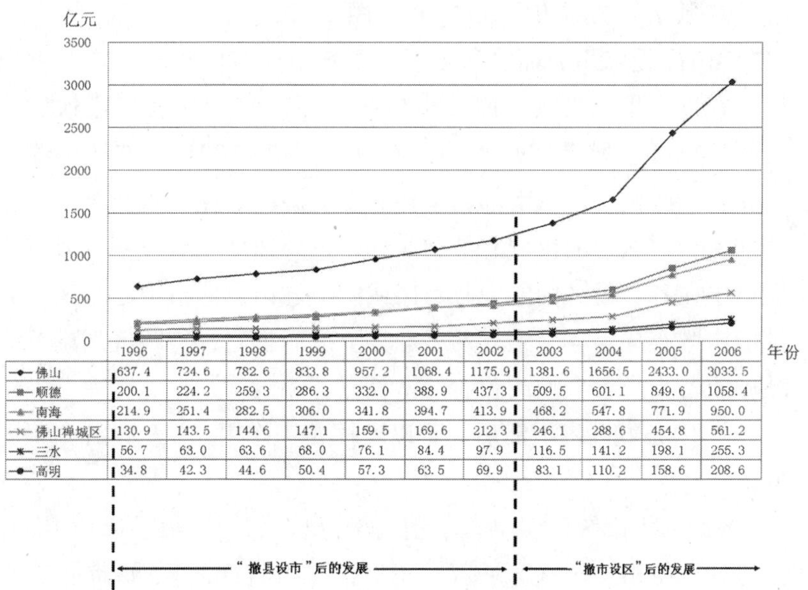

	1996	1997	1998	1999	2000	2001	2002	2003	2004	2005	2006
佛山	637.4	724.6	782.6	833.8	957.2	1068.4	1175.9	1381.6	1656.5	2433.0	3033.5
顺德	200.1	224.2	259.3	286.3	332.0	388.9	437.3	509.5	601.1	849.6	1058.4
南海	214.9	251.4	282.5	306.0	341.8	394.7	413.9	468.2	547.8	771.9	950.0
佛山禅城区	130.9	143.5	144.6	147.1	159.5	169.6	212.3	246.1	288.6	454.8	561.2
三水	56.7	63.0	63.6	68.0	76.1	84.4	97.9	116.5	141.2	198.1	255.3
高明	34.8	42.3	44.6	50.4	57.3	63.5	69.9	83.1	110.2	158.6	208.6

图 6－22　佛山市 1996 年以来经济发展变化图

同样是“撤市设区”，佛山的城市整合与广州相比有更大的难度。广州是由经济实力强大的中心城市向外扩展管辖范围，对周边郊区县有较强的辐射带动作用，番禺、花都“撤市设区”即融入大广州“主副协调、功能互补”的多中心城市空间格局之中。

1999年，广州市区的GDP占全市的70%，番禺市和花都市分别只占13.13%和6.83%，“撤市设区”大大缓解了广州城市发展的空间压力。而佛山的情况与广州的不尽相同。

（1）“行政分权”的路径依赖下，各自孤立发展。

“市带县”体制下，佛山市为了激活各县经济发展，实行了“简政放权、分小搞活”的制度；“撤县设市”后各县级市由佛山代管，又搞了“财政分权、分灶吃饭”以进一步发挥下辖各市经济发展的积极性。随着权力的逐步下放和县域经济的发展，佛山市代管县级市逐渐演变成了形式上的代管，各县级市基本上在“行政区经济”下独立发展，最终使佛山市域形成了“多中心、多组团，各自孤立”的城市空间格局。（图6－23）

“佛山深受广州的辐射和吸引，原5市建成区皆靠近广州方向布局。经过多年的发展，原佛山市区与原南海市建成区已连成一片。原顺德市发展受广州影响，沿105国道和325国道呈轴线扩展，其建成区位于市域南部，呈独立发展态势。原三水和原高明两市分别位于较偏远的市域北部和西部，发展速度相对较慢，城市化主要集中在各自设区前的中心市区或中心城镇，两市中心市区均靠近佛山市区布局，亦呈独立发展态势。总而言之，行政区划调整后市域形成若干个组合型或独立的增长点。”①

（2）中心城区发展滞后，难以发挥龙头作用，“大佛山”认同感低。

“根据佛山市统计年鉴，采用因子分析法计算佛山各区的综合实力指标，得出市区（原城区、石湾区、市直部门）、南海市、顺德市、三水市和高明市在1985年、1994年和2001年的城市综合实力如下：1985年佛山市区的城市综合实力远高于顺德、南海、三水和高明；20世纪90年代以后，在市场经济的逐步发展下，南

① 佘丽敏、许学强、袁媛：《佛山行政区划调整与整合发展研究》，《热带地理》2005年第3期，第228～232页。

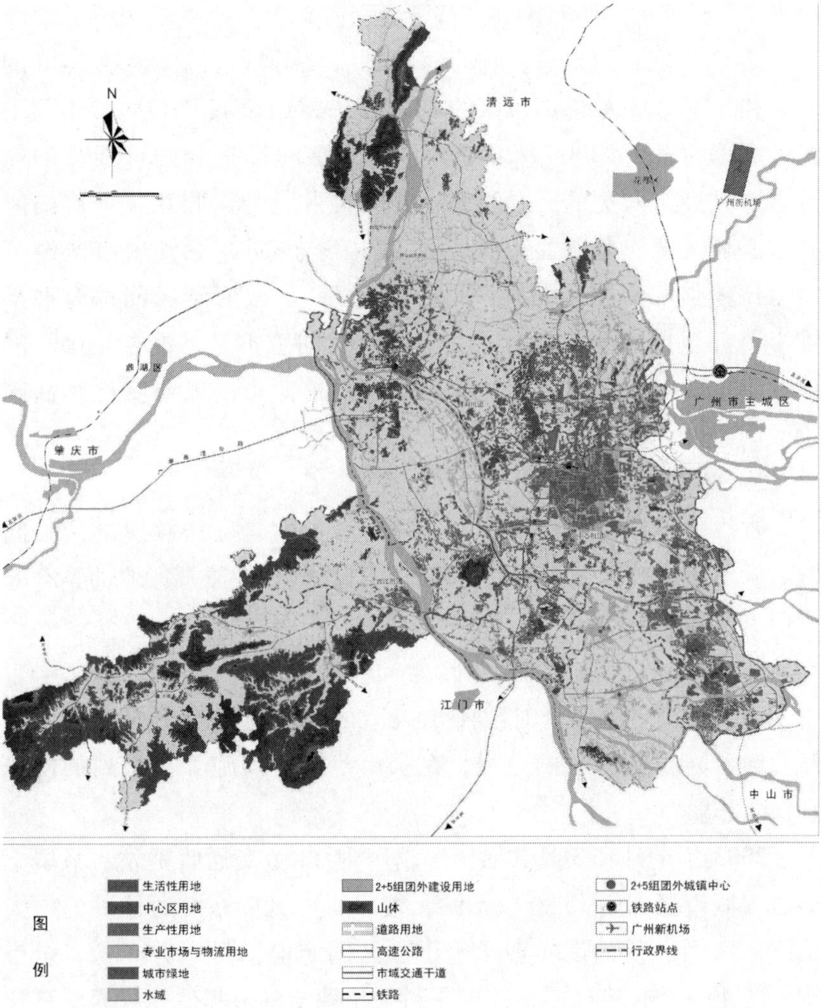

图 6－23　市域“2＋5”组团城镇建设用地现状图

资料来源：《佛山市城市总体规划（2004—2020）》。

海和顺德的村镇集体企业、民营企业和合资企业发展强劲，使南海和顺德的经济实力得到很快提高，到 1994 年南海和顺德的城市综合实力已经超过佛山市区。进入 21 世纪，佛山市区的经济发展与南海、顺德相比一直存在滞后现象，例如：2001 年佛山市区的 GDP

仅占全市的1/6，而顺德和南海则分别占1/3。”①

2002年底，原南海、顺德两市的GDP分别占佛山市域GDP的38%和37%，而原佛山市区的GDP仅占佛山市域的11%，不到南海、顺德的1/3。2000—2002年顺德和南海都是全国百强县的前两名，其经济实力的强劲可见一斑。因此，与广州相反，佛山原有中心城区弱，郊区县市强，犹如“蛇与象”，原佛山市区经济实力比较强的南海、顺德“撤市设区”，从政府到民间都有种半推半就甚至抵触情感，对“大佛山”认同感不足，整合较难。因此，佛山要实现城市整合，首先要解决这两市的人心归属和认同感的问题。

2. 在整合中拓展。

收拢人心和破除行政管理壁垒是城市整合亟待解决的两大问题。佛山通过统筹城市规划管理、基础设施建设以及产业的整合等来促进城市整合。

（1）同城生活，同城便利。

为了提高各区民众对“佛山人”的认同感，佛山提出了“同城生活，同城便利”的口号，在全市范围内实施了一系列的便民利民措施。

2003年1月和3月共撤销了辖区内28个交通收费站，只留下与周边城市相邻的15个收费站，消除了五区民众交通往来的一大障碍。12月，佛山市实现了全市五区固定电话号码升8位，全市统一使用一个长途区号，改变了过去顺德与佛山其他地区通话算长途的不便。

2004年7月1日，佛山市率先进行户籍改革，全市160多万农民领到原本属于城里人的“居民户口簿”。与此同时，佛山还开通了禅城区到其他四区的94辆“城巴”，开通了邮政同城网，将各区之间的邮件由外埠改为本埠，实行了小额消费“一卡通”和电

① 李凡：《佛山城镇空间的极化与反极化过程及其协调发展》，《佛山科学技术学院学报》（自然科学版）2004年第1期，第49～53页。

子钱包“佛山通”，实行名牌高中跨区招生等等。

（2）统一城市规划。

针对“撤市设区”的行政区划调整，佛山市制定了《佛山市城市发展概念规划》，提出了“簇群模式、多级格局、组团城市”[①]的城市空间形态，该城市规划提案旨在削弱各区、镇行政界线的限制，转变“各自为政”的城镇发展模式，形成优势互补、强强联合的格局，推动资源整合。而“2+5”组团遍布各区，则可以兼顾各区的发展。

该规划提出了“井形框架、环状衔接”的城市空间结构：“井”字形是指分别指向东、西、南、北等方向的八条发展轴线，“井”字的中心是佛山的中心组团核心区地带，“井”形空间结构的支撑除了高速公路外，主要依赖市域内的城市快速路。“环状”是指一个半环形的结构，它是环绕中心组团，并与中心组团有环城绿带相隔离的组团式城镇环状发展带，是主要由珠江三角洲二环线所支撑的交通发展轴。（图6－24、图6－25）

概念规划还提出要打破行政区划，推动东南部部分产业向西北部合理有序地转移，整合产业，特别是现有的工业区，从全市整体角度构建“五带十大重点工业园区”的产业空间格局，实现区域尺度上的集约发展，建成一批产业聚集度高、规模大、技术层次高、经济效益好的工业园区。这些提法旨在打破现状的“行政区经济”，减少各区产业的无序竞争，实现产业整合，而产业整合是佛山城市整合的重要内容。

---

① “簇群模式”：把在功能关系与空间关系上相近的城镇或功能区组合成一组，即形成一个“簇群”，以“簇群”为基本的空间单元。多级格局：四级城镇等级结构体系。组团城市：规划形成“2+5”组团，即2个100万人口以上、5个30万人～50万人口的组团。“2+5”组团遍布各区。

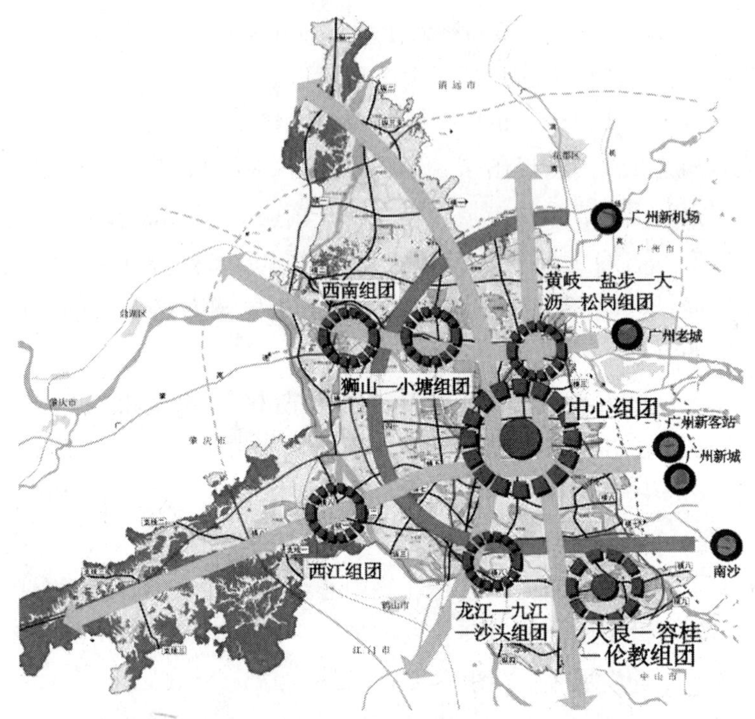

图6-24 佛山“井形框架、环状衔接”的城市空间结构

资料来源：《佛山市城市发展概念规划》（2003年）。

市内发达的道路交通会给各区民众之间的交往提供极大的便利，因此，构建发达的道路交通网络是佛山城市整合必不可少的措施。概念规划提出：构建由高速公路系统和快速公路系统组成的佛山干线公路网，实现以各主城区为节点的半小时时间圈，规划建设“二纵二横两环”的高速公路系统和“五纵九横三国道”的快速干线系统。在近期建设重点项目中，交通干线路网工程排在第一位，计划首先启动以“五纵九横两环”为主体的全市干线公路网络工程。

《佛山市域城镇体系规划（2003—2020）》又提出了构筑地区间多向的伙伴式协作的地区协作策略，包括产业间的协调发展、共同的土地供应机制、基础设施与公共设施的共建共享、信息共享、

生产要素自由流动、以地区总量作为经济指标的考察标准、社会团体协调作用等具体策略。还规划了各级城镇组合或独立城镇的基本职能，这些内容为概念规划中各组团以及组团内部城镇的分工协作提供了指导性的策略，又有利于实现城市整合。

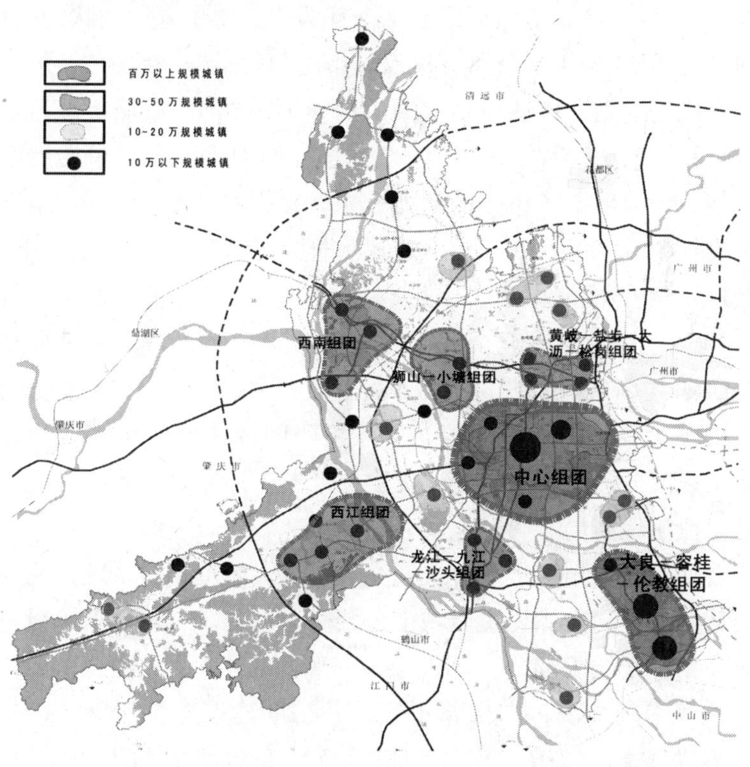

图 6－25　佛山“2＋5”组团结构

资料来源：《佛山市城市发展概念规划》(2003 年)。

城镇体系规划针对佛山现状的簇群经济特征提出要把经济相关、区位相邻地区内有限的物质性资源进行有效的整合形成产业的“空间簇群”，规划产业空间布局结构为“五带＋五片”。

城镇体系规划提出改造与利用市域省道、国道、省道，新建快速道路，构建围绕中心城区与主要发展带的快速道路网络。近期建设主要是打通和改善市域各级中心之间的便捷联系通道，主要建设佛一环，拓宽或修建分流新过境干线改善国道的交通状况，改善禅城、桂城间以及与周边城镇的交通联系。此外，还规划形成以主城区为网络中心的放射状轨道交通网络，规划共12条轨道交通线，其中7条线专门服务于市内各区镇之间的客运交通。总体规划规划设置了19条快速干道，形成以佛一环为中心，呈方格网状的格局，规划设置了23条主干公路，建议城市内部轨道交通线为11条。

在概念规划和城镇体系规划的指导下，《佛山市城市总体规划（2005—2020）》将“协调”与“整合”作为佛山市未来发展中的重点任务，提出了各组团的职能分工。根据总体规划，《佛山市近期建设规划（2006—2010）》提出近期围绕“2+5”的基本框架，重点建设两个城市中心—中心组团（主中心）和大良容桂组团（次中心），积极发展五个城市组团——大沥、狮山、（三水）西南、西江（高明—西樵）、九江—龙江，共同构筑城区“多级组团、轴向发展”的空间结构，关注组团间的协调。总体规划针对现状工业区分散的布局状况，提出要形成7片以工业园区为主导形式的工业用地布局。

近期建设规划提出建设快速交通系统、轨道交通系统，构建快速交通网络，同时优先发展城市公共交通系统。近期重点建设一环西线公路主干线工程，一环南线，一环西线南延线新建工程，“一环”快线南延伸段，广佛新干线一、二期建设等快速路，逐步形成“五纵九横三国道七支线”快速干线系统组成的干线公路网。重点建设“2+5”组团市政道路主干道项目。推荐2007—2013年佛山市建设轨道交通1号线南段、2号线首期段和3号线首期段，还提出了佛山市中心组团近期公交规划方案：“打通禅（城）桂（城）新（城区）、辐射中心组团的周边地区。”除了轨道交通还不确定致使各个规划对轨道交通的规划不太一致之外，这四个规划在交通规划上基本上是相互承接、层层细化的。

这四个规划的大部分内容是相互承接的，归结起来都是要构建组团城市，整合各区产业，构建市内便捷的道路交通网络，这都有助于佛山的城市整合。

（3）促进产业分工。

根据《佛山市工业发展规划纲要（2001—2010）》，佛山市制定了《佛山市工业（科技）园区发展实施意见》①（以下简称《意见》）。另外，概念规划、城镇体系规划、总体规划相继出台，都提出产业转移或重点工业园区建设。

佛山市重点建设七大工业园区：佛山高新技术产业开发区、佛山禅城经济开发区（原佛山市禅城高新技术产业开发区）、佛山南海经济开发区（原南海科技工业园）、佛山南海工业园区（原南海国家生态工业示范园区暨华南环保科技产业园）、佛山顺德工业园区（原顺德科技工业园）、佛山高明沧江工业园区（原高明沧江工业园）、佛山三水工业园区（原三水中心科技工业园）。

截至2006年底，全市工业园区完成工业总产值3200亿元，约占全市工业总产值的45.3%。佛山东、南部（禅城、南海、顺德）的部分工业已经向西北部（三水、高明）转移，带动了三水、高明的工业发展。此外，2004年9月，佛山的六个陶瓷协会（学会）整合成为佛山市陶瓷行业协会，从此佛山的陶瓷行业有了统一的协会机构，为佛山陶瓷产业的发展创造了一个沟通协调的平台。

（4）统筹道路建设。

截至2006年底，规划的21项重点路桥建设工程中，有15项已完工交付使用，5项在建。高速公路建设顺利，15个高速公路项目中，2个已建成通车，5个在建，8个抓紧前期工作。2003—2005年新建、改建、扩建公路408.61公里。全市公路通车里程从

① 2003年5月8日公布实施。《意见》中规定今后凡新设工业园区，都必须经市或区政府批准，设立工业园区必须符合一系列的条件。今后不再批准新设村级工业园区，现有村级工业园区要逐步整合到区（镇）级工业园区。《意见》还提出加大对现有镇、村工业园区的改造和整合力度，将现有村级工业园区逐步整合到镇级工业园区，以改变过去工业发展沿江、沿路分散布点的产业布局模式，逐步向园区经济过渡。《意见》要求各工业园区明确定位，实行差异化发展战略，大力培育各自的主导产业，形成各具特色、良性竞争、互促发展的园区经济发展态势，并提出了市重点工业园区各自的产业发展重点。《意见》还鼓励东南部地区（禅城、南海、顺德）逐步向西北部地区（三水、高明）转移部分产业，并制定了产业转移政策。

2002年底的3974.6公里增加到2006年底的4912.6公里，增加了938公里，公路密度也从2002年底的104.22公里/百平方公里增加到2006年底的130.8公里/百平方公里。

佛山“一环”快速干线是21项重点路桥建设工程的龙头工程，该工程于2003年6月8日动工，2006年11月18日通车。它是佛山规划的“五纵九横”公路干线网中横二、横六、纵三、纵五所围合而成的方形环路，连接佛山市南海、禅城、顺德、三水4个区，沿线主要经过里水、大沥、桂城、陈村等镇和街道办事处，环内面积约519平方公里，它是开放性的快速干线，全长99.2公里，一环“与现有40条交通干道和城市干道相连，与9条近期规划道路相连”。这些路桥工程的建设正在为佛山打造发达的市内交通网络，给佛山各区民众的交往带来极大的便利，必将加快佛山城市整合的进程。

第七章 城市社会的变迁

“东西南北中、发财到广东”，这句流行于20世纪80年代的口头禅为改革开放后大量“淘金者”进入广东创业作了很好的注脚。

改革开放30年来，数以千万计的港商、台商、各行业专业人才以及各省外来务工人员潮水般涌入广东各类城镇，不仅对原属“蛮荒之地”的广东城市经济起了巨大的推动作用，同时也为广东城市社会发展带来深远影响：一方面，大量各层次外来人口的集聚引发广东城市人口结构的巨大变化，并促进了城市社会组织结构与社会观念的急剧变迁，广东一度在全国起着“引领”社会发展的“吹鼓手”作用；另一方面，在促使城市社会空间发生快速演变的同时，也给城市社会管理与服务带来巨大冲击，在中国传统政经体制“坚冰”约束下，快速城市化使得广东城市社会治理调节机制面临“先行”的考验，并时刻面临挑战。

一、城市社会结构变迁

本章所探讨的社会结构是狭义的社会生活结构层面，主要从城市人口与职业结构、社会分化与社会群体结构、社会组织与管理结构等加以探讨。

（一）人口增长与空间分布

自1958年开始实行严格的户籍管理起，我国人口迁移与城市化发展缓慢。而改革开放则为广东带来人口的急剧增长，成为中国流动人口最多的省份。1978年改革开放后，深圳、珠海、汕头经济特区以及珠江三角洲经济开放区的相继设立，使得珠江三角洲得以先行一步，利用比国内其他地域“优先”的外部力量进行工业化发展。依托便利的区位优势、低价的土地、廉价的劳动力和宽松的政策环境等“比较优势”，广东特别是珠江三角洲地区逐渐吸引了港商、华侨、台商、东南亚国家以及西方一些国家企业纷纷来此投资办厂。1980—1991年，珠江三角洲利用外资以每年30.8%的速度递增，1990年代初，珠江三角洲地区已有与港澳合资企业2.3万家，“三来一补”企业6万余家。

“三来一补”和“三资”企业等中小型制造业为主的大量涌入，不但使得珠江三角洲传统的桑基鱼塘地区正迅速变为加工工业区，[①] 同时亦创造了大量的就业机会，吸收了大量区外、省外（中西部地区）的自发性迁移人口。[②] 从1978开始就有外来人口来珠江三角洲打工，1986年珠江三角洲的外来人口为185万，到1988年增加到320万。1990年代初，珠江三角洲地区受雇的劳动力已接近400万。[③] 到2000年第五次人口普查，珠江三角洲的外来人口已经达到约1500万[④]，这其中大多数是来自湖南、广西、四川、湖北以及全国各地的劳动力。

1. 总人口快速增长。

---

① 许学强、周春山：《论珠江三角洲大都会区的形成》，《城市问题》1994年第3期，第24页。

② 薛凤旋、杨春：《外资：发展中国家城市化的新动力——珠江三角洲个案研究》，《地理学报》1997年第3期，第193～206页。

③ 左正：《“珠江三角洲模式”的总体特征与成因》，《经济理论与经济管理》2001年第10期，第71～75页。

④ 2000年，珠三角第五次普查总人口为4078万，与1982年第三次普查相比，增长了1758万，其中外来人口已达到约1500万，构成了人口增量的主体。

广东，特别是珠江三角洲经济的迅猛发展，吸引了大量迁移人口，广东人口增速居全国各省市首位。

1982年的第三次人口普查显示，广东总人口为5363万，到1990年的第四次人口普查时已为6381万，八年增长1018万①。2000年，第五次人口普查，广东总人口达8642万，比“四普”增长2261万，年增长226万。2005年，1%人口抽样调查显示，广东省总人口已经达到9185万，比“五普”人口增加了543万，占全国人口比重的7.03%，成为全国人口第三大省区。(图8－1)

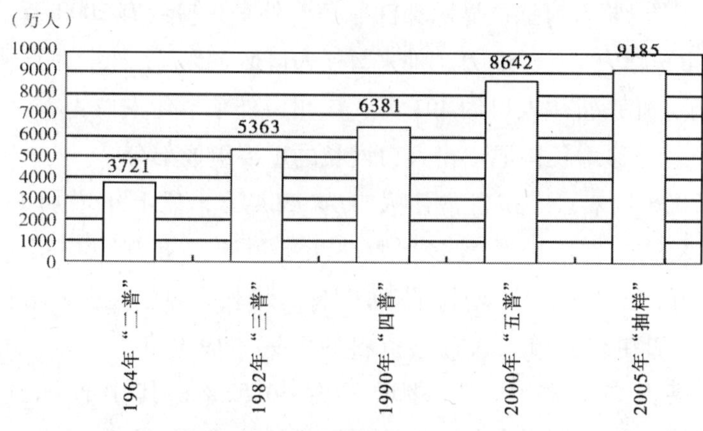

图7－1　广东省总人口变化

资料来源：根据历次人口普查公告整理。

2．暂住人口是人口增长的主体。

广东省是接纳农民工人口最多、影响最大的省区，因此暂住人口是人口增长的主体。

“五普”资料显示，2000年，广东省流动人口规模达到2530.4

① 全国历次人口普查由于统计口径不一，五次普查五个标准。1982年“三普”城镇人口包括设有建制的市和镇的总人口，采用了国家1955年颁布的城乡划分标准，包括市辖区内的农业人口；1990年“四普”市人口指设区的市的总人口和不设区的市的街道人口，镇人口指不设区的市所辖镇的居委会人口和县辖镇人口；2000年“五普”将居住六个月以上的流动人口计入城镇人口的统计范围。如要准确进行比较，数据之间需要换算。

万[①]，占全省普查总人口的29.3%，占当年全国普查流动人口总数的17.5%。其中，省外流入广东的流动人口为1506万，占全省普查总人口的17.7%，约占全国省际流动人口的1/3。也就是说，每3个在国内省际流动的人中就有1个是流入广东省的。

珠江三角洲地区的流动人口为1929.3万，占全省流动人口比重高达91.6%。其中，深圳、东莞与广州等城市暂住人口最多。1990年第四次人口普查到2000年第五次人口普查，深圳人口从166.7万猛增到700.8万，十年增长534.1万，增幅高达320%。2005年的1%人口抽样显示珠江三角洲外来人口约有2000万。其中深圳市户籍人口为182万，外来暂住人口达645万；东莞市户籍人口165万，外来暂住人口约491万，广州市外来暂住人口为386万。

3. 迁移增长构成户籍人口增长的重要组成部分。

2006年末，广东省常住人口为9304万，比上年增加110万，增长人口中省际迁移最多。如珠江三角洲“五普”户籍人口为2312万，比“四普”增长了20.04%，增长人口中，迁移增长约占40%。如在有分市人口迁移资料的1993—1999年，珠江三角洲8市户籍人口增长中，迁移增长占46.52%，其中省际迁移占30.62%，占同期广东省际人口迁移增长量的46.98%。

广东迁移人口主要分布在珠江三角洲地区。大量的劳动人口迁入广州、深圳、东莞、佛山等城市，其中有一部分通过买房入户，成为户籍人口迅速增加的来源。1979年广州市流动人口才23.5万，即使到1984年也不过50万，1989年却跃增到170万，其中，100多万已变成常住人口，成为广州的“事实居民”[②]。

4. 人口空间分布发生巨大变化。

2000年广东省流动人口总量占全省人口总量的29.3%，占了大约1/3。其中珠江三角洲地区更是人口迁入地，人口占全省比重

---

① 实际上，这只是统计在册的数据，真实的外来人口要远高于此数。

② 李文波、蔡禾等：《改革开放下广州社会结构变迁》，《中山大学学报论丛》1997年第6期，第51～64页。

由 1982 年提升近一倍，达 37.94%。

广东人口增长最快的地区集中于珠江三角洲及粤东、粤西的沿海地区，其中以珠江三角洲地区的人口增长速度最快。随着社会经济的飞速发展，珠江三角洲成为了我国对劳动力迁移流动最具吸引力的地区。

第五次人口普查显示，珠江三角洲人口达 4150 万，比 1990 年第四次人口普查增长 94%，人口净增 2011 万。广州、深圳、东莞、佛山、珠海、江门、中山等七市总人口为 3628 万，占广东全省总人口的 42%，1990 年这一比重不到 30%。从 1990 年到 2000 年，珠江三角洲 92% 的人口增长集中在珠江三角洲内圈层，51% 集中于深圳—东莞。深圳、东莞人口增加了 2～3 倍，广州、珠海、佛山、中山等市增幅也在 50% 以上。而广东省 80% 以上的流动人口聚集在珠江三角洲地区，流动人口达 2000 多万。

随着人口总量的增加，广东省人口密度不断上升，由于人口自然增长和机械增长的差异性，使得全省人口的地区分布格局发生了较大的变化，广东省内部各城市间人口密度的差距日益扩大，广东北部山区由于自然、经济等原因的约束，人口分布稀疏，人口增长缓慢，清远市、韶关市、河源市等山区的人口密度一直都较低。根据第五次人口普查资料，计算出广东省各城市的人口密度，其中以深圳市为最高，达到 3476 人每平方公里，而人口密度最低的韶关市则只有 145 人每平方公里。2005 年 1% 抽样调查显示，珠江三角洲整体人口密度继续增长，但是各城市的增幅出现差异，除深圳增长幅度比较大之外，佛山、东莞和中山的增幅减缓。（图 7－2）

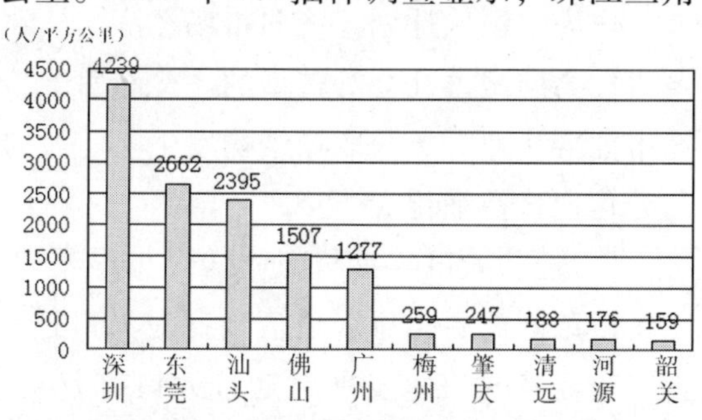

图 7－2　广东省人口密度最高和最低的五个地级市

数据来源：根据 2005 年 1% 抽样人口普查公告整理。

与珠江三角洲的人口集中趋势形成明显的对比是山区人口比重大幅下降。与四普相比，2000年人口普查中，山区的五个城市中，除了云浮的人口总数略有增长外，梅州、河源、清远以及韶关4个城市大量人口外出导致总人口减少。（图7－3）

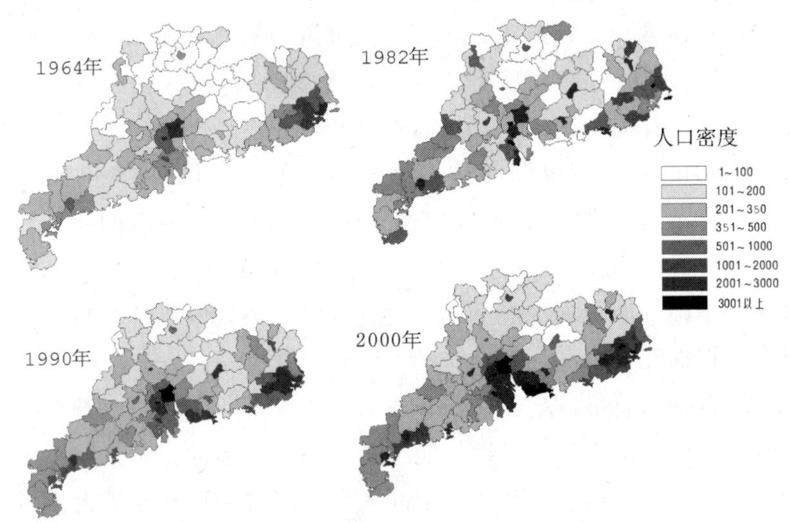

图7－3　广东省人口密度变化图（单位：人/平方公里）

（二）人口职业结构与城市社会阶层分化

作为中国从计划经济向市场经济、从农业社会向工业社会、从乡村社会向城镇社会等转型的“先行官”，改革开放30年来，广东城市社会从业人员与职业结构发生了巨大的变化的同时，社会阶层的分化也日益细化。

1. 迁移人口年龄与职业结构。

改革开放后，尽管户籍制度对人口迁移起着巨大的阻滞作用，但广东经济的快速发展对迁移人口有着“磁石”般的吸引力。在开放早期，迁移广东的外来人口主要包括务工、经商（港商、台

商），以及包含大学毕业分配的各类专业技术人才[①]。户籍迁移以毕业分配为主，暂住人口以务工和经商为主。1980 年代中后期，指向经济特区、毕业分配和工作调动不仅是户籍迁入大中城市的主要原因，入户也逐渐成为吸引高层次人才、吸引投资的政策工具之一。

随着社会的逐步开放以及经济发展水平的逐渐提高，到 1990 年代中后期，户籍的阻滞作用已经逐渐淡化，户籍迁移占迁移人口的比重迅速下降，以务工经商为主的自发迁移已成为迁移人口的主体。1999 年起许多大城市已开始对大学本科以上学历、城市经济发展所需专业，并有企业接收人员的迁入可以不加限制地入户。从 2000 年起，有合法住房和稳定收入的人员可以申请在小城镇入户。2001 年，广东省实行按实际居住地登记居民户口的原则，人口迁移取消计划指标限制，改为准入制。但目前户籍制度对人口迁移仍有一定的限制作用，在大量暂住人口中，真正能通过购房、投资、经商而获得合法住房和稳定收入、达到入户准入条件的人毕竟是少数，对于跨行政区域，特别是跨省迁移者来说，入户还有“智力移民”、“投资移民”等准入限制。

在这些外来迁移人口中，以经商和谋求职业为主，并以省外人口居多，主要包含了三类群体：一线普通外来务工人员（蓝领民工）、专业技术人才与高校毕业生（白领、公务员等）、投资设厂的“老板”（尤以港商、台商为最多）。与传统的计划迁移（主要是高文化程度的专门人才和国家干部）、婚姻迁移不同，当前以市场、资源为主导的人口迁移，人口的流动大多是受到市场就业、生活水平等等的影响，选择经济发达地区，且青年人有着明显的迁移倾向，人口的大量迁入改变了广东的人口结构。

在流动人口的年龄结构中，绝大多数属于劳动年龄。近年调研资料显示，绝大多数农民工年龄介于 20～40 岁之间，其中 52.6%

① 改革开放初期，作为拥有四个经济特区的广东省（1988 年以前海南省属于广东省），得到国家的大力支援，从外地调入了大批专业人员和技术工人到经济特区。

年龄介于20～30岁，29.7%介于30～40岁，低于20岁和高于40岁的都比较少，均不到10%。以深圳为例，目前全市人口平均年龄不足29岁。同时，大专及以上文化程度的人口占16岁以上流动人口的比重为3.2%，初中文化程度人口比重为61.4%，小学文化程度人口比重为16.7%，近80%的流动人口的教育程度在初中文化及以下，人口素质不高。

珠江三角洲本地人与上述三大类外来群体所从事的职业、经济待遇与工作生活环境，也存在较大的差异。本地人除去做公务员与负责管理外，大部分自己做“老板”，或做报关之类收入相对较高的工作，相当一部分村民逐渐演变成为“食利者”（收厂租与房租）。而外来迁移人口中，除去少部分的经商、公务员与技术人员外，绝大部分“农民工”涌入生产与服务的第一线，几乎所有的重活、脏活、累活都由这些农民工“承包”。

在广东省第二、第三产业的许多传统部门中，农民工占了生产者的绝大部分，如在制衣、制鞋、家具、玩具、电子装配以及建筑业、低端服务业（如保安、餐厅服务员、家政服务）等劳动密集型的企业中，第一线的普通工人几乎清一色全是“农民工”。在珠江三角洲地区，95%以上的农民工从事体力和一般装配操作的工作。农民工成为推动地区经济高速增长的生力军，在一些城镇，农民工在数量上远远超过本地人口，以东莞、深圳等城市最为突出。

2. 城市社会阶层的分化与农民工阶层的形成。

在外来迁移人口日益成为广东城市人口增长和新增劳动供给的主要来源的情境之下，来自各地的大量外来移民，因属地与从业导致就业结构以及社会生产方式和社会关系发生急剧变化。改革开放将过去的社会“阶级”结构击得粉碎。1980年代中期开始的城市改革打破了一直受到国家保护的公有制企业工人阶级的“铁饭碗”，中国工人阶级昔日的领导地位被淡化，国家与资本的主导论述稀释了阶级话语的力量。[①] 商人阶层不仅资本雄厚，而且社会地

① 潘毅：《打工者：阶级的归来或重生》，《南风窗》2007年5月（下）。

位早已超越于农、工之上成为与“士”相提并论的阶层。

经济结构尤其是所有制结构在改革中不断调整，公有制单一模式的突破，多种经济成分和经营方式的涌现，以及社会人口的大规模流动，社会结构发生了新的分化、变迁和重组，并促进与强化了广东城市社会阶层的分化：“两个阶级、一个阶层”（工人阶级、农民阶级和知识分子阶层）的社会内部结构发生了显著的变化[①]，“同时新的社会分工和职业分工又产生了新的职业群体，并逐步分化为更细化、更丰富的社会阶层”，[②] 涌现与固化出私营企业主阶层（包括港商、台商）、经理人员阶层、个体工商户阶层、专业技术人员阶层、新兴打工阶层等等。社会分层由阶级分层转为利益群体分层[③]，分化组合为不同的社会利益共同体，这种不同社会利益群体的复杂多元层次已成为市场经济条件下城市社会结构的显著特征[④]。

广东城市社会分层结构逐渐分化为五大类：一是政治、经济与文化精英群体（公务员、商人与知识分子精英）的“强强结盟”，社会地位急剧蹿升，并主导了城市社会经济的“话语权”；二是企业普通白领与机关事业工薪阶层；三是原有城市普通工人阶层地位下降、相对经济收入递减；四是城中村的原住民，利用村落宗族与地方传统网络，成为特殊的“食租阶层”；五是庞大的“身在广东为异客”的外来“打工阶层”，社会地位沦落到社会下层，成为被“压榨”的边缘与弱势群体。

---

① 新中国成立后，一系列运动（消灭地主阶级和资产阶级、改造农民阶级和小资产阶级等），使中国逐步形成了由工人阶级和农民阶级两大阶级构成的社会结构。在城市内部，整个社会成员被区分为两种身份：干部与工人。所谓干部身份主要指在党政机关、社会团体、民主党派和事业单位工作的各级各类人员。凡不属于干部身份的人都属于工人。

② 陆学艺著：《当代中国社会阶层研究报告》，社会科学文献出版社 2002 年版，第 10 页。

③ 所谓分层，是从人们社会地位垂直变化的角度观察社会。分层的本质是关于人们之间的利益或资源占有的关系。

④ 王健民：《关于广州社会结构的若干问题》，《探求》2002 年第 1 期，第24 ~ 28 页。

由此，“整体城市社会分层结构呈‘两端大、中间小’的‘葫芦型’：葫芦的上端是掌握着垄断，或行使着权力，或拥有资本，或拥有着丰富知识与技术的阶层，如各级行政机关事业单位工作人员、国有垄断企业的工作人员、商人、大学教师和科研人员、外资企业中上层管理和技术人员。而葫芦的下端则是城市里未能成功进入稳定单位的再就业的工薪阶层和农民工，类别较少、数量庞大，且与‘葫芦’的上端存在着明显的断层”。[①]

改革开放以来，从农村涌入城市的农民工们迅速地构成新的劳动大军，城镇中不断涌现的工业区或开发区，为全球资本利用中国丰富而廉价的劳动力资源提供了条件。庞大的广东农民工已构成广东社会一个独立单元，普遍存在的超时间工作、超强度劳动和严厉的厂规厂纪，以及较低的薪酬和近乎无的社会福利等使得农民工整体上处于广东城市社会的底层，在城市社会中受到社会发展的先天性制度的排斥。“户籍制度作为一种‘社会屏蔽’（social closure）作用，将‘农民工’屏蔽在分享城市的社会资源之外”。

农民工作为非城市居民，无法享受与城市居民一样的居住、就医、子女入托入学等社会保障，并在社会心理、生活方式、消费模式等各方面与城市居民有很大差异，不仅使城市社会文化日趋多元化，也逐渐成为城市贫困群体的重要组成部分。在职业选择方面，农民工还受到城市管理部门“换笼腾鸟”政策的制约，只能从事城市居民不愿从事的“脏、累、苦、险”等职业。大部分农民工奋战在生产第一线，长期承担着企业的苦、脏、累、险工作，每天工作10～14个小时，甚至没有休息日，却享受着“最低工资标准”，外来民工已经成了广东城镇贫困人口的代名词。

在中国加入全球经济体系所出现的新兴农民工打工阶层的命运实际上是由国家和资本共同决定，从开始便受到结构性的压制：城市不允许新兴打工阶层在它的土地上生根。同时，“户籍制度与劳

---

① 龚浔泽：《中国社会结构变迁：鸡蛋型理想与葫芦型现状》，《董事会》2006年第12期，第36～38页。

动力控制机制混合在一起，形成一种特殊的权力形态，建构出农民工模糊的身份认同。农民工到底是工人还是农民？‘农民工’这个词，模糊了农民身份与工人身份认同之间的界限。”①

（三）城市社会组织结构变迁

城市社会本身是一个结构性的组织系统。“城市组织是城市社会的主要构成要素，城市社会组织是业缘关系为纽带形成的社会群体”②，称为“作为功能群体的组织”③，它的变迁直接反映了城市社会结构的形式及变化。

1978 年以前，广东与全中国一样，城市组织结构体现了政治、经济与社会的三者合一。城市以国有经济为主体，城市大多数成员被组织到一个个具体的“单位组织”中。在单位制的制度环境下，国家垄断城市社区的一切社会资源，并通过单位组织向职工及居民分配其必需的生活资料。单位组织依附于国家（政府），个人依附于单位组织，而国家则依赖这些单位组织控制和整合社会，整体上呈现“强政府、弱社会”的结构。

1．城市基层社会管理组织的变迁：从单位、街居到社区。

改革开放前，我国建立起的强国家、弱社会的管理模式，国家包揽和控制了几乎所有社会生活。在此背景下，广东城市基层社会逐步建立了以单位制为主、以街道—居委会体系（简称街居制）为辅的“两条线”管理体制：一条线是“政府—单位—职工”；另一条线是“政府—街道办事处—居委会”。前者是管理的主体模式，后者是前者的补充。也就是说，凡是有工作单位的居民所需的公共物品主要依托单位来提供；其余少数的无单位居民则纳入街道办事处与居委会的管辖范围，实现了国家政权对城市基层社会的强

① 潘毅：《打工者：阶级的归来或重生》，《南风窗》2007 年 5 月（下）。

② 张鸿雁：《侵入与接替：城市社会结构变迁新论》，东南大学出版社 2000 年版。

③ 富永建一：《社会结构与社会变迁》，云南人民出版社 1988 年版，第 55 页。

控制。

改革开放后，随着经济体制改革与政企分开的逐步推进，个体、私营经济的蓬勃发展，“无单位归属人员”大量增加，越来越多的职工失业、下岗，广东城市企事业单位出现分化，许多国有企业被推向市场，事业单位的聘用制改革也走在全国前列，企事业单位越来越专注基本经济目标的实现，逐渐把社会职能剥离出去，逐步退出职工的生活领域，促使大量的“单位人”变为“社会人”。整体单位制度正处于不断解体和衰落过程中①，中国城市基层社会由国家集中控制和统一分配资源的体制正在逐步改变，一些新的结构性要素逐渐形成。

作为城市基层社区组织的街道办事处和居委会，从1950年代初创到现今，其结构、功能及运行方式已发生并将继续发生巨大的变化。从新中国建立到改革开放前，街道办和居委会在相当大的程度上只是扮演着政府代理人的角色，按政府的指令行使着管理社区的职能。1980年，全国人大常委会重新公布1954年的《城市居民委员会组织条例》，明确城市街道办事处是市或区政府的派出机构，在街道的这些派出机构主要包括工商所、粮管所、房管所、派出所、环卫所、菜场和卫生院。而之前这些部门与街道办事处基本上是各自为政，街道办事处往往只起配合作用。

随着社会管理事务的日益繁多，在实际工作中，城市街道办事处也从基层政府的派出机构逐步演变成一个集行政管理、社区管理、社区服务等职能为一体的综合性机构。“街道作为城市行政区划的基层行政区，它的特殊性在于既是政府行政管理的基层区域，又是社会生活的区域性社会，即政治行政型社区与生活型社区的合

---

① 尽管单位作为一个总体的制度已渐弱化，但作为居民的实际的“工作单位”并没有消失，它依然影响着职工的福利水平。改革以后，随着国家权力的下放，单位组织的法人地位逐步确立，单位组织之间的差距拉大。因此，“单位”制度在发生较大改良与变形的同时，其组织形式在短时期内还不会解体，仍在组织城市居民的生产和生活、形成中国城市社会空间结构等方面起到重要作用。

二为一。”[①] 这种政社合一的双重属性不断强化。街道办事处的规模越来越大，人数从1966年以前的8人或者以下，到“文革”结束时的40人左右，再发展到当前至少100人以上的规模。街道办事处的机构也从过去很少的几个科室到目前少则十几个多则二十几个科室，除了立法机关和执法机构外，几乎包括了党和政府机构的所有对应部门[②]。

这种管理体制限制和缩小了居委会的职能空间，使居委会“无所作为”和“不敢作为”。“政社合一”的双重属性不断被强化，城市社区逐渐演变为“行政—社会”双重属性的区位结构。[③] 在住房商品化之前，社区管理是居民委员会的管理。由于大多数居民对房屋和土地没有财产上的权利，只是在此居住的居民。居民委员会使用的财产、活动经费、人员工资等只能通过政府扶持和企事业单位的赞助来解决。居民委员会也就几乎成了政府的附属机构。居民委员会对社区的管理也就带有行政管理的色彩，主要管“人”，而不是管“物”。

与此同时，城市管理重心下移，街道办事处承担的职责任务、扮演的角色与其实际法律地位日益不符，以街道、居委会为主体的社区治理体系困难重重。目前广东省每个居民委员会要管理1000～2000户居民，主要职能是计划生育、社会治安、人民调解、社区服务等，其中很大一部分工作是流动人口的计划生育。居委会人员较少，并由街道办事处拨款，除此没有经济来源。居委会作为政府行政控制系统末梢的传统职能和事实上的“半官方性质”。“长期以来，居委会体制是全权主义政体下与单位和户籍体制一道，实现对城市居民行政控制和私生活渗透的工具。”[④]

---

① 张鸿雁：《侵入与接替：城市社会结构变迁新论》，东南大学出版社2000年版。

② 夏建中：《城市社区基层社会管理组织的变革及其主要原因——建造新的城市社会管理和控制的模式》，《江苏社会科学》2002年第1期，第165～171页。

③ 郝彦辉：《制度变迁与社区公共物品生产——从“单位制”到“社区制”》，《城市发展研究》2006年第5期，第64～70页。

④ 王怡：《居委会选举与“社区自治”》，中国城市社区网，2004年9月4日。

随着国有企业深化改革和政府机构改革及职能转变，企业剥离的社会职能和政府转移出来的服务职能，也需要由城市基层社会管理组织发挥作用。在新的形势下，社会成员固定地从属于一定社会组织的管理体制已被打破，大量“单位人”转为“社会人”，同时大量农村人口涌入城市，社会流动人口增加，商品房小区中街道和居委会的管理工作受到限制，教育、管理工作存在的薄弱环节，致使城市社会人口的管理相对滞后，迫切需要建立一种新的社区式管理模式。

1999年开始的社区建设，其首要任务是为了建立和发展填补“单位制”解体后的真空，以及与城市社会变化所需要的新型城市基层社会管理和控制模式①。从“街居基层”到“社区”的转化，意味着从垂直化的行政控制到分散化的社区自治。社区组织也不再是单纯作为政府代理人对“社会闲散人员”进行管理，而主要是动员和组织社区成员开展自我管理、自我教育、自我服务和自我约束的组织。“城市社区建设的中心内容在于重构社区治理结构，替代传统的单位制和街居制，弥补社会管理的缺位，建立新型的公共物品供给体系，有效地满足居民对公共物品和社会服务的需求。”②社区化的根本方向应是居委会作为一个行政化组织的逐步退出。“但在目前的居委会体制下，绝无真正的社区概念可言。‘社区’一词对传统的居委会体制而言只是一个被鸠占鹊巢的修辞。”③

随着住房制度改革的日益推进，工作单位不再分配住房，人们居住与工作逐渐分离，开始自己购买住房，单位也从住房物业管理撤出。住房商品化之后，出现了以“小业主”（产权人）为中心的

---

① 夏建中：《城市社区基层社会管理组织的变革及其主要原因——建造新的城市社会管理和控制的模式》，《江苏社会科学》2002年第1期，第165～171页。

② 郝彦辉：《制度变迁与社区公共物品生产——从“单位制”到“社区制”》，《城市发展研究》2006年第5期，第64～70页。

③ 王怡：《居委会选举与“社区自治”》，中国城市社区网，2004年9月4日。

物业管理模式[①]，“业主委员会”[②] 的概念便应运而生。

1991 年 3 月 22 日——一个被写入中国物业管理教科书的日子——当天晚上 7 点 30 分，深圳天景花园业主委员会成立大会暨第一次委员会例会悄然召开，王石、姚牧民、郭兆斌等万科高层悉数到场，中国第一个业主委员会宣告成立。万科打破物业管理者与住户之间传统的“对立关系”，率先提出“共管式管理”，明确了“业主是主人，管理处是仆人”的新型关系。这个发轫于地产商主观意志推动的民间组织，现正更多的人当作是一种直接区别于发展商、物业管理公司甚至是“官方”的“民间力量”。[③]

业主委员会在广东的率先出现，意味着此后广东城市的社区管理就是业主委员会对社区的管理，是业主委员会对社区的物业——房屋和土地的管理。从近年来社区建设的实践来看，同样是社区里的自治组织，业主委员会得到了业主的认同，不少居民热情参与，在向真正意义上的自治组织迈进。“而官方授予一定权力的权威性自治组织居民委员会由于与居民没有形成共同的社区利益，反而居民参与性不足。”[④]随着住房商品化的比例逐步扩大，“居民委员会必将为‘以产权为联系纽带的，并表达自己利益的组织’业主委员会所取代而逐步淡出历史的舞台，业主委员会将是中国城市社区

---

① 为改变小区物业管理无章可循的混乱局面，1994 年 6 月 18 日深圳市人大常委会通过了《深圳经济特区住宅区物业管理条例》，这是全国第一部地方性法规。广东于 1998 年出台的《广东省物业管理条例》开全国先河。1999 年 4 月开始，建设部房地产行政管理部门就开始组织起草《物业管理条例》。2003 年《物业管理条例》的出台，规范了房地产开发商、前期物业管理公司、新聘物业管理公司和业主、业主委员会以及居委会等各个方面的关系，结束了中国物业管理行业无法可依的局面，针对性地解决了小区物业管理领域的很多难题。

② 业主委员会，是指由物业管理区域内业主代表组成，代表业主的利益，向社会各方反映业主意愿和要求，并监督物业管理公司管理运作的一个民间性组织。业委会的权力基础是其对物业的所有权，它代表该物业的全体业主，对该物业有关的一切重大事项拥有决定权。

③ 《业主委员会，在抗争中寻求回归与超越》，《南方都市报》2005 年 6 月 17 日。

④ 王琳：《城市基层民主建设的新形式——对广东“业主委员会”的调查引发的思考》，《理论月刊》2006 年第 8 期，第 110 ~ 113 页。

发展的主流。”①

2. 新兴经济组织、行业协会与中间组织的成长。

1978年前，城市社会整体结构分成两个层次，一方面是处于权力核心层面的党政组织，另一方面是依附于单位和基层行政组织的，由以家庭为核心的，分散的、缺乏个体选择的、城市居民组成的社会基层层面。改革开放以来，广东一大批非国有制经济单位开始出现，这些新型组织主要指那些私人经营、华侨或港澳台工商业及国外独资经营的各种类型的社会经济组织。他们所需的各种资源、利益和机会，完全可以不依靠国家和政府就可以获得，他们与国家和政府之间也不存在行政隶属关系，没有行政级别，在社会上具有独立法人地位，其成员的人事关系或挂在人才交流中心，或放在街道办事处，原来意义上的政治控制对这些群体也失去了应有的效力。

这些新型组织很多根本不具备社会职能（即使可能承担一些其他社会功能，也仅仅是为了更好地实现专业功能，以更高效率地达到组织的专业目标）。这时员工的业余生活和社会劳动生活已有了明显的分界，住房、医疗、养老等统统推向社会。这种以私营企业为代表的新兴经济组织其形成与发展和传统计划体制下的经济单位相比，呈现出明显的异质性。在组织管理上，它们常常缺乏国有经济单位普遍存在的党群组织，以一种不同于体制内的规则和方式组织与运行，其管理环节、程序、系统明显简化，效率则相对较高。

同时，社会利益多元化后和政府社会管理职能的转移，要求建立一种介于官方与民间的、既反映民意又传达官方意图的“沟通桥梁”呼声也越来越强。随着社会力量的不断发育生长、城市组织结构的不断分化，以及社会管理组织化需求的不断增长，广东城市社会中也开始出现一些非政府系统的中间组织，一批“官办”、“半官半民”或纯粹民间的具有中介性质的民间组织涌现出来，这

① 王怡：《居委会选举与“社区自治”》，中国城市社区网，2004年9月4日。

些以行业协会、商会（如著名的广东台商协会，见专栏7－1）、消费者协会、学会、基金会、联谊会等为名的中介组织，逐渐改变着城市一元化组织结构的传统模式，为促进城市管理的社会化发挥越来越积极的作用。

中介组织的大量产生是组织结构适应社会经济转型的必然产物。他们的出现改变了原有社会组织系统的结构，其最大特点在于利用民间社会的力量来管理、指导、调节和约束基层社会组织，规范基层社会组织的行为，提高组织体系的整合程度。在社会服务、市场调节、监督管理、决策咨询、协调沟通等层面，为城市社会经济运行与协调政府和城市基层社会的关系方面发挥着重要作用。以广州为例，广州的中介组织团体可分为学术性、行业性、专业性和联合性四大类别和全市性与区县级两个层次，总计五万余个。“通过这些中介组织的培育改变政社一体的单一的社会组织管理模式，形成多层次社会组织管理格局，逐步推进社会管理和社会服务的现代化。”①

专栏7－1：东莞市台商投资企业协会

改革开放以后，东莞凭其优越的地理位置，大力吸引外资，发展外向型经济，大量台商纷纷前来投资设厂，东莞成为大陆台商投资的最为密集地之一，在电子、IT、制鞋、塑料等已拥有台资企业6000余家，台资企业投资总额超过100亿美元，占全市外资投入比例的1/3，东莞台资企业出口额占东莞出口总额的五分之二。“全国台商三分之一在广东，而广东台商三分之一在东莞”，东莞台商约占全国的九分之一，长期居住在东莞的台商有10万人，加上台商家属子女与流动台商，东莞台湾人近15万人，是中国大陆台商最密集的城市之一。

广东台商人数多，起步早，遭遇到的问题也最多。为切实

① 王健民：《关于广州社会结构的若干问题》，《探求》2002年第1期，第24～28页。

地把台商遇到的问题、需要解决的事情，及时向大陆政府及有关部门反映。1993年10月，第一批来东莞的台商在东莞市台办的协助支持下，自发成立以“团结、交流、服务、发展”为宗旨，以企业及其台商投资者、技术管理人员组成的非营利性互助团体——东莞台商投资协会。近15年的稳步发展，形成一个以协会为中心，遍及东莞32个镇区的32个分会为网点的服务体系。现有会员约3500家，入会率达70%左右，是大陆最大的区域性台商协会，号称“天下第一会”。2003年8月，东莞台商协会正式通过ISO9001（2000）IS版认证，导入国际规范的管理体系，使协会运作更臻完善，成为全国会员众多，功能健全的台商协会之一。

长期以来，东莞台商协会在加强台商企业及其技术管理人员与当地的经济联系，增进与政府、企业与民间的交流，促进两岸经济友好合作，以及组织台商参与公益事业（如参与2003年抗“非典”、基金会、扶贫）等方面发挥了巨大的作用，成为台商与政府联系的桥梁。东莞台协以及各分会积极争取当地政府支持与合作，与东莞政府相关部门均保持着良好的互动关系，政府已逐渐将台协和各分会作为宣传新政令、推行新政策的一个窗口。在台协的组织下，多次举行以海关、税务、法律等方面的讲座与座谈会，使政府部门与台商会员之间能直接面对面，以达到双向沟通交流的效应。①

东莞市台商投资企业协会成立以来，不断完善组织架构，成立了海关商检、产业升级、公益公关、考察休闲、文宣编辑等功能委员会。东莞市台商网的建成，为协会的联网服务与咨讯共享提供了良好的信息平台，聚集了东莞台商协会内的四千多家台商会员以及其他众多的内地企业会员，是国内规模最大

① 2002年5月起，东莞市成立了政府领导与台商的对口联络小组，定于每月10日双方召开座谈会，就台商经营中所遇到的困难以及对政府相关部门的建议进行交流和沟通，几年来成效显著。

的台商商业信息网站。同时，台商协会还专为会员设立了排忧解难的常设机构——“马上办中心”（1995年成立），每月处理急事难事数百宗，包括海关、税务、交通、治安、咨询等各类请求协助事件。此外，《东莞台商》月刊（1994年创刊）正式向协会内部发行，围绕与台商息息相关的话题进行讨论，为台商提供必要的商业信息及大陆公布的最新政策法规等，发行量已增到两万多册，成为台协与会员间的联系工具，也成为外界了解东莞台商的一个窗口。

同时，台商协会在东莞全市划分为七个服务协区（见表7－1），由协区区长级负责督导。在台商协会努力下，一所由台商会员募款投资创办的公益性质学校——东莞台商子弟学校[①]于2000年9月正式建立。与此同时，为加强台商、眷属与学子卫生保健，为当地居民提供医疗服务，推动两岸医学医术交流，台商协会还与广东医学院联合筹建了东莞台商医院。而正在建设的、寓意台商20年投资大陆兴旺发展的标志性建筑——台商会馆大楼[②]将会为今后台商展览、商务、办公等配套服务以及为台商利益出谋划策发挥极其重要的作用。（图7－4、图7－5）

① 东莞台商子弟学校是大陆第一家台商子弟学校，校园占地约8公顷。最初的办学也是出于要解决一些实际困难：由于许多台湾企业的干部都是轮调式，后方要稳定，家属要带来，因此重要的事情是通过办学消除两岸之间在心理上的距离。目前，东莞台商子弟学校接纳的台商子女教育涵盖从幼儿园到高中各年级，现有学生1700多名，一律实行寄宿管理，学历也是两岸承认。

② 为使台商会员乡亲能安心投入事业，为台商提供一份家乡的体贴（“第二个家”），东莞市台商协会募集逾10亿元人民币，于新城市行政中心东莞大道旁兴建台商会馆，期望透过会馆架设的平台促进台商与地方的良性互动。该大厦占地3万多平方米，高289米，共68层。低层部分将设大型商场；中层部分将是台商在东莞投资企业的经营总部或台湾企业派驻东莞的事务机构；高层部分则为东莞台商和台湾商务考察人员的居住公寓，预计2009年竣工。

表7－1　东莞台商协会七个协区服务区

服务区域	镇　街
协一区	清溪、樟木头、凤岗、谢岗
协二区	塘厦、黄江、大朗、寮步
协三区	常平、桥头、企石、东坑、横沥
协四区	长安、大岭山、东城、南城
协五区	莞城、石龙、石碣、石排、茶山、高埗
协六区	厚街、万江、道滘、中堂、望牛墩
协七区	虎门、沙田、洪梅、麻涌

图7－4　东莞台商子弟学校

图7－5　东莞台商会馆效果图

二、城市社会空间演变

城市社会空间演变是由在工业化和城市化所产生的社会群体分化所促成，包括人们社会地位、经济收入、生活方式以及居住条件等方面的分化。不同群体的社会特征在城市地域上的空间分布与投影塑造了特定的城市社会空间。

“物以类聚、人以群分”，城市内部社会属性相同或者相近的人总是以这样那样的理由聚集在一起，从而产生城市人口空间上的差异，而人口差异又很大程度上反映了城市土地利用与社会空间的结构形态。①不同人群分化后的社会特征在城市地域空间上最直接的体现就是居住区的地域分异。“居住分异作为社会空间分异的主

① 参见张岸等：《深圳市城市内部人口与社会空间结构研究》，载《南方人口》2006第3期，第52～57页。

要表现和组成部分，在特定时期形成并不断变化。居住地域分异格局直接反映了城市社会空间的结构特征。”①

改革开放在全国率先并极大地改变了广东省人口迁移的基本格局，并促使广东大中城市社会空间和居住空间发生急剧转型，“原‘单位制生产—生活体系’所塑造的社会均质空间逐渐瓦解，居住分异（differentiation）与社区隔离（segregation）凸显，预示着新的城市社会空间结构的形成。”②

（一）城市社会空间——从“单位”转向“社区”

在城市土地有偿使用制度以前，中国城市土地出让以划拨给“国有企业及机关事业单位”为主，城市土地基本上依赖行政划拨，实行无偿、无期限使用制度，并没有用经济手段对土地利用进行调节。各“单位”或利用权力资源或根据行政级别享有对城市国有土地的获得并一度主宰了对城市空间优势区位的占有。城市社会空间依据社会地位的高低形成：政府权力部门集中区——郊外国有大中型工矿企业——旧城区商住混杂区——外围农村的社会空间序列。③

各种类型的“单位”（包括附属于单位的职工宿舍大院）的空间分布与组织构成了中国城市独特的社会空间，“精英”与一般民众依附于各自的单位混居于工作与生活场所不分的“单位大院”。城市社会空间按职业进行分异实质上是由单位职能的空间分化所造成：按照单位职能进行规划与建设，进而按单位属性进行分化或隔离。城市社会空间的特征表现为单位大院之间的分异，城市成为“放大了的单位”，体现的是以单位为基础的功能分区。城市空间

① 艾大宾、王力：《我国城市社会空间结构特征及其演变趋势》，《人文地理》2001 年第 2 期。

② 魏立华等：《20 世纪 90 年代广州市从业人员的社会空间分异》，《地理学报》2007 年第 4 期，第 407～417 页。

③ 魏立华、闫小培：《1949—1987 年（重）工业优先发展战略下的中国城市社会空间研究：以广州市为例》，《城市发展研究》2006 年第 2 期，第 13～19 页。

呈现“内城居住——郊区工业”的“生产包围居住”模式和“大院式”单位制社区①，“城市人口的单位化”使得这个时期的广东城市总体上体现了同质的“单位城市”。

1987年，城市土地使用权有偿转让在深圳试行，这使得城市土地供应改变了以往只能依靠行政划拨的办法，正式拉开城市土地使用制度改革的序幕。② 随后的1988年宪法修正案与土地管理法修改，确定了土地的使用权可以依照法律的规定转让。1990年《城镇国有土地使用权出让和转让暂行条例》的颁布实施使得中国城镇土地使用权的获得和开发等方面有了具体的法规引导，逐渐拉开了城市社会空间急剧演变的序幕。

在计划经济体制和住宅所有制单一化的影响下（认为城市住宅国家所有才符合社会主义原则）③，实行的低租金制度并不能“以租养房”，国家每年要拿出一大笔钱用于补贴住房的维修和管理费用，使得本来就紧缺的城市建设资金捉襟见肘，城市开发建设面临着严重的资金短缺，城市发展十分缓慢。同时，国家通过各层级政府强化下对上的服从和依赖，社会价值取向具有绝对性和一元性，国家计划对社会生活“自上而下”的调节不仅是单向的，而且是静态的，并导致城市社会生活活力的丧失。

1990年代是我国改革开放的重要阶段，经济的快速持续发展、政治经济体制以及相应配套措施的变革极大地推动了城市的建设热潮。中共十四大（1992年）确立了建立社会主义市场经济体制的总目标和框架后，我国进入城市化快速发展时期，城市发展空前活跃。土地有偿使用制度的改革使得城市建设有了重要的资金来源，城市建设活力凸显。1993年，《中华人民共和国公司法》的颁布实施使企业开始逐步适应市场经济的要求，加快了城市土地资源优化

① 魏立华、闫小培：《1949—1987年（重）工业优先发展战略下的中国城市社会空间研究：以广州市为例》，《城市发展研究》2006年第2期，第13～19页。

② 从屹：《城市土地有偿使用制度的改革与实践》，东北财经大学博士学位论文，2001年，第8页。

③ 赵永革、王亚男著：《百年城市变迁》，中国经济出版社2000年版，第130页。

配置的速度和效率。1994 年的财政分税制改革，使得城市具有了较大的经济自主权，大大刺激了地方发展经济的动力。随后的金融制度改革，为城市开发提供了充足的资金保障，从根本上转变城建投融资体制，形成政府出资、银行贷款、海外引资、直接融资的多元化城市建设融资格局。1998 年城市住房制度的改革，是我国城市发展中具有划时代的意义，住房的产权化、商品化、货币化、市场化的改革，使居民对住房的需求释放出来，对城市社会空间演变影响深远。

这一连串制度转变大大释放了城市发展的活力，城市化进程城市社会发展空前活跃。土地利用、产业置换、人口迁移、住房政策成为影响城市社会空间的制度性重要因子。而住宅的市场化改革使得城市居民的工作和生活开始逐渐分离，新的住宅开发与城市群体的逐渐分化加快了城市社会空间的演化。

改革开放以来普遍的乡村工业化（特别是珠江三角洲地区）与开发区的相继建设，外向型经济与“两头在外”的产业主导模式使得城郊开发区与乡村工业化地区成为外来务工人员的聚集地；而大量在城市中收入较低的打工阶层，则选择租金较为便宜的“城中村”；同时的特大城市郊区化与老城区“绅士化”改造，促使一部分居民向城郊转移。

1990 年代以来，广东城市在经济全球化与中国市场化改革的双重推动下，原先同质“单位”制的城市社会空间被不断解构，产生了转型时期广东城市新的社会空间类型：开发区（产业工人集体宿舍聚集区）、“城中村”（外来低收入群体租住区）、城郊区“大盘社区”（中高收入白领居住区）、别墅（高收入独户住宅区）、大学城（大学生学习生活聚集区）等若干多元化异质社区类型。从空间而言，这反映的是城市从相对均质型的“簇状”单位大院向异质型的以社区为单位的新的居住空间的转变。①

---

① 李志刚、吴缚龙：《转型期上海社会空间分异研究》，《地理学报》2006 年第 2 期，第 199 ~ 211 页。

（二）居住空间分异

1．改革开放前：单位分房租住下城市社会空间趋于同质化。

改革开放前，国家实行严格的单位制度来管理和控制城市及居民。大多数城镇居民被分配到由国家控制的“单位”中，由这些单位组织给予他们社会行为的权利、身份和合法性，向他们分配各种各样所需的资源，满足他们的利益和需求。

从新中国成立到改革开放这一段时间，在计划经济体制与单位制的影响下，工作单位和居住糅杂在一起，不同身份地位人群混居的异质性社区成为城市社会空间的主体，社会空间分异表现为单位大院之间的分异，居住空间的质量取决于单位在计划资源分配链上的地位①。在单位制下，人们的居住条件和居住区位基本上取决于其所在的单位。单位行政与经济实力、地域空间大小以及单位的住房政策决定了人们的居住条件。

单位在建房过程中，往往本着方便生产和利于管理的原则选择职、住结合模式，使一个单位既是生产空间又是居住生活空间。单位布局的空间分异大体上反映了不同职业人群居住的地域分异。人们通过单位组织获得的资源维持了相当程度的平均化，群体分化不明显，缺乏居住分异的动力。城市干部、知识分子和普通工人在城市社会地理上的分异受到“单位”制形式的约束。尽管在“单位”居住空间内存在一定的等级分化，但是在整个城市空间尺度上，只能形成由众多“单位”制居住组团（空间）相互组合而成的相对平等、均一的巨型蜂巢式社会地理空间结构。②

同时，广东城市经济发展缓慢，尽管广东部分城市在工业区周边与老城区边缘先后兴建了单位住宅和工人新村。但在单位制条件下，人们收入有限、缺乏房产市场的情境下，并未出现明显的居住

① Logan, J. R. *The New Chinese City: Globalization and Market Reform* [M]. Oxford: Blackwell Publishers, 2001。

② 吴启焰、崔功豪：《南京市居住空间分异特征及其形成机制》，《城市规划》1999年第12期。

条件的贫富分化，社会居住空间其整体特征趋于同质化。在单位建房和分房供人们租住条件下，不同职业城市居民居住地的空间分布格局与城市土地利用功能分区格局保持着相对一致性，如工业区周边往往形成工人居住区，行政区形成公务员居住区，文教区则形成知识分子居住区等，并在此基础上建构了具有中国特色的城市社会空间结构。

2. 改革开放后至1990年代初：城市居住空间开始出现分异。

随着社会经济的不断发展，到80年代末、90年代初，随着乡村工业化的蓬勃发展与大量外来人口的涌入，特别是1984年以来的城市改革极大地冲击了城市人口迁移控制的基石，如就业制度、户口制度、粮食配给制度等，这使广东城市社会空间开始出现较大的变化，在居住空间方面一定程度上反映了分异的趋势。改革开放以前建立的以单位综合体为基本单元的城市空间结构已经被打破，城市的空间和居住重组逐步展开。相似收入和社会经济地位的邻里或社区已经出现。

一方面，大量来粤谋求生存和发展机会的外来人口从事的是劳动密集型加工工业和低端商业服务业，以广州为例，1990年在广州就业的外来人口中，从事商业、服务业和工人占全部就业人数的89.9%。外来人口中从事专业技术、负责人（主要是企业）和办事员这些白领职业的人员占的比重为6.7%。深圳市暂住人口60%以上从业于建筑装修、“三来一补”、商贸餐饮等劳动密集型产业，增加了产业结构优化调整的难度。① 大部分此类人群由于经济条件约束，往往租住在租金低廉的城中村、老城区旧房子、郊区公寓、城市边缘棚户等。

另一方面，随着劳动力市场的逐步发展，城市人口职业分化趋于明显，社会群体分化加速。广东城市居住空间分异因社会层化的加速而逐渐强化。1984年始，中国实行动态混合型人口流动制度，即将残存的静态等级人口流动制度与萌芽的新人口流动制度相混

① 《南方日报》2005年7月30日。

合。外资与私人企业招聘了大量专业技术人才与农民工人，出现了许多“体制外”的人，对城市原有的社会结构产生较大的冲击。他们无法获取城市分配住房，仅能在非正式部门就业，或基于职业，或基于籍贯而聚居，形成“移民性社会空间”①。

到1980年代中后期，单位分房制度开始松动，商品房作为一项适应市场经济发展形势的新生事物应运而生。财政拨款、自筹资金、集资统建、引进外资和贸易补偿等多种投资形式，加快了房地产的建设步伐，为居民自由选择住房提供了现实基础，私人购房比重逐步攀升。城市居住空间突破了“单位制”的约束，在市场机制下，不同工作场所的群体聚住在一个个实实在在的社区空间，改变着计划经济时期以同质单位综合体为基本单元的居住空间景观。广东城市社区作为一种新的社会管理体制，逐渐取代单位组织构成了城市社会的基本结构，率先成为中国城市社会空间的主要构成单元。

3. 1990年代中期至今：城市居住空间分异加剧。

1990年代以来，随着土地有偿使用制度和住房市场化的推行，国家福利住房供应制度逐渐为住房市场化所代替，政府和单位作为住房供应的主体地位逐渐让位于市场，加大与促进了人们自由购置商品房的动力，使居民的居住流动增强。同时，中国城市的发展也主要遵循市场原则来安排土地利用和调节相应的功能结构，房地产导向的城市发展主要表现在以追求土地利用效率为主的旧城再开发和城市新区建设。随着阶层的不断分化，拉大了不同社会群体之间对居住空间的占有状况。“全球化、旧城更新以及郊区化等因素促使城市社会空间加速转型，城市的居住空间结构发生了巨大的变化，呈现出一些新的现象，比如旧城衰退邻里和绅士化邻里共存，中低收入阶层的郊迁，近郊区商品房居住社区和高档别墅区建设，

---

① 魏立华、闫小培：《1949—1987年（重）工业优先发展战略下的中国城市社会空间研究：以广州市为例》，《城市发展研究》2006年第2期，第13～19页。

以及城郊结合部城中村的产生等。”[①]“城市发展方针与城市规划共同作用促使居民选择性地向新城市空间集聚，城市社会空间的分异日益加剧”[②]，主要表现为以下三个大类：

工厂集体宿舍与城中村——农民工与低收入阶层住宅区。随着外来人口（特别在珠江三角洲地区）的急剧上升，外来人口的居住成为城市社会空间的重要组成部分。外来人口居住空间并非均匀地在城市分布，而是呈现出明显的空间特征：一类以集体宿舍形式居住在工厂生活区，围墙与楼房将他们与当地人隔离成不搭界的“二元社区”，“为将他们‘塑造’成不受干扰的‘生产机器’，有些工厂甚至对他们实行严格的空间管理，进入与外出都需‘身份’识别，这在台商较为集中的东莞与深圳较为典型”；[③]另一类外来人口选择在租金相对低廉的城中村与当地人混居，在整个珠江三角洲地区，此类人数群众多。尽管他们终日生活在阴暗、潮湿、缺少阳光的“石屎森林”，却可拥有一份属于自己的居住空间。

老城区传统街坊与城市内部中低档住宅区——本地与外来中低收入阶层居住区。老城区传统街坊以本地老年人为主居住区，如广州荔湾区、越秀区和海珠区北部老城区，汕头“小公园”地段。这类住宅区历史悠久，普遍较为破旧。在住房面积、房屋结构与质量、采光与卫生条件等等，都无法与新商品房相比。年轻和有经济实力的人纷纷迁走，留住的多为老人和经济条件较差的蓝领打工阶层。而城市内部中低档住宅区主要是本地与外来中低收入阶层居住区。这类住宅普遍是建于七八十年代的“单位”（包括高校）住

---

① 刘玉亭等：《转型期城市低收入邻里的类型、特征和产生机制：以南京市为例》，《地理研究》2006 年第 6 期。

② 由于资料所限，不能准确地描绘出不同居住空间在广东各城市版图上的具体分布情况，只进行简单线描。

③ 在大部分台商工厂中，厂门口有保安对照文员打印出的可外出工号，排查欲离厂到街上走走的本厂员工，带包的还要查包，外人欲找该厂员工可通过宿舍广播叫名字出来到门口见面。这种极富纪律性的打工状态保证了工厂的运转和城市的 GDP，也是打工者在此发展的成本之一。参见何树青：《一个没有中心的城市成了明星城市》，《新周刊》2004 年第 22 期。

房，目前这些房子业已陈旧，设备老化、环境较差，急需维修。租住此类住区的多为中低收入的服务业人员、工作不久的年轻工薪阶层。

城郊中高档与豪华住宅区——中高收入阶层居住区。城郊中高档住宅一般为1990年代中后期以来在城市新区或近郊新建的环境较好的商品房，如CBD、郊区或远郊区的高级居住区聚居，如番禺等区兴建的针对广州市白领职员的中高收入居住区。居住此类的群体主要为收入相对较高与收入稳定的白领阶层、行政机关人员、企事业单位负责人和专业技术人员。豪华住宅区主要由政治与经济精英所占有，如郊区别墅、城市中心区新型公寓、滨水景观洋房等等。在城郊的高档与豪华住宅区中，为防外来人员的干扰与偷窃，普遍实行“封闭式管理”和“身份IC识别”，围墙、摄像头和众多保安构筑了壁垒森严的“自利性”“门禁社区”（Gated Community）。

总之，广东城市居住空间在市场化与全球化的影响下，发生了不同程度的变化，并呈加剧分异的趋势。单位制部门原有的生产、居住等空间管理进一步分离；不同经济阶层的形成需要新的居住区域。这些促使不同职业的人口进入相应的居住区域，加速各类社区的形成与发展，并导致社会距离逐渐加大，进一步促使居住分离，在空间上越来越多地形成新的社会区，组成了城市内景象多变的社区“马赛克”式镶嵌图。①

随着经济的继续发展和城市的不断更新，阶层进一步分化，贫富差距加大，不同住宅区之间的区隔越来越明显。转型期城市社会空间分异更趋显化，传统的户籍制度、规划政策、历史因素仍然是当今我国大都市社会空间分异的底色，并将因为“路径依赖”作用而继续存在，但以经济指标为核心的市场要素主导下的分异有强

---

① 王兴中：《中国城市社会空间结构研究》，科学出版社2000年版，第15页。

化趋势。[1] 条件较优越的地区几乎都被各房地产商圈起，用于修建“富人的乐园”。那些交通状况、购物娱乐状况、社会服务状况都优越的地区正逐渐被高收入阶层所占据，经济和社会地位处于劣势的弱势人群则被隔离出主流社会。[2] 贫富差距的扩大，使社会交往和居住空间的双重隔离日益成为广东当前城市的一个重要社会问题。

专栏7-2：广州应该建设大规模的“新社区”吗?

2007年11月28日广州市3148户的贫困居民一次性地解决了住房问题。这是一个确实令人激动的具历史性的日子！以广州市今天的经济实力，在二次分配时可以更多关注弱势群体，为他们解决生存的问题，这确是城市政府的应有之举。

金沙洲新社区是广州目前在建的最大的新社区，住宅总建筑面积约48万平方米，共6000多套，户型60到80平方米。因为市政府重视，所以在设计和设备的配置上都是最好的。环境优美、配套完善、设施齐备、交通便利，这个新社区的规划客观地讲绝对不亚于任何一个商品房社区。这新社区主要提供给“双特困户”——居住的困难户和收入困难户，换句话说就是给城市里的穷人居住。

问题是，为什么要把这么多的贫困人口集中、大规模地放在一个小区里?

二次大战之后欧洲进行“废墟重建”，因为经济的高速发展对土地的强劲需求推动了贫民窟的改造。巴黎、纽约、芝加哥，还有英国的伦敦、曼彻斯特都建设了大量公共住宅小区，从图片上看跟我们现在建设的多层和高层新社区的建设标准不会差很多，当时解决了大量贫困人口的居住问题。

---

① 姚华松、薛德升、许学强：《城市社会空间研究进展》，《现代城市研究》2007年第9期，第74~79页。

② 刘筱等：《社会分裂——转型中的中国城市面临的挑战》，《城市规划汇刊》2002年第2期，第65~68页。

但是刚刚建起来就有人批评：焕然一新的城市面貌却使人们觉得单调乏味、缺乏人性，没有像旧城区的传统社区那么有魅力和人情味。到了1970年代后期和1980年代，这些环境非常优美、设施非常漂亮的地方由于大量穷人聚居在一起，被称为“失败者”的社区，这样的社区中有本事的人都跑掉了，在不断的筛选过程中，留下的就是越来越差的人，成为严重的社会问题。于是就出现了美国圣路易市于1972年7月15日33栋11层高共2870套住宅的普鲁依—艾格居住区（Pruitt - Igoe housing complex）被炸毁的情况。随后各国多有拆除的新闻，其中伦敦在哈科尼（Hackney）一次就爆破了19栋高层社会住宅。

J. 雅各布斯1961年出版的《美国大城市的生与死》一书中指出：“多样性是城市的天性”，因此应该主张“小而灵活的规划”（Vital Little Plan），认为应该“从追求洪水般的剧烈变化到追求连续的、逐渐的、复杂的和精致的变化”。“大规模计划只能使建筑师们血液澎湃，使政客、地产商们血液澎湃，而广大群众则总是成为牺牲品”。

这里涉及社会学一个很大的问题，就是“居住分异”——在完全市场化的住房市场上，“居住分异”是市场选择的结果。这是一个自然的过程，因为收入不同导致支付能力不同，市场的价格自然把人筛选了一遍，有钱的人住在一起，穷人住在一起。在美国、南非来说可能还体现在种族社区。更何况自古就有“君子居必择乡，游必就士”（《荀子·劝学》）之说，所谓“孟母择邻而居”。但是，市场导致的“居住分异”在社会学家看来是反“和谐社会”的居住模式，会在更大的空间层次上成为社会排斥和社会问题的温床，有可能会从空间的隔离演化为社会的对抗。

从短期看，我们可能还看不出这种空间分化格局的恶果；从长远看，集体理性缺失的代价将是惨痛的。从维护社会安全的角度而言，打破低收入阶层聚居格局对社会的稳定价值将大

大降低社会整体的运行成本。从社会安全的角度来说，一个聪明的政府恰恰应该是在自然的市场选择居住分异的趋势下干预它，减少社会分异，强调社会的混合居住。这是政府应该做的，政府不应该加剧这种分异。

荷兰政府在1995年施行的所谓“大城政策”（Big Cities Policies）：要求政府通过对住房市场的介入改变社区的人口分层，实现更为异质的人口构成（Kempen and Primus，1999；Uitermark，2003），明确要求开发商在住房开发上要讲究楼盘的多样化和购买群体的多元，反对单一群体在住房上过度的集中。阿姆斯特丹是一个很好的例子，尽管市政当局很少干涉种族社区的发展，但当地政府和市场的确采取合作，不让任何一个社区城市阶层同一、杜绝居民肤色完全同一的地块出现。

欧美在这方面还有很多做法，比如巴黎规定任何房地产项目都必须配建12%～13%的公共住宅，用政府的管治来干预，这些是花了很大代价才学会的很了不起的政策，也是我们应该要学习的。

混合居住有很多好处，低收入阶层可以通过与高收入基层的近距离交流习得如何致富，获取更多的工作机会；高收入基层通过与低收入基层的接触可以习得社会底层的生活、面貌和精神；不同阶层的混居可以增强他们相互理解，提升低收入阶层的生存能力、化解阶层隔阂。（李志刚等，2004）广州现在有豪宅社区、公务员小区、白领喜欢的商品小区，现在广州市政府又制造了一个穷人居住的大型小区——金沙洲新社区。把新社区建到这么大规模，结果就会出现“贫民学校”，以后学校毕业生出来，头上就带有标签了：我是穷困学生！这会在“城乡差别”之外再人为制造一个“贫富差别”。

新社区应该采用“大分散、小集中”的规划模式。“大分散”就是要在整个城市布局新社区，目的在于让各个社会阶层能够无差别地共同分享和使用城市政府提供的社会公共服务设施资源，比如小学、中学、幼儿园。如果小区的设施物价很高，幼儿园很贵，必要时政府可以直接给贫困家庭补贴。但另一方面又不能全分散，也没有必要简单地把富人、穷人放在同一栋楼里面。“小集中”就是不同社会阶层可以分组团居住，其规模不能大到足以要有一套完整的社会服务设施。比如说不能超过要为其设置一间小学的规模这样一个规模，一旦达到就是失败的政策。因为社会阶层的隔离容易引致社会冲突，这里有一个“社会空间尺度”的问题。理想的做法应该是把6000户穷人分成10组，每500～600户一个住宅组团分布到城市各个不同的地区，与其他社会阶层一起无差别地体面地享用城市公共设施和服务。

金沙洲新社区项目属于典型的“好心办坏事”的案例，这是一个新政，也是一个德政，政府确实想为穷人办事，但是由于缺少研究论证，没有社会学家的参与，结果市政府的行为进一步加剧了居住的“社会分异”，亲自制造了一个大规模、环境优美、设施先进的大型贫民居住区。①

（三）典型空间：珠江三角洲高密集城中村的形成

1．城中村概念及其特征。

城中村是指从地域角度上讲已被纳入城市范畴的局部地区，就其社会属性而言，却仍属于传统的农村社区。“城中村”简称为都市内的村庄②，主要是指它“身”在城市，但缺乏城市社区内涵特

① 袁奇峰：《广州城市发展的挑战与方向》，《南方都市报》2007年12月13日。

② 李增军、谢禄生：《都市里的村庄现象》，《经济工作导刊》1995年第8期；田莉：《“都市里的村庄”现象评析——兼论乡村—城市转型期的矛盾和协调发展》，《城市规划汇刊》1998年第5期，第54～56页；敬东：《“城市里的乡村”研究报告——经济发达地区城市中心区农村城市化进程的对策》，《城市规划》1999年第9期，第8～14页；杜杰：《都市里村庄的世纪抉择——关于深圳市罗湖区原农村城市化进程的调查报告》，《城市规划》1999年第9期，第15～17页。

征的村落[①]。敬东（1999 年）认为经济发达地区城市由于疾风暴雨式的城市建设和快速城市化导致城市把周边部分村落纳入城市范围，并维持以前的集体所有制性质不变，以居住功能为主所形成的社区[②]。蓝宇蕴（2001）认为广义的城中村是指已纳入城市规划发展区内，且农业用地已经很少或没有，居民也基本上非农化的村落；狭义的城中村是指那些农用地与居民早已非农化，村庄已转为城市建制，只是习惯上仍称为村的社区聚落。[③]

一般根据城中村的位置、人口密度、发育程度以及农用地的多寡等将城中村划分为多种类型，如包围型、半包围型、外切型、飞地相邻型等[④]；成熟型、成长型和出生型[⑤]；典型城中村、转型城中村和边缘城中村[⑥]；等等。多数城中村具有以下特征：①景观特征——“脏乱差”。建设用地性质混杂，布局混乱，违章建设多，“握手楼”比比皆是，过道狭窄，房间阴暗，基础与公共设施配套严重不足等。②社会特征——“藏污纳垢”。人口结构与职业构成复杂，人口管理与治安难度大，违法犯罪屡有发生。③经济特征——“出租与分红”。原村民主要的经济来源是集体经济分红、出租屋收入，其他小规模商业服务多数属“隐性经济”，形成了一批不务事的“食利阶层”等。

城中村是我国城乡二元管理体制下快速城市化导致的特有现象，不是个别城市的个别现象，而是不同程度地存在于我国的大中

① 韩潮峰：《我国“城中村”问题的研究》，《经济师》2004 年第 1 期，第 271 页；赵过渡、郑慧华、吴立鸿等：《“城中村”社区治理体制研究——以广州市白云区柯子岭村为个案》，《国家行政学院学报》2003 年第 3 期，第 93～96 页。

② 敬东：《“城市里的乡村”研究报告——经济发达地区城市中心区农村城市化进程的对策》，《城市规划》1999 年第 9 期，第 8～14 页。

③ 蓝宇蕴：《城中村：村落终结的最后一环》，《中国社会科学院研究生院学报》2001 年第 6 期，第 100～105 页。

④ 陈怡、潘蜀健：《广州城乡结合部管理问题及对策》，《城市问题》1999 年第 5 期，第 48～54 页。

⑤ 李立勋：《广州市城中村形成及改造机制研究》，中山大学博士论文，2001 年。

⑥ 吴智刚、周素红：《城中村改造：政府、城市与村民利益的统一——以广州市文冲城中村为例》，《城市发展研究》2005 年第 2 期，第 48～53 页。

小城市中。特别是沿海快速城市化地区，城中村现象更为明显。

2. 珠江三角洲高密集城中村的形成①。

比较而言，与其他地域散见的“较低容积率、较低单位居住人口、较少违法建设、较少集体资产”的城中村景象不同，珠江三角洲地区星罗棋布的是高密集、大规模、高容积率的（如有的城中村建筑密度达到70%以上，甚至达到90%，容积率在3.0以上，单位居住人口甚至超过10万人/平方公里）②，绝大多数属违章建造的“六无工程”③与鳞次栉比的“石屎森林”，且集体资产殷实的“超级城中村”。珠江三角洲高密集城中村的形成客观上是一系列外部和内部条件组合下的空间投影与反映。

（1）外部牵动力：外向型乡村工业化与都市区扩张。

1978年改革开放后，深圳、珠海经济特区以及珠江三角洲经济开放区的相继设立，使得珠江三角洲得以先行一步，得以利用比国内其他地域“优先”的外部力量进行工业化的优先机遇和特殊便利。珠江三角洲低价的土地、廉价的劳动力和宽松的政策环境吸引了香港、华侨多的东南亚国家、台湾，日本以及其他西方国家的

---

① 本节主要根据笔者论文改写而成。魏成、赖寿华：《珠江三角洲大都市地区高密集城中村的形成——一个分析框架》，《现代城市研究》2006年第7期，第25～32页；魏成等：《制度约束与路径选择——珠三角高密集城中村治理改造的困境与出路》，《热带地理》2007年第2期，第120～125页。

② 2000年，广州市老八区内的139个“城中村”的土地总面积和建设用地面积分别为160.47km^{2}和41.83km^2。据统计，2006年底，广州市拥有IC卡的外来暂住人口约386万人，大部分分散居住在86万套出租屋（城中村）内。而深圳市共有村落约1000多个，其中特区内200多个，福田区“城中村”面积约302hm^2；佛山禅城区农村集体建设用地将近20 km^2，顺德区大良镇城区12.7平方公里“城中村”面积达4.3 km^2；而东莞市“城中村”问题更为严峻，出现“城中村”包围城市的景象。参见：姚一民、谈锦钊：《广州“城中村”转型和社区发展调研》，《规划师》2004年第5期，第52页；吴晓：《“城中村”现状调查与整合——以珠江三角洲地区为例》，《规划师》2004年第5期，第5页；姜崇洲、王彤：《试论促进产权明晰的规划管制改革———兼论“城中村”的改造》，《城市规划》2002年第12期，第38页；杨柳、欧阳南江：《广州、珠海、深圳城中村改造经验及东莞市城中村改造的有关建议》，2002年，东莞城市建设工程网。

③ 所谓“六无工程”是指“无规划建设、无报建审核、自请无资质的人员设计、自雇无资质的泥瓦匠施工、事中无工程质量监理、事后无质量验收”的建设工程。参见张孔见：《“城中村大透视”》，《城乡建设》2001年第6期，第53页。

企业纷纷来此投资办厂，珠江三角洲迅速成为订单性的劳动密集型加工制造业基地。

“三来一补”企业和“三资”企业等中小型制造业为主的大量涌入，不但使得珠江三角洲传统的桑基鱼塘地区正迅速变为加工工业区①，同时亦创造了大量的就业机会，吸收了大量区外、省外（中西部地区）的自发性迁移人口。② 1990年代初，珠江三角洲地区已有与港澳合资企业2.3万家，“三来一补”企业6万余家，受雇的劳动力已接近400万人③。珠江三角洲地区呈现出大面积、分散式的外向型乡村工业化的空间景象。

由于“订单式”的外向型企业时效性和机动性很强，外资企业一般没有自己的物业，绝大部分的生产厂房、工人住宿与生活服务空间主要由珠江三角洲乡村地区供给。由于建房出租有利可图，聚落住房建设与扩展成为必然。受聚落与宅基地权利边界的限制，满负荷建设成为“农民个体理性地追求土地和房屋租金收益最大化的结果”④，并直接导致聚落“粗放增量景观”的快速扩张，客观上产生了以后珠江三角洲高密集城中村的雏形。⑤

从而，大部分的乡镇与村落地区在还没被大中城市扩张吞并之前，就已经有相当密集的、“异化”的村落景观存在。因而，珠江三角洲这些城中村的形成和中国其他地域城中村的形成有所不同。

---

① 许学强、周春山：《论珠江三角洲大都会区的形成》，《城市问题》1994年第3期，第24页。

② 薛凤旋、杨春：《外资：发展中国家城市化的新动力——珠江三角洲个案研究》，《地理学报》1997年第3期，第193～206页。从1978年始就有外来人口来珠江三角洲打工，1986年珠江三角洲的外来人口为185万人，到1988年增加到320万人。1990年代外来人口急剧增加，2000年第五次人口普查时，珠江三角洲的外来人口已经达到约1500万人。这其中较少是来自珠江三角洲本地人口，大多数均来自湖南、广西、四川以及全国各地的劳动人口。

③ 左正：《“珠江三角洲模式”的总体特征与成因》，《经济理论与经济管理》2001年第10期，第71～75页。

④ 李培林：《巨变：村落的终结——都市里的村庄研究》，《中国社会科学》2002年第1期，第168～179页。

⑤ 魏成、赖寿华：《珠江三角洲大都市地区高密集城中村的形成——一个分析框架》，《现代城市研究》2006年第7期，第25～32页。

“两头在外”、“三来一补”的生产经营方式使得珠江三角洲地区主导了中国自改革开放以来的大规模国际化的第一波浪潮，而珠江三角洲广泛分布的城中村也是此次浪潮的空间结果。

（2）内部推动力：宗族聚居与重商传统。

尽管，上述区域生产与生活活动的外部空间需求导致了广泛的城中村牵动力，但空间的发展与演变又与内部空间实践（spatial practices）密不可分。由于空间实践又是处于一定的文化与制度环境之中，各种正式与非正式的规则（如宗族制与工商精神等）规定并影响空间实践。

宋代，迁徙广东的大批汉人几乎都聚族而居，因而单姓村普遍，几乎没有混族而居①。至新中国前夕，广东发达的宗族制度还保留得比较完整并继续发挥作用②。至1978年的30年中，尽管广东农村宗族制度表层特征发生了诸多变化，但深层结构方式却惊人地持续着，在广东和福建两省，宗族和村落明显地重叠在一起③，珠江三角洲开放区也不例外。

尽管家族观念日渐淡薄，但在长期历史进程中形成的宗族意识在人们现实生活中仍随处可见④。珠江三角洲高密集城中村的发展与演变脱离不了其宗族制度及其集体行动的空间逻辑。城中村是一个以血缘、亲缘、宗缘、地缘等社会关系网络构成的生活共同体⑤。土地为集体所有，而收益与村落宗族有着千丝万缕的联系。宗族制度依然是协调村落资源配置、实现村落正常运转的因素⑥，

---

① 陈翰笙著，冯峰译：《解放前的地主与农民——华南农村危机研究》，《中国社会科学出版社》1984年版，第3、41页。

② 黄淑娉主编：《广东族群与区域文化研究》，广东教育出版社1999年版。

③ 孙庆忠：《乡村都市化与都市村民的宗族生活——广州城中三村研究》，《当代中国史研究》2003年第3期，第96～104页。

④ 周大鸣、高崇：《城乡结合部社区的研究——广州南景村50年的变迁》，《社会学研究》2001年第4期，第99～108页。

⑤ 李培林：《巨变：村落的终结——都市里的村庄研究》，《中国社会科学》2002年第1期，第168～179页。

⑥ 蓝宇蕴：《都市里的村庄：一个“新村社共同体”的实地研究》，生活·读书·新知三联书店2005年版。

并扮演着重要的角色。

珠江三角洲宗族组织与活动因重商的传统而转向发挥经济功能的商业行为，城中村出租屋的空间递增与之关系密切。宗族集体活动对城中村聚集财富、共同抵御外部压力起了重要的作用：①较普遍地采用灵活的招商引资手段，如成立“华侨港澳同乡联谊会”的公关机构，吸引华侨及港澳资本投资办厂或资助村落建设，宗族起了重要的作用[①]；②利用宗族传统与集体行动，共同抵御外部干扰与风险压力，加速加大集体出租厂房建设规模，加密加高城中村建设，从而实现“租金最大化”的逻辑。城中村原住民从以前祖祖辈辈的“种田”、“种菜”能手演变为“种楼”高手了。[②]

（3）制度约束条件：制度供给时滞与制度认同。

以改革开放为标志的制度转型，解除了珠江三角洲区域经济增长的制度约束，释放了束缚已久的经济发展势能。制度研究的兴起使得理解地域经济发展过程中“空间差异”如何产生，以及如何呈现与演化成为一种新的视角。分析表明，在珠江三角洲快速城市化过程中，由于受国家相关制度供给或地方政府公共干预应变不足的约束，珠江三角洲城中村趋于密集。

——宏观制度供给的缺失。据估计，珠江三角洲农民工高达3000多万[③]。在“住宅法”还没有颁布的今天，面对特大量外来人口的廉租房供给也不是地方政府所能解决的，涉及中央与各个地方的权责关系。随着越来越多的剩余劳动力向城市集聚，制度供给的

---

① 黄淑娉主编：《广东族群与区域文化研究》，广东教育出版社1999年版。

② 起先的“城中村”建筑为低层高密度，如1992年前，广州石牌村还大都是一、二层的房屋，这时一户村民也只供一、二户出租。随着城市的扩张，租住的人越来越多，在外部需求与经济利益驱使下，出现扩建加层的冲动，随后房子的改建和加建像“堆积木一般”，快速异变为多（高）层高密度。广州石牌、冼村、林和等城中村建筑密度高达70%以上，有的甚至达90%，形成“一线天”、“握手楼”、“贴面楼”、“烟囱楼”等异化的景观。

③ 2000年第五次普查，珠三角总人口为4078万，与1982年第三次普查相比，增长了1758万，其中外来人口已达到约1500万，构成了人口增量的主体。2005年的1%人口抽样显示，外来人口约2000万。实际上，真实的外来人口要高于此数。

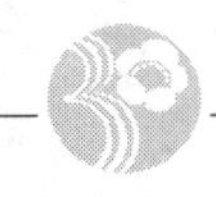

不足无法迅速应对快速城市化地区的社会经济形势变迁。旺盛的房屋租赁市场成为珠江三角洲高密集城中村发展的催化剂。

——相关制度供给的时滞。《城市规划法》（1989）出台时，珠江三角洲已快速发展近十年。地方性《城市规划条例》大部分在1990年代中后期始出。虽规定规划区内村庄建设纳入到城市统一管理，但城中村大部分土地属于集体土地，城乡二元管理体制使得对城中村建设出现监管“真空”，违章私建活动相当突出和普遍，致使城中村进一步密集①。区域（城市）制度供给已不适应珠江三角洲地区快速发展而导致的社会经济形势变迁。

——地方制度设计的不甚周全。随着违法建设的屡禁不止，以及部分城市改造城中村的迫切与冲动，由于对相关村民的应对预期估计不足，致使出台的部分制度供给或者说公共干预准备得不甚充分，从而在一定程度上加速了违法建设的强度与速度。② 部分城市政府在制定产权界定之前，并未对村庄建房进行年限普查登记和建立档案，因而对建房年限面临甄别不清的难题，导致政府在实施公共干预时极其被动。部分村民利用政府制度供给“漏洞”的机会，形成抢建、加建城中村私房浪潮③，使得高密集城中村积重难返④。

---

① 1992—1993年珠三角房地产开发热引发第一波城中村抢建风潮。深圳原来规定的每户宅基地不超过80平方米，最高不超过3层的规定已荡然无存，而政府在操作中也基本上认可了每户不超过480平方米且不超过4层的私房免于处罚并承认为合法建筑。但是对于超过的，只能罚款或发出拆除通知了事。据统计，到2000年，深圳全市各类违法建筑累计已达1.21亿多平方米，占建筑物总面积1/3多，而面临改造的城中村和旧村规模高达241个。城中村大部分高达5~8层，有不少超过10层。

② 部分城市秉着“尊重历史，既往不咎”的原则，对待合法与违法建设的界定往往采用“一刀切”的处理办法，如广州市依照《城市规划法》的实施年份，曾规定对于1990年以前的村庄违法建设，被当作历史遗留问题对待；而深圳市依照“两规”，将1999年3月5日作为合法与非法建设的界限。换言之，在“一刀切”的时限规定之前，任何违法建设只要补办相关手续就可顺理成章地得到政府承认合法。

③ 如深圳2001年“两规”的出台立即引发了深圳史上最强的一次抢建私房高潮，深圳福田区的9个城中村一天内就统计到230多栋顶风抢建私房。

④ 李斌：《“2004深圳年度事件”之：从梳理行动到城中村改造》，《南方都市报》2005年1月5日。

综上所述，改革开放释放了珠江三角洲经济发展的势能，并形成了初期分散式的外向型乡村工业化。在大量外来人口居住需求的刺激下导致了广泛而分散的城中村雏形。同时，在华南村落聚族而居、重商传统的内部推动力作用下，最大化租金的集体行动逻辑使得具有一定边界限制的城中村的密集建设成为趋势，并在大中城市区位优势条件的影响下越演越烈。大中城市的快速扩张与附带城中村雏形的乡村城市化的交集使得位于城乡结合部的村落首先被暴露在大都市的空间景象下。此外，由于受国家相关制度局限，珠江三角洲地区制度供给无法及时应对大都市区快速社会经济形势变迁。制度供给的不足、时滞与不甚周全则在某种程度上加速了城中村违法建设的强度与速度，致使珠江三角洲城中村进一步密集（参见图7－6）。

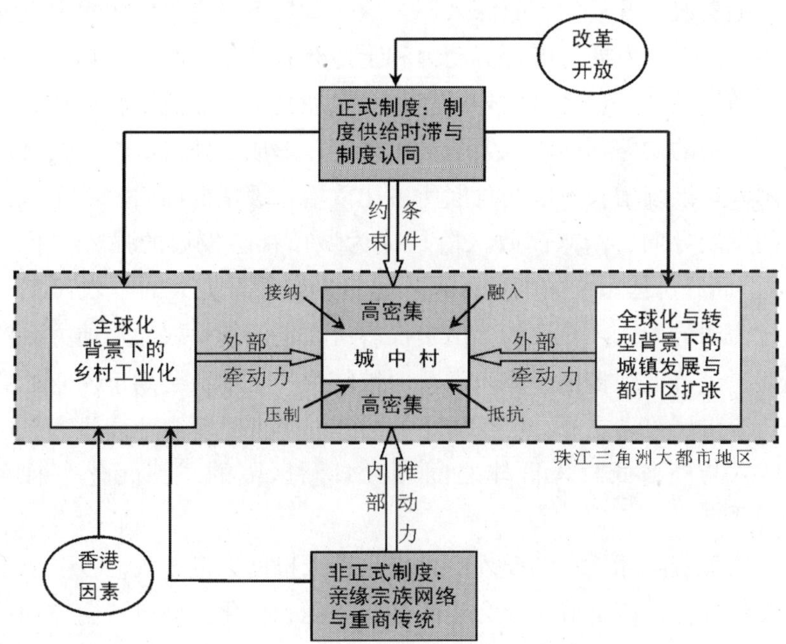

图7－6 珠江三角洲地区高密集城中村形成的解释框架

资料来源：魏成、赖寿华：《珠江三角洲大都市地区高密集城中村的形成——一个分析框架》，《现代城市研究》2006年第7期。

三、城市社会发展问题

随着改革开放的日益深化，新旧体制的转变和利益格局的调整，社会经济成分、利益关系和分配方式的日益多样化，广东城市社会矛盾明显增多。这些矛盾和问题，就其与城市空间结合而言，主要表现为社会隔离区与社会歧视、外来人口公共服务供给面临挑战，多元化治理的潜力远未发挥，城中村治理赤字，等等。这些矛盾和问题带有复杂性、多发性、群体性，甚至在一定范围内还带有一定的对抗性。

（一）城市社会的“三元化”

随着改革开放的不断深入，全球化背景下高竞争低成本发展起来的广东产业发展对廉价劳动力和土地有着强烈的路径依赖，广东社会结构城乡、贫富、内外的三种关系加剧了职业流动和分化；所有制结构的调整则逐渐拉大了贫富差距；形成了外来低收入与城市贫困人口继续增长，中间阶层所占比重增长缓慢的局面。由于政治上的发展导向，新兴高收入阶层成为城市社会发展的强势“代言人”。而经济体系中的大量外来人员特别是数量庞大的“农民工”，则成为弱势群体，在政治上由于没有所在地的选举权而与地方政治隔离，经济上则多由于收入微薄而被歧视，基本上游离于广东社会交往与阶层流动之外。广东城市社会在总体上呈现本地高收入、中等收入与外来低收入群体之间相互日渐区隔的“三元化”社会格局。

伴随着国际资本的投入、外来流动人口的大量迁入，以及阶层的逐步分化，广东城市社会空间逐步分化和极化。城市社会空间的极化是指城市各社会群体的贫富分化在空间上的表现，不同阶层、不同收入的居民在生活的各方面，尤其是公共资源的分配与占有上存在着较大的差别。社会经济地位高的群体占据公共配套与绿化环境良好的“优质”空间，社会经济地位低的群体则只能留守或被

迫隔离在“劣质”空间，导致了不同经济收入、不同阶层之间的居住空间隔离。大部分农民工在被隔离的社会情境下，社会交往狭窄，常常受到歧视，社会归属感也不强，很难融入城市。

从1980年代初期开始出现居住空间分异趋势，在住房体制改革、房地产开发市场化、人口流动等多重机制的作用下，到本世纪初已经呈现明显的分异加剧的局面。在新区出现分异的同时，旧城改造与拆迁过程也往往导致存量空间的社会极化和空间隔离。许多低收入的市民不仅面临补偿不合理和强制拆迁的“暴力”，还有可能被安置到在生活配套设施不齐全、缺乏人际交往的偏远郊区，“例如，1987年土地有偿使用制度确立，广州把市场机制引入旧城改造，1990—1995年就动迁人口140多万，荔湾区拆迁户很多迁居佛山市南海区的黄岐等地”，[①] 一定程度上破坏了原来社区结构与社会交往模式，有可能使得原来的贫困者进一步丧失与主流社会交流和联系的机会，进一步恶化了他们的生存环境。

城市社会空间开始“分化”、变得“碎化”、“双城化”甚至“三城化”，在居住空间形态上则形成防卫形“门禁社区”和城市下层、低收入外来人群并存的状况：一极是精英阶层在舒适豪华的典雅社区居住，这些社区通过围墙、保安等杜绝外人的自由接触，形成所谓防卫形“门禁社区”；另一极是城市下层集居的城市中心衰败区、城市边缘区的密集居住；第三极则是农村转型社群和低收入外来人群集聚的“城中村”等。

以户籍制度为核心的城乡隔离体制使数量巨大的农民工无法有效地融入城市，只好在家乡和工作地之间来回奔波。受落后的教育水平、贫困的经济实力等先天性因素的制约，农民工遭受广东城市其经济性接纳和社会性排斥的矛盾。同时，城市空间的分离进一步恶化了贫困人口的生存空间，社会的整体消费和投资日益向中上阶层聚集，同时也进一步减少了贫困人口的就业机会，有限的社会资

① 魏立华等：《20世纪90年代广州市从业人员的社会空间分异》，《地理学报》2007年第4期。

源使贫困人口根本无法找到其他的谋生手段。空间的隔离也极大地影响社会稳定，物质的匮乏势必造成精神的贫困，于是，暴力、色情、赌博、毒品在这样的地区滋生蔓延，渐渐它也离主流社会越来越远，最终会成为城市的禁地。①

（二）外来人口挑战公共服务供给

广东作为率先发展的地区，经济社会转型较早，各类城市社会矛盾凸显得更早、更多、更复杂。来自全国各地的大量新移民像潮水般涌入，意味着任何一种相对静态的计划管理模式都无法适应。广东特别是珠江三角洲快速工业化与城市化进程相伴随的是大量外来人口的涌入，据“五普”人口统计显示，广东全省流动人口总量已突破3000万，其中70%以上集中在珠江三角洲地区，使得该地区成为全国流动人口最密集的地区；珠江三角洲外来人口已达1807万，占地区总人口的43.54%，许多城镇外来人口已经超过本地户籍人口，甚至超过十几倍。如此庞大的外来人口给城市社会管理、公共服务和社会治安带来沉重的治理压力。

首先，财政经费的“硬约束”。外来人口的持续增加，社会管理与社区公共服务供给出现了财政经费支付和资源动员的难题。改革开放以来，非公有制经济快速发展，“无单位归属人员”中除了原有的少数未就业的家庭妇女和个别的社会闲散人员外，增加了大量的个体户和私营企业主、待业青年和失业下岗人员等。这些不断增加的“无单位归属人员”，给街居增添了更多的管理、服务工作。目前街区的管理对象除了作为主体的正式居民外，也包括居住在本街区的非正式居民；街区工作的内容除了为正式居民提供管理和服务外，还需要对外来人口进行管理和提供服务。

同时，城市管理重心的下移，原来实行“条条”管理的很多部门将任务下放到街区，给街区增加了很多新的管理内容，如市场

① 刘筱等：《社会分裂——转型中的中国城市面临的挑战》，《城市规划汇刊》2002年第2期，第65～68页。

管理、园林绿化、交通道路、民政福利、市容市貌等管理项目。综上可见，目前的街居体系不仅承接了单位剥离出来的职能，还增加了很多新的管理领域；不仅要承担行政功能，还要承担社会功能，甚至有些街区还承担部分经济功能。街居体系的职能已经大大超载，管理事务的增多大大超过街道管理能力的增长。

在中央与省财政拨付缺失，广东地方政府财政补给捉襟见肘，以及企业和社区管理出现分离的情境下，街道和居委会的负载量越来越重。庞大的经费支出与管理人员安排令很多街道与居委会不得不面临发展经济与社会管理的双重任务。街道与居委在有限的财力、物力与编制下，承担了大量的治安、垃圾处理、环境卫生、计划生育等社会管理工作，“小马拉大车”和任务繁重，使得变项乱收费成为社区管理的突出问题，“孙志刚事件”（见本书专栏7－3）反映了广东城市突出性社会事件的“冰山一角”。在一些转制的城中村，政府没有负担起城中村管理中应有的责任，而推托给城中村各股份公司，为城中村治理带来很大难度。例如，本来旧城改造应该由政府负责的市政项目，比如路灯、道路维修、下水道疏通等全要由城中村股份公司自己负担，给很多经济条件较差的城郊结合部城中村治理带来较大的压力。

其次，行政编制的“刚性约束”。尽管庞大的外来人口需要切实增加社会管理人员，而珠江三角洲地区城市的一个现实是：外向型经济的迅猛发展带来大量劳动力与企业的超常规增长，一方面导致外来务工暂住人口极大地超过本地户籍人口，如东莞、深圳等城市，本地人口与外来人口之比已经达到1：4甚至更多。如深圳市目前暂住人口达1035万，户籍人口仅171万，户籍人口与暂住人口比例为1：6，每天活动在深圳的实际人口超过1200万。大量的农民工也给广东的社会生活带来了巨大压力，“双抢”事件时有发生，社会治安方面问题面临挑战，2000年全省收容劳教的51000人中，大多数为外来人员。同时，大量的企业也对地方政府的税务、海关服务提出了新的要求。

但改革开放30年来，中央仍根据当地常住人口来设定审批管理部门的人员编制，在此刚性约束下，广东城市政府管理部门人员无法满足日益增长的公共服务需求。例如，东莞本地人口与外来人口数量上严重倒挂，而原有镇的管理人员编制都是以本地人口为基础确立，社会管理严重滞后。东莞32个镇街正式人员编制远远不能满足日常社会管理需求，不得不聘用大量“体制外”人员补充。以东莞厚街为例，2006年镇政府编制只有60多人，而招聘的管理人员却有四五百人，招聘的治安人员更多达800多人。在2004年颁布《行政许可法》后，多数人员无执法权，面临不能有效执法与管理的“合法性”难题。同时，对于部分垂直管理分局，其编制也满足不了及时为企业服务的要求，这在海关、税务等部门较为突出，在东莞甚至出现企业为了正常交税而不得不排起一、二公里的“长龙”。城市社会管理人员编制问题没有跟上广东作为外来移民大省城市发展的要求。

再次，流动人口管理与人口控制。相对于主流的户籍人口而言，流动人口在管理内容与方式上，长期被置于“另类”管理中。对户籍人口，户籍地政府提供具有多重制度保障性质的管理和公共服务，但对非户籍人口，则提供以治安管理为主的防范型管理。非户籍流动人口被当成了潜在犯罪群体而被管治，管理不过是户籍人口管理的一种“拾遗补缺”。“以治安管理为主的流动人口管理，虽强调相关职能部门的共同参与，但在运作中，各职能部门往往以自己管理领域为重的同时，附带性地把涉及的流动人口问题纳入其中。这在流动人口数量巨大，相关社会问题日益严重的情况下，效果显得捉襟见肘”。[①]“补缺形”流动人口管理实质上是一种“社会歧视”制度，把流动人口置主流社会之外，在制度与体制上割裂了流动人口与流入地社会的有机联系。

同时，在财政拨付（流动人口管理成本几乎全部由地方政府承担）与管理人员编制约束双重重压之下，控制流动人口的数量、

① 蓝宇蕴：《关于城市流动人口管理的反思——以广州市为例的研究》，《思想战线》2007年第4期，第100～106页。

结构及其分布，构筑城市的进入“门槛”就成为广东不少城市政府的施政方针。尽管广东地处沿海地带，与中国其他地区比较而言，较适宜高密度人口居住。但控制人口增长往往成为城市规划能获得顺利通过的重要要素。[①] 同时，为应付规划用地面积的无限拓展，许多城市对外来人口的公共服务设施用地指标采用仅仅为本地人口的60% ~70%计算，无形中为未来城市空间结构转换埋下隐患。

蓝宇蕴（2007）认为，“在流动人口管理中，要让管理与税费征收相互独立，把流动人口管理的成本直接纳入政府的公共财政预算，同时还要对管理成本进行进一步的细化，让部分成本纳入更高层次的政府财政中，包括相当部分成本进入中央政府的财政预算，并建立和完善起相应的配套举措，最终彻底改变因经费体制约束导致的管理与服务流于形式的现象。”[②]

专栏7－3：孙志刚——大学毕业生命丧收容站，起因只是没有暂住证

孙志刚，男，湖北武汉人，2001年在武汉科技学院艺术设计专业结业，2003年2月受聘于广州达奇服装有限公司。2003年3月17日晚，孙外出上网，后被广州市东圃镇黄村警察以没有暂住证为由带到派出所，孙因顶撞警察而被拒绝保释，3月18日被送往广州收容遣送中转站；然后转至广州收容人员救治站，因言语顶撞救治站工作人员，在工作人员乔燕琴等人示意下，其他被收容者于19日对孙志刚实施了毒打，3月20日，天亮之后孙志刚被发现已经死亡。

暂住证诞生的初衷，应该是便于管理外来人口和限制人口大面积流动，但在《城市流浪乞讨人员收容遣送办法》的庇

① 珠三角多数城市认为，其实际人口总量已经逼近了城市的承载力极限，如果人口膨胀势头不能有效遏制，土地、能源、水资源、环境容量将难以为继。

② 蓝宇蕴：《关于城市流动人口管理的反思——以广州市为例的研究》，《思想战线》2007年第4期，第100~106页。

护下，暂住证却被某些执法者演绎成了“合法”敲诈流动务工人员的工具，一些外来务工人员也被“合法”地当做流浪乞讨人员加以收容，直至遣送。在相当长的时间内，暂住证被某些部门当成了“融资”的法宝，以至于公民在自己的国度里“暂住”，还需要办证并且交费。同时如果不随身携带这张暂住证，就有可能面临麻烦甚至危险。

孙志刚之死引起强烈的社会大讨论。2003 年 8 月，国务院废止收容遣送办法，实施救助管理办法。在收容遣送制度的背景之下，“孙志刚”是公民权利被侵害的一个代表性符号，因此，“孙志刚案成为中国关注及保障公民权利的一个象征”。2004 年，孙志刚案写入《广州年鉴》。孙志刚以身殉恶法，终结了实施二十多年的《收容遣送制度》，启动了违宪审查先例，促进了民权意识觉醒，启动了一个新的法治时代。

（三）社会管理偏向于政府主体

改革开放30年来，广东城市人口与社会结构出现了天翻地覆的变化，现代城市的社区已经从单一的“住所”转变为社区成员提供综合服务的联合体，现代城市社会管理组织的现代化已是大势所趋，不可逆转。但由政府行政权力主导的社会管理仍未退却，“条块分割”的传统路径依赖和“第三部门”的羸弱，使得多元化治理的潜力远未发挥。

第一，中间组织与“第三部门”等非赢利发展滞后，使得城市社会发展与治理的潜力远未发挥。随着经济体制向市场经济的根本性转变，广东城市社会已全面出现具有独立自主性的个人、群体、社团和各种利益集团，引发了巨大的社会结构变迁和利益分化解组。但代表各利益群体的“制度内代言人”仍发育不全，“政府中心主义”使得长期以来不同群体不能进行平等和有效的沟通。

受“国家中心主义”的约束，广东社会发育程度仍较低。除了少量的行业协会与商会在维护自身利益与经济发展进程中发挥一

定的作用外，其他类型的城市中间阶层与“第三部门”所占比例还很少，且力量弱小，发展相对落后，非营利组织的发展缺乏有效制度的支持，政府职能转变尚需时日，非政府组织、社会团体、公众对城市社会管理的参与与协调空间仍非常有限，治理主体“一元化”使得整体城市社会结构呈“洋葱形”或“葫芦形”社会经济运行不甚稳定，经济增长与社会发展出现较大的脱节，甚至有学者发出社会断裂的“警言”①。

第二，在政府权力依然独大的情境下，单位制瓦解导致单位职能的外移，在目前社会中间组织、“第三部门”不发达的情况下，现有街居体系几乎成了社会管理唯一的接受主体。但街居权力依旧十分有限，街居组织往往变成了政府的“脚”，被动地执行市、区一级政府下派的任务。对街道办事处来说，城市区级政府及各职能部门将大量的事务“漏”到街道一级，但街道办事处却没有相应的法定地位和权力来承接这些事务（没有独立的行政执法权和完全的行政管理权），受“条块分割”限制，街道的能力十分有限，往往出现“看得见，摸得着，管不了”，而“条条机构”虽有权管，但大多只对上级负责，造成“管得到的管不了，管得了的管不到”的尴尬局面。

对居委会而言，职能超载，对上又过分依赖（财政与编制），职权又十分有限，使得街居的角色出现了尴尬。居委会除了按照居民委员会组织法规定的日常工作外，还要承担区、街道各部门交办的名目繁多的工作任务，实际上居委会变成了各级党委、政府部门工作的承受层、操作层和落实层，“上面一千条线，下面一根针”，工作不堪重负。

第三，城乡二元结构背景下的传统社会管理藩篱虽已突破，但问题仍未根本解决，现代城市社会管理依然困难重重。以东莞为例，东莞由一个农业县经过 30 年的快速发展，城市社会经济都发

① 孙立平：《转型与断裂——改革以来中国社会结构的变迁》，清华大学出版社 2004 年版。

生了巨大的变化[①]。很多镇基本上都达到小城市、中等城市的规模，有的城镇甚至达到特大城市的人口规模。当地农民也基本上过上了较富裕的物质生活，农民的非农化程度非常高。尽管真正意义上的农村已经很少，大部分地方已经是高楼林立，32 个镇街之间几乎是首尾相连，形成广阔的城镇密集区域。但东莞的市直管镇的本质是农村行政管理架构，离现代城市社会管理还有很大的距离。多年来积累了较多的土地、治安、环卫、市政、城管等问题，随着城市化的推进，“两个东莞”[②] 的存在使得东莞走向城市型的社区管理依然面临严峻挑战[③]。

（四）高密集城中村治理赤字

随着珠江三角洲高密集城中村的崛起，以及由此带来的一系列诸如犯罪治安防范、流动人口管理、消防安全隐患、环境卫生恶劣、城市景观无序以及“食利阶层”涌现等问题逐渐引起部分城市政府的重视，如何治理与改造城中村成为不少城市政府的心疾。尽管，珠海、广州、深圳等城市先后出台了一系列相关政策与改造策略，并积累了一些实际经验，但至今治理结果并不彰显。

1. 珠海模式——政府提供优惠政策，开发商主导。

2000 年，珠海在珠江三角洲地区率先进行城中村改造。2000 年 6 月，珠海决定用 3 年时间将香洲城区 26 个城中村（自然村 32

① 东莞繁荣的速度在某种程度上超过了人们的想象。东莞是中国极少数从社会底层崛起的大城市之一，是外来农民工的沃土，10 万台商、数 10 万香港人、156 万户籍人口和600 万外来农民工成全了今日的东莞，其中还不包括20 余年来了又走的数千万各省口音的人，他们的故事汇成这座草根城市和野性城市的发迹史。参见何树青：《一个没有中心的城市成了明星城市》，《新周刊》2004 年第 22 期。

② “两个东莞”：作为城市的东莞和作为工厂的东莞，镇大于市的东莞和珠三角的东莞，本地人的东莞和外来者的东莞，门童作英式绅士打扮的东莞和穿工厂制服的东莞，投资胜地的东莞和台商做候鸟的东莞，可说的东莞和不可说的东莞。参见何树青：《一个没有中心的城市成了明星城市》，《新周刊》2004 年第 22 期。

③ 近年来，东莞市委、市政府所提出的大力推进“经济社会双转型”，正是为了顺应城市社会发展的新态势。但无论是经济转型好还是社会转型好，都不可避免地遇到以镇为单元的行政区壁垒和农村型行政管理体制的制约。

个，平均容积率1.0，涉及村民4.6万人，暂住人口10多万，总占地面积300公顷）改建成为现代化文明社区。

珠海的城中村改造，政府并未直接投资，而是提供优惠政策，引入竞争机制，吸引房地产商投资改造。政府给予开发商“拆一免二”或“拆一免三”的优惠政策（即拆除一平方米合法建筑面积，政府免收2～3平方米配套费），并减免相应报建等费用，在改造开发总量中，1/3用于村民回迁，2/3用于商品房经营。同时，根据城中村居民合法房屋建筑面积和竣工年代，按1∶1.2或1∶1.3赔偿，超面积建筑和违章建筑也给予适当补偿（违章建筑也按照基本价450～550元/平方米的成本价补偿）。

珠海城中村的改造特点是实行“五大转变”，即农民变居民；土地由集体转为国有；村委会转为居民委员会；农村集体经济组织转为股份合作公司，股份具体量化到城中村村民个人；物质形态由城中村转为公共配套完善、环境优美的城市文明社区。

随着2001年5月首个城中村（翠微村）改造而成的现代化社区正式竣工与使用，珠海城中村改造模式产生了较为广泛的影响，被称为“珠海模式”，并试图向全国推广。从2000年至今，珠海42个城中村改造项目中，已完成翠微、新涌、洲仔等23个改造新村并竣工移交，11个正在改造建设中，尚有8个仍未找到开发商。

2. 广州——政府引导，村集体主导。

在珠海决定改造城中村不久，2000年9月，广州市召开“城镇建设管理工作会议”，确定将城中村改造纳入城市“三年一中变”、“2010年一大变”总体框架中，并从2001年始，着手对广州市老城区内的139个“城中村”进行改制和改造①。为配合城中村治理改造的推进实施，广州市先后制定了《广州市村镇建设管理规定》、《广州市城中村改造管理暂行规定》等多项地方性法规规

① 广州市139个“城中村”分布在5个老辖区，即天河区（28个）、海珠区（20个）、白云区（58个）、芳村区（17个）、黄埔区（16个）。城中村户籍人口30多万，加上外来人口，人口规模超过100万，城中村土地总面积和建设用地面积分别为160.47平方公里和41.83平方公里。

章，同时根据农用地的拥有量和城市重点建设区域将广州市城中村划分三类，并制定了三类相应的改造方向，石牌村等七个城中村先行试点。

广州城中村治理与改造分为转制与改造两个部分，首先从"四项转制"入手，将原农村管理纳入城市一体化管理，并逐步把市政、环卫、供电、供气及治安等纳入城市管理范畴。"四项转制"，即城市建成区内的"城中村"农民转为居民；村委会转为居委会；原农民使用并所有的集体土地转为国有土地，村民宅基地房屋权属转为城镇房地产权属；原村委会管理的集体经济转为集体法人股东和个人股东共同持股的股份公司。

对于随后的城中村改造，广州市坚持"两项原则"，即"市政府不直接投资"和"不进行商业性房地产开发"，以村集体（或改制后的股份制经济实体）和村民个人出资为主，市、区两级政府给予适当支持，政府实施优惠政策，并建设部分市政基础设施和公共配套设施，明确指出不允许房地产开发商介入。对于城中村改制，广州主要以行政命令的方式执行，老八区内城中村前期改制已基本结束，但随后的后期改造进展缓慢，除异地重建的少量新村以外（如沙东新村、长湴新村等），在高密集城中村原处进行成功改造还未有先例，目前唯一的猎德村改造才完成前期拆迁工作。

3. 深圳——政府主导，市场化动作。

与珠海、广州城中村问题比较而言，深圳城中村更为严峻①，不仅面临更为密集与违法建设屡禁不止的难题，而且面临特区待建土地资源有限的困境。深圳的城中村治理改造摒弃了珠海规定的"由开发商投标改造"以及广州的"不让开发商插手"的单向政策，秉承了两市的可取之处，实行"政府主导，市场化运作"的基本模式，政府制定政策及计划对改造进行引导和宏观调控，不直

① 深圳全市共有城中村（行政村）437个，总用地面积约93.49平方公里，共有私宅35万栋，最高为20层，总建筑面积1.06亿平方米，最大的建筑面积达4000平方米；城中村总人数约为442.3万人，其中流动人数331.7万人，常住人数110.6万人，全市城中村私房总造价高达千亿元以上，年出租收入200亿元以上。

接投资参与商业性开发，但通过制定优惠政策，吸引与鼓励社会各种力量（如有实力的投资者、开发商或村股份合作公司）参与城中村改造。

为配合城中村的治理与改造，深圳出台了一系列的法规、规章，从2001年的“两规”、2003年的“梳理行动”（主要是清理拆除违建村落棚户区），到2004年的《深圳市城中村（旧村）改造暂行规定》，以及2005年的《关于深圳市城中村（旧村）改造暂行规定的实施意见》、《深圳市城中村（旧村）改造总体规划纲要》（以下简称《纲要》）等，并将2005年确定为城中村改造示范年，充分显示了深圳对城中村改造的决心与重视。

深圳城中村治理与改造首先是对城中村房屋产权的确权与违章建筑的查处，同时成立村股份合作公司，完成股份的固化与量化到个人，政府设立城中村改造基金，扶持市政配套建设。在此基础上对城中村的改造主要采取以拆除现有建筑及建设新的建筑为主要手段的全面改造模式（包括异地重建、整体拆建、局部拆建）和以改善居住环境为主要手段的综合治理改造模式两种模式，改造的主体分为由村集体股份公司独立承担改造任务的“自改模式”、由发展商独立承担改造任务的“市场改造模式”、由二者共同组建开发公司的“混合改造模式”①。《纲要》强调，2005—2006年深圳特区内13个村实行全面拆迁，24个村实现综合整治，并确定重点区域的城中村五年内要全部改完，2010年前特区内20%城中村拆除重建，2010年前特区外5%城中村拆除重建，20%城中村进行综合整治。

4. 城中村治理评述。

综观珠江三角洲上述几个城市的城中村治理改造的模式与历程不难看出，2000年始拉开序幕的珠江三角洲城中村治理改造除了

① 程家龙：《深圳特区城中村改造开发模式研究》，《城市规划汇刊》2003年第3期，第57～60页；谭启宇等：《深圳的城中村及改造实践启示》，《热带地理》2005年第4期，第341～345页。

珠海完成数十个规模不大的改造新村外，广州和深圳主要还处于改造前期阶段，其他城市如东莞、佛山和中山等城市还处于酝酿或观望之中，总体上大规模的改造城中村还未有实质性的进展，出台改造城中村的诸城市都有不同程度的改造延后趋势，显示了对珠江三角洲高密集、高聚居外来人口以及较多集体资产的城中村改造远比预期的目标与期望要困难与复杂。

同时，在城中村治理改造的模式与政策方面，各城市都制定了一定的优惠政策以加快城中村改造的步伐，并在撤村改居、股份固化、土地所有权转变（集体转国有）等前期治理政策上基本趋同，只是在投资主体选择上，各城市有不同的模式。相比而言，珠海制定的“由开发商投标改造”的模式，一定程度上和珠海城中村的密集程度以及集体资产殷实程度等与广州、深圳相比较低有关。为保证城中村改造的顺利进行，珠海所制定的“三年内不批租城区土地”不仅显现了“一刀切”式公共政策的僵化与机械，而且具有相当的风险①。而广州的“不让开发商插手，以村为主体”的改造模式，客观上也是导致其改造缓慢不前的重要原因，一方面致使投资主体与改造资金的不足，另一方面也易使得城中村为获取更多的租金利益而产生改造迟滞（hysteresis），实际上，为改变这种情形，最近广州正在进行改造模式的转变（允许开发商参与城中村改造）。

尽管，珠江三角洲各城市对高密集城中村治理改造的模式与政策选择上有趋同的趋势，但并不能保证这种趋同就是目前治理高密集城中村的可行模式与较好选择。实际上，由于受到国家宏观制度供给结构、不完全市场机制以及现代城市治理的约束，近年来珠江

① 改造前夕，珠海有135万平方米的空置量（2000年底），26个行政村改造将产生570万平方米的商品房供给量，意味着珠海市未来几年要消化700万平方米的商品房，按1998—2000年的平均销量（1998年销量92万平方米，1999年125万平方米，2000年154万平方米），得须5～7年的时间才能消化掉。当然，近几年珠三角房地产价格的暴涨与市场的活跃在某种程度上已将之化解，但这种趋势当初是所没有预料到的。

三角洲的城中村治理改造不可避免地遇到“适应性效率”[①]不足的难题，并化约为治理改造的困境与新问题的重构（在新的空间或以新的形式）。

——城中村改造主体虽有多元化的趋势，但对居住在高密集城中村的外来与短期租赁人口考量不够周全。目前，珠江三角洲城中村治理改造主要围绕与针对“政府、开发商以及村民”三方面的利益，进行自上而下的政策制定与供给，还未有给居住在高密集城中村的主体——外来与短期租赁人口以治理改造的态度和发表意见的机会，如在居住条件与租金方面，在国家还未出台相关针对外来人口的廉价住房问题时（“住宅法”还在拟订之中），狭隘的“城市主义”与狭隘的“社区（城中村）主义”的治理改造忽视了对低收入人群与弱势群体基本生活权利的关注，一味的改造与“杀死”城中村，将可能使城中村问题以新的形式重构，比如密集的“房中房”、“床上床”、“新七十二家房客”的“群租现象”的出现。

——村集体资产的股份制改造虽是城中村最终都市化的大势所趋，但要屏弃“一股就灵”的简单与线形，防止在建立现代企业法人治理过程中，出现由“机会主义”带来集体资产的流失以及对村集体资产的“家族”式控制。从表面上看，股份公司制改革似乎可以解决城中村城市化面临的一系列问题，但股份改革后，一方面，村民可以获得的量化股、风险股在大多数地区仍不具备完整的产权，只能在社区内部有限度地流转；另一方面，受制于政府财政约束，改制公司承担了大量社区事务，居委会（村）干部往往兼任公司董事长，“三驾马车，一套人马”（股份合作经济组织、农村社区党委与居委会）的传统村社管理模式往往为村庄精英的

① 制度创新提供适应性效率的原则表明，它必须为组织变迁的未来发展提供预期以及相应的前提，从而最大程度地避免形成新的制度障碍。

牟利行为创造了机会[①]，比如广州曾有村集体股份公司董事长自奖2000万的“沙东事件”。这种制度化安排的怀柔方案，对于村办企业的市场不成熟性和村庄治理结构中的社区主义与家族性等问题而存在极大的风险（城中村村民常是家族聚居）[②]，必然会衍生新的问题矛盾，并成为影响城中村进一步融入城市化与现代化的障碍。

综上，珠江三角洲大都市地区城中村治理（公共干预）中的挫折与困境客观上也反映了国家宏观制度供给结构与先行发达地区制度需求的历史落差。[③] 珠江三角洲大都市地区城中村的终结，必将是一个长期而艰难的过程。此外，“城市不是无菌的实验室”[④]，那种期望通过改造城市物质环境，尽快消灭城中村“毒瘤”就能实现理想城市与理想空间秩序的设想无疑仍未脱离“物质环境决定论”的窠臼[⑤]。

四、小结

改革开放30来，广东城市社会的发展演变，从某种意义上说既是一场历史性实验的窗口与开始，同时又是一场生动记录中国城市社会经济演变的“活化石”。

改革开放以前，在掌管人民一切生活的全能型政府体制下，社会成为其权力的附庸与延伸，此一阶段体现了“有主义、无社会”的悖论[⑥]：在旧有的计划体制下，经济组织与社会单位的各种经营

① 轩明飞：《“城中村”城市化：问题困境中的悖论》，《探索与争鸣》2006年第2期，第25～27页；蓝宇蕴：《城市化中一座“土”的“桥”——关于城中村的一种阐释》，《开放时代》2006年第3期，第145～152页。

② 轩明飞：《“城中村”城市化：问题困境中的悖论》，《探索与争鸣》2006年第2期，第25～27页。

③ 魏成、赖寿华：《珠江三角洲大都市地区高密集城中村的形成——一个分析框架》，《现代城市研究》2006年第7期，第25～32页。

④ 夏铸九：《古迹保存在网络社会中的新想象》，http://www.abbs.com.cn/bbs/actions/archive/post/293379_1.html?tpg=129（2001年9月3日）。

⑤ 魏成：《我国转型时期城市更新问题研究》，华南理工大学硕士论文，2004年。

⑥ 婴雄：《中国，重新发现社会》，《南风窗》2006年11月（上）。

活动与分配都受命于政府，并只与其上级主管部门发生垂直的单向关系，不同的封闭的经济组织与社会群体之间缺乏横向联系，公民的合法权利往往只能通过单位证明才能获得。

改革开放以来，广东城市社会在广度与深度上发生了脱胎换骨的变化，不同利益组织与社团的群己权界逐渐解构了传统“两个阶级、一个阶层”的社会结构，城市社会空间从先前的“单位城市”向“社区城市”、从“封闭城市”向“开放城市”迈进。随着区域竞争的日益加剧、价值取向的日益多元、民众权益的普遍觉醒，城市社会治理的关键已不是抽象的“理论命题”，而更在于使相关利益主体在城市空间上能得到实实在在的平衡。

作为中国改革开放最前沿与全国最大、最活跃的劳动力市场，30 年来，“敢为天下先”的广东在城市社会发展上一度扮演了全国“策源地”与“先行官”的特殊“窗口”角色，上演了一幕幕“春天的故事”。与诸多“广货北伐”类似，“老板”、“开发区”（蛇口，1979 年）、“楼花（楼盘）”、“物业管理”、“业主委员会”（深圳天景花园业主委员会，1991 年）等城市社会空间概念也大举北上，并一直保持着“生猛鲜活”的旺盛影响力。

同时，SARS（非典型肺炎）、孙志刚事件、城中村、广州火车站、“双抢”（抢劫、抢夺）、等突发事件与典型社会空间也一度使广东成为全国舆论所关注的焦点，并争议不断。在传统城乡二元制度结构背景下“实验催生”的快速工业化和城市化所导致的诸多地方事件与城市社会经济演变，生动地明示着改革开放 30 年以来广东城市社会发展，“并不是轻松欢快的旅行”，它不仅充满（地方）经济利益的摩擦和（国家）统治文化的碰撞，而且伴随着巨变时期大国的治理迟滞和地方的超越艰难。

第八章 经济体制改革推动城市发展

1978年以前的中国是一个看似公平，实际却极端贫困的全民所有计划经济国家。由于国家经济发展的起点很低，人民的生活在经济体制改革中有大的改善，因此经济体制改革容易得到社会认同。

30年来的经济体制改革是中央政府“自上而下”发动的，因此各级政府不仅仅要做维护经济运行环境的“服务员”、“裁判员”，还必须成为各地经济发展的“发动机”，以尽可能高的效率迅速克服贫困。于是有了“效率为主，兼顾公平”、“让一部分人先富起来”等的阶段性、策略性政策。于是“实事求是”、“摸着石头过河”成为各行各业制度创新的源泉。

中国的市场经济改革遵循经济发展多元化和政治上适度分权的路径，开启了地方政府和民间的积极性，终于“自下而上”地推动了中国经济这艘庞大的巨轮。“发展才是硬道理!”中国在经济全球化的产业大转移和贸易自由化中获得了巨大的发展成就，也正是凭借这些成就才克服了来自固有意识形态的障碍。而实际上，1978年十一届三中全会以后，我国城市的市场化改革就没有停止过。

现阶段的中国各级城市政府本质上已经被打造成为推动地方经济发展的“发展型政府”，如果说得更透彻一些，就是“准企业化”的政府。所有的城市都在同一个开放的投资市场上竞争，而“以足投票”的国内外投资、项目成为城市政府尽力争取的对象，

使城市间的竞争日益剧烈，使得政府必须经营城市管辖空间内的一切资源，以获取足够的财政能力。目前任何中国城市都是一个独立的经营体，这不是地方政府自己想要搞“城市经营”，而是国家财政的“分税制”决定了“分灶吃饭”，而且所得不多的地方政府不得不经营城市，否则“吃饭财政”无论如何也无法扩大再生产。但是全球化背景下，高竞争低成本发展起来的广东产业发展对廉价劳动力和土地的路径依赖十分严重。

一、分税制改革的影响

计划经济时代中国的财政体制是中央财政高度集权、一大二公、统收统支的财政制度。

经济体制改革以后，随着各项改革的展开和各地发展差距的拉大，为鼓励地方经济发展的积极性，在1980年代初财政体制逐渐转变为“财政包干”制度。中央对广东实行了“划分收支，分级包干，定额上交”的体制，广东省则对各市（地区）实行了财政的层层包干，很好地调动了各级政府当家、生财、聚财、理财的积极性。1985年当年广东全省财政收入增长了30%，各级财政收入都有了明显的增加，于是各级政府积极开展城镇建设和发展，尤其是促进了乡镇企业的遍地开花，广东成为了财政大包干的受益者。

但是，这种“制度”并不是严格意义上的制度，每年的财政分权方案总要经过中央与地方长时间的谈判才能达成妥协，财政关系调整都是根据中央的“决定”、“通知”来传达和执行，缺乏法律的规范和相应的法律依据。结果使得“财政收入占GDP”、“中央财政收入占整个财政收入”两个比重双双下降，1993年，中央的财政收入占全国财政总收入的比例下降到22%，中央财政陷入了极其严重的困难境地。“在现行体制下，中央财政十分困难，现在不改革，中央财政的日子过不下去了。目前中央财政收入占全国财政收入的比重不到40%，但中央财政支出却占50%多，收支明显有差额，中央只好大量发债，不然维持不下去……（如果这种

情况发展下去）到不了2000年（中央财政）就会垮台！”（朱镕基，1993年9月）①

（一）分税制改革

为了改变中央财政的贫弱状态，在借鉴市场经济国家的经验并充分考虑国情的基础上，国家正式推行了相对较为集权的分税制体制。1993年12月25日，国务院颁布《国务院关于实行分税制财政管理体制的决定》，确立以“分税制”为基本特征的适应社会主义市场经济体制要求的财政体制，1994年1月1日起开始执行。在中央和地方财政之间进行分税制改革，对各省、自治区、直辖市以及计划单列市实行分税制财政管理体制。

分税制改革的原则和内容是：按照中央与地方政府的事权划分，合理确定各级财政的支出范围；根据事权和财权相结合原则，将税种统一划分为中央税、地方税和中央地方共享税；并建立中央税收和地方税收体系，分设两套税务机构分别征管；逐步实行比较规范的中央财政对地方的税收返还和转移支付制度；建立健全分级预算制度，硬化各级预算约束。

分税制规定的事权要求地方财政主要承担本地区政权机关运转所需支出以及本地区经济、事业发展所需支出。具体包括：地方行政管理费，公检法支出，部分武警经费，民兵事业费，地方统筹的基本建设投资，地方企业的技术改造和新产品试制经费，支农支出，城市维护和建设经费，地方文化、教育、卫生等各项事业费，价格补贴支出以及其他支出等事权。

根据事权与财权相结合的原则，分税制按税种划分中央和地方收入。分税制所划分的地方固定收入囊括了“营业税②、地方企业

① 尹永钦、杨峥晖著：《巨变——1978—2004年中国经济改革历程》，当代世界出版社2005年版，第226页。

② 在1993年12月25日国务院颁布的《国务院关于实行分税制财政管理体制的决定》，将地方固定收入中的营业税的征收范围确定为“不含铁道部门、各银行总行、各保险总公司集中缴纳的营业税”。

所得税[1]、地方企业上交利润、房产税、车船使用税、印花税、屠宰税、农牧业税、对农业特产收入征收的农业税、耕地占用税、契税、遗产和赠与税、土地增值税、国有土地有偿使用收入”等。而中央与地方共享的收入则包括“增值税、资源税、证券交易税”，并规定增值税中央分享75%，地方分享25%，资源税按不同的资源品种划分，大部分资源税作为地方收入，海洋石油资源税作为中央收入，证券交易税，各分享50%。

其后国家财政实力不断增强，财政收入从分税制改革前的5000多亿元增加到2007年的51000多亿元。2007年国家财政总收入的88.9%来自税收，达45612.99亿元，同比增长33.7%；非税收收入5691.04亿元，增长22.8%，占财政总收入的11.1%。从财政收入增长的结构来看，税收收入增收额占财政收入增收额的比重为91.6%，非税收收入增收额占财政收入增收额的比重为8.4%。由于固定资产投资增速较高、工业和商业增加值增长较快、企业经济效益的大幅提高以及证券交易的罕见火爆、交易量大增等，增值税、企业所得税和证券交易印花税等相关税种增长较快。证券交易印花税2005亿元，比上年同期增长1017.4%，增收1826亿元，是2006年的11倍；国内消费税收入2206.9亿元，比上年增长17%；个人所得税收入完成3186亿元，同比增长29.8%，而2007年城镇居民人均可支配收入为13786元，比上年增长17.2%左右。

2007年中央财政总收入可完成28000亿元，比年初预算超收4000亿元。中央财政占全国财政收入的55.75%，已经具备充裕的财政自给能力，征收的收入除了满足本级支出外，有相当一部分可以用于对地方政府实施转移支付。按照分税制的原则，中央税的75%将用于转移支付给地方政府，主要用于维系西部欠发达地区的社会经济运行。

---

① 将地方企业所得税的征收范围去除了“地方银行和外资银行及非银行金融企业”等企业。

（二）对广东的影响

1994年分税制的确立进一步划定了中央与地方政府的财政权利边界，使城市政府拥有了可以自主控制和经营的剩余权。① 分税制规范了政府间财政分配关系，建立了财政收入的稳定增长机制，规范了财政收入的分配秩序，刺激了地方政府的发展经济和加强税收的积极性，成为了我国建国以来政府间财政关系方面涉及范围最广、调整力度最强、影响最为深远的重大制度创新。分税制作为一种财政体制的重大改革，对城市的发展产生了巨大影响。② 制度创新为城市改革注入了强大的动力，也引起地方政府行为的一系列变化，并因此推动了城市发展。

1994年的税制改革后，中央和地方政府正式“分灶吃饭”，作为一种分权的改革，使城市在被赋予更多事权的同时也获得了更多的财权，所有城市政府成为真正财政上独立的实体，有着明确的财政权限和边界。城市财政收入依赖的是地方经济总量的增长，因此激发了各个城市发展地方经济的积极性。

广东作为经济体制改革中的先发区域，城市在先行先试和优惠政策的环境下，原本已经具备了强烈的发展欲望和迸发了巨大的发展活力。分税制实施之前，依照同中央签订的协议，广东以1980年的财政收入为基数，从1981年起向中央财政上缴22.74亿元，每年递增9%，广东交足中央的，留足自己的，在国家“放水养鱼”的大政策下，广东终于有了发展的本钱。相对充裕的地方财政使广东拥有了可调节的自由度，也可以对省内实施“放水养鱼”的发展策略，创造了“以水养水”、“以电养电”、“以路养路”、“以桥养桥”等模式，即对水利、电力、公路、桥梁等大型公共事业基本建设项目由省内自筹资金、借贷或引进外资启动建设，给予税收减免等优惠政策，项目建成后收益按“谁投资谁获益”的原

① 李京文等：《广州市城市经济与城市经营发展战略研究》，研究报告，2003年。
② 周飞舟：《分税制十年：制度及其影响》，《中国社会科学》2006年第6期。

则分成，“蛋糕”做大了，建设规模上去了，社会公共事业发展了，给国家的税收和地方财政带来的好处反而更大更多，广东正是得益于这种种特殊政策和创造性的发展套路，维持连续多年的双位数的高增长率。[①] 当时，广东省及其各市每年的地方预算内财政收入大多能够超过支出，财政相对宽裕。

分税制改革后，广东一跃成为上缴国家税收贡献最大的省份，收入数量较大、增长势头较猛的主要税种划归中央。1994 年当年，广东可支配的财力即大幅减少，增量部分的 45% 上交中央，比原来的 9% 增加了 36 个百分点，全省的地方财政一般预算内收入从 1993 年的 318.88 亿元下降到 255.28 亿元。例如广州的地方财政一般预算内收入从 1993 年 77.37 亿元锐减到 1994 年的 53.48 亿元，当年预算内的财政就开始出现了“赤字”。(图 8－1)

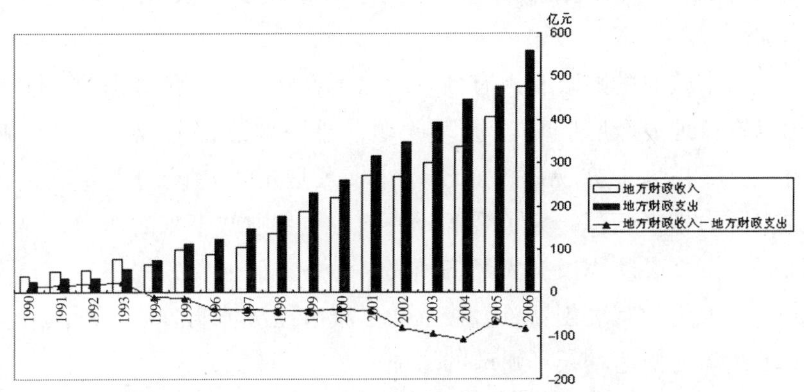

图 8－1　广州分税制前后地方财政收支情况

数据来源：《广州统计年鉴》(1990—2006)。

由于分税制没有明确省以下的财政体制，出现了财权层层集中，事权和支出责任纷纷下移的背反格局，地方政府财政要负责义务教育、区域内基础设施、社会治安、环境保护、行政管理、社会

① 尹永钦、杨峥晖著：《巨变——1978—2004 年中国经济改革历程》，当代世界出版社 2005 年版。

保障等公共事务，同时还要在一定程度上支持地方经济建设，事权刚性强、欠账多，所需支出基数大、增长快、可压缩性小，给地方政府财政带来了沉重的负担，基层政府的财政困难进一步加剧。广东许多城市在1990年代初普遍处于城建的加速过程和城市改革的关键阶段，对财政支出的刚性需求更是不断加大，各城市承担着巨大的财政压力。划归城市政府的税种虽然多达12种，但是却没有自己可以掌控的独立的当家主体税种。另一方面，政府层级过多，使得中国不可能像国外那样完整地按税种划分收入，而只能加大共享收入。

分税制给广东城市的发展带来了挑战和压力，也激发了广东城市发展的紧迫感和积极性。分税制的改革，改变了城市之间的比赛规则，使广东的城市发展又站在了新的起跑线上。各个城市必须加快经济发展，通过招商引资以加速GDP增长，实现财政收入的增加。

城市政府的财政收入有预算内和预算外两类，预算内收入主要用以维持地方政府的“吃饭”问题，要增加这部分收入，地方政府主要靠扩大地方税源；而预算外收入是用于建设的主要财政来源。压力带来变革，为了缓解分税制对地方财政带来的压力，城市政府一方面必须积极扩大经济规模，另一方面还要另辟蹊径，结果出现了大量的制度创新，直接推动了城市经济体制改革，刺激和推动了经济的快速增长和财政的增加。

二、土地制度的改革

中国城市规模的不断扩张既是经济发展、人口增长的结果，也是经济发展的手段。“筑巢引凤”、“招商引资”已经成为模式化的“中国发展经验”。

1987年的“国有土地使用权转让制度”改革打开了城市建设市场化的大门，1988年的宪法修正案开启了土地有偿使用制度，使得城市土地的市场价值逐步显现出来。“以土地换资金，以空间

换发展”，土地收入成为城市重要的收入来源。土地市场的建立使城市政府获得了通过经营土地合法地获得巨额利益的机会，使城市政府有能力投入城市建设和公共产品的生产以提升城市的竞争力。城市政府普遍用城市规划工具培育城市土地价值，在城市快速发展中积累建设资金，滚动推进基础设施建设和增量土地开发。大量市郊土地被划入开发区、城市发展区，许多城市新区孕育而生，大中城市规模的不断扩张说明城市政府获得了提供市政服务与收益之间的正反馈和财政的平衡点。

虽然城市间招商引资的竞争十分剧烈，导致各地政府在工业用地开发中基本无利可图，但是企业投产后的税收留成却非常可观。大多数城市在土地出让计划中对房地产开发用地供应斤斤计较，反而尽量增加工商业用地供应，不惜用零地价甚至负地价吸引工商业企业入住，因为持续的工商业税收是城市政府的更为重要的财政保障，许多城市政府往往将房地产开发用地的收益用于工业园区的开发。

（一）土地有偿使用制度的建立

1954 年以后，我国城市土地开始采用无偿、无期限、无流动的使用制度，土地所有权和使用权高度集中，通过行政划拨手段配置土地资源，乱占、多占土地的情况屡禁不止，导致土地浪费现象严重的问题。同时，城市基础设施建设的巨额投入不能通过地租或地价收回，其结果是政府投资开发的土地越多，财政的负担越大，城市基础设施成为了政府财政的净支出，城市财政包袱逐年加重，城市政府丧失了增加城市投资建设的主动性和积极性。这样，土地作为关键性生产要素之一，在我国城市经济活动中失去了应有的作用。

经济体制改革以后，我国逐步认识到城市土地无偿使用的弊端，开始向有偿、有期限、有流动的“三有”方向转变。1981 年 11 月，深圳特区率先开始了土地市场化的探索之路，开始对部分土地使用征收费用。但是征收土地使用费的改革，还没有为土地使用者转让土地使用权开绿灯，对传统城市土地使用制度触动并不大。由于征收土地使用费收费过低，再加上各种减免优惠，土地使用基本上是无偿的，政府作为土地的所有者基本得不到土地的收益。这说明当时的土地管理制度仍然没有跳出产品经济的框框，土地的价格仅仅是一个象征而已。到1987年为止，深圳市政府共行政划拨了82平方公里的土地，收取土地使用费的面积有17平方公里，但收费仅有1000万元，不足支付政府前8年用于开发土地的银行贷款（6.7亿元）的利息，政府用于土地开发的大量投资被各开发公司以超额利润的形式归己所有。因此，这种土地管理制度和分配关系造成土地开发越多，政府负担越重，以至陷入不能自拔的贫困境地，再不改革就难以为继了。[①]

1987年7月1日，深圳市政府正式提出以土地所有权与使用权分离为指导思想的改革方案，确定了可以将土地使用权作为商品转让、租赁、买卖。9月8日，深圳市以协商议标形式出让了有偿使用的第一块国有土地；9月11日以招标形式出让第二块国有土地；12月1日又以拍卖形式出让第三块国有土地使用权，深圳房地产公司以525万元的最高价获得了罗湖区东晓路一块8588平方米土地的使用权，这是中华人民共和国成立后的首次土地拍卖活动。深圳土地拍卖的率先尝试，揭开了中国土地使用制度改革的序幕，直接促成了宪法的修改。

1988年4月，全国人大修改《宪法》，增加了“土地使用权可以依照法律的规定转让”的内容，国有土地使用权出让由此正式“合法化”。由此，我国的城市土地使用制度开始向有偿有期限使用制过渡和转换，形成有偿使用和无偿划拨并存的“双轨”运行机制。

土地是一种特殊的商品、一种基本资源，它的价值的实现必须通过土地的开发。这就带来了一个问题，土地如何开发？如果政府没有规定，由开发商自行决定，开发商追求高额利润的本性就可能损害城市的公共利益。因此，政府在出让土地使用权时必须提出土地开发的条件。而由城市政府编制的详细规划无法适应瞬息万变的

① 李津奎：《城市经营的十大抉择》，海天出版社2002年版。

市场经济，传统的城市总体规划又主要以土地使用功能规划为主，无法适应国有土地使用权出让转让后，对分散的建设者在开发强度、公共设施配套、城市设计等方面进行控制的需要。

在广泛借鉴发达市场经济国家经验，总结上海虹桥地区规划、广州街区规划、温州的控制性规划等实践的基础上，终于在1991年通过建设部行政规章《城市规划编制办法》确立了“控制性详细规划”这种具中国特色的城市规划工具。1995年建设部颁布的《城市规划编制办法实施细则》又进一步规范了规划编制要求。这一进程完善了城市规划体系的建设。其一是在规划体系中出现了“通过管理实现城市规划目标”的规划品种；其二是作为国有土地使用权转让的配套制度，成为具有极强法律约束力的“经济合同”附件，使控制性详细规划真正具有了准“法”的地位，成为城市政府与建设单位的城市建设“契约”。

（二）土地产权制度及其影响

我国在全民所有计划经济时代形成了城乡二元的土地制度。《中华人民共和国土地管理法》明确规定：“任何单位和个人进行建设，需要使用土地的，必须依法申请国有土地……依法申请使用的国有土地包括国家所有的土地和国家征收的原属于农民集体的土地。”因此我国现行的城市建设制度——土地管理、城市规划、市政建设、城市管理和公共财政管理等都是源于计划经济时代，其管辖空间也多局限在国有土地上。

由于我国人多地少的矛盾十分突出，为有效控制农地转用，国家一直实行严格的“农地农用、农地农有”的耕地保护制度。对集体土地使用权比国有土地使用权具有更多的限制：宅基地使用权依法不能转让和抵押；只有依法承包并经发包方同意抵押的荒山、荒沟、荒丘、荒滩等农村集体荒地的土地使用权和抵押乡（镇）村企业厂房等建筑物涉及所使用范围内的集体土地使用权可以抵押；集体土地使用权不能用于租赁。

确实，计划经济时代国家在经济社会发展过程中实施偏袒城市的政策[①]，“重城市、轻农村，重城区、轻郊区，重工业、轻农业，先居民、后农民”，将积累剩余投资到城市工业区及公共服务设施等方面，以增强城市建设，加快工业化进程。依托城市以优先发展重工业的经济发展战略[②]，而城乡之间农业与工业产品之间的“剪刀差”更使农村成为城市发展提供廉价土地、廉价劳动力和工业品市场的附属品。

1978年后国家开始经济体制改革，转型期的特点就是新的体制尚未确立，而制度创新层出不穷。乡镇企业用地权首先获得法律承认，开启了农地转用的窗口。由于集体土地使用权与国有土地使用权在收益上不平等，收益也要少很多。出于利益上的考量，集体土地使用权人不再安分于土地使用的各种法规，试图寻找与国有土地使用权对等的利益。而最近北京地下市场非法的“小产权房”与1990年代初广州大量主动针对城市市场的农村集体土地“集资建房”一样，危害着现行的城市建设体制和城市公共财政安全。另外，还有大量“合法”的“集体建设用地”：宅基地及其集合“城中村”、“厂中村”也混杂在城市中，成为集体产权的“飞地”，这些都对现行城市建设制度提出了严峻挑战。

土地交易的对象其实不是土地本身，而是附着于其上的各类权益，城市是在不断重复地对土地及附着于其上的资源的产权进行定义的过程中发展的[③]。由于农地收益远低于建设用地，为获取更多的农地转用增值收益，城市政府在现行制度下大多选择压抑甚至剥夺农村的土地发展权。[④] 1949—1987年城市发展所需建设用地先向农村征地，然后行政划拨给用地单位，可无偿、无限期使用。

① 程开明：《城市偏向视角下的农地征用》，《农村经济》2006年第12期，第37～40页。

② 林毅夫、蔡昉、李周：《中国的奇迹：发展战略与经济改革》，上海三联书店、上海人民出版社1999年版。

③ 黄祖辉、汪晖：《非公共利益性质的征地行为与土地发展权补偿》，《经济研究》2002年第5期，第66～71页。

④ 杨明洪、刘永湘：《压抑与抗争：一个关于农村土地发展权的理论分析框架》，《财经科学》2004年第6期，第24～28页。

（图 8－2）

1987 年城市土地有偿使用制度逐步实施，土地一级市场逐步形成，政府严格控制土地供应，使得城市土地的价值逐步显现出来，土地使用权转让成为我国城市重要的收入来源。大量城市新区孕育而生，城市规模随着城市化的推进而扩张，城市土地的经营使城市基础设施得以改善，城市政府获得了提供市政服务与收益之间的正反馈和财政的平衡点。逐步确立了“一个渠道进水，一个池子蓄水，一个龙头供水”的土地供应制度。（图8－3）

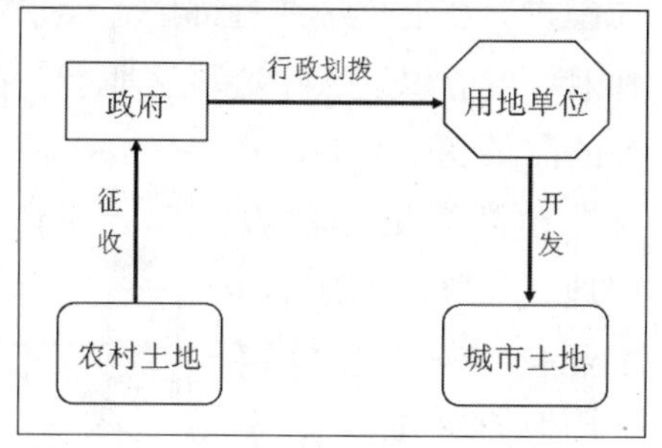

图 8－2　征收、划拨示意图

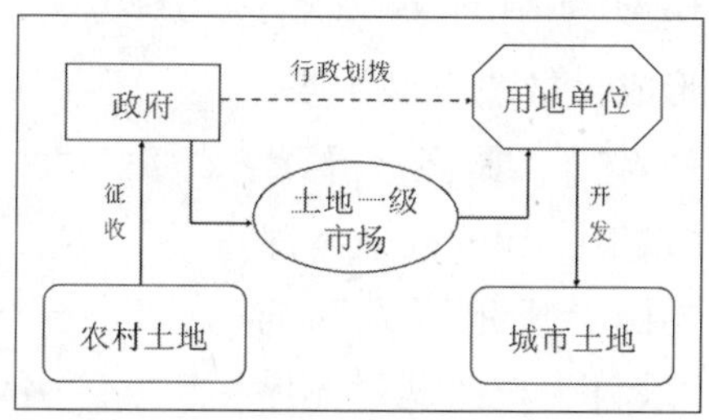

图 8－3　征收、拍卖示意图

由于认为城市征地补偿标准偏低，建设用地指标有限，办理土地权证费用较高，农村则以各种自发的方式实现集体建设用地使用权的流转。针对这种情况，2005 年 10 月 1 日实施的《广东省集体建设用地流转办法》出于规范现实中已经大量存在的集体建设用地使用权的流转，作出了“农村集体土地将与国有土地一样，按‘同地、同价、同权’的原则纳入统一的土地市场，允许在土地利用总体规划中确定并经批准为建设用地的集体土地进入市场，可出让、出租、转让、转租和抵押”的规定。集体建设用地可用于除了商品房地产开发之外的所有用途，其他与国有土地一样进入土地一级市场。（图 8－4）

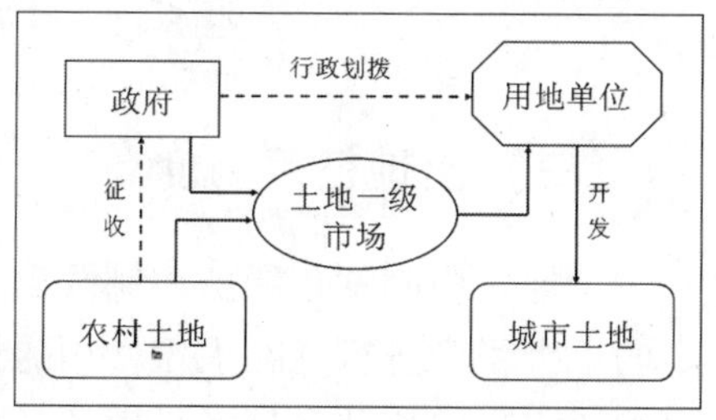

图 8－4　征收、拍卖、流转示意图

国土资源部发布的《支持社会主义新农村建设的通知》也提出要“开展集体非农建设用地使用权流转试点”。完全分割的城乡二元土地制度可能因此接轨，原来所强调的集体建设用地必须经过国有化才能发展工商业的规定也已经放开。

从土地产权构成角度来看，政府拥有充足的城市规划技术力量有序配置国有土地，城市扩展的空间模式多遵循“中心城区（国有土地）—间隔绿带（集体土地）—郊区块状组团（国有土地）”的模式，在近郊区或远郊区建设工业园区、经济技术开发区、新城和卫星城等以疏解中心城区职能。而郊区农村基于各自集体经济发展的需要，积极吸引投资推动基于集体建设用地的“自下而上”工业化，争相开发辖区内集体土地，结果是土地的非农开发使城乡界限日益模糊，形成大量“半城半乡”的空间景观，导致“政府主导的高效有序的国有土地开发”与“农村主导的低效无序的集体土地开发”相并置、混杂。（图8－5）

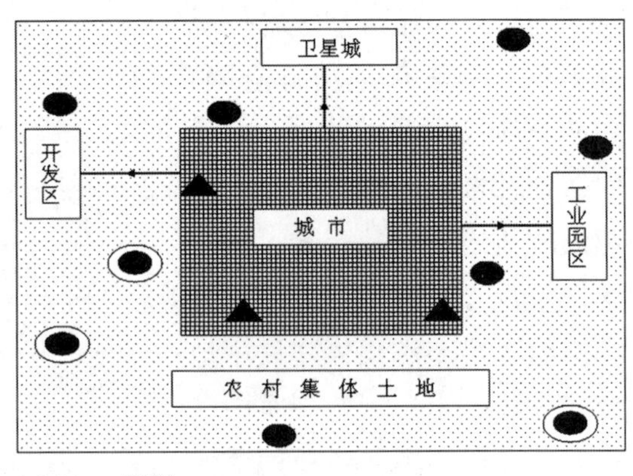

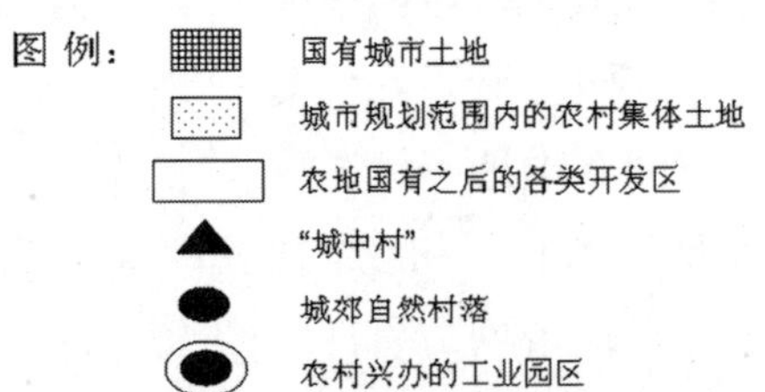

图8－5　基于不同土地产权的城市空间发展模式

（三）土地征用制度

土地征用制度在经济体制改革之前就有，政府建设项目按照法定的审批程序进行。在无偿使用的情况下，征用土地对农民的赔偿只需要支付青苗费和地上附属物补偿费，用地单位一般不须对土地所有权和使用权进行补偿。政府或用地单位要安排被征用土地农民

的一定就业位置。所以，当时征地的成本很低。

在农村土地资源富余、农地产出不高的情况下，原有大中城市的征地扩展还比较容易。首先，农村可以将获得的征地补偿作为集体经济发展的启动资金；其次，农村集体可以通过留地合法地获得一定比例的“经济发展用地”（集体建设用地）发展工商业；再次，政府征地搞工业园区还可以改善本地区的基础设施，并带来餐饮、仓储运输、商业、房屋出租等有关服务业发展、劳动力就业和留用地增值的机会。

1998 年，《土地管理法》第二条作了明确规定，国家为了公共利益需要，可依法对土地实行征用。但是，《土地管理法》未对公共利益作出明确的界定，因此，对公共利益的解释实质上成为了城市政府及其职能部门的一项重要的自由裁量权。在实践中，城市政府往往就是征地单位，而且以国家代表的身份进行征地，土地征用成为农村工业化和城市化拓展进程争议最大的问题之一。

理论上，我国城乡土地是一种所有权具有二元的特征，农村土地虽然法律上是集体所有，但是实际上农村集体所有权又往往被架空，农村土地实质上成为了“准国家土地”。城市土地有偿使用改革后，土地管理法中关于征地补偿的条款也相应作了修改，增加了土地补偿费和安置补助费，体现了对农民土地所有权的补偿。但是，补偿的基础依然是按照原土地使用性质和用途进行补偿的，以产出价值法计算，补偿标准仍然偏低。目前，各大城市通行的费额标准都是土地年产出的 30 倍。2004 年，深圳在龙岗、宝安两区统一征地的补偿标准是每亩 2.4 万元，青苗补偿标准每亩 700～4000 元，荔枝补偿标准每亩 2000 元到 5.5 万元。由于补偿的价格远远低于市场价格，地方政府因此可以从征地中获得价差收入。

以佛山市南海工业园区征用农村集体土地为例，通常按国家法律和地方法规确定的经济补偿标准给予一次性经济补偿，不同的时期补偿标准不一样，从 1980 年代几千元一亩到现在的几万元一亩。由于征地补偿是以农民所生活的农村为背景来补偿的，而失地农民面临的却是“城市生活”，各项生活成本远比农村要高，农民拿着

“依照农业收入制定的征地补偿金”进入城市生活显然难以为继，按30000元/亩（1亩农地年产值的30倍）计算，刚够一个农民家庭勉强生活两年。若城市不能为农民提供稳定的就业机会，或可预期的稳定收入的话，农民自然就会抵制征地。

为弥补征地赔偿的不足，保证失地农民生活水平，地方政府一般会在征地总面积中留给村集体15%～20%“经济发展用地”（又称“留用地”），这是目前合法的“集体建设用地”的主要来源。“留用地”一般由农村集体组织经营，收益用于社区服务、基础设施提供和通过分红在经济上保障进入城市村民生活。在珠江三角洲30年快速城市化过程中，村集体一直是稳定农村社会，以及为农村提供社会服务和基础设施的主体，而依附在农村集体建设用地上的集体经济成为农村稳定的一个重要因素。农民除从集体获得分红外，还积极合法或非法地增加“宅基地”建设“村民住宅”出租获利以谋生计，这正是大量“城中村”、“厂中村”的产生的制度性原因。

1990年代后期以来随着发达地区可开发土地的日趋缩减，土地的流动性越来越强，土地的资本属性日益显现，农民对土地价值的预期越来越高。政府主导的园区工业化与集体经济组织主导的乡村“租地”工业化在土地利用方面开始“短兵相接”，城市扩展、新区开发等城市政府征地导致的冲突与矛盾频发，发达地区“统筹城乡发展”的焦点日益集中在土地政策上。政府与农村集体经济组织之间在征地问题上的谈判成本和支付成本也越来越大。

在竞争性土地市场条件下，土地价值是未来土地净收益流的贴现值。工业用地租金收入按16000元（2元平方米·月）计，由于集体土地可无限期使用，该收入为永续收入，且租金可逐年按一定比例递增。选取1年期的税后银行存款利率1.8%作为无风险收益率，这一永续的租金收入折现后的价值是90万元，也就是说要获取1亩集体工业用地的所有权要付出90万元。若农村集体将在这1亩土地改为商业用地，其租金收入大增，以南海区夏西村橡塑市场为例，租金收入可达6万/亩·年，仍以1.8%作为无风险收益率，

这一永续的租金收入折现后的价值为300万元，也就是说要获取1亩集体商业用地的所有权要付出300万元。

出于利益上的考量，集体土地使用权人不再安分于国家土地使用的各种法规，试图寻找与国有土地使用权对等的利益。如果地方政府没有能力控制农村集体用地非法“农转用”，没有建立严格的土地使用和开发管制体系，那么未来城市政府征地及规划管制的难度将进一步增加。

（四）旧城房屋拆迁制度①

作为城市更新实践的具体实施环节，城市房屋拆迁是指拆迁人依法对城市国有土地上的房屋予以拆除，并给被拆迁人以补偿和安置的活动。其目的主要是获取土地，进行再开发。而规范城市房屋拆迁行为的相关制度构架错综复杂，上至《宪法》和涉及拆迁内容的相关法律，下至地方规章和政策。而由国务院制订的行政法规——《城市房屋拆迁管理条例》则是整个拆迁制度的主干，其他相关法规、部门规章以及各类政策也是房屋拆迁制度的组成部分。

我国城市房屋拆迁制度是随着经济体制改革与市场经济体制的推进而逐步建立，并于不同的时期作出不同的政策应对。解放后的相当一段时期内，我国并未建立相应的城市房屋拆迁制度。城市土地基本上依赖行政划拨，城市房屋主要属于国家与政府所有，并主要通过分配公房来解决城市职工住房问题，因而在城市建设中涉及的房屋拆迁往往通过“单位”式的配给进行调节与化解，并不涉及产权补偿与广泛的安置问题。

经济体制改革初期，由政府主导的城市建设进展缓慢，为缓解住房紧张状况与财政投资压力，同时为适应市场需求，城市逐步吸收社会资金参与城市建设与旧城改道，逐渐改变了城市住宅全部由政府福利分配的状况，使得城市部分住房有了产权概念。当时城市

---

① 本节引自魏成：《城市房屋拆迁制度演变、评价及其完善思路》，《中国城市规划学术研究进展年度报告2006》，中国建筑工业出版社2007年版。

少量的私有房屋的拆迁补偿主要是就近回迁安置，被拆迁人对改善居住环境、带有城市公共福利色彩的旧城改造普遍持期盼和歌颂的态度。

1987年，城市土地使用权有偿转让在深圳试行，正式拉开我国城市土地使用制度改革的序幕。《城镇国有土地使用权出让和转让暂行条例》（1990）的颁布实施使得我国城市建设无论是在运作模式、资金筹集还是产权转换等方面有了具体的法规引导，在房屋拆迁补偿与安置等层面面临了新的政策问题，进而客观上导致我国第一部关于城市房屋拆迁管理的法规——《城市房屋拆迁管理条例》（1991）（以下简称《91条例》）的出台，房屋拆迁制度开始迈入规范化、法制化的轨道。

与此同时，1990年代正是我国城市发展的重要阶段，土地有偿使用制度的改革使得我国城市建设有了重要的资金来源，1994年的财政分税制改革，使得地方城市具有了较大的经济自主权，随后的金融制度改革，为城市建设提供了充足的融资保障，这一连串的政策与措施大大地释放了城市发展的潜力，使得长期以来困扰城市发展与建设的投资问题都有了根本性的转变，也致使城市更新的规模与城市房屋拆迁速度不断攀升。从1994年开始的我国新一轮城市更新热潮中，城市中心大部分老住宅、低层住宅成为拆除对象。“九五”期间，全国城镇累计拆除房屋约3.3亿平方米，比“八五”期间增长了近一倍；全国城镇累计竣工住宅面积23.9亿平方米，比“八五”同期增长9.2亿平方米。①

《91条例》对于我国1990年代旧城改造的加速，推进城市环境和住房条件的改善、城市综合功能的提高以及规范房屋拆迁行为等方面发挥了积极的作用。但由于《91条例》主要是计划经济体制背景下制定的产物，在实际运行中越来越不适应市场经济的要求。1998年的城市住房制度的改革使得房屋所有制结构发生了很大变化，城镇房屋以公有为主逐渐转化为非公有为主，拆迁补偿、

---

① 草家：《与拆迁有关的数据》，《城市开发》2001年第11期，第16页。

安置中市场因素日益占据重要的位置，“作价补偿”金额按照所拆房屋建筑面积的重置价格结合成新结算已不能反映房地产的真实价值。在拆迁实践中，引发了诸多社会问题，如拆迁补偿纠纷不断，上访日益增多，忽视了相关一部分主体的合法权益。又如“结算成新的残值价”补偿（拆除“越老”的房屋补偿价越低）的指导思想下，一些历史建筑成了开发商追捧的对象，客观上导致历史建筑的大面积消失。

在上述背景因素下，同时，也为与1990年代后期新出台的一系列法律法规相衔接，2001年6月20日国务院发布了新修订的《城市房屋拆迁管理条例》（以下简称《01条例》）。《01条例》与《91条例》相比，最主要的出发点是根据市场经济的原则，将拆迁补偿的标准由原“作价补偿”转变为“货币补偿”，即根据被拆迁房屋的区位、用途、建筑面积等因素，以房地产市场评估价格确定货币补偿金额。

与1990年代相比，21世纪以来，我国的内、外部环境也发生了相应的变化。经济全球化与区域城市化使得国家与区域之间的竞争日益加强，并以前所未有的速度、深度与广度影响我国区域经济、社会和空间景观。面对新的形势，各城市纷纷“做大、做强”，城市建设速度之争也全面拉开了序幕。在“新世纪、新广州、新全运”，“新北京、新奥运”以及“申办世博会、建设新上海”等不断提示的“新”标语下，大多数城市大规模的“废旧立新”，代之以耀眼的酒店、现代商办中心以及崭新的住房，使得成千上万的民众从城区被安置到郊外。① 城市再开发重点倾向于酒店、办公、商业、娱乐和高级住宅，导致住房价格直线攀升，由此导致社会分化加剧。大规模、抢速度的房屋拆迁不仅使原有城市结构和社区结构遭到破坏，部分城市为加快房屋拆迁进程，动辄停水、停电，甚至借助黑社会势力进行野蛮暴力拆迁，极大地侵害了

① 张松：《城市之变——北京、上海、广州三城阅读杂记》，《时代建筑》2002年第3期，第40页。

公民的人身与财产权利，也使得城市拆迁的矛盾越来越激化。老百姓对更新改造由原来的在计划经济体制下的歌颂与期盼演变成现由市场“作主”的困惑与忧虑。

面对拆迁中大量滋生的社会问题，并防止各类野蛮及暴力的发生，国务院以及各地方政府迅速作出回应，并客观上导致了一系列相关拆迁补救政策的“匆忙”出台，如《关于认真做好城镇房屋拆迁工作维护社会稳定的紧急通知》（2003 年）（以下简称《紧急通知》）、《城市房屋拆迁估价指导意见》（2003 年）、《城市房屋拆迁行政裁决工作规程》（2003 年）等等，在政策层面上要求各地严格控制城镇房屋拆迁规模，纠正城镇建设和房屋拆迁中存在的急功近利、盲目攀比的大拆大建行为，同时“严禁野蛮拆迁、违规拆迁，严禁采取停水、停电、停气、停暖、阻断交通等手段，强迫被拆迁居民搬迁”，“凡政府有关部门所属的拆迁公司，必须与政府部门全部脱钩，实行‘拆管分离’”，《紧急通知》甚至强调，“拆迁矛盾和纠纷比较集中的地区，除保证部分重点项目和民心项目外，一律停止拆迁”。

（五）土地的储备与经营

计划经济时代，土地出让长期采用无偿划拨或协议方式，导致了数额巨大的土地资源被闲置、大量资金收益的流失。1987 年开始推行土地使用制度改革后，在优化城市土地资产价值、促进城市土地集约利用、增加政府财政收入、强化城市在地方经济发展中的主导地位等方面发挥了积极作用。但是由于 1997 年以前土地出让大多还是采取协议供地的方式，公开招标、拍卖的比重还是很低，土地价格的形成机制不完善，导致与价值的背离。随着城市发展和市场的需求，许多国有企业、事业单位纷纷将无偿划拨取得的土地投放到市场上套现，更加使一级土地市场出现了混乱和失控。

土地是一切经济活动最为基本的载体，又是不可再生的资源，它的重要性和稀缺性，决定了城市政府必须对国有土地一级市场实行高度垄断。农村集体土地要出卖，也只能由政府统征。这样，政

府才能对城市的土地市场进行有效的控制。

根据《中华人民共和国土地法》的规定，城市市区的土地属于国家所有。国家所有土地的所有权由国务院代表国家行使。国家土地所有权的具体实现途径是通过各个城市的国有土地管理局对土地使用权的划拨和批租。理论上讲，城市国有土地管理局通过接受授权的方式代表国家对城市土地实施所有权，但是，这种方式在实践中使国家土地所有权异化为城市地方的土地所有制，城市政府基本能够自主决定城市的规划建设和投资。[①] 因此，土地制度的改革，使城市政府获得了合法的土地经营受益权和支配权，得以在税费之外获取城市基础设施的建设资金，使得城市建设的投资效用得到体现。

2002 年，广州对国有企业、事业单位的国有土地进行了规范和引导，要求国有土地转让要到有形土地市场进行公开操作，与一级土地市场的规范操作同时进行，取得了显著的成效。从表 8－1 中可以看出，2003 年上半年广州国有土地转让市场结构发生了明显的变化，公开挂牌出让的比重迅速上升，挂牌交易面积已经占了 60.9%[②]。

表 8－1　广州市 2002 年下半年与 2003 年上半年国有土地转让方式对比

		绝对量		比重(%)	
		面积(万平方米)	成交额(万元)	面积	成交额
2002 年下半年	协议	26463	3188	12.2	4.6
	法院裁定	132573	55989	61.3	81.3
	挂牌	57322	9700	26.5	14.1
	合计	216358	68877	100	100

① 朱秋霞：《中国土地财政制度改革研究》，立信会计出版社 2006 年版，第 18 页。

② 李京文等：《广州市城市经济与城市经营发展战略研究》，研究报告，2003 年。

续表

		绝对量		比重(%)	
		面积(万平方米)	成交额(万元)	面积	成交额
2003年上半年	协议	129407	49208	28.9	42.8
	法院裁定	45431	15933	10.1	13.8
	挂牌	272863	49933	60.9	43.4
	合计	447701	115074	100	100

资料来源：广州市房地产交易中心：《广州市有形土地市场运作情况的报告》。

随着土地市场化改革的深入，1996年深圳最早建立了土地储备制度与交易制度，随后广州、珠海、东莞等主要大城市也纷纷建立了土地储备制度，成立了土地储备中心。城市政府依照现行法律程序，运用市场机制，按照土地利用总体规划和城市规划，通过收回、收购、置换、征用等方式取得土地，将这些土地按城市规划或需求状况有计划地进行“七通一平”，整理、配套基础设施和实施前期开发，使“生地”变为“熟地”，并予以储备，在适当的时机推入市场，然后通过公开招标、拍卖、挂牌的方式在市场上形成价格并出让供应土地，回收开发成本和土地出让金。

从广州、深圳、珠海、东莞等城市的运作来看，土地储备+“招、拍、挂”制度进一步显化了土地资产价值，可以把基础设施建设带来的土地升值留在政府手中，再投入城市基础设施建设。广州1997—2004年，土地出让的收入均在土地征用、开发成本的3倍以上，实现了良好的经营效益（图8-6）。地方政府通过土地的经营来增加收益，除了土地税收、土地使用权出让外，往往还以土地融资、土地金融等方式获得收益来直接或间接增加财政支出能力的行为。于是，城市政府积极主导城市化和城市外延扩张，扩大城市土地利用面积，并以此带动相关产业如建筑业、房地产业的发展，从而增加了可支配的财政能力。

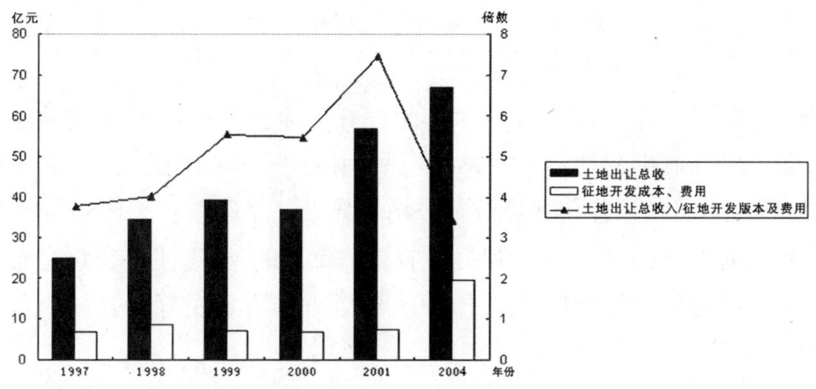

图 8-6　广州土地经营收益情况

数据来源：《广州统计年鉴》（1998—2005）。

根据广州地税部门的测算，2002—2006 年，房地产业对地方税收的贡献权重为 16.98%，高于金融保险业、批发零售、贸易、餐饮、运输、仓储等其他服务业。2005 年，广州房地产业每万元 GDP 地方税收产出量达到 2061.37 元，高于会展、物流、信息服务、文化娱乐等服务业，为第三产业中最高。建筑业每万元 GDP 地方税收产出量也比较高，达到 1990.69 元。城市政府普遍热衷于土地开发、基础设施投资和扩大地方建设规模，其中地方财政收入增长的动机是最主要的推力。

三、城镇住房制度改革

中国城镇住房制度改革从 1980 年代开始，经历了由国家计划的福利制向市场主导的商品化改革。在全民所有计划经济体制下，个人住房分配以身份为标准，户口、单位、职位级别都决定着住房的分配。在这种情况下，不仅住房资源不能有效配置，而且导致分配的严重不公。这正是启动住房制度改革的根本原因。

1980 年 4 月，邓小平提出城镇居民可以租房、买房、自己盖房，认为城镇住房可以商品化。同年 6 月，中共中央、国务院批转

《全国基本建设工作会议汇报提纲》，提出“准许私人建房、私人买房，准许私人拥有自己的住房”，正式推行城镇住房商品化的政策，全国城镇住房制度改革才由此拉开了序幕。1998 年之前重在改革，即新制度的抉择；1998 年至今则处于调控阶段，即“新制度的修补”，城镇住房制度改革经历了以下三个阶段：①1980 年代城镇国有住房的试点出售和提租补贴；②1990 年代住房实物分配向货币化分配的过渡阶段；③1998 年后市场力量主导下住房制度的完善阶段。(图 8 –7)

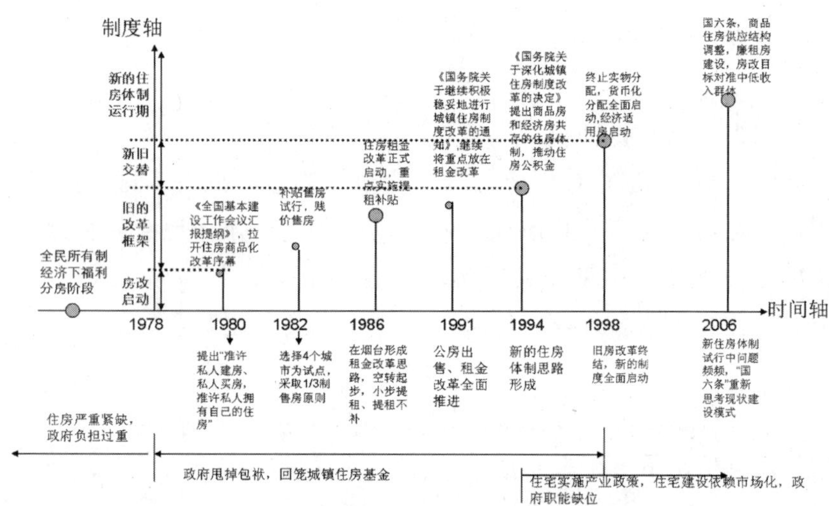

图 8 –7 中国城镇住房制度变迁过程示意图

广东省人大十分重视房地产商品化的发展，1993 年以来先后颁布实施了《广东省房地产开发经营条例》、《广东省城镇房地产转让条例》、《广东省城镇房地产租赁条例》、《广东省房地产评估条例》、《广东省城镇房地产权登记条例》、《广东省商品房预售管理条例》和《广东省物业管理条例》等七部地方性法规，各地也相继配套颁发了一批法规、规章，形成房地产业的法律、法规与政府规章的管理体系，对培育和规范房地产市场，促进房地产市场健

康协调发展起到重要作用。

（一）“综合开发，配套建设”，1980 年代

1978 年，广东省城镇居民人均住房面积仅 5.47 平方米/人，居住条件相当困难。1985 年，我国在近 70 万人群中展开了建国以来规模最大的城镇房屋抽样普查。广州市区人均住房面积才 3.7 平方米，一个 12 口人的家庭住房面积不到 27 平方米，没有厨房与合用厨房的占 37%，没有厕所与合用厕所的占 77%。在炎热的广州，这种四代同堂的拥挤显然不可想象。

十年“文革”结束后，经济建设逐渐成为国家工作的中心，人民渴望生活条件的改善，而长期以来住房建设的欠账靠城市政府有限的财力也很难解决。当时虽然是福利分房，但只有经济条件较好的单位才有能力建设住宅，住房供应处于公平但却匮乏的状况。另外，各单位虽然可以拿自有用地建设住宅，但要申请到新的住宅土地却比较困难。难以获得土地的原因是由于 1949 年以后城市建设近 30 年的“挖潜改造”，城市基础设施建设欠账严重。按照当时各个单位的财力，能够建房子就不错了，根本没有能力同时进行基础设施建设等土地开发，所以单位自建房的供应量也很少。

为解决住房困难，1980 年代提出了“综合开发、配套建设”的思路，即将原来分散的单位建房逐渐变为由专门的国有房地产开发公司集中建设，由于资源集约，有可能推动城市基础设施的“综合开发”，和配套公共设施的“配套建设”。由市政府统一规划，国营开发公司集中开发，各个单位购买后再分配给职工。这个时期以国有房地产开发公司为主体的房地产业的发展主要集中在广州、汕头、佛山、深圳与珠海等大城市或特区城市。广州的五羊新城、花地湾、六运小区等基本上就是这样建设起来的。

1980 年代的城镇住房制度改革，主要是围绕提高租金和出售公房。同期在学术上开始探讨权属体制和分配体制改革，基本确立了以自有住房为基础，自有、集体所有和公有相结合的货币化体制的政策方向，并准备逐步放活市场，转变投资供给模式，由依赖国

家向国家、集体、个人三方合理分担投资过渡。

这一时期的“商品住房”主要以针对华侨和港澳市场的外销房为主，而且是以引进外资的方式启动的。1979年，广州市东山区在对外开放的新形势下率先引进外资兴建新型住宅区，以住宅建设指挥部（即东华事业股份有限公司前身）名义同香港宝江发展有限公司合作开发广州市第一宗引进外资建成的住宅楼宇“东湖新村”，并于1982年底基本建成。东湖新村住宅小区建筑面积6万平方米，根据协议，港商投资人民币1080万元，广州提供3.1万平方米的土地并拆迁和三通一平，实行商品化经营；建成后港商得房2万平方米，由港商在香港销售，剩余面积归建房指挥部，其中2万平方米作为商品房进行销售，2万平方米交归政府作居民拆迁安置房，用实物地租的方式开启了商品住房市场化的第一步。随后“花园新村”作为东湖新村的续建项目于1984年动工建设。东湖新村也成为广州现代房地产业的起始点。随后广州利用外资续建了湖滨苑、挹翠花园、晓港新村、员村乐园、白云花苑、番禺华侨新村等，同时合作的港商公司扩至4家，投资额达3.5亿美元，面积近43万平方米。

1982年，深圳蛇口工业区为了吸引外国专家、港澳商人，提出了“时间就是金钱，效率就是生命，顾客就是皇帝”的口号，冲破了“姓资”还是“姓社”的争论禁区，在海滨兴建了新中国成立后第一个市场化的“碧涛苑别墅区”。

1980年代中期，在城镇住房改革尚未启动、公有住房仍为主体的情况下，广东省的商品房已有了超前的发展。以广州为例，1986年，商品房开发企业有60个，竣工商品住宅面积为69.14万平方米，占该年住宅建设总量的12.37%。1990年，广州房地产开发公司增加到109个，竣工面积为160.19万平方米，已经占该年竣工总量的1/3。

广东省当时提出的城市建设指导思想是“以规划为龙头，以开发为手段，以土地有偿使用为前提，以基础设施配套为目的，努力实现以城建城、以地养城、发展经济的总目标”。在房地产开发

建设中推行土地有偿使用制度，推进土地使用制度的改革。1986年，省政府颁布了《广东省城镇综合开发公司管理条例》，标志广东房地产业正式启动。

1987年12月1日，深圳特区房地产公司在深圳举行的中国第一场土地拍卖中，代表公司以525万元人民币竞得东晓花园的地皮，这就是被后人称为“中国土地第一拍”。此举不仅盘活了特区的土地，还换回了当年特区建设最为急需的资金。此前，中国宪法规定，土地是禁止出租的。随后中国宪法作出重大修改，将原来“禁止出租土地”的条款删去，并规定“土地使用权可依照法律规定转让”。自此，国有土地使用权有偿使用制度确立，房地产的市场化改革终于开始起步。

城镇住房体制改革带来了两类住宅的大开发：一种是城镇私有住房的明显增加，另一种便是商品住房的大发展。到1988年底，广东全省房地产开发企业达到248家（不含海南岛），施工的商品房面积近1500万平方米。

（二）住房商品化探索阶段，1990年代

1990年，国务院发布《城镇国有土地使用权出让和转让暂行条例》，对国有土地使用权的出让、转让、出租、抵押做了系统规定。根据规定，居住用地年限为70年；工业用地和教育、科技、文化、卫生、体育用地年限为50年；商业、旅游、娱乐用地年限最短，为40年。当事人可在合同中约定不超过法定期限的年期，土地使用权期满后，使用权人应当按例归还土地。土地使用权转让的原则还包括，国有土地使用权可在不同使用者间依法转让，但政府与土地使用者间的出让法律关系不变。若土地使用权价格明显低于市场价格，市、县人民政府有优先购买权。

1990年代初期的广东省是中国改革开放的试验省份。优惠的政策吸引了海内外的大批热钱，结果非理性投资引发的房地产泡沫严重破坏了宏观经济的良性运行。广州、惠州、珠海、海南、湛江等当时都是严重的受灾区，而海南首当其冲。以广州为例，1991—

1993年是房地产投资最为集中的年份，出现了“全民搞房地产”的热态，开发量远远大于竣工量。房地产开发企业不断地增加，1993年猛增到3359家，当年房地产开发总投资额达316.53亿元。

另外，大量“小产权房”以“集资建房”名义在广州近郊农村出现。集体土地上的“房地产开发”，不通过规划管理，镇级政府就可以办理报建手续。这些住宅主要在城区周边，比如白云、海珠、天河等区。由于缺少监管，建筑质量低劣，基础设施缺乏、公共设施能不配就不配，根本无法使用，虽然这部分房子因为价格较低吸引了不少人购买，但是业主与开发者之间纠纷严重。“集资建房”严重冲击了国家土地政策和城市规划，使得在城乡结合处的规划完全失控，成为早期广东房地产开发的重大教训。

1990年代初，住房的商品化改革也开始有了实质性推进。与此同时，考虑到居民购买力的差异，城镇居民住房保障制度的建设也在同步推进，1995年“安居工程”正式启动；1998年北京推出经济适用房，市场化为主导的城镇住房分类供应制度框架基本成型，广东也积极推进配套改革。1993年深圳市设立住房局，其职能定位在提供成本价安居房和微利性安居房（政策性住房），通过出售1979—1988年间的福利性住房建立政府住房资金，用于这两种政策性住房的简单再生产。

但是1997年的亚洲金融危机却改变了近20年的制度改革积累。为摆脱金融危机对出口加工造成的重大负面影响，国家确立了“扩大内需、拉动经济”的积极的财政政策。1998—1999年底全国全面推开住房制度改革，全省共向职工出售公房约1.25亿平方米，168万多套。在大规模出售公房，城镇住房的商品化、社会化得以全面推进的同时，“经济适用房”也成为“只售不租”的另类“商品房”。虽然深圳市住房局截止2003年已经建成了14个安居房住宅区，共建设38000套单元式住房，近5000套周转公寓，建设的总面积到340万平方米，但是在“将房地产业发展为支柱产业”的背景下，机构仍然不得不撤销。

（三）住房商品化提速，2000 年至今

从 2000 年 1 月 1 日起，国家彻底截断了住房的实物分配制度，对公务人员全面实行住房货币分配新制度，实行按月按标准给职工发放住房货币补贴，由职工到市场购买商品住宅解决住房问题。鉴于城镇住房供应的绝对短缺和资金短缺，建立了住房公积金制度；为激活居民的有效购买需求，开放了银行个人购房贷款业务，并启动已购公房的出售和转租二级市场。住房制度的改革，特别是住房货币分配制度的建立，对广东房地产业发展的影响深远，对转变市民的住房消费观念，引导市民消费结构的调整，构建住房保障体系，加快提高与改善城镇居民的居住水平，起到明显的作用。

2001 年，商品住宅竣工量的比例首次突破 50%，达到 51.46%；2003—2005 年，是广东省也是全国房地产业发展的黄金时段，住房政策重点落在了对房地产健康运行的调控上，住房改革对政府、单位、集体、私人建房的彻底切断赋予房地产业迅速发展的现实基础，"大城市大发展"的政策催动的快速城市化和规模化为其提供了迅速发展的需求保障，为城市地租理论的引入提供了房地产业快速发展的制度激励，房地产业遵循市场的运行规律得到前所未有的发展，2003 年，商品住房竣工量占到住房供应量的 68%，2004 年这一比重超过 3/4，为 76.18%，2005 年该数值为 73.58%。

新的城镇住房制度凸现房地产市场的效率，住房建设加速，供应绝对短缺得以解决，城镇居民平均居住条件大大改善。1949—1978 年，广州市 30 年住宅建设总量仅 936.12 万平方米；1979—1998 年，20 年广州市住宅建设总量 8488.57 万平方米；1999—2006 年，仅仅八年广州市住宅建设总量 8407.51 万平方米，其中，2005 年，广州市一年的住宅建设总量就达到 925.35 万平方米，相当于 1949—1978 年 30 年的住宅建设总量。

从 2000 年到 2007 年 10 月，我省竣工商品住房 23197 万平方米，销售商品住房 23579 万平方米，约 250 万套，较好地满足了群众住房需求，极大改善了广大群众的居住水平。从 2000 年到 2006

年，全省城镇人均住房建筑面积从19.51m²/人上升到27.75m²/人，88%的城镇家庭拥有自有住房，18%的城市家庭拥有2套以上住房。

表8-2　1978—2006年广东省城镇居民人均居住面积表

年　度	1978	1980	1985	1990	1995	2000	2006
人均居住面积（平方米/人）	5.47	6.43	8.55	12.13	16.24	19.51	27.75

但市场机制的缺陷也逐渐暴露：一是过分强调了市场化，政府应当承担的"住房保障"功能弱化，"经济适用房"则沦为旧城改建的"拆迁工具"。二是对于住房消费缺乏财税政策引导，超前消费造成房子越盖越大、投机性消费导致房地产市场价格过高，结果是大量新增城市中低收入民众没有能力进入市场。

房改对广州许多有了一定实力的民营房地产开发公司来说是一个机遇。因为当时国家经济房适用政策动摇，国营房地产企业失去优势。但房改房的需求量很大，而国营房地产开发企业的能力有限，所以民营企业得到了介入房改房开发的机会。一方面不少民营房地产开发公司借机获得了比较雄厚的经济实力，再利用当时政府推动国营企业改制和工业退出中心城区之机，拿下了不少旧工厂用地；另一方面，又利用广州行政区划调整的机会，从即将裁并的两个县级市拿到大量土地。结果开发商控制的土地资源在一段时间里甚至超过了市政府的土地储备，形成了目前"寡头"控制房地产市场价格的格局。

2005年国家从和谐社会建设的角度开始对房地产市场进行频繁的干预和管治，城镇住房制度的建设进入了以调控为主的新制度修补阶段。而2006年以"国六条"为标志的"住房新政"则引发了中国城镇住房建设制度的全社会大讨论，是推动制度建设的重大机会，对中国城镇住房制度建设的历史进程和未来导向具有重要意义。

四、城市改革获得成功

1980 年代末，广州、湛江、韶关等“老牌”城市相比珠江三角洲一些新兴城镇，显得有些失落和迷惘。尤其是广州作为珠江三角洲的老大哥，比起佛山、顺德、中山、东莞以及深圳、珠海，在用活政策、运行机制、办事效率上，都存在着明显的差距。1991 年，新上任的广州市长黎子流就率团走出省城，向珠江三角洲的小兄弟们虚心请教、学习，说明了当时城市发展的滞后和改革的迫切性。

1994 年的分税制改革重新界定了城市政府的财政边界，城市经济体制改革转入了新的阶段，改革的积累效应才开始显现。随后改革的重点放在产权制度上，城市政府在企业产权上普遍采取了“不求所有，但求所在”的态度，将城市经济的重心放在税收上，积极加入世界经济分工，通过开放政策在经济全球化中获得新的角色分工，通过改革政策推动市场经济体制的重建以提高资源配置效率，社会经济发展获得了巨大成就，极大地改善了人民生活。2008 年是中国经济体制改革 30 年，城市经济体制改革已经由制度创新获得了决定性的成功。

（一）分税制催生城市经营

城市经营基于城市资源的资产化，通过经营城市这个巨大的国有资产，实现城市资源的有效配置及其效益的最大化、最优化。把现代市场经济的经营理念、经营机制和经营方式运用到城市的规划、建设投资、营运管理的全过程，“以城聚财、以财兴城”，被证明是加快城市化进程、推进地区发展的战略性措施。

①城市土地经营：1987 年开始的“土地有偿使用制度”，使得城市土地的价值逐步显现出来，土地使用权转让成为我国城市重要的收入来源。“以土地换资金，以空间换发展”，是绝大多数城市在城市快速发展中积累建设资金，推动基础设施建设的基本模式。

许多城市政府开始懂得用城市规划工具培育城市土地价值，大量城市新区应运而生，城市规模随着城市化的推进而扩张，城市土地的经营使城市基础设施得以改善，本质上是城市政府获得了提供市政服务与收益之间的正反馈和财政的平衡点。

②城市全要素经营：全面经营城市建设发展过程中形成的各类有形资产和无形资产。有形资产包括城市土地、城市基础设施、市政公用设施、旅游基础设施及其附属物等；无形资产包括开发权、使用权、经营权、冠名权、广告权以及城市品牌、人文资源等相关权益。

③城市核心竞争力：有充分的证据表明，绝大多数城市在土地出让中更倾向于控制房地产开发用地供应，尽量增加工商业用地供应，用零地价甚至负地价吸引工商业企业入驻，因为持续的工商业税收是城市政府的更为重要的财政保障，因此许多城市政府将经营性土地经营的收益更多地转移到工业技术产业区的开发上去。在后发地区，开发商与政府的关系往往表现为“你发财，我发展”。构建城市建设投资主体多元化、融资方式多样化、运作方式市场化的体制。由单一建设城市向经营城市转变，由城市规划建设管理各部门分割、封闭运行向集中统一、社会参与转变，城市基础设施建设和公用事业发展由政府单一投资向多元化投资转变。城市要发展，要有核心竞争力，要有可持续的经济发展动力。

四川省曾经草拟了《四川省城市经营条例》，想把城市经营中可能存在的潜规则写到条例中去，把它变成显规则，以规范行政行为，避免政治风险。但是功败垂成于近年来关于“城市政府就应该提供服务，不应该与民争利搞城市经营”的高调。

城市化、人口增长要求城市政府提供更多服务，只有增加财政收益才能扩张行政能力。另一方面，城市间的竞争日益剧烈，使得城市政府必须通过经营城市资源，改善城市环境、塑造城市形象、改善社会和生态基础设施、改进服务以增强城市核心竞争力、吸引投资，吸引和服务好投资者成为现阶段城市政府工作的重心。你追我赶地发展城市经济，提供公共服务，国家的发展也就被推动了。

城市建设在“全民所有计划经济”的一元化时代只是政府的事情。经过30年的经济体制改革，城市建设领域已经从纯粹的政府事务变成由政府和市场同时来做的事情，而且在很多方面市场力量已经成为城市建设的主力军。转型期最大特点就是充满不确定性，新的体制尚未确立，制度创新却层出不穷。中国经济体制改革30年来一直遵循：观念突破，先行实践，进而在制度建设层面取得进展的改革路径。

其实，大多数全球城市都在主动使用城市经营（CITY MARKETING）这个概念，美国许多城市甚至一直设有“城市经理”一职。深圳水务系统改革为打破国有企业垄断，在自来水供应中就引进了外国公司来经营。

中国城市改革的成功是在“不争论”、“发展才是硬道理”、“有些事只能说不能做，有些事只能做不能说”等等“思想解放”的典型中国智慧中做成的，历史证明，经济体制改革30年来许多制度创新也只能在这样的氛围中产生出来。事实上，目前也还需要进一步解放思想。

1. 基础设施投资体制改革。

城市的基础设施资源包括非经营性资源和准经营性资源两大类，其中，准经营性基础设施是指那些既存在部分公益性、非营利性服务，又有以营利性为根本目的服务。政府经营城市基础设施就是区分其经营性和非经营性部分，对于可经营的项目进行市场化运作。主要是推动投资和融资体制的改革，建立各种市场化的融资体系。也就是开放城市基础设施建设和经营的市场，通过转让经营权、收益权和股权，大力吸引民间资本投资城市基础设施，允许全社会大集团、大企业、上市公司进入市政、公用基础设施的投资领域。通过激活民营企业、激励民间资金投资于经营性的城市基础设施的建设，弥补政府投资资金的不足，为集中政府财力建设公益性项目及政府推出经营性项目建设创造条件，走一条“以城建城、以城兴城”的城建市场化道路，使城市建设资金逐步进入投资—回收—再投资—滚动发展的良性循环中。

经济体制改革后，我国各地城市进行了多种形式的基础设施经营的探索，形成了资本市场融资、特许经营、BOT、TOT、TOD、租赁等经营模式。最为典型的是道路建设，从20世纪80年代开始，广东率先采用了“贷款修路、收费还贷”等建设投资模式，吸引外资，为解决行路难问题走出了一条新路。这一做法随后在全国普遍推行，发挥了巨大的作用。到2005年底，我国公路总里程突破193万公里，高速公路达到4.3万公里，跃居世界第二位，一级公路和二级公路也保持了年均29%和14%的增长率。作为一个发展中国家，公路交通只用不到20年的时间，就走过了发达国家一般需要40年才能完成的发展历程。目前，96%的高速公路、70%的一级公路、46%的二级公路都是依靠收费公路政策建设起来的。

近年来，各大城市在基础设施建设上，积极探索城市基础设施的经营。“十五”期间深圳在城市基础设施、高新技术产业带建设、环境保护、卫生、文化、教育等领域部署了一批重大建设项目，由于项目耗资巨大，单靠政府动用公共财政投资独臂难支，难以为继。改革投融资体制成为了解决政府投资不足，提高财政资金的使用效率的重要途径。

深圳建立以专业投资公司为主的政府投资“出资人”制度，确立市场化运作的投资主体，使政府资金的投入、建设、项目营运直至回收形成统一的资产营运过程，并按照现代企业制度的要求管理，以确保政府投资利益和投资成本约束机制的建立。市政府将一些较大的基金如国土基金按公司化运作的方式，改造成为市属的基本建设投资基金管理公司，作为政府出资人的代表，集中安排，规范运作，参与公共工程和基础性项目的投资。

基本建设投资基金管理公司的资金来源有三个方面：一是专项基金收入；二是财政专项拨款；三是部分规费收入。通过上述途径，使原来列入预算外资金的基金、规费（非规费）收入等合理地进入市场渠道，从而摆脱预算外资金管理不规范的阴影，使这部分财政资金的使用效率得以提高。在此基础上，深圳组建了公共工

程和基础性项目公司，具体负责市重点项目的运作，市属的基本建设投资基金管理公司作为政府的投资方参股或控股该项目公司，同时，吸收民间资本参与投资。

基础设施建设直接受惠地区，政府可在建设落实初期有计划地、有针对地储备土地，在建设完成后逐步推向市场，可以较快地为基础设施建设回收资金。土地成为了产业发展和城市建设积累资金的重要来源。城市基础设施建设的巨额投入可以通过地租或地价收回，收回的资金再用于城市土地的开发和城市建设，加快了城市的拓展和城市化的发展。

2004 年 1 月，深圳市政府与香港地铁公司就地铁 4 号线特许经营权、运营协议、土地安排协议、一期设施租赁等问题签署了原则性协议。根据协议，香港地铁公司在深圳成立项目公司，以 BOT 方式投资建设 4 号线二期工程。同时深圳市政府将 4 号线一期工程在二期工程通车前（2007 年）租赁给港铁深圳公司，4 号线二期通车之日始，4 号线全线将由香港地铁公司成立的项目公司统一运营，该公司拥有 30 年的特许经营权。此外，香港地铁还获得 4 号线沿线 290 万平方米建筑面积的物业开发权。在整个建设和经营期内，项目公司由香港地铁公司绝对控股，项目公司自主经营、自负盈亏，运营期满，全部资产无偿移交深圳市政府。深圳市政府与香港地铁公司在地铁 4 号线的合作是城市经营的结果，既是我国国内同类第一个采用真正意义的 BOT 方式建设的地铁项目，也是首个采用授予特许经营权方式经营的轨道交通项目。

90 年代以后，一些大城市在城市建设与管理中不断探索和创新，除了基础设施之外，园林绿化、环境卫生、市政工程的建设和管理、自来水、公共交通等城市的市政公用设施和公共产品也是经营城市的对象。如深圳的公园建设向社会资金开放，不再全由政府大包大揽，污水处理厂也全面推向市场，政府建立完善特许经营制度，鼓励和引导各种社会资金投资建设污水处理厂，并通过招标等公开方式确定投资者。

2．大城市获得巨大发展动力。

分税制将营业税留给地方，这为大城市的财政收入留下了巨大的增长空间，有利于具有产业结构优势的大城市，从而引导大城市的产业的高级化发展。现阶段的城市竞争客观上强化了区域的非均衡发展，市场的选择促使各种资源、条件、机遇向大城市集中，结果为大城市、中心城市发挥优势、进一步做大做强创造了更好的条件。各大城市凭借各自的实力优势，以城市化和城市经营来提高财政能力，财力的提高又使城市政府在城市发展上有更多的主导能力和作为，城市政府在城市化与财政收入上形成了“多劳多得、多得多做”的反馈和互动，巩固和扩大了大城市的竞争优势。分税制进一步扩大了城市之间财力的差距，也推动了广东省内城市的极化发展，促进了中心城市、大城市的进一步发展。

广州第三产业万元GDP的地方税收产出量为1008.7元/万元，约为“二产”的两倍，金融、旅游、房地产、外贸、信息、餐饮等“三产”都成为了高地税的产业。因此，分税制也在一定程度上刺激了地方大力发展服务业的积极性，引导城市将营业税培育成为地方税收的主干财源。

在服务业的发展方面，大城市往往具有明显的发展优势。近年来，广州通过实施市区产业“退二进三”，着力打造商贸、物流、金融、旅游等服务业的区域性中心，提高服务业的发展水平；深圳则在金融、物流、信息、旅游等现代服务业的领域加快发展，推动城市产业结构的高级化和合理化。服务业的发展为大城市促进了城市产业结构的高级化发展，同时扩大了与其他城市之间财力的差距，因此，通过分税制对产业结构的引导，也进一步推动了大城市和中心城市在产业结构上的优化。

佛山在经济体制改革初期实行相对分权的包干制的阶段，乡镇企业迅猛发展，但城市的财政集中程度低，城市发展的整合程度较低，造成了分散式、低水平的城市发展状态。2002年行政区划调整后，佛山市地方财政一般预算内收入从2001年的19.36亿元陡增数倍至85亿元，地方财政预算内支出同样增加数倍，从2001年的23.32亿元增加到104.19亿元，市一级财政自上而下、集中式

的投资力度明显加大，这对于提升城市化的水平和质量将会产生积极的影响。

深圳市政府为了应对激烈的竞争，保持城市的竞争力，更加注重财力的集中，确保市级政府的财力，深圳对于福田保税区、大亚湾核电站、盐田港、深圳机场等全市性大项目在税收上实行单列，集中财力办大事①。这种财政集权的体制，使城市政府具备了更为强大的财力，加强了基本建设力度，自上而下地推动了集中式、高水平的城市发展与建设。

（二）再塑地方政府行为模式

经济体制改革初期，我国财政沿用了1949年以来的税收划分方法，各级政府是按照企业隶属关系组织税收收入，按照属地征收的原则划分流转税，把工商企业税收与地方政府的财政收入紧紧地结合在一起。这种体制在很大程度上刺激了地方政府发展地方企业（国有企业和集体企业）的积极性，导致了地方政府热衷于多办“自己的企业”，城市政府经济工作的重点往往是扶持属下国有企业的发展。

城市化、人口增长要求城市政府提供更多服务，在政府逐步退出经营性领域后，利用有限的“公共财政”为社会提供公共物品和服务成为其主要职责，只有增加财政收益才能扩张行政能力，因此财政能力也决定着行政能力。分税制改革使地方可以在完成上缴后获得相当份额的财政剩余，进一步激发了地区间，特别是城市间在发展经济和城市建设上的激烈竞争。

各类企业发展的市场条件得以更加公平。税制改革后企业税收的划分不再考虑企业隶属关系——无论是国营、集体、私营企业，或者是国家、省、市、县属企业，都要按照共享的原则进行分享税收，这才让政府从自办企业的冲动中“淡出”。

---

① 文红星：《财政体制创新研究——对深圳地方财政体制创新改革的分析》，《集团经济研究》2007年第9期。

2002年开始中央进一步实行所得税分享改革，将原来属于地方税收的企业所得税和个人所得税变为共享收入（中央占60%、地方占40%），这使得地方政府能够从自己发展企业中获得的税收收入进一步减少。当然，这并非是说城市政府不再热衷于简单地招商引资、发展企业，与分税制改革之前的情况不同之处在于，地方政府发展企业不再主要是为了直接从企业税收和利润中得益，而是开始从随着工业化展开的城市化中获得收益。各级城市政府纷纷将经济工作的重点放在税基培养上，而不管经济的增量究竟"姓资姓社"。

税制改革重新塑造了地方政府的行为模式。国企改革也终于凝聚到产权制度上，通过"抓大放小"把绝大部分国有企业民营化和股份化，采取各种有效措施鼓励扶持民营经济发展，结果大幅度提高了经济效益。经济发展了，税收就可以增加，可以做更多的市政工程、做更多公共事业，加快了城市的发展步伐。

（三）土地经营推动城市拓展

1989年5月，国务院规定国有土地使用权出让的收入中，40%上交中央财政，60%留归地方财政，1992年9月，中央对土地出让金的分成比例缩小为5%。到1993年底实行分税制改革时，税收外的土地收益又被非正式地界定给了地方政府，土地出让金全部划归地方政府，作为地方财政的固定收入主要用于城市建设和土地开发。

随着城市要素市场的建立，土地收益等日益成为政府重要收入来源。在目前国家的税收、财政体制下，土地出让收益是城市政府的第二财政来源，"土地财政"已经占据了地方财政的支柱地位。土地的有关收益成为了地方政府的"第二财政"，使城市财政形成了一种"二元财政"的格局。因此，现阶段中国城市规模的扩张既是经济发展、人口增长的结果，也是经济发展的手段。

1987年开始的"土地有偿使用制度"，使得城市土地的价值逐步显现出来，土地使用权转让成为我国城市重要的收入来源。"以

土地换资金，以空间换发展”，城市土地的经营是绝大多数城市在城市快速发展中积累建设资金，滚动推进基础设施建设和增量土地开发的基本模式。城市政府普遍用城市规划工具培育城市土地价值，大量市郊土地被划入开发区、城市发展区，大量城市新区孕育而生，大中城市规模的不断扩张说明城市政府获得了提供市政服务与收益之间的正反馈和财政的平衡点。（图8－8）

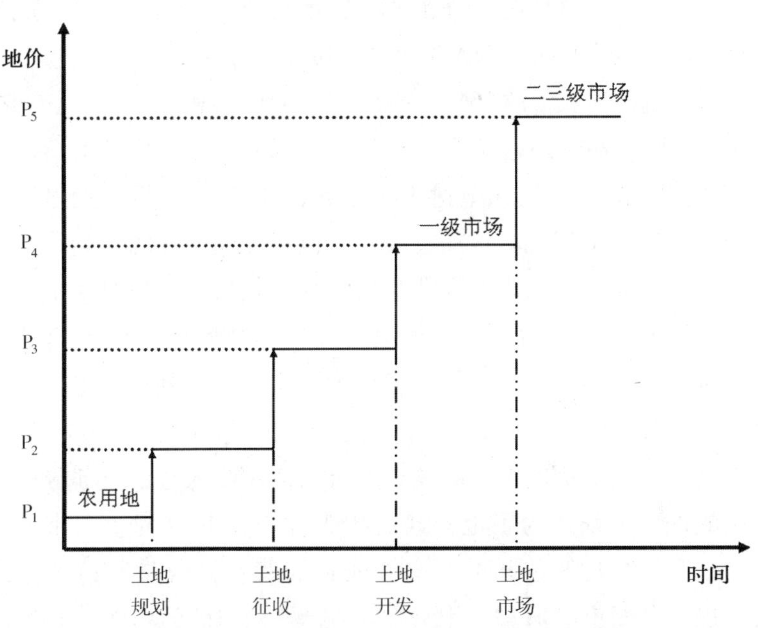

图8－8　农地非农化之后的增值过程

在分权化、市场化以及经济全球化的背景下，城市政府更多地从自身经济利益出发进行决策和行动，展开类似企业间的激烈竞争，城市规划则成为“政府企业化”（entrepreneurial city）的集中体现。对城市政府而言，其行政能力就是提供服务的能力，所以行政能力取决于财政能力。目前任何中国城市都是一个独立的经营体，这不是地方政府自己想要搞“城市经营”，而是国家财政的“分税制”决定了“分灶吃饭”，而且所得不多的地方政府不得不经营城市，否则“吃饭财政”无论如何也无法“扩大再生产”。

现在很多地区，土地出让金已经成为地方政府财政预算外收入的最主要来源。调查和测算发现，土地出让占地方财政预算外收入60%以上，个别市县达90%左右。从全国情况看，土地出让收入占财政收入的比重也非常高。2007年全国土地出让总价款为9130亿元以上，而全国的财政收入为3.2万亿元，从而土地出让收入占财政收入的比重为28.53%。[①]

即便是广州这样有经济实力的城市，其土地收益也是政府收入的主力。根据广州市财政局公布的相关资料，1999年广州市政府土地收益占了政府收入的36%，2001年、2002年和2003年，广州市本级土地出让金额分别达到了58.9亿元、53.8亿元和63.5亿元，2006年广州收取的土地出让金达143亿元，2007年广州土地出让金收入更是达到207亿元。这些收入尚不包括工业用地的出让款项。

城市政府以土地为对象获得的收益不仅仅是土地出让金，还包括与土地使用有关的税收。土地税收，即政府依据国家给予的权限，从土地所有者或土地使用者手中无偿地、强制地取得部分土地收益的一种税收。分税制实行之后，城镇土地使用税、房产税、耕地占用税、土地增值税、国有土地有偿使用收入等，大部分与土地有关的税收也都成为了地方政府扩大地方可独享的收入来源；此外，主要针对建筑业和第三产业征收的营业税也是留给地方的税收，也成了城市政府增加财政收入的另一个途径。1992年至1999年，广州土地收益总额为294.63亿元，其中房地产企业营业税和契税，约占总收益的43%。可见，除了出让金之外，在土地收益中，有关土地的税收也成了比例越来越高的重要组成部分。（图8-9）

由于土地开发的财政收入与企业上缴的税收不同，城市政府对其管理和使用相对自由得多，而且规模也往往大于企业税收。因此，城市政府为了扩大地方可独享的收入来源，积极地将其主要力

① 《地方政府“吃”地为生，数十年收益一朝耗尽》，《南方都市报》2008年3月15日。

量转移到以土地开发为主的城市化上面来，通过工业化、城市化的途径，大量征用集体土地和进行旧城改造拆迁，不断扩张城市规模，以地生财，从土地征收中为自己聚集财力。因此，土地成为连接财政和城市化的重要媒介，城市开发既能使政府获得了财政收入，又加速了城市化的发展。

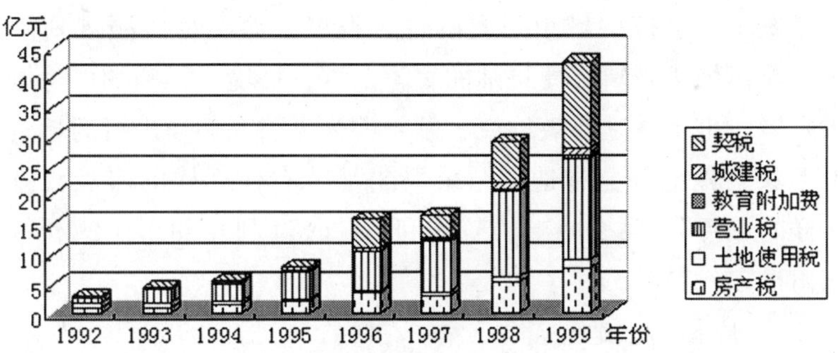

图 8－9　广州市土地税收构成

数据来源：《广州统计年鉴》(1993—2000)。

在中国目前的城市开发的制度中，城市政府因此也成了“运动员”——土地开发者和城市经营者。按照目前的格局，政府和开发商其实是利益共同体，因为政府赚的是第一笔钱——土地的钱，开发商赚的是第二笔钱——房产的钱。城市政府因此成为一个自有利益的开发集团。其实绝大多数城市在土地出让中更倾向于控制房地产开发用地供应，尽量增加工商业用地供应，用零价甚至负地价吸引工商业企业入驻，因为持续的工商业税收是城市政府的更为重要的财政保障，因此许多城市政府将经营性土地经营的收益更多地转移到工业园区的开发上去。由于城市间招商引资的竞争十分剧烈，各地政府在工业用地开发中基本无利可图，但是企业投产后的税收留成却非常可观。正是因为工业园区前期开发成本太大，又要低成本甚至可能是负成本招商，造成了地区工业产值和 GDP 不断提升而园区征用农地补偿价长期难以提升的情况。

问题在于，由于城市领导一般做五年，因此往往他们只考虑任

期内的GDP政绩考核如何。通过扩张税基以取得收益毕竟需要较长时间才能做到，土地经营收效最快。由于国家的土地政策日益严厉，因此通过规划调整对外扩大城市规模以争取更多可以出让的土地储备，另外就是不惜破坏历史文化街区向内强力推进“旧城的成片改造”，把城市中心区地价尽量取出。“一届政府一张规划”，城市新领导人急于修编城市总体规划基本是一个规律性的问题。结果是城市将会按照城市财政的逻辑发展，而不是按照规划师的长远、整体最优逻辑，建筑师的美学逻辑，环境工程师的可持续逻辑去发展。由于缺乏有效约束，领导人为吸引人们而进行的耗资巨大的形象工程也各显神通，结果只能是“有什么样的市长，就有什么样的城市”。那么城市的整体利益、长远利益和市民的利益又应该由谁来保障呢？

1. 广州的土地经营。

1990年代初期，由于广州自身发展阶段、发展战略和区划边界的限制，以及土地市场的不成熟，广州通过招标、拍卖出让的土地还较少，每年的土地出让金均不超过20亿元，从1998年开始，广州发展战略的调整，城市发展进入了快车道，土地拍卖的次数和地块数量明显增加，土地出让金也开始大幅增长。2000年以来，随着城市空间的进一步拓展，广州的土地出让金增长更快，2005年，广州市本级预算外收入约298.6亿元，其中土地出让金收入约83.8亿元，仅次于136.3亿元的社保基金；2006年广州土地出让金达到143亿元。土地的单位价格也迅速攀升，近年来，广州在土地拍卖中“地王”频出，最高地价记录屡被刷新。2006年12月20日来自香港的南丰集团取下该幅地块，并且以10037元/平方米的楼面地价创造了广州地价的新高纪录；2007年7月19日，珠江新城B1－3金融办公地块经过79轮跳跃式激烈竞价，港资企业泰华房地产（中国）有限公司以11912元/平方米的高价竞得，成为广州的“新地王”。

广州市政府在土地经营上取得的收益有力地支持了城市的发展，成为了城市建设的巨大“引擎”。1992年底，广州地铁公司正

式成立，广州市政府在针对土地出让收益资金管理发布的通知中明确，土地收益结余部分的30%用于地铁建设。2002年广州将土地出让金全额投入地铁建设，当年即安排了32.79亿元。仅2002年到2005年的4年间，广州市投入地铁建设的土地出让金收入近200亿元。2006年，广州市用于地铁建设的土地出让金达到40亿元，约占土地出让金总收入的57%。

广州市每年还拨付数十亿土地出让金用于城市的基础设施建设。1998年至2003年6年间，市级对城市基础设施的投入达920.48亿元，相当于1949年至1997年48年城市建设投入的2.68倍。重大工程投资也都有土地出让金的贡献：2003年，土地出让金拨付广州大学城建设资金3.76亿元；号称亚洲最大、全球第二的广州琶洲国际会展中心，也曾得到土地出让金的“资助”。

土地是城市发展的空间载体，与城市财政收入密切挂钩，为政府推进城市发展建设提供财政支持。（图8－10、图8－11）

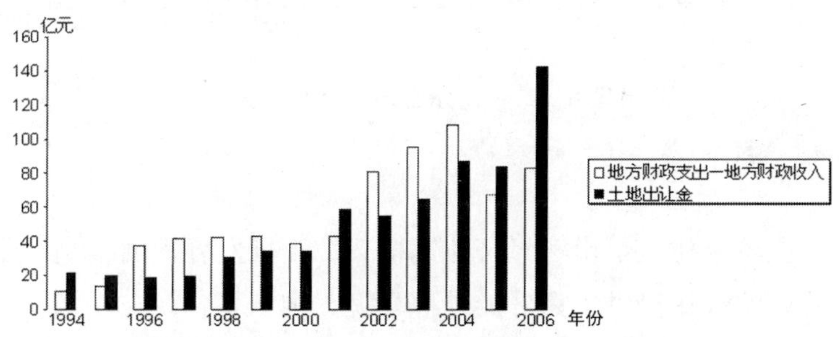

图8－10　广州地方财政平衡与土地出让金

数据来源：《广州统计年鉴》（1995—2007）。

2. 深圳：土地经营的先锋。

在土地经营方面，深圳一直走在全国的前面。1987年在全国率先进行了土地使用权市场化改革之后，1988年，为了加强对土地使用权出让的管理，深圳在全国最早设立了国土基金。国土基金由土地使用权出让金与土地开发基金组成，其中，土地开发基金又包括土地开发与市政配套设施金、土地使用费、土地增值费及土地上的其他收益等。国土基金由土地管理部门负责向土地使用者收集，主要用于土地开发和城市基础设施的建设。深圳国土基金采用了“取之于地，用之于地”的国土基金运营模式，建立了垂直统一的土地管理体制和“统一规划、统一征用、统一开发、统一出让、统一管理”的“五统一”制度，有力地保证了规划在土地利用和管理中的先导、统筹和主导作用和国土基金的运营。

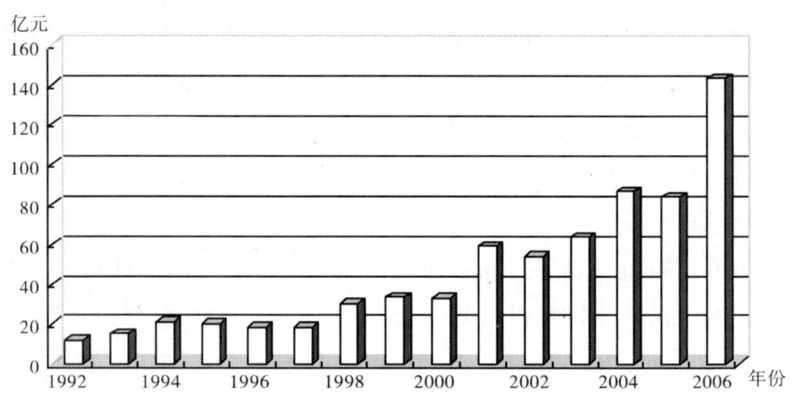

图 8－11　广州土地出让金情况

数据来源：《广州统计年鉴》（1993—2007）。

深圳较早建立了市场经济体制框架，市场发育程度较高，也为国土基金的运作提供了良好的外部环境，国土基金设立以来，运作取得了巨大成功。1988—2000 年 12 年间，深圳土地开发基金累计收入 400 余亿元。运用基金征收土地 28000 余公顷，在特区内开发工业、居住及综合片区域 19 个，开发面积约 4000 万平方米，修建城市主、次干道约 50 条和立交桥数十座，基本实现了政府城市建设资金的良性循环。近年来，深圳发展面临着土地资源紧缺的问题，特区内可供出让的土地已为数不多，土地出让金收入近年已大幅下降，但国土基金的总量仍然保持较高的水平。2001 年深圳国土基金收入为 109 亿元，2003 年达 113.70 亿元，2004 年达 128.46 亿元，土地收入已经是深圳市的第二大财源。

实际上，从土地市场化改革以来，深圳通过招标拍卖出让土地的比例还不足10%，根据深圳市房地产年鉴，1987年到1999年，深圳市利用拍卖和招标两个方式一共卖出了80多块地，出让面积基本上都在1万平方米左右，而每年协议出让面积是100多万平方米。1995年至1997年还一度终止了土地拍卖。因此，1999年之前，深圳90%的土地实行的属于非市场价格的协议出让。工业用地方面，根据国土资源部11号令的规定，工业用地可以不必以招标、拍卖、挂牌方式进行出让。一直以来，工业是深圳产业发展的核心和支柱，在土地出让中，工业用地出让约为60%。深圳在工业用地出让的过程中，一般是由政府根据产业布局和发展的规划要求，协议出让给企业的，这一部分的地价是比较低甚至是免费的。尤其是为了吸引一些大企业的高额投资，往往政府会以大面积廉价的工业用地作为吸引投资的条件，因为大企业会给当地GDP、利税、就业等带来好处。因此，经营性用地以较高的价格和利润不仅支持了城市的基础设施建设，还弥补了城市工业用地出让上所造成的土地收益的流失，支持了城市的产业发展。

2001年11月，深圳成立土地房产交易中心，深圳国有土地转让市场结构才发生了明显的变化，政府通过招标、拍卖方式出让的比例迅速上升，2002年共出让17幅经营性土地使用权，为国土基金增加近38亿元。2003年，深圳实现了经营性土地100%以招标、拍卖和挂牌方式出让。全年通过有形市场出让用地11宗，用地面积1.09平方公里，获得土地出让金30亿元左右；2004年拍卖23次，获得土地出让金40亿元左右，2005年这一势头有增无减，出让用地共12宗，成交土地面积60万平方米，收取地价30.6亿元。可见，土地经营的效益高，随着经营机制的进一步健全，即使深圳发展面临着土地资源的紧约束，深圳土地经营的潜力仍然还很大。

3. 珠海：汲取教训再行探索。

珠海曾经因为缺乏经营城市、经营土地的市场理念而经历了许多经验教训。珠海过早提出大规模城市拓展的设想，导致规划用地规模过大，土地的利用效率严重偏低，目前使用的土地也仅为远景规划中的1/7左右，西区土地利用率甚至更低。而大规模的基础设施建设的效能却没有得到充分的发挥，也没有带来积聚效应和工业化的回报。据统计，珠海机场启用至今，旅客吞吐量仅为设计能力的10.8%，货邮运量仅为设计能力的2.6%，预计吸引中山、江门两地旅客的目的更远未达到。

由于用于城市基础设施的投资不能通过地价或地租收回，城市建设资金不能良性循环，其结果是政府投资开发的土地越多，财政的负担越大，财政上的劣势使珠海在随后的城市竞争中失去了“本钱”。由于当时城市土地有偿使用制度改革的广度和深度都不足，没有控制好土地供应的市场出口，廉价地大量划拨土地，造成政府的财政收入大量流失，严重制约了城市的发展。

近年来，珠海在城市经营的道路上从头再起，以土地为核心的城市经营已经在珠海全面展开。珠海检讨了原来规划用地规模偏大的问题和西区在开发时序上的失误，政府掌握了市内1/3的空置土地。2003年，珠海成立土地储备发展中心，进行土地收购和储备，再以拍卖等方式出让。土地成交的价款由市政府财政直管，这将大大缓解珠海城市建设的资金压力，可以在更高层次上吸引更多的投资。

五、产业结构优化推动城市发展

（一）产业结构的演进

改革开放30年来，广东省的产业结构出现了显著变化，根据结构形态可以划分为如下四个阶段。（图8－12）

（1）1978—1984年：“二一三”形态。这一阶段农业在经济中的比重有所上升，农业的快速发展提高了农村居民的收入水平（增长率高于城镇居民），而以农村居民消费增长为“火车头”的内需增长促进了广东省第三产业的发展。农业和第三产业相比工业更快地发展，提高了二者在经济中的比重，换来的是工业比重的下降。

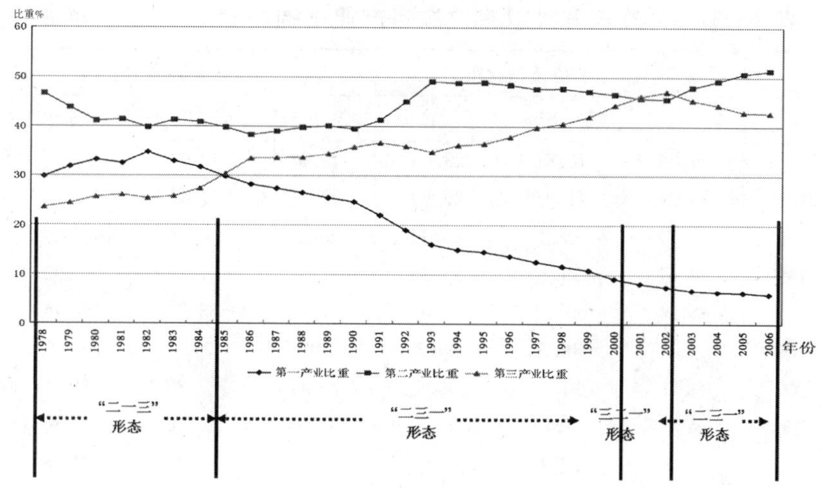

图 8－12　改革开放 30 年来广东省产业结构演变图

（2）1985—2000 年：“二三一”形态。此间，以城市经济体制改革为起点开启了广东工业化的进程，“一个存量改革（国有企业改革），两个增量发展（农村社区工业化和园区工业化）”促进了这一阶段广东工业的快速发展。

（3）2001—2002 年：“三二一”形态。①受到亚洲金融危机的影响，导致工业品出口和引进外资规模减少；②我国宏观调控的持续作用；③短缺经济现象消失。我国宏观经济从 1998 年进入了通缩期。广东第二产业的增长率从 1998 年开始加速放缓，反之，第三产业对经济增长的贡献率开始上升，出现了短暂的“三二一”形态。

（4）2003 年至今：“二三一”形态。消费结构升级带动了重化工业的发展，导致重工业增长速度远远高于轻工业，完全改变了上一世纪广东工业以轻工业为主的结构特征。

1978 年以来，三次产业的演进基本遵循配第・克拉克及钱纳里等人的观点：第一产业的比重持续下降，二三产业的比重之和逐年增加，在二产和三产之间转换，分为三个阶段：1978—1999 年，二产比重高于三产；2000—2002 年，三产比重高于二产；2003 年至今，二产就业比重高于三产。（表 8－3、图 8－13）

表8－3　改革开放以来广东省产业结构的变化　单位:%

年份	产业增加值结构比重			产业就业结构比重		
	第一产业	第二产业	第三产业	第一产业	第二产业	第三产业
1978	29.76	46.61	23.63	73.68	13.75	12.57
1980	33.24	41.07	25.69	70.68	17.10	12.22
1985	29.77	39.8	30.43	60.3	22.5	17.2
1990	24.67	39.5	35.83	52.97	27.21	19.82
1995	15.16	50.17	34.67	41.5	33.76	24.74
2000	9.2	46.5	44.3	40	27.9	32.1
2001	9.43	51.7	40.4	39.11	27.89	33.0
2002	8.78	50.43	40.79	38.05	29.10	32.86
2003	7.82	52.4	39.78	36.8	35.42	27.78
2004	6.5	49.2	44.3	34.7	36.9	28.4
2005	6.4	50.7	42.9	32.1	38.1	29.8
2006	6.0	51.3	42.7	30.4	38.8	30.8

资料来源：根据《广东统计年鉴》（2006）数据制表，中国统计出版社2007年版。

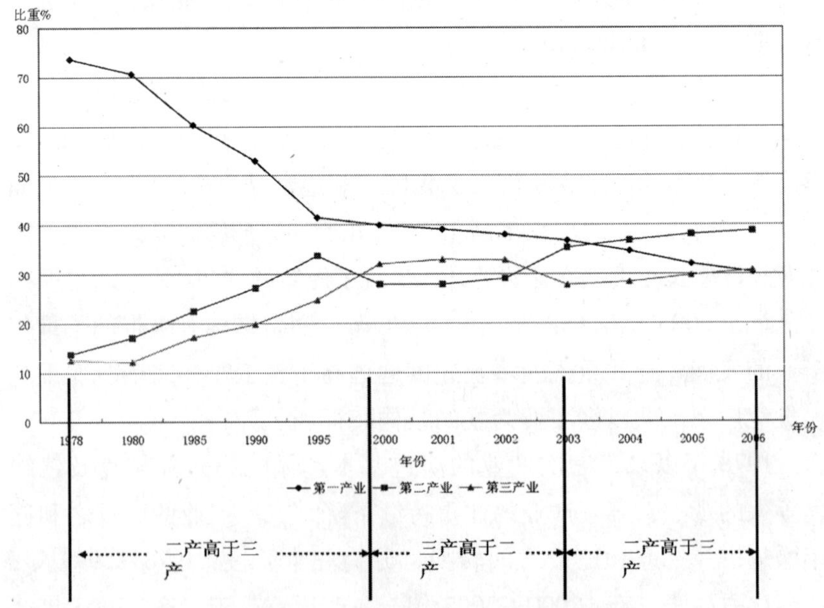

图8－13　广东省三次产业比重变化图

（二）工业化推动城市空间拓展

在广东产业结构的演变过程中，工业化是最主要的拉动力量。在工业化优化，提升行业结构的过程中，也推动了广东城市空间的拓展。

1. 改革开放前，工业促进城市外拓。

建国后，中央工作重心由乡村转移到了城市，开始由城市领导乡村的战略方针，为此大力强调城市的生产功能：要把消费的城市变成生产的城市。1954 年第一次全国城市建设会议强调了工业发展对城市发展的重要性，提出城市建设要绝对服从工业发展的需要。在城市空间发展方面，提出“应尽量提高旧城市的利用率”、“充分利用现有地皮街巷”。因此，许多城市都将工业布局在市区边缘——郊区（如今多为市区），拉动了城市空间向郊区扩展。

为了防止盲目扩大郊区，中央人民政府内务部于 1954 年 5 月发出了《关于调整市郊区行政区划应注意事项》的通知指出：“扩大郊区必须从城市建设实际出发，范围限于政治、经济、文化和国防事业发展上与市区有密切联系的区域，并应随着建设的需要，逐步扩充，以免造成郊区过大，领导不便的困难。”

在上述指导思想下，非资源型城市的工业区选址一般与市区的关系都显得非常密切，一般都是在毗邻市区的郊区根据行业的需要沿江、沿路布局，如广州；资源型工业城市工业布局则主要依托资源所在地，对城市的直接拉动作用不强，如韶关市在国家将其作为华南重工业基地和广东战略后方建设以来，韶关钢铁、冶炼等重工企业和一些矿山都布局在远郊区，远离市区，形成了独立的社区，对中心城区的拉动作用有限。

2. 改革开放后的“一个存量、两个增量”。

改革开放后，广东省的工业发展轨迹总体上可以用“一个存量工业改革、两个增量工业拓展”来描述。“一个存量工业改革”是指计划经济时代业已建立的国有企业的改革和进一步发展。“两个增量工业拓展”一是指建立在广大农村集体土地上的工业，包括乡镇工业和外商直接投资工业。二是指建立在以国家级开发区、省级开发区为核心的工业园区中的外商直接投资工业。

（1）工业布局调整，城市空间优化。

改革开放初，广东的工业存量仅限于建国初期经社会主义改造后的资本主义工商业以及建国30年以来所建立的国有企业，而这些以往工业发展的“正规军”、“国家队”在改革开放的大背景下，在多种经济体制共存的多元化发展格局下面临着巨大的竞争压力，因此一系列的改革措施更是直指这些“国家队”，如：1979—1980年的扩大企业自主权；1981—1982年全面推行的工业经济责任制；1983年的两次“利改税”；1984年的厂长负责制；1987年的以国有企业承包经营责任制为特征的工业经济体制改革（包括国有大中型工业企业的承包制，国有小型工业企业的租赁制和股份制）以及后来1996年的“抓大放小”、“三改一加强”等。

广东作为改革开放的前沿，国有企业面临的直接挑战和竞争压力更甚，在改革中以“关闭”、“破产”、“被兼并”、“产权转让”的形式逐渐退出竞争舞台。因此，国有企业改革对于城市空间的影响主要体现在以下两个方面：①企业外迁或者关停，腾出了市区宝贵的用地，以便进行功能置换和二次开发，并逐渐由商业、居住等功能所取代，为提升城市空间质量、产业升级提供了保障；②一些在竞争中存活并且壮大的国有企业，在城市中心区地价上涨、交通压力大、拓展空间不足等因素下迁往远郊区的开发区，与增量工业共同拉动城市外扩。

（2）工业化拉动城区快速拓展。

①农村工业化，粗放蔓延式拓展。

改革开放初期启动的农业改革取得了巨大的成功，提高了农业生产效率，释放了大量劳动力。在此基础上，政府进一步明确了农村发展的方向，特别提出了调整产业结构、支持乡镇企业发展的指导思想。国家在用地政策上也给乡镇企业的发展开了一个“口子”——允许农民利用集体的土地创办乡镇企业及其他公共事业，

这为乡镇企业的发展和农村集体土地的非农化使用提供了政策空间。与此同时，香港、台湾地区的劳动密集型产业出于降低成本的需要也纷纷向大陆转移。

在此背景下，改革先行一步的广东特别是珠江三角洲的广大农村地域纷纷在集体土地上办起了乡镇企业或以办乡镇企业的名义与外商合作、合资开始承接海外制造业的转移，开始了农村社区工业化的进程并产生了各具特色的发展模式："南海模式"、"顺德模式"、"中山模式"、"吴川模式"、"东莞模式"。

农村工业化对广东城市空间的影响主要表现为以下三点：①工业行业多为劳动密集型产业，产业档次低，土地产出率低，技术含量不高，且分散在广大农村集体用地上，"村村点火、户户冒烟"，城市空间发展出现蔓延现象；此外，"离土不离乡，进厂不进城"的工业化模式也导致城市（或城镇）中心区发展缺乏动力；②在工业缺乏统一规划的基础上，农村工业化依托道路布局，促使一些呈点状分布的城镇开始形成；③布局在城市郊区的工业，在一定程度上拉动了市区空间的拓展。

以东莞为例，农村工业化是改革开放以来经济发展的主角。沿广深公路分布的厚街镇、虎门镇、长安镇，沿广深铁路分布的常平镇、樟木头镇，毗邻深圳的塘厦镇、清溪镇、凤岗镇，沿市区周边布局的东城区街道办、南城区街道办、万江区街道办等镇街成为了农村工业化的重点地区。除了市区周边的农村工业化拉动了市区空间向东、向南和向西扩展外，其他地区的工业化形对市区空间影响很小，并且削弱了市区的中心性。

②工业园区化，政府主导的招商引资。

1984 年 5 月，中共中央、国务院批转了《沿海部分城市座谈会纪要》确定进一步开放沿海 14 个港口城市，并指出："这些城市，有些可以划定一个有明确地域界限的区域，兴办经济技术开发区。"同年，在广东省就审批设立了广州经济技术开发区和湛江经济技术开发区。随后又审批设立了广州高新技术产业开发区等。

2000年，广东省共设立了15个国家级开发区（包括经济技术开发区、高新技术产业开发区、出口加工区、保税区）。这些开发区成为了城市政府吸引外资，发展工业的重要平台①。到2007年末，广东省共有国家级开发区23个，省级开发区69个，未批复的省级开发区17个。工业园区化在20世纪90年代中期以后成为了广东工业发展的主导模式。

表8-4　1984—2007年在广东省设立的国家级开发区

年份	设立开发区名称
1984	广州开发区、湛江开发区
1987	深圳沙头角保税区
1991	广州高新区、深圳福田保税区
1992	佛山高新区、珠海高新区、广州保税区、广州南湖国家旅游度假区、惠州仲恺高新技术产业开发区
1993	南沙开发区、大亚湾开发区、汕头保税区
1996	深圳高新区、珠海保税区、深圳盐田港保税区、中山火炬开发区
2000	广州出口加工区、深圳出口加工区
2001—2007	珠澳跨境工业区、广东惠州出口加工区、广州南沙出口加工区、深圳盐田保税物流园区

开发区旨在利用外资、发展工业、出口创汇。在遵循规模经济、集聚经济规律下，集约土地利用，成为产业结构升级和区域经济结构调整的主要依托。因此开发区对于城市而言，首先是其经济贡献，成为城市的“聚宝盆”、区域的“增长极”。截至2004年

① 1984年对开发区提出的定位是“四窗口”（技术的窗口、管理的窗口、知识的窗口、对外政策的窗口），1989年，在上海召开了全国经济技术开发区工作会议，这是开发区发展史上的一个转折点。在会上经过讨论和认真分析，全面总结了开发区几年的发展经验和教训，提出了“三为主”的发展原则（即开发区应以“利用外资为主，以发展工业为主，以出口创汇为主”为建区宗旨，取代了以前的“四窗口”提法。这一提法的改变，带来了两个意义，一是修正了对沿海开发区发展期望过高的定位，认清了当时应该以出口加工区的模式循序渐进地谋求发展，不能超越这个阶段；二是，既然是出口加工区性质，开发区的功能定位就不是城市综合发展区，而是一个工业区）。

底，广东省16个开发区内高新技术企业979家，占全省高新技术企业的比重超过1/4。区内高新技术产品产值3182.32亿元，占全省高新技术产品产值的37.2%。各开发区统计数据显示：广州开发区2006年的工业产值占全市的比重达到约1/4，为24.7%，绝对值超过了2000亿元；珠海高新技术产业开发区2005年工业产值占到全市的67%，约2/3；湛江经济技术开发区高新技术企业及高新技术产值占全市的1/3；中山火炬高技术产业开发区2006年高新技术产品产值占全区工业总产值的75%，占全市高新技术产品产值的80%；惠州仲恺国家高新科技产业开发区2006年工业总产值占全市的1/3；深圳市高新技术产业园区2006年实现工业总产值1601.74亿元，是1996年高新区建区之初的16倍，高新技术产品产值1551.65亿元，同比增长17.17%。

开发区一般布局在城市的近、远郊，对城市空间的影响随着开发区的存在形式和功能配置不同而不同：制度安排方面，最初一般都实行超自主体制安排，权限较大；发展动力方面均以产业导向模式发展而成为“产业基地”，并呈现出如下特征：①有增长，但不繁荣；②有经济（产出），但没有人气；③有产业，但不综合；④有动力，但不可持续；⑤有活力，但没有魅力；⑥有磁力，但没有辐射力。

园区普遍呈现出“工业孤岛”式的发展格局。在此阶段，开发区对一个城市而言，主要是单一的经济功能区，其经济贡献最为突出；此外，园区发展通过对市中心存量工业企业的集中也优化了城市原先分散的工业布局空间，实现了土地的集约利用；再者开发区由于其占地面积大，而成为城市空间外拓的主要形式，作为一个功能区参与城市空间结构的塑造。

广州开发区和南沙经济技术开发区的发展就拉动了广州市区向东和向南进行拓展；惠州大亚湾经济技术开发区的设立和壮大则拉动了市区向沿海方向扩展。珠海高新技术产业开发区的设立和发展拉动市区向唐家湾方向发展，形成了唐家湾新城。

湛江“由于行政体制‘条块’分割等因素影响，湛江市在

1975年的第二次城市总体规划指引下城市空间被分散成了赤坎和霞山两个相对独立的片区，城市中心一直无法形成，市政府长年频繁搬迁于赤坎和霞山两地，使得本已有限的财政穷于应付分散布局的基础设施建设”。[①] 这种局面随着湛江经济技术开发区的设立和发展得到了改变。位于赤坎和霞山两地中部的开发区如今已经逐渐将原分散的城区结合在一起，下一步随着开发区工业用地的置换，有望成为湛江市的中心区和金融商务区。

开发区单一的工业发展方向在暴露出以上种种问题后，也使开发区开始思考如何配套服务业，完善工业之外的服务设施和功能，最终希望形成自身独立的功能体系，即向“产业新城”转型。在产业新城阶段，开发区的经济功能已经趋于成熟，其作为一个完整的城区来平衡城市的人口、产业空间分布，形成城市的副中心或者综合新城来参与塑造并优化城市空间结构。如广州经济开发区由“产业基地”向萝岗“产业新城”的成功转变，如今其以一个行政区开始了“产业新城”的建设，并将其作为优化广州城市“多中心网络化”空间结构的“副中心”。

（3）重化工业发展拉动城市空间趋海（趋江）化发展。

我国1990年代中后期开始实施的以启动内需为目标的积极财政政策，以及改革开放以来民间财富积累导致的消费结构升级特别是汽车和房屋消费总量的扩大，促进了我国汽车、石化、钢铁、机械装备、水泥等重化工业的发展。2002年广东省重工业产值首次超过了轻工业。从2003年开始，广东开始步入重化工业阶段，到2006年时，轻重工业比重已经演变为38.38∶61.62，重工业占据

① 资料来源：《湛江城市空间发展战略规划》。

了主导地位。在市场和政策[①]的作用下，在大型项目的带动下，广东工业的“重”化趋势还将加强。

广东重化工业布局的特色就是“靠海（或江）、临港”，拉动了城市空间的趋海（江）化发展。这一特色主要源于广东能源的匮乏，用于重工业生产所必需的石油、煤等原料都需要从外地输入。作为广东重化工业龙头的石化产业布局依海靠港的特色尤为明显。如：惠州大亚湾石化区依托惠州港；广州石化基地依托南沙港；江门银洲湖临港工业区依托新会港；湛江石化基地和钢铁基地依托深湛江深水良港，重点布局在离市区较远的东海岛。（图8－14，表8－5）

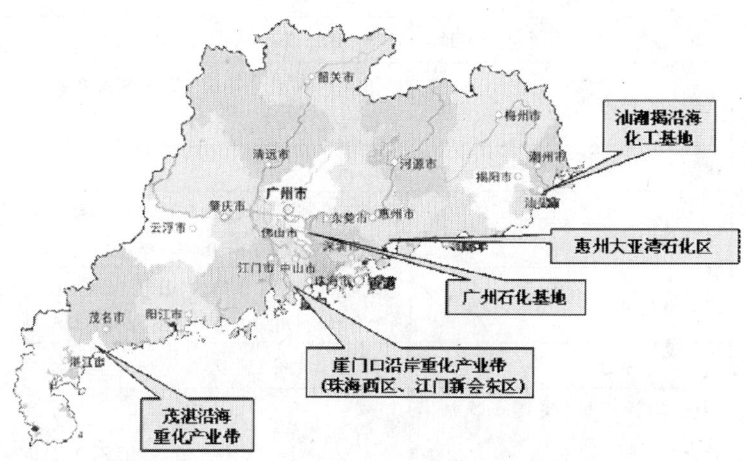

图8－14　广东五大石化工业基地布局图

资料来源：《广东省工业九大产业规划重要产业基地布局图（表）》，下载自广东省人民政府网站，http://search.gd.gov.cn/document/a05015/15－25.htm。

① 广东省省长黄华华在刚刚结束的广东省第十一届人民代表大会第一次会议上作的2008年政府工作报告中指出：“加快发展先进制造业。继续实施大项目带动，完善制造业布局和产业链条。积极推进汽车自主品牌发展，大力发展汽车零部件制造业。发展能源设备等重大技术装备、电子元器件生产设备等高技术装备及数控系统等基础装备，提高系统集成能力。推进支柱产业、特色产业及重大工业项目等的先进制造业基地建设。加强基础产业建设。大力推进沿海石化产业带建设，推动形成中上游带动中下游产业发展的石化产业新格局。继续推进钢铁工业优化重组和沿海现代化钢铁基地建设。”

表8-5　　广东省重化工业的产业空间分布表

	重要生产基地及产业集聚区	空间分布
石化产业	惠州大亚湾石化区	石化区规划面积28平方公里,规划到2010年总投资800亿元
	茂湛沿海重化产业带	茂名石化区、湛江石化等
	广州石化基地	包括广石化扩建、南沙石化及储运基地
	崖门口沿岸重化产业带	珠海西区临港石化基地、江门新会东区银洲湖一带,包括会城、双水、沙堆、古井、三江等6个镇以及今古洲经济开发试验区
	汕潮揭沿海化工基地	汕头南区化工区、潮州饶平、揭阳惠来沿海等
汽车产业	轿车生产基地	广州经济技术开发区、南沙汽车产业基地、花都汽车城
	客车、载货车和专用车生产基地	广州、佛山、东莞为中心,拉动河源、韶关
	汽车零部件产业基地	中山火炬汽配工业园、深圳龙岗和惠州大亚湾等
建材产业	建筑卫生陶瓷产业基地	佛山、潮州、开平
	玻璃及深加工产业基地	珠江三角洲沿江以及高速公路沿线,如广州、东莞、深圳、江门、中山、顺德等地
	水泥熟料基地	粤北(清远、韶关)、粤西(云浮、肇庆的山区)、粤东(梅州、惠州的山区)“三大水泥熟料基地”
机械产业	装备制造基地	广州南沙黄阁工业区
	塑料、陶瓷机械、模具等产业集聚区	佛山
	仪器、仪表、办公用机械、模具、电子设备等产业集聚区	深圳
	输配电、电工器材、塑料机械等产业集聚区	汕头
	水力发电设备、农业机械产业聚集区	韶关

资料来源：根据《广东省工业九大产业发展规划（2005—2010年）》中机械工业、石化工业、建材工业、汽车工业四个部分中第三章发展重点和规划布局整理而来。资料下载自广东省人民政府网站：http://www.gd.gov.cn/govpub/jhgh/zdzx/200611/t20061115_9818.htm。

重化工业在布局形态上呈现出面状分布的特点。通过对重大工业项目的集中空间配置形成规模效应显著的大型重工业基地，重化工业空间集中分布的态势十分明显，由此将促成与轻工业散布村、镇点状空间及由此绵延而成的线状空间分布具有明显差异的面状工业空间的形成。这种形态的形成主要有两个因素：首先，重化工业具有显著的规模经济效应，多为集中性部门，因此极化效应非常明显，其发展需要产业链上各个部门在空间上聚集。其次，从广东省九大工业产业发展“十一五”规划可以看到，重化工业都是以工业基地或园区的形式布局。

3. 小结。

改革开放后，广东首先开始了“农村包围城市”的改革，“包产到户”等政策释放了束缚在田地中的农村劳动力，农民洗脚上田后“离土不离乡，进厂不进城”建立起了县、公社、村、生产队、个体、联合体等各种形式的企业。一时间在乡村大地上“洋枪队（外资企业）”、“游击队（私营企业）”、“武工队（乡镇企业）”和“国家队（地方国营企业）”在阵阵“南风”中风生水起，多样化的工业发展带活了广东的整体经济发展。与此同时，各级开发区和工业园区，凭借政策优惠、优势资源吸引外资企业进驻带动城市经济高速发展。

农村工业化与园区化工业发展推动了广东迈入工业发展的中级阶段，并在21世纪初开始走上了工业的重型化发展道路，在珠江三角洲以及东西两翼港口条件优良的城市重化工业成为了地区工业新的前进动力，与此同时，劳动密集型产业也开始从珠江三角洲地区向北部山区和东西两翼地区转移。每一次大规模的工业发展都会在城市的土地空间上留下印记：

计划经济时代近30年的国家工业化阶段，生产优先于生活，城市从消费型向生产型转变，城市建设必须绝对服从于工业发展的需要。城市工业空间选择的指导方针是要充分利用已有的地皮和基础设施，就近在市区边缘布局，而区街工业更是在街头巷尾见缝插针式地布点，工业生产与居民生活混杂在一起。

改革开放后的工业多元化发展阶段，城市中以国有企业为主体的存量工业由于体制等问题逐渐衰弱，而市区周边乡镇企业的蓬勃发展在削弱了城市中心区的首位度同时，却使一些城镇的经济和人口规模迅速扩大。

园区化工业发展时期，工业布局从散点式走向了集中有序，与此同时，土地成本、环保压力等问题加重了中心城区存量工业的生存压力，以往散布于城市中心区的工业开始衰退或迁至外围的工业园中，原用地功能被商业、居住等第三产业功能所置换，优化了城市功能结构。

进入21世纪后，工业重型化发展又拉动了市区向港口方向拓展，形成了沿海、沿江化的发展趋势。与此同时，在市场和政府的双重作用下，珠江三角洲制造业的向外扩散也带动了山区城市的空间扩张。

（三）服务业推动城市空间优化

自1978年改革开放以来，广东省城市服务业①，尤其是城市中心区服务业结构的演变经历了计划经济主导时期、有计划的商品经济时期、社会主义商品经济时期和社会主义市场经济时期，城市中心区的形态也经历了由供销社商业模式的单中心时期、百货店模式的传统商业中心时期、传统商业街区和现代大型购物中心模式的双中心时期，以及传统商业街区、现代购物中心与中央商务区（CBD）并存的多中心时期。

总体而言，从广东省服务业发展及城市的等级规模分析，核心城市广州、深圳等拥有等级体系较完整、服务功能不同的现代服务

---

① 服务业（service industries）一般定义为生产或生活提供各种服务的经济部门或企业的集合（黄少军，2000）。一般而言，服务具有无形性、同时性、异质性、不可储存性与互动性等特征，即供给与需求、生产与消费的同时同地进行，生产者与消费者必须相互结合进行的性质。本章在西方学者辛格曼（Singelman，1978）的（流通服务、生产服务业、社会服务业、个人服务）服务业分类基础上，结合其他学者的分类，使用服务业四分法，将其分为生产性服务业、分配性服务业、消费性服务业和社会性服务业（阎小培，1999）。

聚集，多中心体系明显，其中心区的总部经济与商务办公职能突出；中小城市的中心区往往呈单中心结构，其功能更多偏重于现代商业贸易功能，商务办公职能较弱，小城镇则更多地承担着当地的商品集散地或商业网点的功能。

1. 城市服务业发展。

（1）历史阶段。

由于2004年起国家统计局采用新国民经济行业分类法，为了便于比较，故只比较1978—2003年广东省服务业内部各行业占GDP的比重（见表8-6），结果显示：1978年改革开放初，批发和零售贸易餐饮服务业、交通运输仓储邮电通信业两大传统服务业占GDP的比重较高，分别为10.43%、5.41%，2003年这两大行业占GDP的比重依然位于前列，分别是9.15%、8.86%。社会服务业、房地产业、金融保险业已经逐步崛起，三者占GDP的比重分别由1978年的0.88%、0.76%、2.44%上升到2003年的5.63%、5.37%、3.07%。

表8-6　改革开放以来广东省服务业及其内部行业占GDP比重

单位:%

服务业及内部行业 \ 占GDP比重 \ 年份	1978	1980	1985	1990	1995	2000	2003
第三产业总增加值	23.63	25.69	30.43	35.83	34.67	39.26	38.35
农林牧副渔服务业	0.09	0.10	0.16	0.28	0.20	0.20	0.18
地质勘查水利管理	0.19	0.21	0.29	0.49	0.34	0.26	0.25
交通运输仓储邮电通信	5.41	5.50	6.22	6.52	7.46	9.40	8.86
批发和零售贸易餐饮业	10.43	11.83	13.83	9.81	9.92	10.03	9.15
金融保险业	2.44	2.44	2.21	5.29	3.74	3.85	3.07
房地产业	0.76	0.85	1.07	2.75	3.74	5.34	5.37
社会服务	0.88	0.93	1.09	4.25	4.12	4.94	5.63
卫生、体育社会福利事业	0.74	0.83	1.09	1.16	0.91	0.98	1.16
教育、文化艺术和广播电影电视业	0.95	1.05	2.19	2.17	1.77	1.90	1.94
科学研究综合技术服务	0.18	0.21	0.29	0.46	0.31	0.33	0.35
国家机关、政党机关和社会团体	0.86	0.95	1.41	2.39	1.92	1.68	1.93
其他	0.71	0.79	0.59	0.27	0.23	0.36	0.46

资料来源：根据《广东统计年鉴》（2005）数据计算制表，中国统计出版社2006年版。

根据表8-6计算1978—2003年服务业内部各行业占服务业增加值的比重，可以发现，批发和零售贸易餐饮服务业的比重从1978年的44.15%下降至2003年的22.71%，房地产业从1978年的3.23%上升至2003年的13.97%，社会服务业则从1978年的3.73%上升至2003年的14.68%，交通运输等服务业及金融保险业则在1992年以来呈缓慢增长趋势，但20世纪90年代后，呈平缓发展趋势。

2006年，国家统计局采用了2002年颁布的《新国民经济行业分类法》。据此新行业统计口径计算的广东省服务业内部结构的是：从占GDP比重以及占服务业增加值比重看，批发与零售业占第一位，分别为9.70%、22.71%；其次是房地产业，分别是6.81%和15.84%；再次是交通运输仓储邮政业，分别占4.25%和9.95%；此外，金融保险业分别占3.56%和8.33%，租赁与商务服务业分别占3.39%和7.93%，信息传输、计算机软件等信息服务业也占了3.09%和7.23%。

总体上，传统服务业比重不断下降，新兴信息服务业和生产性服务业比重明显上升，广东省服务业内部结构近年来出现了明显的高级化趋势。

（2）空间分布。

广东省各地级市2006年三次产业结构特征是：中心城市广州的第三产业比重较高，达57.6%，其次是深圳，占47.4%，此外，第三产业比重超过40%的城市有肇庆、珠海、汕头和东莞（分别为42.4%、41.9%、41.4%、41.4%）等城市，其余地市第三产业比重30%~39%（云浮仅为28.1%）。广州市已经出现了经济服务化特征，深圳也正逐步走向这个目标，目前广东省其他城市还明显体现为工业主导型产业结构特征。（图8-15）

从广东各市服务业内部结构特征看，生产性服务业发展水平较高的城市主要分布在珠江三角洲（表8-7），有广州（22.72%）、深圳（24.67%）、东莞（23%），此外还有珠海（14.86%）、中山（12.69%）、佛山（11.86%）、肇庆（10.57%）等。其中生产性

服务业占服务业总量第一位的城市有广州（39.44%）、深圳（52%）、东莞（55.54%）、中山（35.92%）。上述城市生产性服务业较发达，服务业结构层次较高。

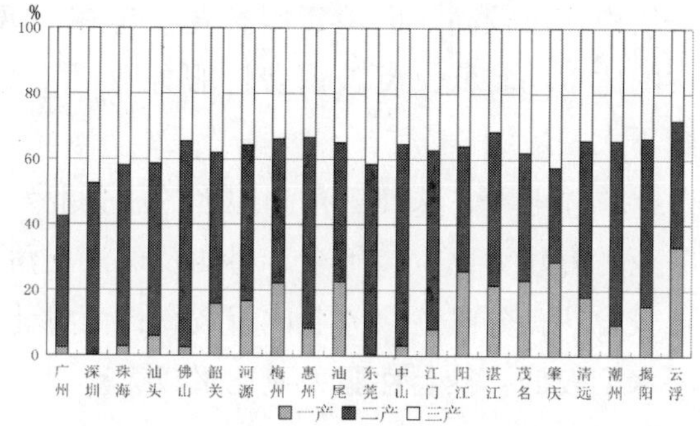

图 8－15　2006 年广东省 21 个地市三次产业结构比较

从分配性服务业结构及发展水平看，分配性服务业占 GDP 比重较高的城市有广州（20.66%）、茂名（18.51%）、揭阳（17.08%）、阳江（16.85%）、潮州（16.07%）、汕尾（16.01%）、肇庆（15.32%）、珠海（15.27%）等，从中看出这些城市的分配性服务业略占优势。占服务业主导地位的城市有揭阳（50.96%）、茂名（48.92%）、阳江（46.87%）、潮州（46.86%）、汕尾（45.93%）、湛江（41.04%）、汕头（40.66%）等。这些数据表明上述城市服务业结构层次偏低。

从社会性服务业占 GDP 比重看，韶关（11.82%）、河源（11.72%）、梅州（11.41%）、清远（10.8%）、肇庆（10.72%）等城市的社会性服务业比重较高，超过 10%，表明社会公共服务业对 GDP 贡献相对较大。从服务业增加值比重看，梅州（33.67%）、河源（32.82%）、清远（31.61%）的社会性服务业占服务业的优势地位，生产性服务业和分配性服务业比重偏低，表明服务业结构水平较低，服务业不够发达。

从消费性服务业占 GDP 比重看，中山（5.82%）、肇庆（5.8%）、茂名（5.65%）、广州（5.6%）、清远（5.37%）、江门（5.3%）、河源（5.07%）等比重超过 5%；占服务业增加值的比重看，全省各市的比重普遍不高，中山（16.49%）、清远（15.71%）、茂名（14.93%）、江门（14.25%）、河源（14.18%）

等城市相对较高。但消费服务业无论在GDP还是在服务业增加值中的比重均较低，反映消费性服务业对于GDP及服务业的产出贡献不大。

总体上看，珠江三角洲地区的服务业发展水平最高，生产性服务业占有较大比重；粤东、粤西及珠江三角洲外围城市的传统服务业较发达，分配性服务业比重较高；而粤北和粤东北地区服务业发展水平较低，社会性服务业比重较大。

表8-7　2006年广东省各市服务业内部结构的比较　　单位:%

城市	服务业占GDP %	生产性服务业		分配性服务业		消费性服务业		社会性服务业	
		占GDP	占三产	占GDP	占三产	占GDP	占三产	占GDP	占三产
广州	57.60	22.72	39.44	20.66	35.85	5.6	9.72	8.63	14.99
深圳	47.42	24.67	52	14.14	29.82	4	8.44	4.62	9.73
珠海	41.87	14.86	35.53	15.27	36.46	4.71	11.26	7.04	16.77
汕头	41.37	10.79	26.11	16.82	40.66	4.24	10.23	9.53	23.02
佛山	34.50	11.86	34.37	13.61	39.44	4.09	11.89	4.93	14.3
韶关	37.94	7.56	19.93	14.49	38.21	4.07	10.72	11.82	31.13
河源	35.73	10.17	28.46	8.77	24.55	5.07	14.18	11.72	32.82
梅州	33.87	9.27	27.36	9.71	28.68	3.49	10.3	11.41	33.67
惠州	33.31	10.12	30.39	12.33	37.02	4.56	13.7	6.3	18.9
汕尾	34.87	6.93	19.89	16.01	45.93	3.87	11.09	8.05	23.09
东莞	41.40	23	55.54	9.13	22.05	4.14	9.99	5.14	12.42
中山	35.33	12.69	35.92	10.25	29.03	5.82	16.49	6.56	18.55
江门	37.22	9.76	26.22	13.56	36.43	5.3	14.25	8.61	23.11
阳江	35.96	7.57	21.03	16.85	46.87	4.75	13.24	6.78	18.87
湛江	31.60	7.35	23.27	12.97	41.04	3.88	12.26	7.39	23.4
茂名	37.85	6.15	16.25	18.51	48.92	5.65	14.93	7.54	19.91
肇庆	42.40	10.57	24.92	15.32	36.14	5.8	13.67	10.72	25.27
清远	34.18	7.8	22.83	10.21	29.87	5.37	15.71	10.8	31.61
潮州	34.29	8.35	24.37	16.07	46.86	3.05	8.89	6.81	19.87
揭阳	33.51	7.36	21.95	17.08	50.96	2.74	8.17	6.34	18.92
云浮	28.10	7.34	26.11	8.96	31.88	3.34	11.88	8.47	30.13

资料来源：根据《广东统计年鉴》（2007）数据制表，中国统计出版社2008年版。

2. 城市服务业发展阶段。

在上述服务业发展的总体趋势下，我们根据不同时期，广东城市经济发展的特征和影响城市服务业发展的主要因素，将其划分为以下三个阶段：

（1）城市经济体制改革促进商品经济的快速发展（1978—1990年）。

在物资匮乏与短缺的改革开放初期（1978—1984年），在重生产轻生活的思想影响下，城市的主要职能是工业生产，城市商业服务业发展受到抑制，较为缓慢。

1984—1992年是我国城市经济体制改革的关键时期。随着中央向地方和城市下放经济调控权，城市的经济管理功能增强、自主权扩大，大力推动了我国社会主义有计划的商品经济的发展，城市成为我国工业化、现代化的基地和商品流通中心。广东省城市工业的快速发展有力推动了城市商品流通服务业的发展。广东省城市商品流通领域实行了多种经济形式、多种经营方式、多条流通渠道、少环节开放式的流通体制改革。快速增长的工业产品的流通需求大大促进了城市商业服务业的发展。这一时期广东省城市的商业服务业发展迅速，特大城市及区域中心城市广州、深圳等出现了各类日用工业品贸易中心、各类综合性和专业性批发市场，如工业小商品市场、批发市场、农副产品批发市场、城市集贸市场、粮食批发市场、生产资料贸易中心、钢材市场等如雨后春笋般崛起。

（2）市场经济体制促进现代商业和商务的快速发展（1990—2000年）。

20世纪90年代后期以来，体制改革①、外资的进入和民营经

① 1992年以来，我国对城市经济发展影响深远的改革主要有四个方面：一是转换国有企业经营机制，建立现代企业制度，促进了城市服务业的经营管理体制的改革；二是积极引导和发展非公有制经济，促进了非公有制尤其是个体和私营服务业企业的发展；三是大力推进财政、金融体制改革，实行了分税制改革，并进一步完善了金融财政的管理制度；四是实行全方位、多领域、宽层次的对外开放，包括服务业领域、优势零售业领域对外资开放。

济的发展等因素有力促进了广东省区域中心城市和中小城市服务业的快速发展，尤其是金融、保险业、商业服务业等领域增长迅速，推动了城市服务业的升级，促进了城市现代化商业中心、大型购物中心和RBD功能区的崛起，强化了城市商业中心区的商业、游憩功能；同时金融、保险、中介服务业等生产性服务业的发展强化了城市中心区的商务功能。

（3）全球化和市场经济发展推动城市现代服务业的发展（2000年至今）。

这一时期我国城市经济体制改革继续探索了在服务业领域的改革，主要表现为放宽金融、保险等部门的对外开放，并引入国外中介与商务服务业，在信息服务业等领域也放宽了对外资的管制。因而，2002年以来，我国城市的信息产业、生产性服务业、商务服务业等快速发展起来，并进一步推动了城市服务业结构的高级化，城市中心区（CBD）的功能越来越强化，并催生了新的经济形态——总部经济。

21世纪以来，信息技术的快速发展与普及应用极大推动了城市服务业的升级，全球化则加速了外资大规模进入城市服务业领域，促进了现代服务业的快速发展。

3．城市中心区空间结构演进。

（1）传统商业服务业支撑的城市中心区缓慢发展

改革开放初期，受到“重生产轻生活”的影响，城市商业服务业发展受到抑制，城市中心区不明显，其商业职能为计划经济体制下的物资供销，供销社成为这一时期城市商业活动的中心。

随着城市经济体制改革与城市工业生产的大发展，城市商品流通服务业获得了极大的发展，促使了不同规模商业中心形成。特大城市及区域中心城市广州、深圳等出现了各类日用工业品贸易中心、各类综合性和专业性批发市场，商业中心区开始逐步形成，其业态主要有商业大厦、百货公司、批发零售商业中心、商业街区等。而中小城市也开始出现了商业大厦、百货公司和传统商业中心区。

（2）传统商业中心的分化与现代城市中心区形成。

1990 年代后期以来，城市现代化商业中心、大型购物中心和 RBD 功能区的崛起，强化了城市商业中心区的商业、游憩功能；同时，金融、保险、中介服务业等生产性服务业的发展强化了城市中心区的商务功能。区域中心城市广州、深圳的中心区开始分化并朝着多中心方向发展，如广州出现传统的商业中心区（北京路）与新兴的现代商务中心区（环市东、天河北 CBD）并存的现象，出现主中心和次中心或“双中心”城市结构。深圳则出现了传统商业中心（前门大街）和现代商务中心（福田区、罗湖区 CBD）。

中小城市的中心区则出现传统商业、现代商业与商务服务共同发展的综合化和功能复合化特征，但其中心区的商务功能并不突出，仍以传统与现代商业、游憩休闲功能为主。如这一时期珠海（九段）、中山（孙文路购物步行街）等城市出现了特色购物休闲街区 RBD 和商业中心区。

（3）城市内部服务业布局在空间上出现了聚集或分散的趋势。

21 世纪来，主要表现为 CBD 的功能强化与城市多中心格局的出现。从中心城市来看，广东省区域中心城市广州、深圳等城市的中央商务区越来越成为现代服务业，尤其是金融、保险、会计、法律、信息咨询、市场研究、中介代理、广告等行业的首选之地，生产性服务业在 CBD 内聚集程度更加明显；同时消费性服务业如大型购物中心、零售业等随着城市的扩张而逐步分散布局在城市的次中心区域。广州市天河北、环市东地区聚集了大量的企业总部及其分支机构，也聚集了大规模的现代服务业和休闲购物中心（MALL），聚集程度比 1990 年代明显增强，成为名副其实的 CBD 地区，而且未来在广州市的珠江新城将规划建设广州市的新 CBD－金融、商务办公中心；同时，不同层次、不同功能的总部经济区在城市的不同区域聚集而成，如环市东总部区、天河北总部区、科学城总部区、琶洲总部区、南沙总部区等，特色功能的总部区呈现空间分散的特征。

中小城市在这一阶段，其服务业业态也得到明显的提升，出现了大型商业购物中心和商务功能区，这些区域往往混合在一起，成为中小城市唯一的商务商业功能区。

六、城市竞争力，检验改革成效

城市竞争力是一个具有明确直观含义却又不易精确把握的概念。竞争，是指各个竞争主体对通过各种方式和手段实现对有限资源的更多占有，在计划经济向市场经济转型期间，我国的城市也像企业一样处在竞争的均衡或不均衡状态。改革开放以来，随着我国经济体制改革的深入，城市之间的竞争日趋加剧，各城市通过提高自身创造财富和推动地区、国家创造更多社会财富的能力，更多地吸引、争夺、拥有和利用各种资源，提升自身的竞争力，形成了你追我赶、百舸争流的激烈竞争局面。

（一）广东城市竞争力的提升

经济体制改革以来，广东的城市改革、开放、发展先进一步，在城市经营上不断探索，推动着城市的加速快跑，在全国城市发展中奠定了先发优势。

经济体制改革重新启动了中国经济社会的发展，全国城市化水平从1978年的17.9%上升到2006年的43.9%，设市城市661个，建制镇19892个，城镇人口5.77亿。长三角和内地一些城市相继崛起，1990年代中国的城市竞争全面展开。国内外一些城市研究机构每年推出的城市竞争力研究报告和排行榜，成为了社会和媒体关注的焦点。

从纵向比较来看，90年代以来，广东主要大城市的综合实力与竞争力都有了不同程度的提升，广东城市在各种竞争力排行中成为了一个不可或缺的方阵。

首先是深圳的突飞猛进改变了我国城市竞争的格局，打破了上海、北京、广州稳占前三位的局面，在许多指标上，成为了“单项冠军”。

其次是广州2000年以来的再发展，在城市地位面临下降的关键时刻，发展势头得到有效的扭转，保持并加强了城市的竞争优势。

然后是佛山、东莞等城市凭借经济实力的快速壮大，加入了全国竞争力的先进行列；珠海、中山等也凭借各自独特的优势，也常常在排行榜上占据了较高的位置。

总体来说，面对各地城市的激烈竞争，广东的城市仍然保持了一定的竞争优势，广东军团在中国的城市竞争体系中仍然是一股重要的力量（表8－8）。

表8－8　广东主要城市竞争力变化情况

排序	1992年 国家统计局	1998年 国家统计局	2003年 中国社科院	2003年 香港中国城市竞争力研究会	2005年 中国社科院
1	上海	上海	上海	香港	香港
2	北京	北京	深圳	台北	台北
3	广州	广州	北京	上海	上海
4	天津	天津	广州	深圳	北京
5	南京	沈阳	东莞	北京	深圳
6	武汉	武汉	苏州	广州	广州
7	深圳	南京	天津	澳门	高雄
8	大连	大连	宁波	天津	澳门
9	沈阳	深圳	杭州	南京	新竹
10	厦门	杭州	南京	武汉	基隆

资料来源：林涛《90年代以来我国中心城市的发展》，《2004年中国城市竞争力报告》（中国社科院）；《2004年中国城市竞争力报告》（香港中国城市竞争力研究会）。

（二）广东2006年城市竞争力

从2003年开始，由倪鹏飞主编的《城市竞争力蓝皮书：中国城市竞争力报告》每年出版一本。最新出版的《中国城市竞争力

报告No 5，品牌：城市最美的风景》①（以下简称《2006年城市竞争力报告》）发布了2006年我国200个城市的竞争力排名。

1. 综合竞争力排名。

《2006年城市竞争力报告》对中国200个城市的竞争力进行了计量，并做出了榜单。在广东省21个地级市中，除云浮市外，另外20个均进入了该榜单。

在该榜单中，综合竞争力前10位城市，广东省占了三个（见表8-9)，分别是深圳、广州和佛山，分居第2、第5和第9名。如果将这200个城市根据综合竞争力排名先后分成上、中、下游城市，综合竞争力排名在前70位（含）的为上游城市；排名在第71位到140位的为中游城市；排名在第141位（含）之后的为下游城市。可以发现广东省进入榜单的20个城市中：

（1）7个为上游城市，分别是深圳、广州、佛山、东莞、中山、珠海和惠州，均处在珠江三角洲地区。

（2）5个为中游城市，分别是江门、茂名、湛江、汕头和肇庆，它们分散在珠江三角洲外圈层和东西两翼。

（3）8个处在下游城市，分别是韶关、潮州、阳江、河源、揭阳、梅州、汕尾和清远。

上述排名表明，广东省各城市之间与其经济发展水平差距很大，综合竞争力的差距也很大。

2. 显示竞争力排名。

综合竞争力是由显示竞争力构成的。根据《2006年城市竞争力报告》提出的框架，显示竞争力包括：增长竞争力、规模竞争力、效率竞争力、效益竞争力、结构竞争力和质量竞争力。从表8-9可以看出：

---

① 由社会科学文献出版社2007年3月出版，第1版。为了从解释的角度计量和评估城市竞争力，也为了全面了解各城市的竞争优劣势，根据理论假设，《2006年城市竞争力报告》对各分项竞争力进行了进一步分解和细化，建立了一套、三级的解释性城市竞争力的指标体系，指标总数为220个，需要了解的读者请参看原书。

表 8－9　2006 年广东省城市竞争力在全国 200 个城市中的排名

序号	城市	增长指数	增长排名	规模指数	规模排名	效率指数	效率排名	效益指数	效益排名	结构指数	结构排名	质量指数	质量排名	综合竞争力	综合排名
1	深圳	0.8691	34	0.5667	4	0.4645	7	0.4347	15	0.9255	2	0.3516	9	0.7208	2
2	广州	0.7660	84	0.5571	5	0.3381	16	0.3444	79	0.3138	14	0.3198	13	0.6005	5
3	佛山	0.8508	37	0.3834	8	0.3814	11	0.4336	17	0.2899	17	0.2878	33	0.5943	9
4	东莞	0.9746	8	0.3654	12	0.5445	5	0.3240	93	0.1068	74	0.2982	24	0.5507	15
5	中山	0.9470	10	0.2204	32	0.3974	9	0.4891	11	0.1262	64	0.2767	46	0.5322	22
6	珠海	0.7596	92	0.1824	47	0.2774	32	0.3561	64	0.1262	63	0.3249	11	0.4868	39
7	惠州	0.8943	22	0.1553	53	0.2006	75	0.3299	85	0.0985	79	0.2784	44	0.4512	59
8	江门	0.7525	100	0.1404	58	0.1866	88	0.3839	36	0.0630	121	0.2676	55	0.4244	72
9	茂名	0.8473	40	0.1129	84	0.2311	54	0.3472	75	0.0488	145	0.2354	120	0.4109	82
10	湛江	0.7359	116	0.1329	64	0.1964	79	0.4061	25	0.0439	151	0.2290	147	0.4069	88
11	汕头	0.5689	187	0.1843	45	0.1530	131	0.3291	87	0.0378	164	0.2575	68	0.3917	109
12	肇庆	0.6758	151	0.0689	142	0.1624	115	0.2408	159	0.0807	97	0.2463	95	0.3768	120
13	韶关	0.6523	165	0.0843	118	0.1368	150	0.2603	146	0.0478	146	0.2584	65	0.3640	143
14	潮州	0.5157	191	0.0398	186	0.1557	124	0.2675	142	0.0653	114	0.2309	138	0.3445	165
15	阳江	0.7554	94	0.0597	162	0.1419	144	0.3051	109	0.0275	187	0.2126	184	0.3429	168
16	河源	1.0000	1	0.0289	197	0.1450	139	0.2426	158	0.0521	141	0.2121	186	0.3422	170
17	揭阳	0.5423	190	0.0514	172	0.1679	110	0.2875	123	0.0342	172	0.2257	163	0.3390	175
18	梅州	0.7547	96	0.0341	191	0.1249	168	0.2915	119	0.0430	157	0.2394	114	0.3373	177
19	汕尾	0.8883	26	0.0321	194	0.1555	125	0.3248	92	0.0251	193	0.2156	181	0.3341	182
20	清远	0.9419	11	0.0490	177	0.1119	179	0.2497	152	0.0265	191	0.2272	158	0.3315	184

数据来源：倪鹏飞主编：《2006 年城市竞争力报告》。

（1）2006 年广东省位于增长竞争力排名前 10 位的城市有河源、东莞和中山，分居第 1、8 和 10 位。

（2）位于规模竞争力排名前 10 位的城市有深圳、广州和佛山，分居第 4、5 和 8 位。

（3）位于效率竞争力排名前 10 位的城市有东莞、深圳和中山，分居第 5、7 和 9 位。

（4）位于效益竞争力排名前 10 位的城市广东省没有一个。显示广东省尽管深圳、广州等一线城市的综合竞争力在全国名列前茅，但这些城市在创造价值时所节约的能源量以及对环境的保护，在全国并没有做得比同级别的其他城市好。

（5）位于结构竞争力排名前10位的城市只有深圳一个，位于第2位。这说明，深圳的科技投入水平和现代服务业发展水平很高。相反，综合竞争力排在第5位的广州，其结构竞争力却排到了第14位。

（6）位于质量竞争力排名前10位的城市只有深圳一个，居第9位。

3．解释竞争力排名。

根据《2006年城市竞争力报告》，2006年，广东省各城市的解释竞争力排名为：

（1）人才竞争力。广州进入了前10名，居第6位。

（2）资本竞争力。深圳和广州进入了前10名，分居第4和第6位。

（3）科学技术竞争力。深圳进入了前10名，居第4位。

（4）结构竞争力、区位竞争力、环境竞争力。广东省无一城市进入前10名。

（5）基础设施竞争力。广州进入了前10名，居第4位。

（6）文化竞争力。惠州进入了前10名，居第4位。

（7）制度竞争力。中山和佛山进入了前10名，分居第3和第4位。

（8）政府管理竞争力。深圳进入了前10名，居第4位。

（9）企业管理竞争力。深圳、中山和惠州进入了前10名，分别居第4、第7和第8位。

（10）开放竞争力。东莞、珠海、深圳进入了前10名，并且排名居前，分别是第1、第3和第4位。显示作为经济体制改革的前沿地区，这些城市对外开放的程度很高。

（三）城市成为广东经济发展主角

1978 年，广东的地区生产总值只有 185.85 亿元（当年价，除特别指明，下同），在全国的比重只有 5.1%；人均地区生产总值只有 370 元，与全国水平 379 元基本持平。产业结构方面，第一产业占 29.8%，比全国高 1.7 个百分点；第二产业占 46.6%，比全国低 1.6 个百分点，其中工业占 41%，比全国低出 3.4 个百分点；第三产业占 23.6%，与全国水平持平。

2007 年，广东实现地区生产总值 30606.00 亿元，相比 1978 年，增长了 41.4 倍（按可比价计算，下同），在全国的比重达到了 1/8，扩大了 1.5 倍。2007 年人均地区生产总值 32156 元（表 8－10），是 1978 年的 22.8 倍，从 1978 年的与全国水平持平扩大为全国的 1.8 倍。2006 年与 1978 年相比，广东城镇居民人均可支配收入增长了 5.64 倍，恩格尔系数从 66.6% 下降到 36.2%；农村居民人均纯收入增长了 5.25 倍，恩格尔系数从 61.7% 下降到 48.6%。

表 8－10　　广东省经济发展成就与全国比较

年份	全国		广东省			
	国内生产总值(亿元)	人均国内生产总值(元)	地区生产总值(亿元)	占全国比重(%)	人均地区生产总值(元)	是全国的倍数(%)
1978	3624.10	379	185.85	5.1	370	98.0
2007	209407.00	17730	30606.00	12.5	32156	180.0

数据来源：《广东统计年鉴》(2008)，《中国统计年鉴》(2008 年)。

改革开放 30 年来，广东省的经济高速发展，年均增长 13.8%。广东省地区生产总值在 2000 年突破 1 万亿元和 2005 年突破 2 万亿元的基础上，2007 年，又突破了 3 万亿元。按国家外管局公布的供计划统计用的人民币对美元折算率（7.45：1）计算，广东省2007年的地区生产总值为4100亿美元，人均地区生产总值超过4000美元。最具标志性意义的是2007年广东省的经济总量继超过亚洲“四小龙”中的新加坡（1998年）、香港（2003年）后又超过了台湾，成为了中国经济总量最大的行政区（从1989年起广东省经济总量就一直占据了大陆省份之首），但与“四小龙”中的韩国比较，差距还很大，经济总量不到后者的50%。

2007年深圳市人均地区生产总值为79221元，按国家外管局公布的供计划统计用的人民币对美元折算率（7.45：1）计算，2007年人均地区生产总值为10628美元，全市首次跃上人均1万美元的新台阶。按照世界银行的衡量标准，人均地区生产总值超过1万美元是公认的，从发展中状态进入发达状态的标线。就东亚地区而言，日本的人均GDP在1984年超过了1万美元，中国香港地区、新加坡、中国台湾地区和韩国的人均GDP（或人均GNP）则分别是在1987年、1989年、1992年和1995年超过了1万美元。

在广东经济取得巨大成就的现象下，本质上是以城市空间为载体的城市经济体得到快速壮大。表现在：（1）城市辖区的经济比重持续上升；（2）特大城市的经济比重持续扩大。

1. 城市辖区经济比重上升。

1990年，广东省所有城市辖区（说明：有设区的市就是指市辖区，未设区的市就是指城市中心区）地区生产总值占全省的比重不到一半，只有47.9%；到2000年时，上升到59.4%；到2006年时，骤然上升到85.7%。(图8-16)

2. 大城市的经济比重持续增大。

1990年时，广东省只有广州一个特大城市，生产总值（说明：指城市辖区的生产总值）在全省的比重只有20.5%；

到2000年时，有广州、深圳和汕头共3个特大城市，其生产总值在全省比重上升到了41.96%；

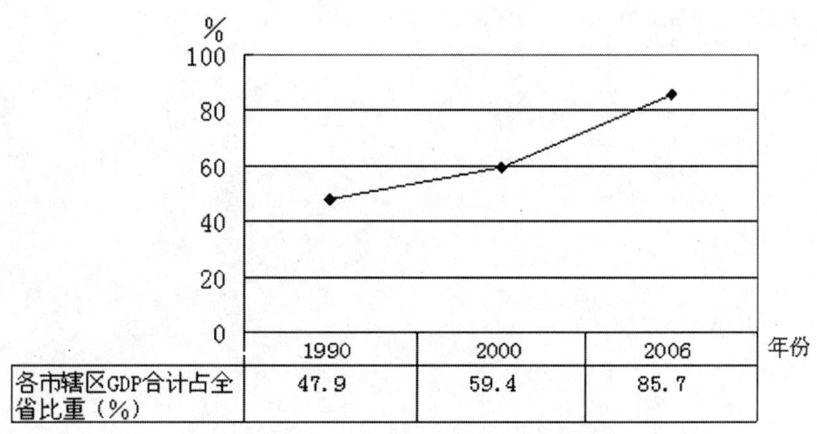

	1990	2000	2006
各市辖区GDP合计占全省比重（%）	47.9	59.4	85.7

图 8－16　改革开放以来市辖区经济比重逐步提高

（说明：自 2000 年以来，广州、佛山、惠州、汕头、茂名、韶关等城市均进行了较大规模的行政区划调整，使城市辖区面积和人口规模发生较大变化。）

到 2006 年时，有广州、深圳、汕头、佛山、惠州和江门等六个最大的城市，其生产总值在全省的比重进一步上升到了 61.79%，占绝对优势。（图 8－17）

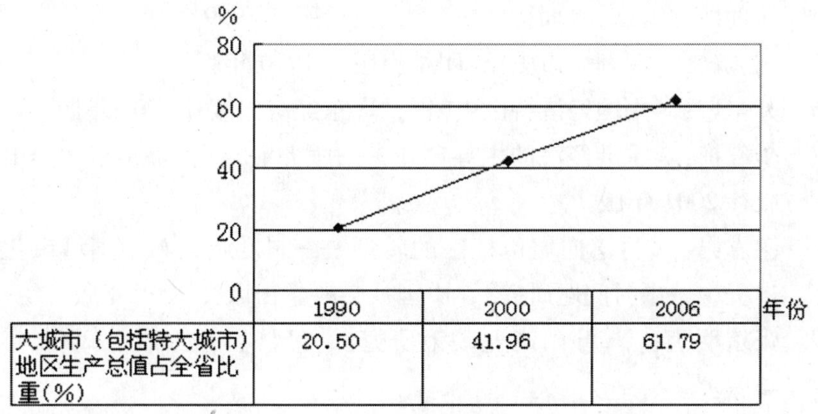

	1990	2000	2006
大城市（包括特大城市）地区生产总值占全省比重(%)	20.50	41.96	61.79

图 8－17　1990—2006 年大城市经济比重逐步提高

参考文献

一、著作

1. 仇保兴：《中国城市化进程中的城市规划变革》，同济大学出版社 2005 年版。
2. 〔美〕傅高义：《先行一步——改革中的广东》，广东人民出版社 1990 年版。
3. 董玉祥、全洪等：《大比例尺土地利用更新调查技术与方法》，科学出版社 2004 年版。
4. 深圳博物馆：《深圳特区史》，人民出版社 1999 年版。
5. 刑凤麟：《深圳城市史》，团结出版社 1996 年版。
6. 苏东斌：《中国经济特区史略》，广东经济出版社 2001 年版。
7. 李红梅：《香港经济的主导产业——服务业》，首都师范大学出版社 2001 年版。
8. 谢志岿：《村落向城市社区的转型——制度政策与中国城市化进程中城中村问题研究》，中国社会科学出版社 2005 年版。
9. 张东明著：《韩国产业政策研究》，经济日报出版社 2002 年年版。
10. 薛敬孝、白雪洁等著：《当代日本产业结构研究》，天津人民出版社 2002 年版。
11. 吴季松著：《从世界看台湾》，清华大学出版社 2007 年 2 版。

12. 陈云著：《超越台湾：粤台经济比较》，中山大学出版社 2003 年版。
13. 许学强、刘琦、曾祥章等：《珠江三角洲的发展与城市》，中山大学出版社 1988 年版。
14. 傅晨：《广东城市化发展战略》，广东人民出版社 2006 年版。
15. 钱纳里：《发展型式（1950—1970）》，经济科学出版社 1988 年版。
16. 谢文蕙、邓卫编：《城市经济学》，清华大学出版社 1996 年版。
17. 谭炳才、邱加盛：《聚焦三农》，南方日报出版社 2004 年版。
18. 魏清泉等著：《世纪之交的珠江三角洲行政区划》，广东省地图出版社 1997 年版。
19. 罗震东：《中国都市区发展，从分权化到多中心治理》，中国建筑工业出版社 2006 年版。
20. 张鸿雁主编：《制度与创新——中国城市制度的发展与改革新论》，东南大学出版社 2000 年版。
21. 浦善新：《中国行政区划改革研究》，商务印书馆 2006 年版。
22. 李津奎：《城市经营的十大抉择》，海天出版社 2002 年版。
23. Logan, J. R. The New Chinese City: Globalization and Market Reform【M】. Oxford: Blackwell Publishers, 2001。
24. 董滨、高小林：《中国特区启示录》，武汉出版社 2000 年版。
25. 富永建一：《社会结构与社会变迁》，云南人民出版社 1988 年版。
26. 陆学艺：《当代中国社会阶层研究报告》，社会科学文献出版社 2002 年版。
27. 赵永革、王亚男：《百年城市变迁》，中国经济出版社 2000 年版。
28. 王兴中：《中国城市社会空间结构研究》，科学出版社 2000 年版。
29. 孙立平：《转型与断裂——改革以来中国社会结构的变迁》，清华大学出版社 2004 年版。

30. 张鸿雁：《侵入与接替：城市社会结构变迁新论》，东南大学出版社2000年版。
31. 陈翰笙著，冯峰译：《解放前的地主与农民——华南农村危机研究》，中国社会科学出版社1984年版。
32. 黄淑娉主编：《广东族群与区域文化研究》，广东教育出版社1999年版。
33. 蓝宇蕴：《都市里的村庄：一个“新村社共同体”的实地研究》，生活·读书·新知三联书店。
34. 李俊夫：《城中村的改造》，科学出版社2004年版。
35. 李培林：《村落的终结：羊城村的故事》，商务印书馆2004年版。
36. 张建明：《广州城中村研究》，广东人民出版社2003年版。
37. 郑孟煊主编：《城市化中的石牌村》，社会科学文献出版社2006年版。
38. 郑振满：《明清福建家族组织与社会变迁》，湖南教育出版社1992年版。
39. 倪鹏飞主编：《中国城市竞争力报告NO 5，品牌：城市最美的风景》，社会科学文献出版社2007年版。
40. 路平、许卓云主编：《跨世纪的广东工业》，广东高等教育出版社1999年版。
41. 赵海均著：《30年：1978—2007中国大陆改革的个人观察》，世界知识出版社2008年版。
42. 林毅夫、蔡昉、李周：《中国的奇迹：发展战略与经济改革》，上海三联书店、上海人民出版社1999年版。

二、论文

1. 魏立华、袁奇峰：《土地紧缩政策背景下土地利用问题研究述评———基于城市规划学科的视角》，《城市问题》2008年第5期。

2. 方远平、袁奇峰：《快速城市化地区城乡之变：过程、问题及对策——以东莞市东城区为例》，《珠江经济》2008年第4期。

3. 袁奇峰、许松辉、邱加盛：《“嵌入”法定规划的战略规划——以珠海东部沿海地区为例》，《规划师》2008年第1期。

4. 袁奇峰、马晓亚：《住房新政推动城镇住房制度改革——对“国六条”引发的中国城镇住房制度建设大讨论的评述》，《城市规划》2007年第11期。

5. 袁奇峰、魏成、许松辉：《城市发展战略框架下的城市景观风貌重构——以珠海市东部沿海地区概念规划为例》，《城市特色研究与城市风貌规划：世界华人建筑师协会城市特色学术委员会2007年会论文集》，同济大学出版社2007年版。

6. 魏立华、袁奇峰：《基于土地产权视角的城市发展分析——以佛山市南海区为例》，《城市规划学刊》2007年第3期。

7. Yuan Qifeng：From New Downtown to CBD：Planning Review of Guangzhou Pearl River New Town；Journal of the Hong Kong Institute of Planners，Volume 21，Issue No. 1，2006。

8. 袁奇峰：《和谐社会背景下的城市开发之困》，《中国城市规划学术研究进展年度报告2006》，中国建筑工业出版社2006年版。

9. 袁奇峰、方正兴、黄莉、熊青：《中心镇规划：从村镇到城市的路径设计——〈广东省中心镇规划指引〉编制的背景与创新》，《城市规划》2006年第7期。

10. 陈建华、袁奇峰、易晓峰：《战略规划推动下的行动规划——关于广州城市规划实践的思考》，《城市规划学刊》2006年第2期。

11. 袁奇峰：《亚运城市——2010年的广州》，《风景园林》2006年第1期。

12. 袁奇峰、易晓峰等：《从“城乡一体化”到“真正城市化”》，《城市规划学刊》2005年第1期。

13. 袁奇峰：《构建适应市场经济的城市规划体系》，《规划师》

2004 年第 12 期。
14. 袁奇峰：《轨道交通与城市协调发展的探索》，《城市规划汇刊》2003 年第 6 期。
15. 袁奇峰、李萍萍：《广州沙面建筑群——在使用中保护》，《城市规划汇刊》2003 年第 1 期。
16. 袁奇峰：《广州 21 世纪中央商务区（GCBD21）探索》，《城市规划汇刊》2001 年第 4 期。
17. 袁奇峰、李萍萍：《广州市沙面历史街区保护的危机与应对》，《建筑学报》2001 年第 3 期。
18. 李萍萍、袁奇峰等：《从“云山珠水”走向“山城田海”》，《城市规划》2001 年第 3 期。
19. 王蒙徽、段险峰、袁奇峰等：《在快速发展中寻求均衡的城市结构》，《城市规划》2001 年第 3 期。
20. 袁奇峰、李少云、林木子、朱志军：《广州环市东路城市广场设计探寻》，《建筑学报》2000 年第 3 期。
21. 袁奇峰：《广州市解放路特别意图区规划探索》，《城市规划》1997 年第 2 期。
22. 袁奇峰、林木子：《广州市第十甫、下九路传统骑楼商业街步行化初探》，《建筑学报》1998 年第 3 期。
23. 袁奇峰：《城市生活空间建设初论》，《云南工学院学报》1992 年第 8 期。
24. 蒋省三、刘守英：《土地资本化与农村工业化——广东省佛山市南海经济发展调查》，《管理世界》2003 年第 11 期。
25. 薛凤旋、杨春：《外资：发展中国家城市化的新动力——珠江三角洲个案研究》，《地理学报》1997 年第 3 期。
26. 桑东升：《珠江三角洲地区村镇可持续发展的实践反思》，《城市规划汇刊》2004 年第 3 期。
27. 谭启宇、王仰麟等：《集体土地国有化制度研究——以深圳市为例》，《城市规划学刊》2006 年第 1 期。
28. 丛艳国、魏立华：《土地紧缩政策下珠江三角洲工业园区发展

态势分析》,《城市发展研究》2006 年第 6 期。
29. 宁越敏:《新城市化进程——90 年代中国城市化动力机制和特点探讨》,《地理学报》1998 年第 5 期。
30. 孙施文、奚东帆:《土地使用权制度与城市规划发展的思考》,《城市规划》2003 年第 9 期。
31. 殷洁、张京祥、罗小龙:《转型期的中国城市发展与地方政府企业化》,《城市问题》2006 年第 4 期。
32. 赵民、吴志城:《关于物权法与土地制度及城市规划的若干讨论》,《城市规划学刊》2005 年第 3 期。
33. 程开明:《城市偏向视角下的农地征用》,《农村经济》2006 年第 12 期。
34. 黄祖辉、汪晖:《非公共利益性质的征地行为与土地发展权补偿》,《经济研究》2002 年第 5 期。
35. 靳东晓:《严格控制土地的问题与趋势》,《城市规划》2006 年第 2 期。
36. 敬东:《城市经济增长与土地利用控制的相关性研究》,《城市规划》2004 年第 11 期。
37. 卢新海、邓中明:《对我国城市土地储备制度的评析》,《城市规划学刊》2004 年第 6 期。
38. 裴小林:《集体土地制:中国乡村工业发展和渐进转轨的根源》,《经济研究》1999 年第 6 期。
39. 温国明、程俊超:《城市建设中农村集体土地补偿方式的新探索》,《城市规划》2006 年第 9 期。
40. 杨明洪、刘永湘:《压抑与抗争:一个关于农村土地发展权的理论分析框架》,《财经科学》2004 年第 6 期。
41. 张宏斌、贾生华:《土地非农化调控机制分析》,《经济研究》2001 年第 12 期。
42. 陈江龙、曲福田、陈雯:《农地非农化效率的空间差异及其对土地利用政策调整的启示》,《管理世界》2004 年第 8 期。
43.《前世今生话深圳——对话凤凰卫视时事评论员朱文晖先生》,

《南风窗》2005年第7期（下）。
44. 赵晓：《国六条之后，对“人人有住房”和“人人有房住”的反思》，《中国不动产》杂志。
45. 张志斌、李雪梅：《城市产业结构调整与空间结构优化的研究——以兰州市为例》，《干旱区资源与环境》2007年第12期。
46. 刘艳军、李诚固、徐一伟：《城市产业结构升级与空间结构形态演变研究——以长春市为例》，《人文地理》2007年第4期。
47. 方远平、毕斗斗：《国际大都市服务业结构与功能特征》，《城市问题》2007年第12期。
48. 方远平、毕斗斗：《国内游憩商业区（RBD）研究述评》，《当代经济管理》2007年第4期。
49. 蒋峻涛：《深圳城市中心区的空间演进》，《城市建筑》2005年第5期。
50. Kim Hun-Min, A Comparative Study on Industrial Competitiveness of World Cities, International Review of Public Administration, 2004, 9 (1): 57 ~ 69.
51. 李文波、蔡禾等：《改革开放下广州社会结构变迁》，《中山大学学报论丛》1997年第6期。
52. 王健民：《关于广州社会结构的若干问题》，《探求》2002年第1期。
53. 赵毅等.《16 ~ 17世纪中国社会结构问题笔谈》，《东北师大学报》（哲学社会科学版）1999年第1期。
54. 夏建中：《城市社区基层社会管理组织的变革及其主要原因——建造新的城市社会管理和控制的模式》，《江苏社会科学》2002年第1期。
55. 郝彦辉：《制度变迁与社区公共物品生产——从“单位制”到“社区制”》，《城市发展研究》2006年第5期。
56. 王琳：《城市基层民主建设的新形式——对广东“业主委员会”的调查引发的思考》，《理论月刊》2006年第8期。
57. 张岸等：《深圳市城市内部人口与社会空间结构研究》，《南方

人口》2006 年第 3 期。

58. 艾大宾、王力:《我国城市社会空间结构特征及其演变趋势》,《人文地理》2001 年第 2 期。

59. 魏立华等:《20 世纪 90 年代广州市从业人员的社会空间分异》,《地理学报》2007 年第 4 期。

60. 魏立华、闫小培:《1949—1987 年（重）工业优先发展战略下的中国城市社会空间研究：以广州市为例》,《城市发展研究》2006 年第 2 期。

61. 从屹:《城市土地有偿使用制度的改革与实践》,东北财经大学博士学位论文 2001 年。

62. 李志刚、吴缚龙:《转型期上海社会空间分异研究》,《地理学报》2006 年第 2 期。

63. 吴启焰、崔功豪:《南京市居住空间分异特征及其形成机制》,《城市规划》1999 年第 12 期。

64. 刘玉亭等:《转型期城市低收入邻里的类型、特征和产生机制:以南京市为例》,《地理研究》2006 第 6 期。

65. 何树青:《一个没有中心的城市成了明星城市》,《新周刊》2004 年第 22 期。

66. 姚华松、薛德升、许学强:《城市社会空间研究进展》,《现代城市研究》2007 第 9 期。

67. 刘筱等:《社会分裂——转型中的中国城市面临的挑战》,《城市规划汇刊》2002 年第 2 期。

68. 蓝宇蕴:《关于城市流动人口管理的反思———以广州市为例的研究》,《思想战线》2007 年第 4 期。

69. 陈怡、潘蜀健:《广州城乡结合部管理问题及对策》,《城市问题》1999 年第 5 期。

70. 程家龙:《深圳特区城中村改造开发模式研究》,《城市规划汇刊》2003 年第 3 期。

71. 杜杰:《都市里村庄的世纪抉择——关于深圳市罗湖区原农村城市化进程的调查报告》,《城市规划》1999 年第 9 期。

72. 房庆方、马向明、宋劲松：《城中村：我国城市化进程中遇到的政策问题》，《城市发展研究》1999年第4期。
73. 韩潮峰：《我国“城中村”问题的研究》，《经济师》2004年第1期。
74. 敬东：《“城市里的乡村”研究报告——经济发达地区城市中心区农村城市化进程的对策》，《城市规划》1999年第9期。
75. 蓝宇蕴：《城中村：村落终结的最后一环》，《中国社会科学院研究生院学报》2001年第6期。
76. 蓝宇蕴：《都市村社共同体——有关农民城市化组织方式与生活方式的个案研究》，《中国社会科学》2005年第2期。
77. 蓝宇蕴：《城市化中一座“土”的“桥”——关于城中村的一种阐释》，《开放时代》2006年第3期。
78. 李斌：《“2004深圳年度事件”之：从梳理行动到城中村改造》，《南方都市报》2005年1月5日。
79. 李立勋：《广州市城中村形成及改造机制研究》，中山大学博士论文，2001年。
80. 李培林：《巨变：村落的终结——都市里的村庄研究》，《中国社会科学》2002年第1期。
81. 李培林：《村落终结的社会逻辑——羊城村的故事》，《江苏社会科学》2004年第1期。
82. 李培林：《透视“城中村”——我研究“村落终结”的方法》，《思想战线》2004年第1期。
83. 李郇、黎云：《农村集体所有制与分散式农村城市化空间——以珠江三角洲为例》，《城市规划》2005年第7期。
84. 李增军、谢禄生：《都市里的村庄现象》，《经济工作导刊》1995年第8期。
85. 刘梦琴：《石牌流动人口聚居区研究——兼与北京“浙江村”比较》，《市场和人口分析》2000年第5期。
86. 田莉：《“都市里的村庄”现象评析——兼论乡村—城市转型期的矛盾和协调发展》，《城市规划汇刊》1998年第5期。

87. 魏成：《我国转型时期城市更新问题研究》，华南理工大学硕士论文，2004 年。
88. 魏成、赖寿华：《珠江三角洲大都市地区高密集城中村的形成——一个分析框架》，《现代城市研究》2006 年第 7 期。
89. 魏成、陈烈、唐常春：《制度约束与路径选择——珠江三角洲高密集城中村治理改造的困境与出路》，《热带地理》2007 年第 2 期。
90. 吴晓：《“城中村”现状调查与整合——以珠江三角洲地区为例》，《规划师》2004 年第 5 期。
91. 吴智刚、周素红：《城中村改造：政府、城市与村民利益的统一——以广州市文冲城中村为例》，《城市发展研究》2005 第 2 期。
92. 谢志岿：《化解城市化进程中的“城中村”问题》《特区理论与实践》2003 年第 8 期。
93. 许学强、周春山：《论珠江三角洲大都会区的形成》，《城市问题》1994 年第 3 期。
94. 轩明飞：《“城中村”城市化：问题困境中的悖论》，《探索与争鸣》2006 年第 2 期。
95. 薛凤旋、杨春：《外资：发展中国家城市化的新动力——珠江三角洲个案研究》，《地理学报》1997 年第 3 期。
96. 闫小培、魏立华、周锐波：《快速城市化地区城乡关系协调研究——以广州市“城中村”改造为例》，《城市规划》2004 年第 3 期。
97. 姚一民、谈锦钊：《广州“城中村”转型和社区发展调研》，《规划师》2004 年第 5 期。
98. 赵过渡、郑慧华、吴立鸿 等：《“城中村”社区治理体制研究——以广州市白云区柯子岭村为个案》，《国家行政学院学报》2003 年第 3 期。
99. 周大鸣、高崇：《城乡结合部社区的研究——广州南景村 50 年的变迁》，《社会学研究》2001 年第 4 期。

100. 周大鸣：《泛都市区与珠江三角洲城市化未来发展方向》，《广西民族学院学报》（哲学社会科学版）2004年第2期。
101. 左正：《“珠江三角洲模式”的总体特征与成因》，《经济理论与经济管理》2001年第10期。
102. 李津逵：《城中村的真问题》，《开放导报》2005年第3期。
103. 潘毅：《打工者：阶级的归来或重生》，《南风窗》2007年5月（下）。
104. 仇保兴：《当前我国城市规划管理体制改革的若干重点》，《规划师》2004年第1期。
105. 石楠：《试论城市规划中的公共利益》，《城市规划》2004年第6期。
106. 广州市城市规划局：《广州城市总体发展概念规划的探索与实践》，《城市规划》2001年第3期。
107. 陈秉钊：《他山之石，攻我陈规——谈城市规划的改革，国外城市规划》2000年第3期。
108. 邹兵、陈宏军：《敢问路在何方？——由一个案例透视深圳法定图则的困境与出路》，《规划评论》2003年。
109. 朱介鸣、赵民：《试论市场经济下城市规划的作用》，《城市规划》2004年第3期。
110. 潘裕娟、陈忠暖：《珠江三角洲城镇体系规模等级变动研究》，《云南地理环境研究》2005第17卷第2期。
111. 林若：《八十年代初期湛江地区的农村改革》，《广东党史》1999年第3期。
112. 马恩成：《广东农村改革二十年》，《广东经济》1998第2期。
113. 王涛、李秀珍、梁向阳：《包产到户先行者吴堂胜访问记》，《广东党史》2004年第5期。

三、其他

1. 从这里打开——纪念中国经济特区成立20周年，http：//histo-

ry. pupk. com/huaxiajiyi/20061209/854. html。

2. 《特区经济发展对珠海的启示》，http：//www. zsyzw. cn/news/5/67/483/list/65061. htm。

3. 《深圳市城市总体规划（2007—2020）》（深圳市人民政府），2008 年。

4. 《深圳与珠江三角洲城市协调发展研究——深圳市城市总体规划（2007—2020）专题研究报告》，中山大学地理科学与规划学院，2008 年。

5. 《珠海市东部沿海地区总体发展概念规划》，中山大学地理科学与规划学院。

6. 《珠海 2030 现状调研报告（2005）》，中国城市规划设计研究院。

7. 包宗华：《解决好我国住房问题的核心与关键》，中国江苏网，2005 年 8 月 26 日。

8. 宋春华：《应建立新住房消费模式》，中国证券报，2006 年 11 月 3 日。

9. 徐滇庆：《经济适用房的理论困境》，搜房网，2005 年 7 月 14 日。

10. 赵晓：《真正需要反思的是住房发展模式》，《21 世纪经济报道》2006 年 5 月 22 日。

11. 王石：《如何实现居者有其屋（在分化与和谐的十字路口）》，王石博客，2006 年 8 月 15 日。

12. 邓锋：《物业税改革真能抑制房价吗?》，《中国房地产报》2006 年 6 月 19 日。

13. 易宪容：《可能导致灰色区域，我反对“限价房”》，中国广播网，2006 年 10 月 20 日。

14. 北京国际城市发展研究院战略研究部课题组：《城市定位：深圳谋划“区域性国际化城市”的前前后后》，2005 年。

后　记

《改革开放的响应空间——广东城市发展 30 年》终于脱稿了，与其说这是一本广东城市 30 年的历史书，不如说是一本关于广东城市 30 年历史的书，客观讲这更像是一本《广东城市发展 30 年观察》。今天离开改革开放 30 年这个“时间点”也还有半年，现在试图写完一本“30 年史”本来就是一件不可能完成的任务，或许要再等十年或者更长时间，等很多事情尘埃落定、铅华洗尽，历史的本原才会显露出来。

我们从接受任务开始就没有敢想去写一本历史书，虽然有幸亲身经历了中国近代以来最为激荡的 30 年经济社会变革和城市发展，虽然当下正巧也站在改革开放 30 年这个历史的门槛上，虽然写的也是一个历史性的话题，但是写作中很多时候就好像是在讨论刚刚发生在昨天的事，而且自己可能还身陷其中，本身就是事件的一部分。正是由于“只缘身在此山中”，因此就难免主观，所以才会有“文责自负”之说。虽然主要的责任应该由我负，但是鉴于写作的时间紧、任务重，因此肯定需要很多人来与我一同负责任。他们是：

第一章，袁奇峰、郭炎、黄光庆、肖华斌；第二章，袁奇峰、杨廉、谢植雄、邱加盛；第三章，杨廉、袁奇峰、邱加盛；第四章，周丽亚、郭炎、谢植雄；第五章，郭炎、袁奇峰、魏衡、谢植雄；第六章，袁奇峰、郭炎、张卉芬、谢植雄；第七章，魏成、袁奇峰；第八章，袁奇峰、谢植雄、邱加盛、马小亚、彭卓见、方远

平。特别感谢广州地理研究所黄光庆教授，华南理工大学魏成和华南师范大学方远平等几位老师如约按时、按质、按量的义务劳动，他们所完成的章节为全书增添了亮色。

要特别鸣谢广东省社会科学院丁力教授，广东省城乡规划研究院原院长林玉明高级规划师、总规划师马向明教授级高级规划师，原广东省经济体制改革委员会黄挺副主任，广州市城市规划局原总规划师史小予高级规划师，中山大学李郇教授在本书写作过程中对书稿的中肯批评与指导。他们的指导让我们少走了不少弯路，也让我们知道自己还有很多不足，知道这个写作话题是多么的需要再深入、再丰富，他们的鼓励使我们对广东省城市发展问题产生了持续研究下去的愿望。感谢广东省建设厅房地产处的杜挺处长、珠江三角洲办公室的朱国鸣科长、广东省城市发展研究中心宋劲松主任在关键时刻为我们提供了相关资料和信息支持。

这套丛书从策划到完成，得到了广东省委常委、宣传部部长林雄同志的大力支持。林雄部长对丛书提出了指导性意见，并多次过问丛书的进展情况。省委宣传部蒋斌副部长、省委宣传部理论处杜新山处长等同志对丛书的写作给予了具体指导。丛书立项作为广东社科基金规划项目，得到了广东省社科规划办的支持。在此一并致谢!

中山大学对这套丛书高度重视，成立了丛书课题组，由党委书记郑德涛同志牵头，党委副书记梁庆寅同志具体负责，蔡禾教授、社科处李仲飞处长、刘运国副处长具体组织实施。从 2007 年 4 月到 2008 年 8 月，课题组先后召开了开题报告会和四次讨论会，丛书完成初稿之后，组织了校内外专家匿名审稿和会议审稿。这套丛书的顺利完成，是与上述同志和专家的关心、支持和辛勤劳动分不开的。

与大学同窗一次偶然谈话，经由一场不期而遇的广州人才交流会，我于 1994 年 12 月来到广州。

在同济大学读研究生的时候，也曾与导师邓述平教授来过一次广东。发现广州是一个很活跃的城市，富人有富人的活法，穷人有穷人落脚的地方，任何人在这里都很容易找到自己的定位。正是广东多元文化的包容和多样性给了像我这样许许多多“新客家”机会，我们也将自己的智慧贡献给了广东，这些年来我先后主持和参与过广州、深圳、珠海、佛山、东莞、顺德、南海、惠州、河源、湛江、韶关、肇庆、梅州、江门等城市的规划设计项目。1999年接手广州市珠江新城规划检讨，我开创性地提出了建设广州21世纪中央商务区（GCBD21）的愿景，并被政府和市场广泛认同。在2000年广州市城市发展概念规划中，我提出了广州市城市发展要从“云山珠水”走向“山城田海”。我首倡“亚运城市”概念，提出建设“文化广州、商业广州、活力广州、绿色广州”，借2010年亚运会提升广州的国际城市地位……广州城市规划院赋予我一个施展才华的平台，使我连续多次获得建设部优秀规划设计奖，2001年还获得“广州市建设者奖章”。感谢李萍萍、史小予、潘安、王蒙徽、段险峰、陈建华、潘忠诚等师友的指点和包容，使我能够享受工作带来的愉悦和成就感。

2005年12月，在接到中山大学地理科学与规划学院院长保继刚教授的邀请3年后，在原城乡建设部总规划师陈晓丽女士、华南理工大学教授何镜堂（工程院）院士、原广东省高教厅厅长许学强教授联合推荐下，我终于下定决心辞去广州市规划院院长助理、总规划师的职务，放弃优厚的待遇，借中山大学推行“百人计划”的东风重新回到教学岗位，重操旧业。一方面，“文革”造成的人才断裂让我们过早地在规划设计一线挑上了重担，我个人在规划院的发展已经碰到天花板，如果不转向行政工作就会挡住年轻人发展的路；另一方面，刚刚人到中年年富力强的我还想在专业上有所建树，大学对想坚守专业梦想的我应该是一个好的选择。

秉持理论联系实际的教育理念，近年来我又带领学生完成了“珠海市东部沿海地区总体发展概念规划”国际咨询（第二名，2006年）、“东莞市东城区发展规划研究”（2006年）、“南京市江宁东山新市区中心体系规划”（广东省优秀城乡规划获奖项目，2006年）、“南海大沥镇商贸综合发展区城市设计”国际竞赛（第

一名，2007 年)、“深圳城市总体规划专题——深圳与珠江三角洲城市协调发展研究”（2007 年)、“广州城市总体发展战略”咨询(2007 年)、“佛山市南海区城镇发展战略规划”咨询（第一名，2008 年)、“河源市高新技术开发区发展策略研究”（2008 年)、“南京汤山新城启动区城市设计”国际竞赛（第三名，2008 年）以及“河南省鹤壁城市总体规划专题——城市空间结构形态发展研究”（2008 年）等。

作为 1980 年代的大学生，与国家一同苏醒，伴随改革开放一起成长，我们是中国社会转型时期培养的第一代人；比 1960 年代革命时代的大学生少了一些理想主义，又比 1990 年代商业化时代的大学生少了一些现实主义色彩，关心国家大势，还算是有理想和追求的一代人；如果事业发展理想，又能够兼顾生活质量，就能找到平衡点，其实能够选择干自己喜欢干的事，已经很幸运！

袁奇峰

2008 年 6 月 4 日于康乐园